百 年 南 开
日本研究文库

日本现代政治史论

王振锁 著

江苏人民出版社

图书在版编目(CIP)数据

日本现代政治史论/王振锁著. —南京:江苏人民出版社,2019.7

(百年南开日本研究文库)

ISBN 978-7-214-23290-8

Ⅰ.①日… Ⅱ.①王… Ⅲ.①政治制度史-日本-近现代 Ⅳ.①D731.39

中国版本图书馆 CIP 数据核字(2019)第 047478 号

书　　名	日本现代政治史论
著　　者	王振锁
责任编辑	卞清波
特约编辑	叶　觅
装帧设计	刘葶葶
责任监制	王列丹
出版发行	江苏人民出版社
出版社地址	南京市湖南路1号A楼,邮编:210009
出版社网址	http://www.jspph.com
照　　排	江苏凤凰制版有限公司
印　　刷	江苏凤凰数码印务有限公司
开　　本	652毫米×960毫米　1/16
印　　张	29.25　插页4
字　　数	386千字
版　　次	2019年8月第1版　2019年8月第1次印刷
标准书号	ISBN 978-7-214-23290-8
定　　价	102.00元

“百年南开日本研究文库”出版说明

2019年南开大学建校百年校庆，作为中国教育史上的大事，当然是值得纪念的。

如何使纪念百年南开的活动具有历史意义？我们很早就开始谋划和筹备。早在2015年春节期间，南开大学日本研究院原院长、教育部人文社会科学重点研究基地南开大学世界近现代史研究中心主任杨栋梁教授，向江苏人民出版社王保顶副总编提起，想以集体展示日本研究院研究成果的形式来纪念南开百年校庆。这一提议得到了保顶同志的大力支持，也得到了研究院各位同事的积极响应。后来经过商讨，编委会一致同意以“百年南开日本研究文库”作为南开日本研究者纪念百年校庆丛书的名称，本文库由江苏人民出版社和南开大学出版社分别出版。与百年校庆相适应，“百年南开日本研究文库”也应该是百年来南开日本研究业绩的展现。为此，编委会确定本文库由以下几个方面的成果构成。

第一，从南开大学创立到抗日战争胜利时期南开的日本研究成果。刘岳兵教授搜集相关文稿四十余万字，编成了《南开日本研究(1919—1945)》。这是一本专题性的南开大学校史资料集，对于研究和总结包括南开大学在内的这一时段中国日本研究的状况和特点，具有重要的史料价值。

第二，新中国建立以来，南开大学成立的实体日本研究机构研究者的成果。实体研究机构包括1964年成立的日本史研究室、2000年实体化的日本研究中心和2003年成立的日本研究院。

第三，1988年组建的南开大学日本研究中心，是以日本史研究室成员为核心，联合校内其他系所相关日本研究者成立的综合研究日本历史、经济、社会、文化、哲学、语言、文学的学术机构。在百年南开日本研究的历史发展中，日本研究中心具有重要的意义。本文库也包括该中心成员的成果。

今后，如果条件成熟，还可以将日本研究院的客座教授和毕业生的优秀成果也纳入这个文库中，希望将本文库建设成为一个开放的、能够充分且全面反映南开日本研究水平的成果展示平台。

在中国百年来的日本研究中，南开占有重要的一席之地。历史的发展和南开的先贤告示我们：日本研究对于中国的发展至关重要。中日关系值得我们认真思考，其经验教训值得认真总结。百年来，南开大学的日本研究者孜孜以求，探寻日本及中日关系的真相，取得了一定的成绩。吴廷璆先生主编的《日本史》(南开大学出版社1994年)，是南开大学与辽宁大学两校日本研究者倾注近20年心血合力打造出来的。杨栋梁教授主编的十卷本“日本现代化历程研究丛书”(世界知识出版社2010年)及六卷本《近代以来日本的中国观》(江苏人民出版社2012年)，也几乎是倾日本研究院全院之力而得到了学界认可的标志性研究成果。另外，在日本国际交流基金的资助下，南开大学日本研究中心从1995年开始由天津人民出版社出版的“南开日本研究丛书”，展现了中心成员在日本研究各具体专题上的业绩，产生了积极的社会影响。这些成果都是南开日本研究者集体智慧的结晶。

“百年南开日本研究文库”是南开大学日本研究院和南开大学世界近现代史研究中心相关学术成果的集体展示。我们相信，本文库将成为南开大学日本研究和南开大学世界史学科“双一流”建设的又一项标志性成果，她将承载南开精神、贯穿南开日本研究学脉，承前启后，为客观地了解日本、促进中日关系健康发展做出新的贡献；我们也想以此为实现“发展同各国的外交关系和经济、文化交流，推动构建人类命运共同体”的理想，培养全民族的国际视野和情怀，提高广大人民群众的世界历史知识和认识水平，尽我们的一份绵薄之力。

“百年南开日本研究文库”编辑委员会

2019 年 3 月 19 日

目　录

序　章

日本的历史与中国不能同日而语，但若从弥生时代算起，也历经两千余年，其间主要是漫长的封建社会，明治维新以后才进入近现代社会，此后的历史也就是日本的近现代历史。

近现代日本政治史，也始自明治维新，但作为前史，应从幕藩体制的解体和幕末政治开始述及。幕末和明治维新至今已有 140 余年，其间日本从一个幕藩割据的封建社会走向现代民主制国家，虽历经多次反复与曲折，但就总的趋势来看，近现代日本政治史仍是一部走向政治民主化和现代化的发展史。

一　近现代日本政治史的基本脉络和主要内容

140 余年的近现代日本政治史，大体可以划分为如下五个阶段。

(一) 从幕藩体制到明治宪法体制

幕藩体制是德川幕府建立之后的基本统治方式，在整个江户时代，德川家的世袭将军是日本实际上的最高统治者。但天皇作为创造日本国家的神的子孙，在江户时代仍是封建秩序的最高精神权威，历任将军的"征夷大将军"称号也都是由天皇授予的。

为防止幕藩体制的瓦解，德川幕府先后实行了三次幕政改革，即享保改革、宽政改革和天保改革。三次改革，除享保改革取得一定成效外，宽政、天保两次改革均未成功。此外，幕府末期的多次农民起义也从根本上打击了德川幕府的统治基础。

在对外关系方面，德川幕府的基本政策是"锁国"，美国决定以武力迫使日本开国，佩里两次率"黑船"驶入江户湾，要求日本"开国"。面对威压，1854 年幕府被迫签署了《日美亲善条约》。通过《日美亲善条约》的签订，美国迫使日本走出了开国的第一步。随后，英、俄、荷等国援引美国先例，陆续胁迫幕府签订了类似的"亲善条约"，这意味着延续 200 余年的幕府的锁国体制彻底崩溃。

在幕藩体制内部矛盾加剧以及西方列强施加外部压力的背景下，德川幕府采取了开国政策。在当时的各种政治思潮中，"尊王攘夷论"逐渐在幕末政治潮流中居于主流地位，成为推翻幕府政权的重要思想武器。

为了维护幕府统治和对抗尊王攘夷运动，幕府采取了"公武合体"政策，试图协调幕府与朝廷之间的关系。为此，他们积极推进朝廷与幕府之间的政治联姻，在西南强藩中，长州藩、萨摩藩相继借公武合体运动进入中央政界。

以萨长两藩为核心的倒幕势力，高举"大政奉还"的旗帜，于 1868 年发动了"王政复古"政变，并最终通过戊辰战争消灭了幕府势力。戊辰战争的终结，标志着德川幕府的彻底灭亡和明治新政府的最后胜利。

明治时代(1868—1912)的前半期，是日本由封建幕藩体制国家向近代中央集权国家的过渡期。明治初期，在日本国内形势动荡不安的背景下，政府推行了如下的一系列政治改革，以巩固政权基础并建设近代国家。

明治天皇颁布的《五条誓文》表现出建设近代国家的积极精神。新政府公布的《政体书》，规定实行太政官体制，此后，太政官体制随着日本国内形势的变化又历经数次调整。

“奉还版籍”和“废藩置县”在日本的近代化历程中具有极其重要的意义:第一,它彻底消除了封建领主的分散割据状态,完成了国家和民族的统一;第二,它保障了改革措施以前所未有的广度和深度在全国范围内实施,加速了日本的资本主义化进程。“秩禄处分”与“士族授产”则是新政府进行的对封建等级身份制度的改革。

为了摆脱落后地位,明治政府在改造封建国家旧体制的同时,积极推进国家的近代化建设,提出了“殖产兴业”“文明开化”“富国强兵”三大政策。

“征韩论”问题则是明治政府在国家近代化进程中所面临的巨大政治挑战,政府内部围绕着“征韩论”问题发生了严重分歧。分歧实质上反映了政府内部保守派与急进派在今后施政指导方针上的论争,即“内主外从”还是“外主内从”。该问题如何发展直接影响到政府的存在。

1889年颁布的《大日本帝国宪法》即《明治宪法》,在日本政治史上占据着重要地位。在亚洲各国中,《明治宪法》是第一部宪法,具有一定的历史进步意义。另一方面,它所规定的日本近代天皇制,是藩阀专制的延续和发展,其本质是借天皇大权之名,维护特权财阀利益,由极少数军阀、官僚、贵族实行寡头专制。

《明治宪法》的最大特点是“天皇中心主义”,其最大弊端也在于“天皇中心主义”,尤其是“天皇统率陆海军”和“天皇决定陆海军之编制及常备兵额”的规定,使得军权独立于国家行政权力系统之外,军权对施政权的干预度,使它时时处在政权的“监护人”与“接管者”的地位,给国家政治生活蒙上了浓重的军国主义阴影,最终给整个国家和社会带来了灾难性的后果。这一体制本身所孕育的特殊权力,反过来成为了体制的掘墓人。

(二) 走向帝国主义和法西斯体制

明治初年日本政府就提出了“大力充实军备,耀国威于海外”的方针,随后逐步确立了向中国和朝鲜进行侵略扩张的“大陆政策”。

1894年爆发的甲午战争是日本明治政权对中国所发动的一场侵略战争，日本资本主义由此迅速发展并开始向帝国主义过渡。甲午战争结束后，日本开始作为帝国主义国家中的一员参与瓜分世界，直至发动了日俄战争(1904—1905)。日俄战争是一次帝国主义战争，以日俄战争为转折点，战后日本社会发生了一系列重大变化，表明日本开始进入帝国主义阶段。与其他帝国主义国家相比，日本是一个既具军事性，又具封建性的军事封建帝国主义国家。

随着日本进入帝国主义阶段，军部的地位进一步提高。军事部门直属天皇；军队有“帷幄上奏”权，并可以操纵内阁，左右国政。一方面，日本政府通过各种途径对国民进行所谓“爱国主义”教育，用武士道精神“武装”国民的头脑；另一方面，用暴力手段对人民实行法西斯统治。对内从政治上和思想上压制民众的觉醒，对外镇压殖民地的民族运动，朝着强化反动体制的方向越走越远。

1914年第一次世界大战的爆发对日本来说是一个天赐良机。这次大战中，日本垄断资本急剧膨胀起来，日本帝国一跃变成世界五强之一。伴随资产阶级现代化的进程，日本国内政治形势也发生了变化。

第一次世界大战不久，日本一批法西斯分子发起了一个“国家改造”运动。在日本陆军和海军内部，都出现了国家改造运动的核心人物和组织。右翼团体也与军部相互呼应，投入到国家改造运动。与此同时，改造国家是与对外侵略相辅相成的，1931年侵华战争的爆发就是证明。

在这之后，日本帝国主义不仅要继续扩大侵华战争，而且企图对亚洲、太平洋地区其他国家进行侵略扩张。相继爆发的全面侵华战争(1937—1945)和太平洋战争(1941—1945)，就是贯彻实施这项侵略方案的必然结果，这表明天皇法西斯专政已基本形成。

发动全面侵华战争后，在国内建立了战争体制，近卫内阁实行所谓国民精神总动员，决心要发动一场更大规模的侵略战争。近卫新体制是典型的日本式法西斯统治体制。新体制运动的出现，标志着日本式的法西斯独裁体制的确立。

太平洋战争时期，日本法西斯统治达到登峰造极的地步。东条内阁为加强法西斯的大政翼赞体制，把各个部门管辖的法西斯团体都划归大政翼赞会领导，并建立了自上而下的统一的法西斯自治系统。

(三) 美国的占领与旧金山体制

1945年日本无条件投降后，由美国单独占领。美国政府公布的《日本投降后美国初期对日方针》的基本精神是在日本推行“民主化”和“非军事化”政策。

驻日盟军总司令麦克阿瑟决定采取通过日本政府进行统治的间接占领方式。实行间接统治而不实行军政，这就是美国对日本的占领体制。

美国占领当局实施了一系列民主化政策，促使日本的旧统治体制迅速解体。主要包括：解除日军武装；保障思想、宗教、言论、集会的自由；废除《治安维持法》等一系列剥夺自由的法律、敕令及法规；释放政治犯；废除秘密警察及一切言论统制机构；罢免内务大臣、警视总监、特高警察等官吏。这标志着天皇制国家的治安机构解体，日本向民主化道路迈出了第一步。

随后，麦克阿瑟下达了“五大改革”指令，承认妇女参政权，修改《众议院议员选举法》，着手制定《工会法》，废除军国主义教育，实行国家与神道分离，冻结皇室财产，解散超国家主义团体等。还有解散财阀、解除公职、农地改革以及修改宪法等重大改革指令。盟军最高司令官总司令部(简称盟总)向日本政府下达的《关于解除不适宜从事公务者公职之备忘录》和《关于废除政党、政治结社、协会及其他团体之备忘录》，即“解除公职令”，是美国对日占领政策的一个重要组成部分，在以民主化和非军事化为目标的日本战后改革中占有重要一页，对日本战后政党的形成和走向产生了重大影响。

吉田内阁时代(1948—1954)在日本战后史上占有极其重要的地位，为日后日本的政局稳定和经济发展奠定了基础。吉田时代完成了三件大事：一是战后日本经济复兴与自立；二是《旧金山对日和平条约》（简称《旧金山和约》）的签订；三是日本的重新武装初具规模。这三件大事，都与美国对日政策的转变息息相关。可以说，追随美国的全球战略和维护日美关系是吉田时代推行各项内外政策的基石。

1951 年《旧金山对日和平条约》的签订，意味着日本在法律上取得独立，建立了"旧金山体制"。但这也是日本在政治上、军事上对美从属的开始。

如果说战后初期的日本群众运动，是以经济斗争为主，那么，进入 1950 年代以后，随着美国对日占领政策的改变与日本政府反民主路线的贯彻执行，尤其是《旧金山和约》签订、旧金山体制建立以后，日本人民的群众运动明显地表现为以政治斗争为主的和平民主运动。反对美军基地是这一时期的主要斗争形式之一。1950 年代初期的群众运动，是日本新宪法中和平、民主精神的具体体现和实践，对吉田内阁的反民主路线起到重要的制约作用。

（四）"五五年体制"的确立与自民党"一党优位制"

鸠山内阁时期（1954—1956）在日本战后史上具有划时代意义。因为无论从经济上讲还是从政治上讲，它都是一个承前启后的时期。在经济上，日本经过十年恢复，从此开始进入高速增长的起飞阶段；外交上，实现了日苏邦交正常化和加入联合国，为日本走向国际社会迈出了第一步。"五五年体制"也始于鸠山内阁时期。

社会党是日本战后成立最早的政党。但由于其成分复杂，政见不一，1950 年以后，左、右两派决裂，成立了右派社会党和左派社会党，这种分裂状态大约持续了 4 年之久。

朝鲜战争结束以后，日本政府推行了一系列倒行逆施的反民主路线和重新武装政策。为此，左、右两派社会党意识到有必要联合起来共同对付这股逆流。经过 4 年分裂之后，社会党又最终实现了统一。

保守党的合并，原因是多方面的：社会党特别是左派社会党日益强大，两派社会党统一的动向加强，甚至有可能出现社会党政权，日本财界对此深感不安，力促保守党合并；在保守党方面，很多人也在积极推进保守联合。于是社会党统一 1 个月后，自由、民主两党举行自由民主党成立大会，这样，一个统一的保守新党从此诞生。

政治上，由于左右两派社会党的统一和自由、民主两大保守党合并为自民党，日本形成长达 30 多年的“五五年体制”。从此，开始了长达 38 年的自民党长期政权，确立了自民党“一党优位制”。1957 年岸信介内阁的建立，意味着“五五年体制”从政治上所要达到的目标基本完成。

岸信介内阁时期(1957—1960)确立了所谓“岸体制”，对革新政党和人民群众运动采取强硬姿态。岸信介强行修改《日美安保条约》，新《安保条约》增强了日美军事同盟的危险性，所以导致日本人民如火如荼的反安保斗争。

反安保斗争作为日本“战后”型反体制斗争，是最大的一次，同时也是最后一次。以后随着国民经济的高速增长和人民生活的迅速提高，再没有出现过如此大规模的群众运动。

自民党在安保斗争中的最大经验教训，就是避免重新突出政治主义，而走经济优先的道路。这一政策的具体体现者就是取岸信介而代之的首相池田勇人。池田内阁采取“低姿态”政策，提出“宽容与忍耐”的口号，使政府以“中庸”面孔示人。池田的经济优先政策主要体现为对内实行《国民收入倍增计划》，对外实行进口贸易自由化政策。

1960 年代至 1970 年代连续执政 7 年 8 个月的佐藤政权，基本上继承了池田内阁经济高速增长的政策，是自民党政权的黄金时代，1968 年日本成为资本主义世界第二经济大国。佐藤之所以能长期执政，很大程度上得益于时代的恩惠与机遇。

1970 年代初至 1980 年代初的 10 余年间，是自民党政权动荡的 10 年，其间，田中内阁因“金权政治”败露而下台，出现了有名的大平正芳和福田赳夫之间的“大福之争”。大平内阁时期经历了惊心动魄的“四十天抗争”，大平正芳心力交瘁死于任上。大平之死，使自民党在众参两院同时选举中取得了出乎预料的胜利。

在“保革伯仲”的有利形势下，各在野党开始探讨成立联合政权的可能性。但围绕联合政权构想，在野党意见不一，各行其是，不但帮助自民党得以维持政权，而且将原来共同努力建立起来的“革新自治体”推向了解体。

1980年代长期执政的中曾根内阁的内外政策既代表了上层垄断资本的阶级利益，也反映了下层民众不断滋长的“大国意识”，顺应了日本社会发展的潮流，其“1986年体制”论，是一种设想自民党作为优势政党连续执政的体制。

中曾根康弘是个典型的保守主义政治家，一贯主张修改宪法。中曾根内阁所推行的“战后政治总决算”，在国内政策方面，主要包括实行行政、财政、教育三大改革，并大幅度调整防卫政策，增加防卫经费。在对外关系方面，追求其政治大国的发展目标，拓宽亚太外交、协调南北关系。中曾根内阁提出的“战后政治总决算”口号的根本目的就是要做政治大国。中曾根长期政权不仅确立了“政治大国”的发展目标、实现了政治转折，而且国内政局发展较为平稳、内阁支持率较高，是自民党“一党优位制”演变历程中的又一个“黄金期”。

1989年是日本政坛动荡之年。昭和天皇裕仁“驾崩”，皇太子明仁即位，改年号为“平成”。宇野宗佑继任自民党总裁，在“绯闻事件”和参议院选举失败的压力下引咎辞职，成为仅存在67天的“超短命”内阁。

继任的海部内阁力主“政治改革”，以求打破“金权政治”体制，所以海部内阁支持率较高。但他也正因为其推行政治改革的“新政”形象而被迫下台。

其后上台的宫泽内阁的主要政绩，是在公明、社民两党的支持下通过了《协助联合国维持和平活动法案》（简称PKO法案），从此揭开了自卫队向海外派兵的序幕。但宫泽内阁一直为金丸事件等“金权政治”丑闻所困扰，由此产生的政治改革压力不仅促使自民党局部分裂，而且导致执政长达38年之久的自民党政权垮台。

（五）联合政权与“后自民党时代”

1993年自民党下台后，日本七党一派共同组成了以日本新党代表细川护熙为首相的“非自民党”联合政权，从此，日本政局进入了错综复杂、变幻莫测的联合政权时代。

一般认为，细川内阁通过的“政治改革相关四法案”是“保守维新”，虽然推动了日本保守政治的进一步发展，但有很大的局限性。

“先天不足”的羽田孜内阁执政不到两个月便匆匆辞职。村山联合内阁的成立，既是自战后初期片山内阁以来再次组成的以社会党为首的内阁，也是自民党下野10个月后重新执掌政权的开始。严重对立的自民、社会两党联手组建新政权，表明冷战后日本政党政治中的意识形态因素进一步淡化，权力争夺成为影响政界分化改组的主要因素。

在村山内阁期间，执政的社会党反而一直处于衰退之中，这是因为政党地位的变化迫使执政的社会党不得不大幅度调整该党先前的方针政策，而社会党基本路线的转变，对社会党自身势力的发展产生了严重消极影响。最后社会党也正式更名为社会民主党（“社民党”）。

1994年，9个在野党派共同创建“新进党”，成为一支能与自民党相抗衡的强大势力。新进党的成立，标志着1990年代初期新党林立的局面暂告结束，并极大地推动了日本政界分化改组的进程。

以中央省厅重组为核心的行政改革，是桥本龙太郎内阁的主要业绩。日本国会通过的《中央省厅等重组基本法》，确立了中央行政机构改革的基本法律依据。中央行政机构改革的主要内容是精简行政机构、减员增效、强化内阁机能，突出首相的领导作用和主导地位，创立独立行政法人制度等。

1997年，新进党解体，次年成立的民主党以“民主、中道”作为政治理念，成为仅次于自民党的第二大政党。民主党的崛起，反映了日本社会政治发展的倾向，即从中央集权型政治向大众民主政治形态的转变。

进入21世纪，小泉内阁以“彻底改革派”姿态出现，对经济、财政、行政、社会政治等领域进行了“没有禁区的改革”，改革力度大，范围广泛。完成道路公团民营化改革之后，重点转向邮政民营化。小泉内阁所推行的“结构改革”历程，尽管一波三折，但对日本经济的发展发挥了积极作用。

小泉内阁在对外关系方面，将日美同盟作为日本外交的基轴，大力推行亲美外交。在强化日美同盟的框架下，日本的政治、军事大国化步伐进一步加快，政治右倾化倾向明显增强。小泉提出修改宪法、为自卫队正名、参拜靖国神社等具有浓厚“鹰派”色彩的政治主张，并将其视为“无禁区改革”的一部分。

小泉首相提出的“改变自民党”的口号和推行的“结构改革”路线，目的是重新巩固自民党的执政党地位。“小泉效应”及其“另类性格”与以往历任首相的形象形成鲜明对比，深受日本国民的欢迎和期待，内阁支持率较高，对自民党势力的发展也产生了一定的积极影响，但为了适应社会多元化进程并维持执政党地位，未来自民党仍必须不断加强执政党能力建设。

二　近现代日本政治的两面性

如上所述，纵观近现代日本政治史，历经100多年，经过若干曲折和坎坷，日本终于从一个封建社会转化为具有现代文明的法制社会和民主国家。要而言之，作为主线，近现代日本政治史，就是一部政治民主化与现代化的历史。但是，毋庸置疑，在100多年的政治民主化和现代化的历史进程中，作为副线，又始终凸显着极端民族主义、法西斯主义和新国家主义的思潮和行动。近现代日本政治史明显地具有这样的两面性。

作为主线，近现代日本政治史上，历次重大政治变革和制度革新都是对政治民主化和现代化的极大促进。在这一过程中，自由民权运动、“大正德谟克拉西”①和二战后新宪法下的政治改革这三次政治民主化高

① “大正德谟克拉西”是指大正时期民主运动和民主思想，始于第一次护宪运动（1912—1913），止于第二次护宪运动（1924—1925），其内容是要求实现资产阶级立宪民主政治，反对专制主义统治和扩军备战的军国主义统治。

潮就是其突出表现。

自由民权运动是明治前期的资产阶级民主运动，它反对专制政府，要求参政权、开设国会、实施自由民主、制订宪法、减轻地税和修改条约。自由民权运动由上而下在全国范围内发展，推动了立宪体制的最终确立，在日本的近代化进程中具有积极意义。

自由民权运动的兴起，在日本国内有着深厚的社会基础和思想基础。当时，日本国内新兴的中小资产阶级、地主、一般工商业者等社会阶层为了确保自身的生存与发展，迫切要求拥有政治发言权，以便自身的经济利益得到保障。即使包括农民在内的下层民众，也要求彻底废除封建制度，实行一些新的改革，以便摆脱贫困和不安。他们构成了自由民权运动发展的重要物质基础。同时，自明治初期以来，欧美各国的宪政主义、自由主义、国家主义等思想相继传入日本，产生影响，并逐渐演变为一种反政府的政治理念。另一方面，明治政府也在探讨如何学习欧美各国的近代国家制度，以便取得“君民共治”的成果，最终实现确保民族独立的国家目标。因此，对日本而言，自由民权运动顺应了民族、民主的时代潮流。

大正时期(1912—1926)是一个社会激烈动荡、价值观多元化、多种政治思潮竞存、重新探索国家发展方向的重要历史时期。“大正德谟克拉西”是继自由民权运动之后，日本政治史上第二次民主化高潮。

如果说明治初期“文明开化”思潮是推动日本现代化的精神动力，那么，“民本主义”思潮作为“大正德谟克拉西”的灵魂，则进一步推动了日本的现代化进程。可以说，“德谟克拉西”在近代成为资产阶级主张“尊重人权”和“自由、平等、博爱”，号召从贵族压迫中求解放的标语口号，19 世纪以后则成为无产阶级主张从资产阶级的压迫中求解放的标语口号。而且，在 19 世纪后期，“德谟克拉西”不局限于政治，甚至在经济上、产业上、教育上和精神上等社会所有方面都有了相应的主张。

在大正时期，日本国内发生了“米骚动”①，出现了普选运动的高潮，兴起以打破官僚势力为宗旨的护宪运动和政党政治，同时也出现了社会主义思潮以及无政府主义。

大正初期的“德谟克拉西”思想和运动，是以民本主义为中心而展开的，“德谟克拉西论争”也是围绕民本主义进行的。所谓民本主义，就是说，不管从法理层面上讲主权属于谁，在行使这一主权时，在主权的运用上，必须把重心放在普通民众的利益、幸福及其意向方面。这一定义显然包含两方面的内容：第一是政权运用的目的在于普通民众的利益；第二是在运用政权、决定方针政策时，必须遵从普通民众的意愿。换言之，第一是“为人民的政治”，第二是“由人民决定的政治”。这就是民本主义所要求的两大纲领。

大正时期的政治思潮异常活跃，其内容大体可分为六类：国家主义和皇室中心主义思潮、民本主义思潮、极端国家主义思潮、无政府主义思潮、理想主义思潮、社会主义及马克思主义思潮。民本主义思潮是“大正德谟克拉西”的主要指导思潮，是大正时期民主运动的主流思潮，在整个运动中发挥着主导作用。

吉野作造的“民本主义”思想，在大正时期整体政治思潮中居于主流地位，很快成为大正民主运动的指导思想。由于他的思想代表了广大中小资产阶级及广大民众的利益，所以“民本主义”思想能够团结民众。由于“民本主义”巧妙地回避了“国家主权所在”的问题，因而能避免与天皇制及《明治宪法》的正面冲突，其主张能够得到统治者的认可，所以“民本主义”获取了最大的政治实效。就“民本主义思潮”在大正时期政治思潮中的地位及作用而言，在战前日本社会中具有一定的可行性。可以说，吉野作造的“民本主义”的要求也为二战后日本民主改革奠定了战前基础。

---

① 米骚动，是日本历史上规模最大的一次因米价上涨而引起的全国性人民暴动。这次运动历时53天，波及1道3府38县，参加人数达数百万人，数万人被捕。

二战后,《日本国宪法》的制定是日本战后政治改革的最重要内容,重新制定的《日本国宪法》标志着日本开始全面实行西方现代民主制。新宪法从国民主权主义、和平主义、尊重基本人权这三大原理出发,集中反映了资产阶级思想理论体系,是一部比较完整的资产阶级宪法,从而在日本首次确立了资产阶级民主主义的政治体制。尤其值得注意的是,新宪法具有两个明显的特征:一是"象征天皇制";二是放弃战争和非军事化。

新宪法第一条开宗明义规定:"天皇是日本国的象征,是日本国民整体的象征,其地位以主权所在的全体国民的意志为依据。"宪法虽然也规定天皇有权公布宪法修正案、法律、政令及条约,召集和解散国会,公布举行国会议员的选举等,但这些权力的行使,必须"根据内阁的建议与承认","天皇只能行使本宪法所规定的有关国事行为,并无国政的权能"。这样,天皇由战前的"神圣不可侵犯"变为"日本国的象征",从明治宪法体制时的总揽国家大权的顶点地位降至新宪法体制中无任何实际权力的象征性元首地位。这就是战后的"象征天皇制",也有人称其为"虚君国会内阁制"。

新宪法的第二个特点是放弃战争和非军事化。宪法第九条规定:"日本国民衷心谋求基于正义与秩序的国际和平,永远放弃以国权发动的战争、武力威胁或武力行使作为解决国际争端的手段。……为达到前项目的,不保持陆海空军及其他战争力量。不承认国家的交战权。"这一非军事化条款可以说是日本新宪法的最大特色。宪法第九条反映了当时反法西斯联盟各国铲除日本军国主义的要求与愿望,同时也是日本政府和人民对从战争走向失败这一惨痛道路反思的结果。

吉田内阁根据《日本国宪法》的有关规定,制定了一系列与之相应的法律。其主要内容如下:改革议会制度,国会成为国家的最高权力机关和唯一的立法机关,真正体现了现代资产阶级国家的"三权分立"的政治原则;改革内阁制度,内阁成为名副其实的议院内阁,一切行政事宜均由内阁处理,内阁权力大大加强;改革地方自治制度,使地方自治制度在较大程度上排除了中央集权官僚的束缚，强化了地方自治的权力。

此外，新宪法体制下的政治改革还有：改革选举制度（包括地方选举制度的改革）；改革司法制度，制定了《法院法》和《检查厅法》，规定一切司法权属于最高法院及其下属法院，使得最高法院成为与国会、内阁并列的独立机构，排除了国会和内阁对司法的干涉，实现了三权分立；制定了《国家公务员法》，把战前的官吏制度改称为公务员制度，形成了比较完整的现代化国家和地方公务员管理体制。

但是，从另一方面看，作为副线，在日本政治史的全过程中，又始终凸显着极端民族主义、法西斯主义和新国家主义的思潮和行动，这也是不争的事实。

民族主义是近代以来最强大的政治和社会力量之一。它的存在价值，首先在于能最大限度地聚合一个国家或民族的能量，即具有无限的统合民众的功能。因此，近代历史上，它曾作为面临外压或被压迫的民族的一种意识形态，在抵抗外来侵略而实现民族独立方面，发挥了积极进步的作用。

然而，民族主义永远是一把"双刃剑"，它的负面价值表现为极端民族主义。极端民族主义以牺牲个人权利和自由为前提，这种现象在近代日本尤为严重。明治政府从政治、法律、教育等各个方向，自上而下推行反动的官方民族主义，即树立天皇及国家的绝对主义地位，倡导绝对的"忠""孝"伦理，以此来统合国内的民众。这便是日本近代天皇制极端民族主义诞生的历史土壤。

近代日本通过对外扩张，把民众的能量引向亚洲国家。到甲午战争前后，日本便形成了整个国家规模的反动，其民族主义也发展为它的极端形态——天皇制军国主义。甲午战争是极端民族主义确立起来的主要标志，也是近代日本走向封建军事帝国主义的开端。以甲午战争为标志，日本近代极端民族主义规定了近代日本军国主义的发展方向，其破坏性能量最终以法西斯主义的形式在20世纪显示出来，给人类带来了巨大的灾难和无法抹去的痛苦记忆。

第一次世界大战后，日本的军队和民间都相继建立了不少法西斯组织，发起国家改造运动，策划一系列军事政变事件。政府机构也逐渐法西斯化：对内实行法西斯专政，扩军备战，使国民经济进一步军事化；对外积极准备发动侵略战争。

发动全面侵华战争后，为了在国内建立战争体制，保证因扩大战争而急需的庞大兵力和军需物资，近卫内阁开展了法西斯总动员运动，实行所谓国民精神总动员。近卫新体制是典型的日本式法西斯统治体制，新体制运动的出现，标志着日本式的法西斯独裁体制的确立。

近卫新体制的主要内容如下：第一，取缔一切政党，由各资产阶级政党的右翼领导人联合组成"促进新体制同志大会"，强调建立适应新体制需要的政治团体；第二，鼓吹一国一党的法西斯新党运动，提出"一君万民"的国体精神，建立日本式的自上而下的法西斯天皇制体制；第三，建立大政翼赞会，通过这个组织系统去实现天皇制法西斯政治；第四，建立镇压和统治各界人民群众的"报国会"，利用这种"报国会"对工人、农民、青年、妇女等团体强制实行法西斯专制统治；第五，把议会变成翼赞议会，成立"翼赞议员同盟"，控制议会的活动；第六，建立经济新体制。

东条内阁取代近卫内阁后，解散了一切政党和工农团体，把部落会、町内会、邻组等基层组织纳入大政翼赞会，从而完成了统治体制的法西斯改组，以实现高度国防国家体制。在太平洋战争时期，日本法西斯统治达到登峰造极的地步。但是，日本帝国主义发动的长达15年的侵略战争，最后以失败而告终。

日本的战败宣告了极端国家主义的彻底失败。旧体制被摧毁，取而代之以全新的体制，但支撑那个旧体制的思想，却不可能通过一场战争的胜负决定其去留。旧体制中的既得利益者纠合到一起，以各种复归旧体制的形式来进行抵制。战后这部分人对新体制的抵制，以及向战前国家主义内容的部分复归，可以视为战后日本新国家主义的出发点。但时过境迁，完全复归战前是不可能的，所以这些人改头换面，力求复活旧体制中他们认为至关重要的那部分内容。

这种以部分改变内容形式但实际以复活战前国家主义为显著特征的新国家主义在战后一直都没有停止过。然而，碍于国内外形势，这股逆流从 1960 年代开始不得不变为一种蛰伏的潜流。这股逆流再次以新的面目登场始于 1980 年代的中曾根政权。

中曾根政权的“战后政治总决算”，宣告日本战后政治发展已经告一段落，在面向未来，以树立政治大国为目标的层面上，可以说代表了当时乃至其后日本人的某种期待和向往。中曾根政权的新国家主义主张，既有政治大国的新主张，也有宣传天皇意识形态、参拜靖国神社等复活战前国家主义意识的某些成分，因而受到国内外的强烈反对，使其所谓新国家主义政治大大受挫。

新国家主义成为日本社会的主要思潮之一是从 1990 年代开始的。新国家主义思潮和改革思潮兴起的直接原因是国际、国内冷战结构的崩溃。随着苏联的解体和东欧剧变，一直与自民党对立的社会党处境十分不利，被迫进行体制和基本政策的转换。社会党的这一举动使其与自民党的区别模糊不清，自身衰落下去，乃至更名为在国会中无足轻重的社民党。民主党在基本政策上与自民党没有明显的区别。现在各政党中，除日本共产党外，其他各党区别已经很不明显。

与各政党的意识形态色彩淡化相辅相成，日本国民中也出现了总体保守化、非意识形态化的现象。最鲜明的标志是庞大的无党派阶层的出现，无党派阶层占日本选民的一半以上。这说明，日本国民开始渐渐远离意识形态意义上的政治。

三　日本式政治民主化的主要特点

纵观世界近现代史，任何一个国家的政治民主化和现代化，都不是轻而易举和一蹴而就的，都要经过一个漫长的历史过程，付出沉重的代价。而且，由于国情不同，每个国家的民主化道路是千差万别的，其特点也是各种各样的。

日本作为亚洲第一个实现政治民主化和现代化的国家，具有其自身的若干特点，主要体现在以下几个方面。

第一，外力因素发挥了尤其重要的作用。

民主是对整个国家和民族而言的，是对广大人民群众而言的。所以，一般来说，民主政治不会自发运转，它需要外在力量的推动。所谓外在力量，一是指来自国内的自下而上的群众力量，二是指来自国外的强制性推动力。就日本而言，前者突出体现在明治维新后不久的自由民权运动，后者则突出体现在二战后美国占领下实行的政治改革。

一般地说，颁布宪法、开设国会、举行普选、实行政党内阁制度，是近代政治民主化的重要标志。日本的明治维新为资本主义现代化提供了条件，采取了诸如“废藩置县”“秩禄处分”“地税改革”等一系列旨在破坏封建政治、经济社会体制等资产阶级性改革措施，然而日本在明治维新后，却没有随即推行资产阶级政治民主化的政策。

日本的政治现代化起步于 1870 至 1880 年代的自由民权运动。自由民权运动是继明治维新之后的一次资产阶级政治改革运动，其目的是要促使明治政府继续完成政治上的资产阶级改革，建立立宪君主制，加快政治现代化的步伐，以适应日本资本主义现代化发展的需要。自由民权运动在扩大明治维新资产阶级改革的深度和范围上，发挥了一定的促进作用。

日本战后初期的政治民主化进程是在美国占领当局一手操纵下进行的。战后初期的政治民主化措施，都是在美国占领当局直接命令下进行的。美国的《日本投降后美国初期对日方针》的基本精神就是在日本推行“民主化”和“非军事化”政策，提倡个人自由，特别是宗教、集会、言论和出版自由，尊重基本人权，鼓励日本人民建立民主团体，从日本社会体制中铲除法西斯主义、军国主义、封建主义的残余，从而使日本社会走向现代化。

战后日本宪法的修改也是在美国占领当局的直接干预下实现的。日本政府在修宪问题上，与占领当局讨价还价，在最初起草的宪法草案中，只是对旧宪法作了某些词句上的改动，依然保留天皇及其特权。美国占领当局起草的《日本国宪法草案》规定："天皇是国家的象征，又是国民统一的象征……不拥有政治上的权限。"草案还规定，日本"绝不允许设置陆、海、空军及其他战斗力"，"废弃作为国家主权的战争"。

占领当局要求日本政府必须按这个草案修改宪法，日本政府迫于占领当局的强大压力，终于完成并公布了《宪法修正草案纲要》。这一草案表面上由日本政府制定并公布，实际上完全是按照占领当局的意愿行事的。吉田内阁时期在新宪法体制下实行的一系列政治改革，也是在美国占领当局的掌控下进行的。可以说，没有美国占领这一外在条件，战后日本的民主化改革是不可能这样顺利、成功和彻底的。

第二，天皇制一直存在，但战前、战后的天皇制有本质区别。

一种权威和制度，在一个国家内能够长期地延续和发展，自然有其历史的必然性，日本的天皇和天皇制也不例外。

日本天皇制的发展分为古代天皇制、近代天皇制和现代天皇制。古代天皇制的形成代表着日本社会从奴隶社会迈入封建社会。在古代天皇制发展的过程中，并非天皇都有实权，权力在很长的时间内分别旁落到外戚、贵族以及武家幕府手中，直到明治维新天皇才又重新掌权。

近代天皇制肇始于明治维新，意味着日本社会从封建走向半封建、半资本主义的社会。明治宪法的出台标志着近代天皇制的确立，在这个制度中，天皇是国家权力的中心和顶峰，帝国议会、内阁、枢密院和军部四根支柱构成了国家机器的主体，使得天皇大权独揽，如同封建时代的君王。

现代的天皇制是在美国占领日本的外力压迫下产生的。美国占领当局在经过利益权衡之后，没有废除天皇制。之所以如此，首先是担心一旦废除天皇制，将会引起日本人对美国和占领军的仇恨，从而给实施体现美国意图的占领政策带来困难；其次，担心废除天皇制的做法将在客观上鼓励日本进步势力的发展，这对美国来说，当然是不能容忍的。但是，如果天皇制全盘保留下来，不仅将为反法西斯盟国所不容,也将是美国自己的一大隐患。于是美国把天皇作为无任何实权的“象征”保留了下来。天皇成为日本人统合的象征,且被美军与保守政党所利用。

战后日本的天皇,虽然处于象征性国家元首的地位,但仍要处理很多政务,尤其是外交事务。据说,天皇每年平均处理各类文件大约在一千件以上,另外要出席各类仪式、会议,接见外国宾客等。时至今日,世界帝制接连崩溃,除日本外,目前没有任何国家存在“皇帝”(Emperor),也可以说,日本天皇是世界历史上独一无二的最后的“皇帝”。

总之,日本天皇制是日本政治发展过程中的一大特色,战前“绝对王权”的天皇制和战后的“象征天皇制”有着根本的区别,而日本天皇的影响力也随着时代的推移而越来越弱。

第三,战后日本基本上是自民党“一党独大”。

西方现代政治民主的基本元素是两大资产阶级政党轮流执政,但日本的情况却不同,在战后大部分时间里,基本上是自民党“一党独大”的局面,其他在野党只是在国会中发挥着制约作用。

在战后初期的10年里,虽然一度“乱党林立”,但政党势力的主体还是以自由党和民主党为首的保守政党,战后初期的政治民主化改革,也基本上是通过这些保守政党政权来实现的。

在长达38年的“五五年体制”时期,政权由保守政党牢牢地把握,但同时也包容了一部分社会民主主义的内含(构建福利国家、救济弱势群体等)。为此,一方面镇压日本共产党过激的社会主义革命运动(这一点在“五五年体制”成立之前就基本做到了),一方面允许稳健的社会主义政党(具体说是社会党)在议会制民主范围内的活动,实现了保守党优位的“两大政党制”。“万年在野党”社会党在国会的势力大约相当于自民党的二分之一,所以实际上是一又二分之一政党制。在野党通过院内外斗争,加速了日本政治民主化的进程。

1993年,执政长达38年之久的自民党政权跨台,代之以多党联合政权。但是,日本政党政治体制的这次变革,本质上只是新旧保守势力之间的政权易手,新保守政治势力取代了传统保守政治势力,政权的阶级性质没有任何改变,日本政治从"保革对立"进入了"保保竞争"时代。从政党体制的角度看,"五五年体制"的本质是日本自民党的"一党优位制"。"五五年体制"的崩溃,则意味着日本社会的多元化和一党支配下的民主"变形"。

自民党下台后不久,便又以联合政权的形式重掌权柄,进入所谓后自民党时代,直至今日,实际上是形成了新的自民党"一党优位制"。

新进党的解体,意味着冷战后在日本建立"两大政党制"的进程严重受挫。新进党解散后一分为八,日本政界再度出现小党林立的局面。在野党势力的分散化,使得原本遭到削弱的自民党的执政党地位相对增强。

现在,民主党以"民主、中道"作为政治理念,成为仅次于自民党的第二大政党。民主党的崛起,反映了日本社会政治发展的倾向,即从中央集权型政治向大众民主政治形态的转变。

以"彻底改革派"自居的小泉内阁所推行的"结构改革"对日本经济的发展发挥了一定的作用,巩固了自民党的执政党地位。从某种意义上说,小泉的政治改革取得了一定的成效。

第一章　战前的日本政治体制

一　战前日本政党的兴起

(一) 日本政党的起源

战后日本的多数政党，追根溯源，大都发端于战前。

1868 年，明治政府推翻德川幕府封建统治之后，建立起统一的中央集权国家。此后，在政治、经济、社会文化等方面进行了一系列资产阶级改革，这就是“明治维新”。但是明治政府的改革很不彻底，保留了诸多封建和半封建因素。其中，大资产阶级、大寄生地主阶级与农民群众和中小资产阶级的阶级对立成为当时的主要矛盾。自由民权运动就是在这种社会矛盾背景下产生的。

自由民权运动的产生与西方资产阶级思想的影响也有着密切的关系。明治政府在发展资本主义的同时，大量吸收西方资产阶级的文明。这些西方文明，既有英国的功利主义，也有法国的天赋人权论等自由民主思想。在自由民主思想的影响下，以板垣退助等人为代表，在日本兴起了一场以天赋人权思想为依据的资产阶级民主运动——自由民权运动。

日本政党的发端，肇始于自由民权运动。1874 年(明治七年)1 月 12 日，由因倡议征韩论失败而下野的四参议板垣退助、后藤象二郎、江藤新平、副岛种臣，以及从欧洲考察议院制度回国的小室信夫和古泽滋等组织了“爱国公党”，这是日本最先成立的政党。①

板垣退助等人之所以采用“公党”一词，是当时的士族自负以天下政治为己任，标榜与此前以争夺政权为目的的“私党”或“朋党”有所区别。严格说来，从当时的党员构成来看，因多属士族，所以爱国公党还不能算是“现代政党”，而属“名望家政党”的性质。正如欧美的政党是从“名望家政党”转化为“现代政党”那样，日本政党的最初形态也是一种“名望家”士族阶层，是为了对抗掌握政权的政府而组织的一种政治性俱乐部，后来才发展为现代政党的形式。

爱国公党在宣告成立的《本誓》中发表了关于权利的宣言，强调说：“天之生斯民也，即赋以不可移易之通义权理。此通义权理，乃天所均赐人民者，不可以人力移夺者也。”指出“我国数百年以来，封建武断之制，以其民为奴隶之余弊，尚未全部消除”，“苟不由此改正，则欲扬我国威，富我国民，焉能得哉?”②爱国公党打算以“通义权理”为跳板，引导“奴隶”之“民”走向“爱君爱国之道”，成为“自主自由、独立不受压制之人民”。利用这样产生出来的国民力量，实现“扬我国威，富我国人”的富国强兵。

1 月 18 日，爱国公党以 8 人的名义向左院提出《建议设立民选议院建白书》。建白书的宗旨是“鼓舞天下士气”，引导“驯服”的人民走向“维持、振兴天下之道”；要求设立“民选议院”作为人民参政的场所；制定“定律”(宪法)，以确定以参政权为核心的“通义权理”，从而阻止“有司恣意横行”。这里所说的民选议院，“不外是整顿与完善原来由各藩推选议员的议院体制，试图扩大解释《五条誓文》的内容而已”，“既非由此建立新的议院，又非立即普及人民直接选举代表的权利，而只是使士族与豪农、

① 信夫清三郎:《日本政治史》第二卷，上海译文出版社 1988 年版，第 432 页。

② 同上书，第 433 页。

豪商暂时单享此项权利而已”。①

爱国公党的《建议设立民选议院建白书》，在日本启蒙思想家中引起很大反响，他们对建白书纷纷提出了各自的见解。这些反响大致可分为两种：一种是以明六社成员加藤弘之所代表的尚早论；另一种是津田真道所代表的赞成论。加藤弘之认为，在“开化未全之我邦”设立民选议院为时尚早；津田真道则认为，设立民选议院，目的在于促进开化，振兴“国家之元气”，从而振作“国威”，这和爱国公党建议设立民选议院以“鼓舞天下士气”的意图是一致的。

在禁止结社的日本组织起来的爱国公党，明确提出了由人民选举的代表组成立法机构。尽管这里所指的人民还只是“豪农、豪商和士族”，但仍具有一定的进步意义。当《建议设立民选议院建白书》被政府拒绝时，自由民权运动这一资产阶级民主运动便以此为导火线发展起来。

爱国公党约历时半年，便因政府的镇压而被迫解散。1874 年 2 月，爱国公党发起人之一江藤新平因“佐贺之乱”②被判处枭刑。同年 4 月，板垣退助等人回到故乡高知县创立了“立志社”，作为推动自由民权运动的主体。1875 年 2 月，以立志社为核心，各地政治团体汇集于大阪，建立了“爱国社”。《爱国社协议书》称：“今日召开此次会议，经过互相研究和磋商，欲以伸张各自的自主权利，尽人类应尽的义务，小则保全一身一家，大则维护天下国家之道，增进天皇陛下的尊荣与福祉，使我帝国与欧美列国并峙屹立。”③

日本政府对爱国社的成立及其活动有所畏惧，为瓦解自由民权运动，劝诱板垣退助再度入阁任参议。板垣入阁后不久，爱国社解散。1878 年 4 月，自由民权派决定以立志社为核心重建爱国社。9 月 11 日，在大阪召开了重建爱国社第一次代表大会，有数十人参加，他们大部分

① 宇田友猪等编：《自由党史》上卷，五车楼 1910 年版，第 108、112 页。

② 1874 年 2 月，佐贺县出身的江藤新平和前秋田县县令岛义勇为首的不满士族反对维新政权的武装叛乱。

③ 升味准之辅：《日本政治史》第一册，商务印书馆 1997 年版，第 153 页。

是旧爱国社的有关人员。《复兴协议书》也与旧爱国社的“协议书”基本一样，没有要求开设国会和自由民权的字样。1879 年 3 月，在大阪召开了第二次大会，由来自 18 个县 21 个社的 80 余名代表参加，其中绝大多数是九州和四国的士族结社的代表。

1879 年 9 月，爱国社又在大阪召开了第三次全国大会，由 19 个社的代表参加。会议决定在第四次大会前拟出开设国会的请愿书，要求开设国会的请愿运动很快在全国范围内展开。1880 年 3 月 15 日至 4 月 8 日，爱国社在大阪召开第四次大会，全国 2 府 22 县的 114 名代表参加了会议。与会代表决定这次大会改称“国会期成同盟”第一次大会。大会向日本政府递交了《开设国会请愿书》，提出扩大资产阶级民主、确立政治自由等要求。该请愿书虽遭政府拒绝，但引起全国性请愿活动的高涨。据统计，仅在 1880 年 1 年内，各地提交的建议书、请愿书就有 85 件，全国 34 个县的 24.6 万人在上面签了名。

在这种形势下，国会期成同盟和全国各地的政治团体有了很大发展。1880 年 11 月 10 日，国会期成同盟在东京召开大会，加入同盟的人数达 13 万余人，大会决定以人民的实力争取开设国会。可以说，这是日本真正意义上政党的起源。① 因为参加这次大会的不仅限于国会期成同盟的人，所以这次会议不叫同盟第二次大会，而称为大日本有志公会。②

在这次会议上，有人曾提议建立自由党，但以几票之差被否决。接着，在同一时期召开的爱国社会议上，代表们提议解散爱国社而成立新党。进入 12 月，制定出《自由党建立盟约》4 条，可以认为这是自由党的起步。但是，各派对立和竞争使党首和组织都没有确定下来。自由党名副其实的正式建立，应该说是在 1881 年 10 月。

随着国会期成同盟等民权派开设国会的要求不断高涨，引起政府内当权派的意见分裂。参议伊藤博文主张采取渐进方式，而参议大隈重信

---

① 五十岚仁：《现代政治概说》，法律文化社 1993 年版，第 153 页。
② 升味准之辅：《日本政党史论》第一卷，东京大学出版会 1966 年版，第 290—298 页。

因受福泽谕吉的影响而主张立即开设，两派对立日渐加深，结果 1881 年 10 月，以大限重信为首的少数派被逐出政府，确立了以伊藤博文为中心的萨长藩阀政权。这次政局动荡及同一时期一系列人事更迭，被称为“明治十四年政变”。

这次政变后，政府立即发布诏书，允诺 1890 年开设国会，用以缓和舆论。为此，在野各团体立即着手组织政党，以备将来参加立宪政治。1881 年 10 月 1 日，到东京参加有志公会会议的板垣退助、后藤象二郎、中岛信行等人开会，决定成立自由党，随后着手起草组织条例。10 月 18 日召开自由党成立大会，会上通过了《自由党盟约》和《自由党章程》。自由党的成立，在日本近代政治史上具有划时代意义，可以说，从自由党成立起，日本才有近于完备的正式政党。①

在当时农民占八成的日本社会，报纸是扩大政党势力的主要武器。自由党党报《自由新闻》创刊于 1882 年 6 月，每年度发行量超过 100 万份，作为一个政党的报纸，这样的发行量在当时还是相当可观的，当时最大的报纸《读卖新闻》也不过 500 万份左右。

自由党成立不久，就遭到日本政府的镇压。1882 年 2 月，福岛县令三岛通庸到任伊始便对其心腹说：“我是从政府秉承三项密令来赴任的，扑灭自由党为其一，援助帝政党为其二，修筑道路为其三。”②

1882 年 6 月，日本政府为镇压自由民权运动和自由党，对《集会条例》作了修改，加重了惩罚的条款，规定集会不得“公开议论政治”，并下令解散政党社团。1883 年 4 月修改的《新闻报纸条例》，命令报纸发行人交纳保证金；因报刊的报道而犯罪时，报刊员工及负责人均按共犯处理。

自由党成立之后，经过 1 年多的活动，加深了同下层农民和中小商品生产者的联系，得到显著的发展。但政府慑于其激进的政策，采取了镇压和怀柔的两手政策。在这一政策面前，自由党领导人中开始出现动

---

① 陈永逢：《日本政府与政治》，台湾黎明文化事业公司 1979 年版，第 553 页。

② 升味准之辅：《日本政治史》第一册，商务印书馆 1997 年版，第 173 页。

摇甚至脱党现象。首先是自由党领导人板垣退助和后藤象二郎。在伊藤博文和外相井上馨的劝诱下，板垣和后藤决定出国历访欧洲，从而引起党内的坚决反对，导致党内分裂，党的机关报《自由新闻》编辑部长马场辰猪等人为此愤然脱党，板垣作为自由民权运动象征的形象也大受影响。

板垣的出国，是政府蓄谋分裂自由党领导层的策略。板垣出国前留下的《漫游欧洲宗旨书》强调“今日为农闲之时”，认定“我党所谓国家多事之秋不在今日”，并预计“我国形势愈益危急、愈益紧蹙之时，应在他日”。[①] 但是，就在板垣出国的1882年11月10日，政府在福岛县袭击了自由党的基层组织，给自由党的组织以致命的打击。

在政府软硬兼施的政策下，自由党内部发生对立与分裂。上层领导干部改良主义色彩渐浓，下层党员日益激进化，党内分为左右两派。与此同时，明治政府趁机挑拨自由党和立宪改进党的关系，激化两党的对立。

1883年6月，板垣和后藤回国。但他们没有针对政府的镇压行为采取相应措施，而是认为当时那样搞民权运动的做法已落后于时代，主张在必然到来的立宪制下，要“上下合作”“官民协调”。这说明自由党领导层的方向已经发生变化。如果说政府是朝着建立立宪制度每日每月都在前进，那么自由党则在逐日逐月地倒退。回国后的板垣，未能收拾党内外的混乱局面，自由党面临分崩离析的危机，朝着解散的道路上走去。

由于政府种种镇压和党内纷争，自由党领导人决定解散自由党。自由党从正式成立起，到1884年10月29日解散止，正好存在了3年，党的总理始终是阪垣退助，解散时党员也不过2 200余人。[②] 而且，自由党成立的目的是为响应政府诏书的号召，为开设国会进行政党活动，而不是

① 信夫清三郎：《日本政治史》第三卷，上海译文出版社1988年版，第128页。
② 北冈伸一：《自民党》，读卖新闻社1995年版，第14页。

想把自由民权运动进行下去。自由党是由中小地主、富农、非特权工商业者和士族出身的激进知识分子、民权主义的代表、农民和城市小资产阶级组成的全国性政党，其纲领是谋求扩大自由、保障权利、增进幸福、改善社会，为确立良好的立宪政体而努力。但由于自由党内包括各个阶级和阶层的人物，所以党内思想也是各种各样的，既有人主张包括武装起义在内的反体制运动，也有人主张通过武力侵略亚洲，还有人主张应参加到政权中去。

1882 年 4 月，自由民权人士中的渐进派推举被逐出政府的大隈重信为总理，成立“立宪改进党”。如其名所示，该党不希望进行激进的变革，主张渐进的政治改良。其成员多半属于中产阶级的知识分子，主要地盘在城市，包括城市工商业者、地方大地主、知识分子和三菱之类的大资产阶级，提倡采取英国式的政治理论及制度，坚决反对自由党主张的共和政体，要求实行限制选举、两院制和政党内阁制。

应该说，改进党在反对藩阀政府的斗争中，与自由党的目标是一致的。建党初期，在有关日本对外关系问题上，自由党和改进党都主张实行和平中立政策，反对日本侵略中国和朝鲜，两党的立场也是基本一致的。

自由党和改进党的建立，奠定了后来日本两大政党的基础，标志着战前日本两大资产阶级政党体系的形成。两党成立之初，为对抗自由党和立宪改进党，在伊藤博文等的授意下，由福地源一郎等人组成“立宪帝政党”，参加者多为政府官员、旧士族和大地主等保守势力，对自由党和立宪改进党进行攻击。该党声称其主张和内阁方针完全一致，所以被称为“御用政党”。翌年，按照政府的旨意，立宪帝政党宣布解散。

1884 年 10 月 29 日，自由党在大阪召开了解散党的大会。在建党 3 周年的纪念日，自由党结束了仅有 3 岁的历史。自由党解散后不久，改进党亦因内部不统一，总理大隈重信和副总理河野敏镰于 1884 年 12 月脱党，至此，立宪改进党实际上也处于解散状态。

(二) 资产阶级政党的发展

自由民权运动虽遭受挫折,但为运动的再度兴起创造了条件。1884年,政府为了确保克服通货膨胀以及扩张军备的财政资金,颁布了《地税条例》。这项条例废除了在地税改革时规定将3%的地税率(1877年减为2.5%)减轻至1%的条款,还废除了第6年将修改地价(第6年即1880年,届期又后延5年)的条款,使地税率永远固定为现行地价的2.5%。许多在通货紧缩过程中因负债而丧失土地的豪农和自耕农强烈要求减轻地税,准备发动新的运动。城市中的学生则形成了一个新的知识阶层。要求减轻地税的农民和感觉敏锐的学生,寄希望于1890年即将开设的国会,开始发挥新的活力。

自由党解散后,其系统内部成员于1886年10月召开了全国有志者恳谈会,会上各派摈弃前嫌,以“求大同存小异”为宗旨,号召各派联合起来,在全国范围内开展统一的反政府运动,其目的在于重建已遭挫折的自由民权体制,把政府即将开设的国会转变为自由民权的国会。1887年在全国范围开展了以“言论自由”“减轻地税”“刷新外交”等三件大事为中心的建议运动,使自由民权运动大有复兴之势。

1887年5月,民权派在大阪召开全国志士恳亲大会,与会者203人,板垣退助也从高知前来参加会议。同年10月,原自由党领袖后藤象二郎组织了“丁亥俱乐部”,号召旧自由党和改进党进行“大同团结”,逐渐成为运动的领导者。对此,明治政府于1887年12月26日公布了《保安条例》,以“阴谋内乱”“妨碍治安”等罪名,把片冈健吉、中江兆民等570名民间政治活动家逐出东京,片冈健吉等15人被判刑。与此同时,政府对自由民权运动采取了分化政策。首相伊藤博文给原自由党总理板垣退助、副总理后藤象二郎和原改进党总理大隈重信叙伯爵,让他们加入华族。他们三人先后同意受爵。翌年2月,大隈重信入阁出任外相,大同团结运动逐渐分裂。不久,后藤象二郎也加入黑田清隆内阁(1888.4.30—1889.10.25)。后藤象二郎入阁后,日本政党完全陷入小党分立状态。大同团结运动分裂为大同俱乐部和大同协和会，前者集中于关东，后者分散于全国各地。明治初年以来的民主运动由此转入低潮。

1889年(明治二十二年)2月11日，日本政府颁布了明治宪法。颁布宪法的敕语声称："帝国议会以明治二十三年(即1890年)召集之。"但是，一手制定宪法的政府却对议会采取所谓的"超然主义"。宪法公布后的第二天，即1889年2月12日，黑田清隆首相在地方官会议上发表演说时称："政府必须常取一定之方向，超然于政党之外，立足于至公至正之道。"①枢密院议长伊藤博文也同意这种说法，认为依靠"操纵政党"来维持超然主义是可能的。

1890年1月3日，板垣退助发表宗旨书，呼吁组织当年标志自由民权运动兴起的爱国公党。原自由党左派的大同协和会迅速于1月21日成立自由党。4月，立宪改进党召开大会，九州同志会倡议召开了九州同志联合会。5月，大同俱乐部举行爱国公党成立大会，大同、爱国、自由三派决定了大联合的方针。7月1日，首次举行众议院议员大选，反政府派获得胜利。反政府的大同团结派(大同俱乐部、爱国公党、自由党)、立宪改进党、九州同志会在300个议席中获得174席，超过了半数。

但是，这种多党林立的状况无助于政党政治的健全发展，因此，大同俱乐部、爱国公党和自由党三派拉拢九州同志会，于1890年9月15日成立了立宪自由党。帝国议会开幕时，众议院共有300个议席，其中立宪自由党拥有议员130人(占43%)，立宪改进党拥有议员40人(占13%)，两党占据了多数席位。② 这是战前明治中期日本政党再生的开端。

当时的首相山县有朋看到自由、改进两个民党③取得了占议席半数以上的胜利后深感不安，他迅速修改了前首相黑田清隆首倡的"超然主义"，提出"三分鼎立之策"。所谓三分鼎立之策就是不让一个政党掌握绝对多数，力图使两个政党相互对立而又保持平衡，同时在平衡的两大

① 指原安三编：《明治政史》，富山房1982年版，第37页。

② 升味准之辅：《日本政治史》第二册，商务印书馆1997年版，第262页。

③ 民党，指日本帝国议会建立时期反对藩阀政府的在野党。

政党中间介入御用政党，用以操纵议会。于是他授意无所属议员于1890年9月成立“大成会”（政府派），大成会拥有79名议员（占26%），与自由党和改进党形成三党鼎立之势。从此以后，日本国内政争迭起，政府多次解散众议院，企图消灭民党势力。后因中日甲午战起，国内政争暂息。

初期议会时代，民间的各党派与藩阀政府斗争，时而遭政府镇压，时而与政府妥协。尽管如此，政府仍不得不正视其存在，并终于确定了政党内阁制。尤其是中日甲午战争之后，进入所谓明治三十年代时，各政党再度重组，成为不容政府忽视的政治力量。

1896年3月，大限重信把立宪改进党与许多小政党合并，组成进步党，并自任党首。1897年12月，自由、进步两党联合其他党派，反对第二届松方正义内阁（1896.9.18—1898.1.12）提出的增征地税方案，并迫使松方内阁辞职。

松方内阁之后，伊藤博文组成第三届内阁（1898.1.12—1898.6.30）。为成立“举国一致”内阁，伊藤同自由、进步两党谈判，但因两党要求过高没有达成协议，于是组成所谓“超然内阁”。在1898年3月15日的第五次大选中，拒绝与伊藤博文内阁合作的自由、进步两党，在300个议席中取得了189个议席（自由党98席、进步党91席），取得压倒性胜利，并且在6月1日，自由、进步两党以247票对27票的绝对多数否决了《增征地税案》。政党的这一行动，给伊藤内阁以极大冲击。伊藤内阁虽解散了议会，但并没有在大选中获胜的希望，伊藤认识到，如果没有自己的政党就不可能与议会的在野党相对抗，于是他下决心组织政党。伊藤的组党计划虽得到藏相井上馨和财界要人涩泽荣一等人的支持，但遭到山县有朋等人的极力反对。在6月24日的元老会议上，伊藤和山县展开了激烈的辩论。

伊藤：既然自由、进步两党联合起来，形同一大敌国出现在我们面前，政府亦只有组建一大政党与之对抗，以便在今后运营议会政治。因此，我想在这个时候亲自联合有识之士和实业家建立一个政党，并率这个党在议会政坛上同反对党堂堂正正地战斗。我想听听诸位的意见。

山县：议院制度伴以政党，是任何人都不反对的，但身居首相的现职而去联合同志建立一个政党，则不可。这将进一步激起官民的攻击，决不能说是上策。又，政府对任何一个政党均应以公平为本义，而如有首相直接参加的友党，则不能在政党之间保持光明正大的态度。首相自身组建政党一事，无论从道理来讲，还是从政策来看，都是不可以的。故我不能同意。

伊藤：我的决心已定。如果在现职上组建政党不可，我甘愿辞去首相之职。

山县：即使辞掉现职去组党，我也不能保持沉默。要知道阁下处于元老的地位，而元老不是负有经常向陛下就重要的国务进谏的责任吗！一位元老主持自己的政党，他就要立即失去不偏不倚的地位。

伊藤（有点厉声厉色）：首相不行，辞去现职也不行，这就是绝对不准我组党。我万不得已，只有拜辞一切官职和勋爵，以一个在野的伊藤博文的身份去组党。以一个在野的人士行动，就不必去参加元老会议了。

山县：阁下的政党组织将要启政党内阁之端。但政党内阁制不是违反我国的国体，有悖钦定宪法的精神，堕入民主政治吗！阁下，你为什么要与党徒鼠辈为伍，作出这种奇怪的反常举动呢？

伊藤：议论政党内阁的可否，只是枝叶末节，重要的是要看是否有助于皇国的发展前途。盖山县君与我对于宪政的根本看法有所不同，又何谈其他！我只能遵这个信念前进而讲求报答君国之道。（再换句话说）我已经决心辞职，请大家讨论后继内阁问题吧。依我之见，奏请圣上命令在议会中拥有大多数议员的新党的领袖大隈重信、板垣退助组阁，是符合宪政的本义的。①

① 春畝公追颂会编：《伊藤博文传》下卷，原书房1970年版，第377—380页。

伊藤因组建新党受阻而辞职，元老中又没有人肯出来组阁，所以推荐大隈重信和板垣退助出来组阁。对这一从天而降的政权，大隈惊喜不已，表示“领会尊意”。而板垣则说：“我真感到意外，而且深知自己不是这种材料。”①大隈和板垣向伊藤表示愿意接受大命。而山县有朋则表示：“本朝政海发生一大变动，明治政府终于被人攻陷了。……败军之将没有必要再谈兵了，我只有引退，别无他途。”②

1898 年 6 月 23 日，自由、进步两党合并组成宪政党。30 日，宪政党“隈板内阁”(1898.6.30—1898.10.31)成立，进步党的大隈重信任首相，原自由党的板垣退助任内务相。宪政党在日本组成了首次政党内阁，它比 1920 年代的政党内阁还更加清一色。在 8 月的大选中，宪政党在众议院获得 260 个议席(占 87%)。

但是，由于“隈板内阁”内部权力分配不均而很快引起内讧，于 1898 年 10 月 31 日倒台，仅仅维持了 124 天。宪政党亦分裂为宪政本党(旧进步党派)和(新)宪政党(旧自由党派)。

1898 年 11 月 8 日，继宪政党内阁之后成立了以山县有朋为首的第二次山县内阁(1898.11.8—1900.10.19)。山县一向极力反对政党政治，上台后制定了一系列限制和分化瓦解政党及政党背后正在兴起的工人农民运动的对策。例如，对原属改进党一派的宪政本党(1898 年 11 月 3 日成立)和原属自由党一派的(新)宪政党(1898 年 10 月 29 日成立)采取“中间突破之策”，以使二者分离，然后对“宪政党加以扶植，使之成为我将来使用之利器”。但必须注意，“此类事情既不能口吐片言只语，亦不可互通消息，只可暗中彼向我送秋波，我亦报彼以青睐”。③ 山县千方百计拉拢宪政党以板垣为首的主要领导人，处处给他们高规格待遇，使他们感到“当议员的尊贵”。这一手确实见效，山县内阁的内外政策很快得到了宪政党的支持。11 月 30 日，山县首相设宴招待宪政党议员，声明

① 春畝公追颂会编：《伊藤博文传》下卷，原书房 1970 年版，第 383 页。
② 苏德猪一郎编：《公爵山县有朋传》下卷，原书房 1969 年版，第 319 页。
③ 信夫清三郎：《日本政治史》第三卷，上海译文出版社 1988 年版，第 330 页。

与宪政党进行“肝胆相照”的合作。但是，为了防止宪政党的“猎官”要求，山县内阁又采取了一系列限制政党势力向官僚军事机构渗透的立法措施。1898 年 3 月，山县内阁为阻止政党猎官，修改了《文官任职令》，宪政党对此大为不满。

政权虽暂时落入厌恶政党的山县有朋之手，但自从宪政党内阁成立后，一般藩军阀官僚就认识到单靠藩军阀官僚势力并非万全之策，因此便群起从事政党活动。其中最积极、并且最先组织政党的便是伊藤博文。伊藤曾于 1898 年 7 月起考察了朝鲜和中国。是年 11 月回国后，为实现组织政党的夙愿，亲赴各地游说，宣传政党在立宪政治中的重要性。

原敬当时是大阪每日新闻社社长，他从 7 月下旬开始同伊藤博文接触，伊藤希望他出山，委托他办理与组建新党有关的一切事宜，并暗示将来请他入阁。

伊藤的新政党——政友会于 1900 年 9 月 15 日成立，政友会设总裁 1 人、总务委员若干人、干事长 1 人和干事若干人，实行总裁专制，伊藤自任总裁。新党的核心成员是，伊藤周围的官财界人士（非议会议员）和议员 152 人，原宪政党党员 111 人，原宪政本党党员 9 人，原其他小会派人士 32 人，可以说是一个政界大联合政党。

为什么起名“政友会”而不称“党”，伊藤博文的解释是：“第一，改变以往的以党为名，此次断然取名为‘政友会’，把中央组织改变为俱乐部，各地也设支部性的俱乐部。……废除以党为名，不外乎是避遭官界或实业界的厌恶，使人们易于加入的一种手段。”①

伊藤组织政党，并不是为了开辟走向政党内阁和政党政治的道路。所以，称“会”而不称“党”，是伊藤想把政友会的组织原则与民党严加区别，使它成为俱乐部组织而不是党的组织，目的是“组织一个标榜天皇主义大义的大政党，压倒自由民权主义的党派”。

伊藤规定入党对象为：1. 无党派现任议员；2. 无党派前任议员；

---

① 信夫清三郎：《日本政治史》第三卷，上海译文出版社 1988 年版，第 342 页。

3. 市长、市长助理、市参议会会员以及市会议员(自由、进步两党党员除外);4. 商业会议所会长、副会长;5. 各大公司经理(资本金额在5万日元以上者);6. 巨额纳税者(自由、进步两党党员除外);7. 府县议会议员(自由、进步两党除外);8. 律师;9. 银行行长(资本额在10万日元以上者);10. 其他各府县名流。总之,伊藤是要把民党排除在外,以城市资产阶级和农村地主乡绅为支柱,建立起政友会。

但是,在政友会成立之前的9月13日,宪政党召开解散大会,决定并入政友会。由于宪政党的并入,伊藤博文所设想的政友会的性质发生了变化,因为政友会内包含了民党,不久便从"俱乐部"开始走向政党化。加速这一步伐的则是政友会成立后立即入党的原敬。原敬入党后不久即担任总务委员兼干事长。

1900年8月,政友会创立委员会成立后,山县首相便要提出辞职,推荐伊藤继任。当时伊藤还不想立即组阁,但党内原敬等人希望早日组阁,认为掌握政权有利于扩大党势。于是,10月19日,伊藤博文成立了第四届伊藤内阁(1900.10.19—1901.5.10),即第一届政友会内阁,这也是日本政治史上的第二次政党内阁。从此,政党在日本国内引起了大家的重视,播下了日后大正时代日本政党政治的种子。

政友会成立之后,日本政党势力虽然日益壮大,但尚不能打倒藩阀势力,于是出现藩阀和政党相互妥协、轮流执政的局面。1901年5月2日,伊藤政友会内阁因内部意见分歧而辞职。6月,由长州军阀桂太郎组阁,成立第一届桂内阁(1901.6.2—1906.1.7)。但因政友会在众议院拥有多数议席,仍可左右内阁。在1902年8月的大选中,政友会在376个议席中获得191席,宪政本党获得95席,帝国党获得17席。在1903年3月1日的大选中,政友会得175席(占47%),宪政本党得85席(占23%),帝国党得17席(占5%)。[①] 政友会在议会的席位过半数或将近过半数,如再加上宪政本党,则在野党已占压倒多数。因此,作为藩阀官

① 升味准之辅:《日本政治史》第二册,商务印书馆1997年版,第324、327页。

僚的桂太郎也不得不与昔日之敌的政友会合作。

但是，作为在野党的政友会，在党的运作上处于两难境地。因为伊藤当初成立政友会的目的是为了制造一个能使国政运作顺利的“模范政府党”，而如今下野后的政友会，为了重新获得政权，必须时时寻找倒阁的机会。为此，政友会内出现主张倒阁的强硬派和支持政府的温和派之争，总裁伊藤属于后者。1903 年 4 月中旬，政友会内部发生了反对总裁专制的“大阪造反”。在 3 月大选中当选的数十名议员，为出席大阪的国内博览会开幕式汇集于京都、大阪、神户时，以政友会有志者总代表的名义提出了改革党制的建议。建议的主要内容是：“一、党务工作人员全部公选；二、总务委员人数减为 3 人；三、重要问题均应众议决定。”

此后，政友会出现分裂迹象，从中央到地方，在 6、7 两个月内退会者达一千余人。其中地方上的有权有势者几乎全部退会，各地支部纷纷解散或名存实亡。在这种情况下，伊藤辞去政友会总裁之职，改任枢密院议长。随后，西园寺公望接任政友会总裁。伊藤自己本来不想辞去总裁职务，而且打算接替下届政权。政友会干部虽对伊藤不满，但也无意把他赶走。伊藤被迫辞去总裁之职，是桂太郎、山县有朋和伊东巳代治共同策划的。

伊藤下台后，政友会的首脑是西园寺公望、松田正久和原敬三人，被称为“三位一体”。他们三人在阅历和性格方面均有极大差异：西园寺出身名门，但对政权和荣爵淡泊，也不关心党务；松田原是佐贺藩士，是自由民权运动九州派的领袖，老奸巨猾，办事圆通，善于协调；原敬是南部藩士，是反藩阀的官僚，为人冷酷，办事干练。政友会的“三位一体”虽有倾轧，但能各自发挥作用，维持内部的统一。领导体制的这种安定，是同桂内阁维持合作关系的前提条件，而只有维持与桂的合作关系，才能使党内的领导体制稳定。①

政友会与桂内阁的合作，是以政友会与山县、官僚派的激烈对立为

① 升味准之辅：《日本政党史论》第三卷，东京大学出版会 1966 年版，第 6—16 页。

前提的。以这一对立为前提的政友会与桂内阁的合作史称“桂园提携”。“桂园提携”是通过政友会压制党内强硬派，支持桂内阁；而桂则在山县、贵族院（官僚派地盘）、官僚、陆军与政友会内阁之间进行斡旋，才得以成立和持续下去的。

1906 年 1 月，桂太郎将政权交给政友会总裁西园寺公望，第一届西园寺内阁（1906. 1. 7—1908. 7. 14）成立，这是政友会组织的第二次内阁。1908 年，西园寺内阁瓦解，桂太郎再次组阁（1908. 7. 14—1911. 8. 30），历时 3 年有余，于 1911 年（明治四十四年）8 月垮台，再由西园寺公望第二次组阁（1911. 8. 30—1912. 12. 21），1912 年（大正元年），又由第三届桂内阁（1912. 12. 21—1913. 2. 20）取而代之。这样，政党内阁与官僚内阁轮流执政，长达 10 余年之久，历史上称作“桂园时代”。

随着日本进入帝国主义阶段，军部地位进一步提高。与此同时，和藩阀官僚、特权资产阶级及军部对立的中间势力也在成长。日俄战争后日本政府推行的以增税和扩张军备为中心的财政经济政策，虽迎合了特权资产阶级的利益，但违背了一般产业资产阶级和中间阶层的利益。产业资产阶级为了达到发展经济的目的，在政治上急需实现普选，知识分子和市民阶层也有同样要求。于是，1910 年 3 月，以商业会议所为基础选出的议员和三菱系统的宪政本党联合组织了立宪国民党，掀起了反政府运动。1909 年至 1911 年，一些议员连续 3 年向国会提出了普选案，第三次在众议院通过，但在贵族院被否决。

1912 年 7 月 30 日，明治天皇去逝，大正天皇继位，日本历史进入大正时代。12 月 5 日，第二届西园寺内阁在军部逼迫下总辞职，第三届桂太郎内阁于 12 月 21 日成立。桂内阁一成立，即遭到各界强烈反对，“打破阀族，拥护宪政”的呼声响遍全国，形成空前的政治风潮。这一运动得到了产业资产阶级、中间阶层，特别是工人、手工业者和小商人等的支持。在这种形势下，桂太郎企图组织自己的政党以维护政权。1 月 20 日，桂太郎以预算案的印制延误为理由，令议会在 1 月 21 日至 2 月 4 日休会，并趁机发表了建立新党的备忘录。他说：“我的历次内阁已不知前后有多少次试图与既有政党磋商，以使国务的实施无阻，宪政的运作圆滑。但今洞察当前的时局，觉得决不能再重复这样做了。”[①]于是，他依靠三菱财团的援助，收买了一部分国民党党员，成立了“无所属团”，不久改称为“立宪同志会”(1913 年 2 月 7 日成立)，桂太郎自任委员长。

建立新党是桂太郎的夙愿，但同志会是在没有准备的条件下建立的，其结果反而招致政友会的反击和护宪运动的强化。由于政友、国民两党对桂内阁提出不信任案，在任仅 53 天的第三届桂内阁便在群众运动的压力下于 2 月 11 日宣布总辞职。从第二届西园寺内阁垮台到第三届桂内阁崩溃，这一时期日本政治上出现剧烈动荡，是为第一次护宪运动，又称“大正政变”。

通过护宪运动推翻第三次桂内阁的大正政变，是日本政治史上的空前大乱。护宪运动由部分政治家、实业家和新闻界掀起，舆论界对桂内阁的批判，使全国性群众运动迅速高涨。在“桂园提携”的破裂、同志会的建立、政友会领导体制的动摇和内阁总辞职等连续发生的事件中，以宪政拥护会为中心的群众运动发挥了重要作用。

第一次护宪运动结束，政权虽未落到政党手里，而由萨摩派海军元老山本权兵卫组阁，但第一届山本内阁(1913. 2. 20—1914. 4. 16)为稳定内阁基础只好拉拢政友会支持。山本内阁于 1913 年 2 月 20 日成立，政友会成为山本内阁的友党，并有 3 人入阁。但山本内阁遭到以山县有朋为中心的陆军派反对，加之同志会和国民党等党派在国会上对山本内阁提出不信任案，终于于 1914 年(大正三年)3 月 24 日总辞职。

山本内阁倒台后，遴选首相一事一再搁浅，大山岩、松方正义、西园寺公望等元老级人物均称病不肯出面组阁。于是，山县有朋力荐大隈重信组阁。大隈重信以立宪同志会为基础，于 1914 年 4 月 16 日组成第二次大隈内阁(1914. 4. 16—1916. 10. 9)。因内阁实权由三菱财团的快婿立宪同志会总裁加藤高明外相所掌握，因此第二次大隈内阁又被称为

① 升味准之辅：《日本政治史》第二册，商务印书馆 1997 年版，第 446 页。

“三菱内阁”。

大隈内阁任期中，适逢第一次世界大战，这次大战对日本来说可谓“天佑”。元老井上馨在写给山县和大隈的信中写道：

> 此次欧洲的大祸乱，是对大正时代发展日本国运的天佑，日本国必须立即以举国一致的团结来享受这个天佑。……大正新政的发展，将为日本参与此次世界大祸乱的解决，与欧美列强并行提携，世界问题不能将日本置之度外奠定基础，从而必定从根本上一扫欧美近年来动辄欲使日本孤立的趋势。①

大隈内阁为实现其独霸中国的野心，除了向德国宣战并占领德国在华的租借地胶州湾外，更乘袁世凯欲行帝制的机会，向中国提出“二十一条”要求。这种明目张胆的对外侵略行径，竟发生在素以政党政治为务的第二次大隈内阁时代。可见当时的所谓政党内阁，实际上不过是藩军阀乃至财阀的傀儡工具而已。

大隈内阁于1915年10月4日在贵族院和在野党的迫使下垮台。大隈力荐加藤高明出任首相，遭到山县有朋的极力反对。在山县的举荐下，10月9日成立了以长州军阀嫡系寺内正毅为首相的“超然内阁”(1916.10.9—1918.9.29)——没有政党成员入阁，但实际上政友会色彩很浓厚。内阁成立翌日，立宪同志会拉拢中正会和公友俱乐部的部分成员组成了以加藤高明为总裁的宪政会，形成了拥有议员197名的政党。

1916年12月末，第38届议会开幕，1917年1月25日解散众议院，4月举行大选，结果是：政友会得159席(占42%)，宪政会得120席(31%)，国民党得36席(9%)，政府派(中立派)得54席(14%)。政友会在这次选举中获胜。

在第一次世界大战期间，日本经济得到突飞猛进的发展。出口额1919年比1913年增加2.8倍，进口额同期增加2.1倍，对外贸易由出超

① 井上馨侯传记编纂会编：《世外井上公传》第五卷，原书房1968年版，第367—369页。

变为入超，而且由债务国一跃而成为债权国。这一时期，第一产业人口减少，第二、三产业人口增加。从1910年到1920年，第一产业人口的比重由64.3%减至52.8%，实现了“农民占五成的社会”。1913年，1万人以下的町村人口占总人口的74.2%，1920年减少到62%，而此间10万人以上的城市人口的比重由12.5%增加到19.5%。①

寺内内阁因1918年8月发生“米骚动”事件而垮台。寺内内阁下台后，于同年9月29日由政友会总裁原敬出面组阁。原敬内阁(1918.9.29—1921.11.4)是在“米骚动”群众运动的有力冲击以及“大正德谟克拉西”的影响下建立的。以政友会总裁原敬为首的内阁取代了以军阀寺内正毅为首的内阁，内阁成员除陆海两相外均起用政友会党员，这是日本首次出现的“纯政党内阁”。

原敬是一个没有爵位的平民出身的政党人士，有“平民宰相”之称。但其内阁并不一定代表平民利益，只是采取了一些拉拢中小资产阶级及其知识分子的措施：如振兴实业；改善教育；改殖民地长官的武官专任制为文武官并用制；修改选举法，降低财产资格限制等。这些措施得到了日本资产阶级的支持，但招致了右翼势力的嫉妒。1921年11月，原敬被一“国家主义”青年刺死，从而结束了3年有余的原敬内阁政权。

原敬死后，由藏相高桥是清出任政友会总裁和内阁首相，成立高桥内阁(1921.11.13—1922.6.12)，全部阁僚留任。但由于高桥内阁声誉不佳，政权又落到军阀官僚手里。1922年6月，海军大臣加藤友三郎在政友会的支持下组成加藤内阁(1922.6.12—1923.8.24)，1923年8月加藤死于任内。随后，山本权兵卫第二次组阁(1923.9.2—1924.1.7)并兼任外相，山本内阁成立后，政友会和宪政会内都掀起了党内改革运动，并一度酝酿两党合并或提携，以便两党联合组阁，但终因权力分配不均而未果。

山本内阁上台伊始，正好赶上关东大地震，东京一带遭受毁灭性破

---

① 升味准之辅：《日本政治史》第二册，商务印书馆1997年版，第506页。

坏，死伤达20余万人。地震对日本经济、政治及社会都带来极大影响，加之不久又因发生虎门事件，[①]上台仅4个多月的山本内阁于1923年12月27日总辞职。12月30日，枢密院议长清浦奎吾受命组阁。1924年1月7日，清浦奎吾内阁(1924.1.7—1924.6.11)成立，但清浦内阁也是昙花一现，不到半年即偃旗息鼓。这些内阁的建立，标志着军阀官僚统治同资产阶级民主政治的对抗，是对政党政治的反动。

从1918年9月原敬内阁建立到1932年(昭和七年)5月犬养毅内阁瓦解为止，共13届内阁中，其间虽出现过加藤、山本、清浦等军阀官僚政治，但在以实施普选、建立政党内阁为目标的第二次护宪运动的推动下，也出现了日本式政党内阁。1924年5月10日即清浦内阁期间，护宪三派(宪政会、政友会、革新俱乐部)在第15届众议院选举中取得了284席(其中宪政会从103席增至154席，成为第一大党)，从而为清浦内阁下台，成立拥宪三派政党内阁铺平了道路。1924年6月11日，议会第一大党宪政会总裁加藤高明奉命成立护宪三派联合内阁(1924.6.11—1925.8.2)。该内阁除陆、海、外三相外，各大臣都由政党出身的人士担任。这样，政党内阁取代了军阀官僚内阁，直到1932年5月犬养毅内阁为止，一直由议会中的多数党——政友会和民政党(1927年6月1日由宪政会和政友本党合并而成)轮流执政。这一时期，可以说是政党政治较为健全的时期，至少政党在日本国家政治中的发言权较具分量，所以历史上把这一时期称作政党内阁时期或议会政治时期。这是日本政党凭借自己的力量，争得国会内多数议席而获取政权的最初纪录，也是战前日本政党政治的黄金时代。

护宪三派内阁上台后，提出“整顿行政和财政”“严肃纲纪”“坚决实行普选”的三大政纲，以及“改革贵族院”的奋斗目标，试图进行自上而下的资产阶级改革，其中首要任务是实行普选制。经过执政党的多次协商，于11月6日确定了普选方案，但是该方案在枢密院、众议院和贵族

① 摄政裕仁亲王即后来的昭和天皇在东京虎门附近遇刺而幸免于难的事件。

院审议时都遇到阻力，到3月底才获得通过。

应该指出，在政党政治的背后，政党的生存大都依赖于三井、三菱等大财阀的资金支持，因此，政府亦实行对大资产阶级有利的政策。这一现象一直延续到战后，政党的生存大都依赖企业界的捐款，形成所谓权钱交易的“金权政治”。

护宪三派联合内阁由于政友会和宪政会在地税政策问题上发生分歧而崩溃。1925年8月，以加藤高明为首相的宪政会内阁（1925.8.2—1926.1.28）成立（宪政会单独组阁）。1926年1月28日，因加藤患病去世，改由若槻礼次郎任宪政会总裁，30日组成第一届若槻内阁（1926.1.30—1927.4.20）。12月25日，大正天皇去世，日本进入昭和时代（1926—1989）。1927年1日20日，政友会与政友本党联合提出对内阁不信任案。4月17日，第一届若槻内阁因金融危机而辞职。

政友会方面，1925年4月，总裁高桥是清引退，由陆军大将田中义一继任总裁。5月，由犬养毅领导的革新俱乐部（1922年11月8日成立）与政友会合并，犬养毅引退。12月，政友本党（1924年1月29日由政友会分裂出来）在是否同政友会联合的问题上发生分裂，联合论者脱党，1926年1月，以鸠山一郎为中心的脱党者组织了同交会，2月，同交会与政友会联合。在政友会大联合的促使下，宪政会与政友本党于1927年6月1日合并成立了“立宪民政党”，由滨口雄幸出任总裁。

日本自明治初期产生政党以来，由于民政党的出现而形成势力伯仲的两大政党，从而结束了以往的多党混乱局面。从此以后到侵华战争为止，日本政坛展开了政友会和民政党两大势力的相互角逐。

第一届若槻内阁下台后，1927年4月20日，由政友会总裁田中义一组阁，成立田中内阁（1927.4.20—1929.7.2）。田中兼任外相，展开了与前任外相币原喜重郎的“币原外交”不同的“田中外交”，推行了明目张胆的对华侵略政策。由于对华政策的失败，田中内阁于1929年7月2日倒台，民政党总裁滨口雄幸组阁，成立滨口内阁（1929.7.2—1931.4.14）。9月29日，政友会总裁田中义一去世。10月12日，犬养毅就任政友会总裁。

民政党为了取得议会多数，在1930年1月21日解散议会，2月举行大选，结果是：民政党得273席，政友会获得174席，民政党取得压倒多数。滨口内阁实行紧缩财政、产业合理化等政策，并不顾军部等专制势力的反对，于1930年4月22日签订《伦敦海军裁军条约》。

在野的政友会自犬养毅接任总裁后，一改田中义一内阁时代的保守政策，所以在舆论界的形象有所改善。它提出"产业立国"的政策，虽然批判民政党的紧缩政策，但在为实现"产业立国"而需要进行"裁军"这一点上与民政党却是一致的。因此，在《伦敦海军裁军条约》问题上支持民政党政府的立场。

1930年是二战前日本政党政治的顶峰，滨口民政党内阁是最高程度上的政党内阁，而《伦敦海军裁军条约》的缔结是这届内阁的最大功绩。① 但是也正因为如此，日本的国家主义团体以这一条约问题为转机而迅速集结起来，并开始激化。这股浊流不久便成为恐怖事件和政变计划的根源。狙击滨口首相事件就是其最初的表现。

1930年11月14日，滨口遭右派分子狙击，身负重伤，币原外相临时代理首相，其间伤势一度好转，不久再次恶化。1931年4月13日，滨口辞职，不久死去，若槻就任民政党总裁。14日，第二次若槻内阁(1931.4.14—1931.12.13)成立。12月11日，若槻内阁辞职，政友会总裁犬养毅取而代之，犬养内阁(1931.12.13—1932.5.16)成立。1932年1月21日，众议院解散，2月20日举行大选，政友会获301席，民政党获146席。犬养首相在1932年"五·一五事件"②中遇刺身亡，铃木喜三郎就任政友会总裁。犬养内阁的垮台象征着战前政党政治的终结。

综上所述，从1924年6月11日第一届加藤高明护宪三派联合内阁成立时起，至1932年犬养内阁垮台，历时近8年，其间，宪政会与民政党

① 升味准之辅：《日本政治史》第三册，商务印书馆1997年版，第612页。

② 1932年5月15日，以海军少壮军人为主发动的法西斯政变。政变后成立以海军大将斋藤实为首的所谓"举国一致"内阁。

内阁执政5年多,政友会内阁执政2年零9个月。这一时期,各政党在总裁选举的幕后充满着权力斗争,选举是党的上层领导人勾心斗角的结果。

在1920年代,日本各政党党章上虽然规定总裁实行公选原则,但由于政友会和同志会都是由藩阀领导人创立的,所以第一任总裁都是在选举之前就确定了。尔后的继承人,西园寺是由伊藤推举、原敬是由西园寺推举、加藤是由大限推举而当上总裁的。后来的田中、犬养、滨口、若槻虽都是由大会公选,但不是经过投票,而是委托大会主席提名,或作出推戴提案,然后鼓掌通过。即便如此,在这样选举出来的总裁中,也只有政友会的犬养毅具有名副其实的党人经历,其他人都是官僚或贵族出身。

政党内阁的阁僚,也大都是非政党人士。从第一届若槻内阁到犬养内阁的52名阁僚(陆海军大臣除外)中,有16名是贵族院议员出身,21名是众议院议员出身,23名是官僚财界出身。[①] 外务、内务、大藏这样的中枢阁僚,多数是官界出身的贵族院议员。党人阁僚多数是律师和新闻界人士出身,在内阁中居于次要地位。

在选举方面,1924年通过的《男子普选法》(25岁以上,中选举区制[②],单记无记名投票)是从1928年(田中内阁时期)开始实施的。《普选法》规定,竞选时不得串户访问,限制选举运动人员的人数,限制开展口头和书面宣传的选举战。但是结果适得其反,司法省调查课在《选举犯罪研究》中报告说:"腐败已达到极点。……贿选组织如今变得像党支部一样到处活动……成立收买和组织候选人的后援会。……选举掮客一旦进入选举也大肆进行收买活动,各政党的支部令人感到简直就是贿选的参谋总部。现在说腐败已达到极点,亦并非言过其实。"[③]

各政党的当选人数,普选前后变化较大。政友会与宪政会或民政党

① 升味准之辅:《日本政治史》第三册,商务印书馆1997年版,第615页。

② 一个选区选举2—6名国会议员的制度。

③ 升味准之辅:《日本政治史》第三册,商务印书馆1997年版,第619页。

(1924 年含政友本党)占据投票总数的大半数和议席的大部分,这些政党普选前占 80%,普选后增至 90%。一般来说,城市选区的平均占有率比农村低。在六大城市,普选前是 54%,普选后是 75%。但比较而言,政友会和政友本党的得票率,六大城市低于全国平均数,而宪政会或民政党则六大城市高于全国平均数。①

但是,从 1928 年"三・一五事件"对日本共产党的镇压到 1932 年"五・一五事件"犬养毅首相被暗杀,从根本上宣告了日本政党政治的终结。多少年来由政党苦心经营的第一大党执政的"宪政常道"至此崩溃,以后代之而起的是天皇制法西斯专制。

1930 年代初期的日本,随着侵华战争的加紧和国内外阶级矛盾的激化,统治阶级内部的矛盾也日益尖锐,军队内部表现尤甚。军部势力以不同财阀势力为后台,分裂为"皇道派"和"统制派"。"皇道派"主张取消政党政治,实行赤裸裸的军事独裁,因此对控制政府的"统制派"的"渐进"政策十分不满,企图排除统制派。

"五・一五事件"后,成立了海军大将斋藤实为首、由军部指导的"举国一致内阁"(1932.5.26—1934.7.8)。斋藤毕业于海军兵学校,曾连任五届内阁海军大臣、两次出任朝鲜总督,积极推行扩张海军政策。

斋藤内阁时期,政友会方面,高桥是清出任大藏大臣,鸠山一郎出任文部大臣,三土忠造出任铁道大臣;民政党方面,山本达雄出任内务大臣,永井柳太郎出任拓务大臣。民政党虽然在 1932 年 2 月的大选(犬养内阁)中失败,但从组阁的情况看还不错;与此相反,获得 300 多个席位的政友会虽然在犬养之后安排铃木喜三郎担任总裁,但却没有掌握政权。

1933 年秋,政友会反铃木派与民政党的一部分人开展了"政民联合运动",目标是要重建政党内阁,也就是接替下届政权,这一举动虽未获成功,但反铃木派与民政党联手后开始在党内占上风。

---

① 升味准之辅:《日本政治史》第三册,商务印书馆 1997 年版,第 620 页。

1934年7月，在任两年的斋藤内阁垮台，海军大将冈田启介继之组阁，冈田内阁(1934.7.8—1936.3.9)成立。民政党和政友会都有人入阁。但政友会总裁铃木喜三郎为表示不与之合作的方针，将入阁的3名阁僚和其他十几名在内阁任政务次官的党员开除出党。这时的政友会已分裂为"强硬派"(铃木派)和"自重派"，而"自重派"占上风。"五·一五事件"后，日本恢复政党内阁已不可能，政友会在议会中的300个议席也是徒有其名了。

(三) 无产阶级政党的出现

19世纪末20世纪初，随着资本主义的形成和对外侵略扩张的加剧，日本逐步向帝国主义阶段转化，成为国际帝国主义奴役东方各民族的重要成员。

与此同时，近代工业的发展，使日本工人数量急剧增长。1894年工矿业工人为50万，1897年为62万，1903年增至72万。[①] 工人运动逐步兴起，从1897年到1899年，日本先后成立了"铁工工会""日铁矫正会"和"印刷工人工会"，开展了有划时代意义的罢工斗争。1901年5月，片山潜、幸德秋水等人决定成立社会民主党，并发表了《社会民主党宣言》，宣言中提出了"理想纲领"和"行动纲领"。从这些纲领内容看，日本社会民主党提出了一些有关资产阶级民主的要求，这在当时资产阶级政党与藩阀政权相互利用、粉饰立宪的历史条件下，无疑是独树一帜的革命要求。

1903年，幸德秋水、堺利彦等人组成"平民社"，并创办周刊《平民新闻》。《平民新闻》以宣传"平民主义、社会主义、和平主义"为己任，特别把反对帝国主义战争作为最主要的宣传内容，反映了日本人民的反战要求。日俄战争爆发后，《平民新闻》发表了《致俄国社会民主党的信》，信中指出："军国主义是我们的共同敌人，是世界各国社会主义者的共同敌

① 森喜一:《日本工人阶级状况史》，三一书房1962年版，第71页。

人。"呼吁日俄两国社会主义者和全世界社会主义者向军国主义者展开英勇斗争。作为政治团体,站在反对本国政府对外侵略战争的立场上,并越出国界谋求国际合作,这在日本历史上还是首次。

平民社解散后,1906 年 1 月,西川光二郎等人成立日本平民党;随后,堺利彦等人又成立日本社会党。2 月 24 日,日本平民党和日本社会党合并,统称"日本社会党",正式党员约 200 人。但据日本警视厅统计,当时社会主义者的人数全国约有 2.5 万人。①

山川均于 1900 年创刊了《青年的福音》,后因刊载皇室内容的文章犯"不敬罪"而被捕入狱,1904 年因病获释,1906 年应幸德之约到东京担任《平民新闻》编辑,并加入日本社会党。大杉荣和荒畑寒村也加入了平民社的社会主义协会。但是,当时的所谓社会主义运动,"大体上还是思想运动,全然没有群众性","所以说,在工人阶级和社会主义运动之间完全没有联系"。②

1907 年 2 月 22 日,内务大臣下令解散日本社会党。1910 年 5 月 25 日,桂太郎内阁以社会主义者企图暗杀明治天皇为罪名,逮捕了幸德秋水等数百名社会主义者,并以"大逆罪"判处幸德秋水等 24 人死刑(次日改判其中 12 人为无期徒刑),这就是日本历史上有名的"大逆事件"。"大逆事件"后,日本社会主义运动和工人运动转入低潮。

1912 年夏天,基督教社会事业家铃木文治创立了友爱会,其成员大都是下层工人,目的是使工人互相亲睦和提高修养。友爱会迅速壮大,刚成立时仅有 15 人,1916 年就拥有会员 22 000 名,设 82 个支部。第二年在横滨、东京、神户、大阪成立了支部联合会。1917 年,友爱会修改了章程,由只限于工人的互助和修身转变为自助自卫、劳资协调的工会性质。1918 年发展为 108 个支部,会员 3 万人,处理劳动争议事件达 70 起。

---

① 丝屋寿雄:《幸德秋水研究》,青木书店 1973 年版,第 219 页。
② 山川菊荣、向坂逸郎编:《山川均自传》,岩波书店 1961 年版,第 377—378 页。

随着友爱会的发展，其成员也在发生变化，有的大学毕业生入会，并逐渐发挥重要的作用。1915 年，野阪参三从庆应大学辍学后加入友爱会。1917 年，毕业于东京帝国大学法学部、担任过《东京日日新闻》记者的麻生久也入了会。1919 年，友爱会更名为“大日本劳动总同盟友爱会”，简称“劳动总同盟”。

1914 年，片山潜等人因领导罢工斗争而被捕，后来虽被释放，仍受到种种迫害，被迫流亡美国，从此再也未能回到日本。片山潜旅美期间，在日本青年中积极宣传马列主义。1919 年 10 月，成立了“旅美日本人社会主义团”，并参加了在华盛顿召开的国际工人会议。片山潜以旅美日本人社会主义团为中心，积极筹建日本共产党。

1920 年 10 月，共产国际秘使从莫斯科来到东京。在马列主义传播和工人运动高涨的形势下，1920 年 12 月 9 日成立了“社会主义同盟”，不久被迫解散。社会主义同盟解散后，先后成立了“水曜会”“晓民会”“无产阶级社”等组织，为日本共产党的成立作了思想上和组织上的准备。

1921 年 4 月，堺利彦、山川均、近藤荣藏等成立了日本共产党筹备委员会，起草了《日本共产党宣言》和《日本共产党章程》。1922 年 7 月 15 日，日本的社会主义者在东京召开了日本共产党成立大会，与会者共 8 人。会议拟定了党的章程和行动纲领，选出堺利彦任委员长，中央委员有堺利彦、山川均、荒畑寒村、近藤荣藏和德田球一等 7 人。

日本共产党在“非法”状态下成立后，为巩固、发展党组织和推动日本革命运动，进行了不懈的努力，出版发行了党的机关刊物《赤旗》以及《劳动新闻》《农民运动》等报纸，加强了对工人运动的领导和影响，积极参与了反对《过激社会运动取缔法》《工会法》《租佃纠纷调停法》等“三大恶法”的斗争，并且开展了援助苏俄、反对出兵西伯利亚等运动。

日共成立后不久，党内发生分裂，山川均等人提出解散党组织，加之日本政府加紧镇压，于 1924 年 2 月底 3 月初，山川均等人擅自解散了日共。解散日共的行为，遭到共产国际、片山潜及一些日本共产党员的反对。经过党内斗争，佐野文夫、德田球一等人于 1926 年 12 月 4 日，在山形县召开第三次代表大会，完成了重建工作。1926 年 12 月，日本共产党重建时，出席重建会议者共 17 人。7 名中央委员中有 5 名 30 多岁，2 名 20 多岁。在福本和夫起草的重建《宣言》中指出："理论斗争的开展，已把希望掌握真正马克思主义思想的革命知识分子团结起来，并与工人运动结合起来，而现在正在克服我们当中存在的折衷主义（山川主义）。"因此，"当前的斗争目标"虽然是"实现资产阶级民主主义"，但这"将通过其内在的、必然的辩证转化而转化为无产阶级革命"。①

1927 年上半年，党内批判了山川均的右倾机会主义和福本和夫的"左"倾机会主义。7 月 15 日，通过了《关于日本问题的提纲》，即"二七年纲领"。"二七年纲领"指出："日本革命的动力是无产阶级、农民和城市小资产阶级，其中主要的是无产阶级和农民。"②并强调建立工农联盟的必要性，阐明了资产阶级革命转变为社会主义革命的必然性。

"二七年纲领"指出："在日本，既具备资产阶级民主主义革命的客观前提条件……又具备使资产阶级民主主义革命迅速转化为社会主义革命的客观前提条件。"③日本共产党在"二七年纲领"的指导下，于 1928 年 2 月 1 日创刊《赤旗》报，大力宣传党的方针。同月，根据《普选法》进行了众议院选举，选举结果，政友会和民政党分别获得 218 席和 217 席，两党独占了议席总数 466 席的 93％，各无产阶级政党只获得 8 席。④ 尽管如此，田中内阁仍认为日本共产党在大选中操纵了劳动农民党，便于 3 月 15 日出动数万名警察和特务，在全国各地一举逮捕德田球一等共产党员和左派群众团体的领导人、骨干分子 1600 余人，造成有名的"三·一五事件"。接着，又于 4 月 10 日下令取缔劳动农民党、日本工会评议会（简称"评议会"）及全日本无产青年联盟（1925 年 11 月成立的进步青年组

① 《现代史资料》第十四卷，第 64—65 页。

② 日本共产党中央委员会编：《日本共产党纲领集》，日本共产党中央委员会出版部 1964 年版，第 21 页。

③ 同上书，第 87 页。

④ 信夫清三郎：《日本政治史》第四卷，上海译文出版社 1988 年版，第 231 页。

织)，并发出了禁止其结社的命令。为进一步取缔共产主义运动，田中内阁还修改、公布了《治安维持法》。这表明，日本资产阶级政党亲手为政党政治挖掘了坟墓。

仍坚持反对重建日共的山川均、荒畑寒村等人，于 1927 年 11 月创刊了《劳农》杂志。山川对共产国际从外部指导日本运动的方式持批判态度。他主张各国社会主义运动要有独立性和自力性。他对共产党和“劳农派”的区别作了如下说明：

(1) 对布尔什维主义的评价

共产党认为，只有列宁主义(布尔什维主义)才是马克思主义唯一正统的发展，才是资本主义时代达到帝国主义阶段的唯一真正的马克思主义。俄国革命的实践，作为普遍的准则也适用于日本的运动。

劳农派认为，列宁主义是在适合俄国特定条件的实践中发展起来的理论，因而多半具有俄国的特性。正因为如此，才得以使革命在俄国取得成功。各个国家的革命运动应该发展各自的革命理论。必须回到马克思主义，以马克思主义为出发点。

(2) 对共产国际的评价

共产党认为，共产国际不是像第二国际那样由各国党拼凑而成的，而是单一的世界党，各国共产党是其集中指导下的支部。全世界的社会主义革命要由莫斯科指挥来实现。

劳农派认为，各国的社会主义革命，应该靠扎根生长在本国土壤上的社会主义运动的自主行动和责任来达成。社会主义运动的国际主义，应该通过具有自主性的各国社会主义运动的紧密的国际合作来达成。①

在此期间，1924 年 2 月，劳动总同盟召开了“总同盟大会”，大会以促进群众运动、参加议会、社会政策立法为目标，发表了著名的“转向宣言”。因此，总同盟大会一结束，左右两派便因立场不同而分裂。次年 5 月 24 日，被总同盟开除的左派工会成立了评议会。这时，总同盟拥有 35

---

① 山川菊荣、向坂逸郎编：《山川均自传》，岩波书店 1961 年版，第 428—454 页。

个工会,10 396 名会员;评议会拥有 32 个工会,有 12 655 名会员。评议会成立一年后,缴纳会费的会员达 33 300 余人,机关报《劳动新闻》发行数超过 4 万份。①

与此相对抗,1926 年 3 月,总同盟与日本农民组合(简称"日农")等 5 个团体一起,结成了最初的反共无产政党劳动农民党。"日农"是在 1921 年佃农斗争向全国扩展的过程中(1920 年发生 408 次,到 1921 年猛增到 1 680 次,将近 15 万佃农与 5 000 多个地主发生正面冲突,地主方面不得不做出许多让步)于 1922 年成立的,到 1925 年发展成拥有 75 000 人的"组合",而后并入了劳动农民党。但是,"日农"右派在 1926 年 10 月退出劳动农民党,成立了"全日本农民组合同盟",此后组织了"日本农民党"。左派掌权的"日农"向评议会靠近,由以前的农民组合斗争迅速发展成工农联合的政治斗争。

后来,劳动农民党的左右两派对立激化,1926 年 10 月总同盟宣布退出劳动农民党,于 12 月成立了社会民众党。于是发生了总同盟的第二次分裂。在总同盟中,出现了退出劳动农民党和对右倾化抱有不满的左派;另一方面,在"日农"内部,出现了反对"日农"接近评议会和不满其左倾的右派。于是,两派合并,大体在社会民众党成立的同时,组成了日本劳农党。这样,1926 年 3 月成立的劳动农民党,到年末已分化成 4 个政党——劳动农民党(1926. 3)、日本农民党(1926. 10)、社会民众党(1926. 12)和日本劳农党(1926. 12)。这些政党均参加了 1928 年 2 月的第一次普选。

在 1920 年代后半期,工厂职工总人数约为 200 万,工会会员约为 30 万。其中有八成是右派工会,约有 21 万人集中分布在兵库、东京、大阪、神奈川 4 个府县市。佃农组合数也在猛烈增加,最高峰的 1927 年约有4 600个、365 000 名会员。选举结果,88 名无产政党候选人共获得选票 492 000 张(得票率为 4. 6%),当选 8 名(议席占有率为

① 升味准之辅:《日本政治史》第三册,商务印书馆 1997 年版,第 659 页。

1.7%)，其中社会民众党4名，劳动农民党2名。① 但是，这些“无产政党”在日本政府软硬兼施、分化瓦解的政策下，迅速地聚散离合，陷于四分五裂的状态。

“三·一五事件”发生后，劳动农民党部分党员于1928年7月成立“无产大众党”。12月5日，日本劳农党、日本农民党、无产大众党等七团体组成“日本大众党”。1929年11月成立“劳农党”。1930年1月成立“全国民众党”。至1930年代初，日本无产阶级政党分别为：日本大众党、劳农党、社会民众党和全国民众党这四大派别。

1930年11月，在俄国克特维留学5年的风间丈吉，带着重建日共的任务回国。在风间等人的领导下，日共的活动有了很大发展。《赤旗》从1932年1月复刊后，不久改为活字印刷。发行份数由不足1 000份增加到7 000份，党员约有1 200余人。但是，处于“非法”状态下的日共，入党的人越增加，被捕的也就越多。经过1932年10月末的大搜捕(热海事件)，日共又遭到毁灭性打击。1931年加入农民运动的宫内勇在其《日本共产党秘史》一书中写道：

> 如果是做地下工作……即使想放弃运动而回到地上，那也是不可能的。因为你一旦被指明通缉，一回到社会上，就必然迅速被捕。

1932年入党的大冢有章在《未走完的旅程》一书中写道：“我所经历的那个时代，党的合法地位被完全剥夺，党的领袖遭到死刑或者无期徒刑的迫害，就连基层党员和同情者也要以2年到5年的徒刑受到镇压。”②

二　“大正德谟克拉西”与民本主义

一般认为，日本大正时期只是明治和昭和两大历史时期的承上启下

① 升味准之辅：《日本政党史论》第五卷，东京大学出版会1966年版，第438—458页。

② 升味准之辅：《日本政治史》第三册，商务印书馆1997年版，第667、668页。

的中间过渡期，实际上，从政治史的角度看，大正时期是一个社会激烈动荡、价值观多元化、多种政治思潮竞存、重新探索国家发展方向的重要历史时期。

“大正德谟克拉西”[①]是指大正时期在政治、社会、文化等领域所表现出来的民主自由思潮，始于第一次护宪运动(1912—1913)，止于第二次护宪运动(1924—1925)。[②] 其内容是要求实现资产阶级立宪民主政治，反对专制主义统治和扩军备战的军国主义统治。具体内容十分广泛，主要包括普选、护宪运动，以民本主义思潮为主流的启蒙运动，以及工农、青年、学生、妇女等的社会运动。作为时代的潮流，“大正德谟克拉西”不仅在政治、经济和社会领域，甚至波及到教育和文学方面。

“大正德谟克拉西”是继自由民权运动之后，日本近代史上第二次民主高潮。“大正德谟克拉西”是《明治宪法》颁布后日本人民与和平民主势力在新形势下斗争、积累的结果。推动这一运动的动力是工农群众，领导这个运动的骨干及其所反映的阶级利益则主要是甲午战后获得发展、而又受到特权资本及专制统治某种压抑的日本中小资产阶级等中间势力及其知识分子。

如果说明治初期“文明开化”思潮是推动日本现代化的精神动力，那么，“民本主义”思潮作为“大正德谟克拉西”的灵魂，则进一步推动了日本的现代化进程。当然，昭和以后的“皇室中心主义”和“极端国家主义”思潮的兴起，又使“民本主义”思潮黯然失色，并将日本引向法西斯道路，中断了民主化进程。

本章仅就“大正德谟克拉西”的主要内容及运动形态从以下几个方面作一扼要的梳理和论述。

---

① 我国论著中，一般把“大正德谟克拉西”(Democracy)译作“大正民主主义”。而日文著作中则音译为“デモクラシー”，这一用语始见于信夫清三郎所著《大正政治史》(1952年出版)，一般理解为更接近于“民本主义”。

② 有关“大正德谟克拉西”的时限，日本学界说法不一，有的认为，始于日俄战争后，止于昭和初期的金融危机，前后约20余年。

(一)“德谟克拉西”释义

“德谟克拉西”的日文译法，通常都译作“民主主义”。但是，经过明治以来启蒙思想的普及和自由民权运动，“德谟克拉西”一词出现多种译法，同时被赋予了各种各样的解释。在大正时期，对“德谟克拉西”一词仍有多种译法。

在考察大正时期对“德谟克拉西”种种释义之前，先让我们看一看欧美各国对“德谟克拉西”的解释。追根朔源，“德谟克拉西”最早来源于希腊语的 demokratia，是希腊语的 demos（人民）和 kratia（权力）相结合而成，意即“人民的权力”。[①] 它是与权力属于个人的君主政治以及权力属于少数人的贵族政治相区别的。希腊时代的“德谟克拉西”没有什么政治上的特殊含义，只是一种统治形态。也就是说，“德谟克拉西”就是多数人为了自己的利益而采取的一种不错的统治形态。

但是，近代“德谟克拉西”思想的成立，应该追朔到 17 世纪中叶到 18 世纪末英美法等国接连发生的市民革命时期，因为这一时期，近代市民阶级打倒了绝对专制君主，建立了近代国家。近代德谟克拉西思想支撑了这一市民革命，代表了相对于帝王神权说的基本人权思想和三权分立的主张。在这一过程中，“德谟克拉西”一词的含义，便由单纯的统治形态演绎为一种卓越的政治原理。

近代“德谟克拉西”的含义和内容，在 1776 年的美国《独立宣言》以及 1789 年法国革命中的《人权宣言》中都有所体现。美国《独立宣言》指出“人人生而平等，天赋人权不可侵犯”。法国《人权宣言》第一条规定“在权利方面，人们生来是而且始终是自由平等的”；第 16 条规定“凡权利无保障和分权未确立的社会，就不能说拥有宪法”。[②]

因此可以说，“德谟克拉西”在近代，成为资产阶级主张“尊重人权”和

---

① 太田雅夫:《大正德谟克拉西研究》，新泉社 1975 年版，第 52 页。

② 同上书，第 53 页。

"自由、平等、博爱",号召从贵族压迫中求解放的标语口号,19世纪以后,则成为无产阶级主张从资产阶级的压迫中求解放的标语口号。而且,在19世纪后期,"德谟克拉西"不仅是政治上的"德谟克拉西",甚至在经济上、产业上、教育上和精神上等社会所有方面都主张要实行"德谟克拉西"。

近代这一"德谟克拉西"思想,不可能不影响日本的政治过程。从明治到大正逐渐形成的"德谟克拉西",正如"大正德谟克拉西"代表人物之一丸山侃堂所说:"其底流思想与世界思潮是相通的。"①因此也可以说,近代"德谟克拉西"思想是当时第一次护宪运动的思想背景。

在大正时期,国际上发生了第一次世界大战,出现了俄国革命;日本国内发生了"米骚动",出现了普选运动的高潮,兴起以打破官僚势力为宗旨的护宪运动和政党政治,同时也出现了社会主义思潮以及无政府主义,是一个国内外激烈动荡的时代。

处在这样一个时代,在《明治宪法》所规定的君主国体天皇主权之下,首先弄清源自西方的"德谟克拉西"的含义是有必要的。但是,明治后期以来,尤其在大正时期,对"德谟克拉西"的翻译和释义可以说花样百出,除明治时期以来最常用的"民主主义"之外,还有民本主义、平民主义、众民主义、民众主义、民政主义、主民主义、合众主义、民重主义、民治主义、人本主义、民生主义、土民生活等。其中民本主义最为常见。

(二)普选、护宪运动

日俄战争以后,日本开始进入帝国主义阶段。与其他帝国主义相比,日本是一个既具军事性、又具封建性的军事封建帝国主义国家。

随着日本进入帝国主义阶段,军部的地位进一步提高。在政治领域,军队占有特殊的地位,军事部门自成体系,直属天皇;军队的有关作战、军令事项,行政部门不得干涉;陆、海军大臣必须由现役军官充任并有"帷幄上奏"权,还可以操纵内阁,左右国政。因此,日本的国家机器必

---

① 丸山侃堂:《民众的倾向与政党》,转引自太田雅夫《大正德谟克拉西研究》,第54页。

然在军部的把持下对人民实行军国主义的统治。

一方面，日本政府通过各种途径对国民进行所谓“爱国主义”教育，用武士道精神“武装”国民的头脑；另一方面，用暴力手段对人民实行法西斯统治。对内从政治上和思想上压制民众的觉醒，对外镇压殖民地的民族运动，朝着强化反动体制的方向越走越远。

与此同时，和藩阀官僚、特权资产阶级及军部对立的中间势力也在成长。日俄战争后日本政府推行的以增税和扩军为中心的财政经济政策，迎合了特权资产阶级的利益，但违背了一般资产阶级和中间阶层的利益。对此，非特权资产阶级与中间阶层开始提出自己的要求加以抵抗。

明治末期，日本小资产阶级自由民主分子建立了普选联合会，提出《普选请愿书》。代表地方非财阀资本利益的“商业会议所联合会”曾领导过全国性的反对增税运动。随后出现了反对纺织品消费税运动和反对营业税运动。这些运动都反映了非特权资产阶级的经济要求。

资产阶级为了达到发展经济的目的，在政治上亟需实现普选，知识分子和市民也有如此要求。1910 年以商业会议所为基础选出的议员，和三菱系统的宪政本党联合成立立宪国民党，掀起了反政府运动。与此同时，国会议员连续 3 年向众议院提出《男子选举法》，这一议案也集中反映了非特权资产阶级和城市中间阶层，即知识分子以及普通市民参加选举的政治要求。该议案受到政党内新生政治势力议员的支持，并在众议院获得通过。但众议院通过的这一“普选法”在贵族院被否决。这说明在政党内，与藩阀官僚和垄断资产阶级相勾结的一派与代表非特权资产阶级以及中间阶层的新生政治势力之间存在着尖锐对立。

第三届桂太郎内阁的成立，成为大规模“护宪运动”的契机。早在桂内阁成立之前，政友、国民两党的中坚、少壮派议员和新闻记者就成立了以“打破阀族，拥护宪政”为目的的宪政拥护会。此后，“打破阀族，拥护宪政”的运动迅速向全国扩展开来，形成了空前的政治风潮。

在这种形势下，桂太郎企图组织自己的政党以维持政权。他依靠三菱财阀的援助，收买一部分国民党成员，成立了一个由 90 余人组成的立宪同志会。在 1913 年 2 月的国会上，政友会、国民党两个政党连续两次联合提出了内阁不信任案。桂太郎试图解散众议院，舆论哗然，数万群众包围国会。愤怒的群众与警察、宪兵发生冲突，袭击官方报馆 26 家，放火烧毁警察派出所 48 处，破坏 38 处，形成了大规模的政治暴动，并波及到大阪、神户、广岛等地。① 在任仅 53 天的第三届桂内阁被迫宣布总辞职。这就是第一次护宪运动。

表 1.1　第一次拥护宪政运动年表②

大正元年(1912 年)	
11 月 25 日	东京中青年企业家决定开始增兵反对运动
11 月 28 日	国民党的泽莱太郎等人成立增兵反对同盟会
12 月 2 日	政友会院外团作反对增兵的决议
12 月 5 日	西园寺内阁总辞职
12 月 7 日	政友会 60 名议员做出反对军阀的决议，此后政友会各地方支部相继做出此类决议
12 月 13 日	东京记者、律师决定成立宪政作振会
12 月 14 日	宪政拥护会在东京成立
12 月 19 日	在东京召开第一次宪政拥护大会
12 月 21 日	桂太郎内阁成立
12 月 26 日	全国记者大会发起人会召开
12 月 27 日	召开宪政拥护联合会第一次大恳亲会
12 月 26 日	埼玉县县民大会，此后一个月内各地相继召开大会
大正二年(1913 年)	
1 月 13 日	东京召开第二次宪政拥护恳亲会　大阪召开宪政拥护大会
1 月 14 日	东京召开都内 18 团体大演说会
1 月 16 日	在东京召开政友、国民两党院外团联合大会
1 月 17 日	在东京召开全国同志新闻杂志记者大会
1 月 19 日	国民党分裂
1 月 20 日	第 30 次议会召开，休会到 2 月 4 日，桂太郎决定组建新党
1 月 24 日	东京召开第二次宪政拥护大会
1 月 27 日	宪政作振会演讲会
2 月 1 日	桂太郎新党同志会发表宣言　大阪召开第二次宪政拥护大会
2 月 5 日	议会复会，再次休会，群众包围议会
2 月 10 日	议会复会，第 3 次休会，群众包围议会，桂太郎内阁总辞职
2 月 11 日	大阪发生暴动

① 大久保利谦:《政治史》第三卷，山川出版社 1985 年版，第 390 页。

② 同上书，第 388 页。

第一次护宪运动是“大正德谟克拉西”运动初期，人民群众第一次提出既定政治目标而行动，并最终打倒内阁的最重大历史事件，在日本政治史上具有划时代意义。

这次运动提出了“打破藩阀、拥护宪政”的口号，是一次以打倒绝对主义专制政治，建立资产阶级议会政治为目标的民主运动。具体内容虽然只局限于反对军阀专权（废除军部大臣现役武官制、反对诏敕政策），即批判无视议会的绝对专制，但是基本上还是属于资产阶级改革。

护宪运动的主体，尤其是参加示威游行的群众，是没有组织的城市下层民众，而不是有组织的工人阶级，所以一般采取比较过激的暴动形态，但也并非肆意而为的无组织行为。新闻杂志等舆论界、政党的院外团体以及基层组织是这次运动的组织者和领导者，由进步的新闻工作者和政党的非主流自由主义政治家组成的“宪政拥护会”发挥了一定的统一领导作用。

此后，普选运动从未间断，但其范围只局限在中小资产阶级和知识分子中的自由主义者中间，尚未形成群众运动。“米骚动”之后，普选运动才形成了以工人为首的有广泛群众参加的运动。

1919 年 2 月 11 日，为纪念宪法颁布 30 周年，全国学生同盟 2 000 余人在东京举行“普选游行”，3 月 1 日，在日比谷公园召开促进普选国民大会，与会民众达 5 万余人，1 万人到国会议事堂游行，宣告“民本主义是时代的潮流，君民共治必须真正彻底”，出现普选运动的第一次高涨。《东洋经济新报》在《日本最早的大示威运动》的社论中指出“这次一般群众的政治示威”，“在我国政治运动抑或一般社会运动中开辟了一个新纪元”。①

正因为如此，1919 年 12 月 12 日，在东京召开了全国普选大会，会议口号是“获得选举权是社会改造的第一步”。翌年 1 月 31 日，以普选期成同盟会为首的 42 团体成立了“全国普选期成联合会”。2 月 10 日，全

① 金原左门编：《近代日本的轨迹 4：大正德谟克拉西》，古川弘文馆 1994 年版，第 56 页。

国劳动者团体联盟主持召开普选演讲会，11 日，普选期成同盟会主持的普选促进大会和普选期成治警废除关东劳动同盟主持召开争取参政权民政大会，约 3 万多人参加了示威游行。新妇女协会也提出了妇女参政权要求。

在这种形势下召开的议会，把普选问题列为最重要的议事日程。在野的宪政会、国民党、新政会以及无所属团体“普选实行会”，都分别提交了选举法修正案。这也是大正时期第一个普选法案。

修正案要求废除纳税资格规定，但是，执政的政友会反对这一普选修正案。因为政友会的地盘是农村的自耕农，而这些自耕农的大部分人符合上届议会通过的“纳税 3 日元以上者”的条件，如果废除了这一纳税资格规定，新增加的选民大都是作为宪政会基础的城市市民，这显然是对政友会不利而对宪政会有利。首相原敬出于对本党利益的考虑，也反对这一方案，并以此为借口解散议会。在 1920 年 5 月举行的大选中，政友会以 279 议席的绝对多数获胜。

1921 年 11 月 4 日，原敬首相遇刺身亡，日本政党政治夭折。加藤友三郎组阁伊始，新闻记者便与在野党联合，召开拥护宪政大会，要求实行普选的呼声日益高涨，在各地出现了普选团体，继续向议会提出普选法案。加藤内阁被迫设置普选调查会，开始作实施普选的准备。

1923 年 8 月，加藤内阁总辞职。藩阀、海军大将山本权兵卫组阁。山本内阁趁关东大地震之机，一方面公布了《维持治安惩罚条例》，推行进一步强化镇压体制的治安立法，一方面采取一些诸如实行普选、允许日本工会组织向国际劳工会议派代表等改良政策，其目的是防止阶级斗争激化、孤立社会主义、调和藩阀官僚与政党的对立，谋求建立新的统治体制。

在这种形势下，发生了以实施普选、建立政党内阁为目标的第二次护宪运动。1924 年 1 月 2 日，即天皇指令清浦组阁的那一天，东京、大阪的 15 家报社代表集会，宣告“我们希望组织立即实行普选的内阁”。① 随

① 信夫清三郎：《大正民主史》第三卷，日本评论社 1964 年版，第 899 页。

后，1 月 18 日，政友会的高桥是清、宪政会的加藤高明和革新俱乐部的犬养毅这三个政党领袖举行会谈，成立了护宪三派联合阵线。20 日，三派协议会制定行动纲领："确立政党内阁""否认清浦内阁""制止特权势力的专横""采取统一行动"等。他们在东京、大阪等大城市召开了拥护宪政国民大会，提出"实施普选""建立政党内阁""改革贵族院和枢密院"等口号。

护宪三派联合后，1924 年 1 月末议会解散，展开了长达三个多月的选举战。选举战开始以后，各政党之间互相攻击的态势愈演愈烈。宪政会于 2 月 2 日就解散议会问题发表声明，指出"贵族院内阁违反宪法精神"，"将会引起可怕的阶级斗争"。清浦首相在 2 月 12 日召开的地方官会议上说，政友会、宪政会和革新俱乐部形成的护宪三派的言行，是"煽动阶级斗争，滋生社会纠纷"。①

对大多数选民来说，是希望实行政党内阁与普选。护宪三派的候选人采取"联合作战"的方式，与政府派和政友本党形成针锋相对的态势，结果大获全胜。5 月 10 日，宪政会由解散时的 103 席激增至 151 席，成为第二大党，政友会 100 席，革新俱乐部 30 席。护宪三派在第 15 届众议院选举中获得了 464 个议席中的 282 个议席，占据了议会的多数席位，而支持清浦内阁的政友本党只占 116 席。② 失败了的清浦内阁 6 月 7 日总辞职，为护宪三派成立政党内阁铺平了道路。

在这一新形势下，元老西园寺公望把议会中的第一大党宪政会总裁加藤高明作为下届内阁首相推荐给天皇。6 月 9 日，第一大党宪政会总裁加藤高明受命组阁。11 日，加藤首相成立了由护宪三派组成的护宪内阁。

护宪三派内阁成立之前的打倒清浦内阁的运动，就是第二次护宪运动。与第一次护宪运动相比，这次运动有如下几个特点：第一，运动的要

① 信夫清三郎：《日本政治史》第四卷，上海译文出版社 1988 年版，第 198 页。
② 信夫清三郎：《大正政治史》，劲草书房 1968 年版，第 1142 页。

求进一步提高。第一次仅仅主张改革文官任用令和军部大臣武官制，而这次运动明确提出了建立政党内阁、实行普选、改革贵族院的要求。作为民主运动，这无疑是前进了一大步，具有一定的积极意义；第二，运动领导者也有所变化。第一次运动是由自由主义记者和政党人士组成的宪政拥护会掌握领导权，带有一定的民众自发性；这次则完全由护宪三派掌握领导权；第三，运动的形式发生了变化。第一次运动时，群众包围议会，甚至实行暴动，迫使内阁辞职。而在这次运动中，护宪三派尽量抑制群众运动，甚至避开议会内斗争。结果群众没有单独提出要求，完全被护宪三派所控制和利用。由于缺乏自下而上的群众运动，使第二次护宪运动必然带有较大的局限性。但是，第二次护宪运动的成效也是显而易见的，这主要体现在从此日本出现了日本式政党内阁，这是日本历史上第一个真正的政党内阁。

(三) 启蒙运动

大正时期的政治思潮异常活跃，其内容大体可分为六类：国家主义和皇室中心主义思潮、民本主义思潮、极端国家主义思潮、无政府主义思潮、理想主义思潮、社会主义及马克思主义思潮。

(1) 社会主义及马克思主义思潮

1906 年 1 月初，桂太郎军阀内阁辞职，第一届西园寺内阁标榜“自由主义”，允许政党结社自由。在这种策略影响下，早期社会主义者中合法主义幻想滋长。西川光次郎、堺利彦等分别组织“日本平民党”和“日本社会党”。不久，两者合并为“日本社会党”，1907 年 1 月创办《平民新闻》(日刊)。当时，日本社会党正式成员虽只有 200 余人，但“社会主义者”全国约有 25 000 人。1906 年 3 月，日本社会党在东京领导了反对电车费涨价的群众运动。此后社会党威望大大提高，几个月内党员增加 10 倍，各地成立了 15 个支部。1907 年 2 月的足尾铜矿大罢工在社会党内部引起“策略论争”。一派坚持合法主义，另一派以幸德秋水为代表，受无政府主义影响，主张“直接行动”(总罢工、暴动等)。

工人运动和早期社会主义运动的激化使日本统治者愈加恐惧，西园寺内阁迅速丢掉“自由主义”的假面具。1907 年 2 月 22 日，日本社会党遭禁。4 月 14 日，《平民新闻》亦勒令停刊，日本政府日益加强了警察统治。

此后，日本政府对社会主义者的迫害逐渐加强。1908 年 6 月 22 日，东京社会主义者集会欢迎在反对东京电车加价斗争中被捕的山口义三等人出狱。会后，群众高举红旗，唱着革命歌曲走向街头。50 多名警察立即冲击群众，抢走红旗，逮捕堺利彦、大杉荣等 40 人，这就是“赤旗事件”。

事件发生后，军阀势力攻击西园寺内阁软弱。1908 年 7 月，西园寺内阁辞职，桂太郎第二次组阁。1910 年 5 月，日本政府又以捏造的所谓“阴谋暗杀天皇”的“大逆罪”，大肆逮捕幸德秋水等数百名社会主义者。次年 1 月 18 日，判处幸德秋水等 24 人死刑（次日又改判 12 名死刑、12 名无期徒刑），另 2 名无期徒刑。24 日，幸德秋水等就义。这就是“大逆事件”或称“幸德事件”。此事件在国际上引起强烈反响，美、英、法等国社会主义者及民主主义者都召开了大会，通电抗议，日本政府置之不理，悍然行刑。

幸德秋水是日本早期社会主义的先驱者，少年时代参加自由民权运动，宣传自由民权思想，因翻译出版《共产党宣言》被捕入狱，出狱后流亡美国。出狱后的幸德秋水接受了无政府主义思想。他的思想虽未发展到马克思主义，但对日本统治阶级坚持进行了揭露和斗争，对日本人民革命是有贡献的。

大逆事件以后，白色恐怖笼罩了日本，甚至连《昆虫社会》这本书也因有“社会”二字而被抄没。以残暴著称、专门监视进步人士、镇压日本人民革命运动的“特别高等警察”（“特高”）在“大逆事件”后的第二年（1911 年）建立。

大逆事件后比较活跃的社会主义者，是因“赤旗事件”等被判刑而躲过大逆事件之难的堺利彦、山川均、大杉荣和荒畑寒村等。但他们在出狱后,一般对形势都持悲观态度,无所作为。已达不惑之年的堺利彦于1910年9月出狱后,为了得到生活来源,办起了以“代写文章”为业的“卖文社”。卖文社为东京的社会主义者提供了聚会的场所,但他自己却认为:“新的运动已不易掀起,剩下的少数同志莫如仅凭吊过去以谋求感情上的满足。”大杉荣也说:“大逆事件以后,在最黑暗的反动恐怖中,运动已被完全镇压下去,不能不使人感到同盟已经消失或成为枯骨。”①

1911年以后,形势还是有所变化。1912年10月,大杉荣和荒畑寒村创办了文艺思想杂志《近代思想》。随后的1913年至1914年,护宪运动出现高潮。大杉和荒畑从中受到很大鼓舞。1914年,大杉与荒畑决定《近代思想》停刊,改出“工人运动的机关报”月刊《平民新闻》。堺利彦也一方面继续经营卖文社,一方面于1914年1月开始出版作为“卖文之机关刊物”的月刊《丝瓜花》。

新闻界人士站在了运动的前列。早在西园寺内阁末期,《东洋经济新报》《东京经济杂志》等进步经济报刊就展开了“反对增师、批判藩阀”的论坛。桂内阁成立后,除部分官方媒体外,几乎所有的报刊都登载批判藩阀的新闻报道。1913年1月17日,全国同志记者大会在东京召开,并通过了措词激烈的“批判藩阀、拥护宪政”的决议。报刊舆论的大力宣传,使民众得到启蒙,政党受到监督,对运动的组织和动员发挥了重要作用。

(2) 民本主义思潮

民本主义思潮是“大正德谟克拉西”的主要指导思想。它是大正时期民主运动的主流思潮,在整个运动中发挥着主导作用。“民本主义”一词的使用始于明治末期。大正初期,茅原华山、井上哲次郎、上杉慎吉和大山郁夫等人,将其作为专门性的政治用语,分别做出了不同的解释。茅原华山认为,“民本主义”是与“贵族主义、官僚主义、军人政治”等对立的政治思想,“民本主义以民为主体,以理与军(理念与军队)为客体。军

① 信夫清三郎:《日本政治史》第四卷,上海译文出版社1988年版,第98页。

为民而设，非民服务于军”。[①] 他主张推行自由贸易政策来实现民本主义。可以说，茅原华山是首倡民本主义，并以先行者的姿态活跃于政治舞台的。1913 年，井上哲次郎在《东亚之光》杂志上发表了题为《国民思想的矛盾》一文，针对民本主义是否危害宪法及君权问题，发表了自己的看法。他认为，自古以来就有“民为邦本，固本宁邦”之说。他将增进民众的福利、以人民为本的政治精神称作“民本主义”，民本主义可以调和君主主义与民主主义之间的矛盾。由此可见，井上哲次郎在君权与民主的对峙中，将民本主义作为一种社会对策或调和矛盾的手段。与此相反，上杉慎吉是站在主权论和国家主义的立场来论及民本主义的。他在《民本主义和民主主义》一文中认为，“君主道德的根本意义”就在于民本主义，日本历代天皇都注重民本主义。既然君主之道在于“民本”，所以不必将国家组织的形式以民主形式固定下来。大山郁夫在反对寺内正毅内阁所标榜的“举国一致”论时提倡民本主义。他认为，“真正的举国一致，是从国民利害的迫切意识中产生的，其意识又是通过普及国民的参政权以及使之承担管理国家的共同责任之后才得以形成的”。[②] 其民本主义论的核心内容包括批判寺内正毅内阁的非立宪政策，提倡扩大民众的参政权，主张实现议会政治。上杉慎吉则竭力将民本主义与天皇主权说相融通。

虽然对民本主义的理解有上述多种，但是，赋予民本主义以体现时代精神的解释，并对“民本主义”系统地进行理论阐述的人，却是吉野作造。

“民本主义”这一用语并非自吉野作造始，在此之前，在与贵族主义、官僚主义、军人政治对抗时也经常被人使用。但是，吉野所说的“民本主义”，在与“天皇机关说”相辅相成方面，作为日本型“德谟克拉西”的实践思想，有其特定的含义。[③]

---

① 古川哲史、石田一良：《日本思想史讲座 8：近代的思想 3》，雄山阁 1976 年版，第 288 页。
② 丝屋寿雄：《日本社会主义思想史 Ⅰ》，法政大学出版局 1982 年版，第 240 页。
③ 金原左门编：《近代日本的轨迹 4：大正德谟克拉西》，古川弘文馆 1994 年版，第 13 页。

吉野作造是东京帝国大学教授，大正民主运动的著名理论家，早年留学欧洲。吉野在1914年3月号的《中央公论》发表了《论民众的示威运动》，根据在欧美各国的见闻，评价了民众的势力，论断了在日本实行“民众政治”的可能性。这时正值第三次桂内阁因护宪运动而垮台不久，也是护宪运动因西门子事件[①]而再度高涨的前夜。

1915年6月，吉野作造在《欧美现状的发达及其现状》一文中，首次将自己的思想概括为“民本主义”。他指出：“我主张近代政治的理想，在于保证最高最理想政治价值之最大限度的实现。因其中最显著的特征在于重视民众的意向，所以我赋予其以民本主义之称谓。”[②]

1916年1月，吉野在《中央公论》上发表了论文《论宪政之本义及其完成至善至美之途径》，在这篇文章中，吉野集中地论述了“宪政”及作为宪政精神基础的民本主义及议会政治等问题。可以说，这篇论文是大正“德谟克拉西”的经典之作，也是吉野作造的有关民本主义理念之集大成。在这篇文章中，吉野所说的民本主义，就是要重视“法理上的主权在宪法中是属于天皇的”这一日本的特殊性，要通过人民在政治上实现“德谟克拉西”来完成国家主权活动的基本目标。所以，按照吉野的见解，“德谟克拉西”的含义与主权在法理上属于人民的民主主义是一样的，即政策取决于“一般民众的意向”，政治的目的是“为一般民众谋福利”。[③]此外，他还不断地发表文章，阐述自己对时局的看法。一战后，面对国内激烈的阶级斗争形势，吉野作造对自己的“民本主义”理论体系也做过策略上的调整，使其更加注重实际内容。

---

① 海军受贿事件。1914年1月23日东京各报报道柏林法庭审理德国西门子公司东京分公司职员盗窃文件罪时，暴露该公司曾贿赂日本海军高级官员的消息，在野党遂利用作为责难内阁的材料。在野党弹劾内阁案遭否决后，2月10日更发展为以倒阁为目的的群众运动，并由东京波及大阪。这时又揭露舰政本部部长松本和中将通过三井物产公司接受英国毕卡斯公司的贿赂，松本等受军法会议审判。同时贵族院又否决扩充海军的预算。3月24日山本内阁被迫总辞职。

② 三谷太一郎：《吉野作造》，中央公论社1985年版，第208页。

③ 金原左门编：《近代日本的轨迹4：大正德谟克拉西》，古川弘文馆1994年版，第13页。

吉野在1919年2月号的《中央公论》杂志上，发表了长篇论文《扩大选举权问题》，为普选运动提供了理论，并于4月修订出版了《普选论》一书。学生和工人根据吉野的理论展开了普选运动，使1919至1920年出现了民本主义时期。

吉野作造所主张的民本主义思想中的民主有两个方面的含义：其一是"国家在法理上属于人民"；其二是"国家主权活动的基本目标在政治上属于人民"。吉野将第一种含义命名为民主主义。吉野认为这种民主主义在日本是难以通行的，而民本主义则可通行。在称谓上，二者虽然很相近，但由于民本主义回避了民主主义与君主主义在法理上的冲突，所以客观上缓和了两种政治派别的对立，为改革专制主义提供了可能性。

吉野认为，平民主义主张平民与贵族对立，民主主义主张主权在民，都不适用于君主国日本，而只有他所主张的民本主义才适合日本的国情。所谓民本主义，吉野认为就是"政治上行使主权的基本目标在于人民"，即国家活动的目标在于为人民群众谋福利，以及决定政策的依据是民众的意向。在不否定君主制的前提下，主张宪法应具有保障人民权利、三权分立、民选议院等内容。指出在由封建特权阶层掌权的国度里，虽为世界形势所迫公布了宪法，但未能实行宪法应有的基本原则，也不能用立宪思想来解释宪法。因此，吉野主张改善议会政治，由人民监督议员，由议会监督政府，在明治宪法体制的框架内，建立政党内阁和实行普选制。吉野的民本主义属于合理的改良类型，反映了中小资产阶级的民主要求，在一定程度上批判了专制统治，延续了护宪运动的传统，受到中小资产阶级和中间阶层市民的广泛支持。

吉野所追求的政治理想是"尊重一般民众之利益与意向"的"民本主义"，而作为实现这一理想的政治形态，则要求由"两大政党对立"而形成"政党内阁制"。吉野的主张以"一般民众之利益"作为政治理念的中心，得到了平民百姓特别是学生的共鸣，也得到了以"政党内阁制"为理想的政治形态的政党的支持。吉野从正面向官僚军阀的政治统治挑战的政论，在日本政治史上具有开拓性的划时代意义。

吉野作造的“民本主义”思潮，在大正时期整体政治思潮中居于主流地位。他的“民本主义”思想，很快成为大正民主运动的指导思想。由于他的思想代表了广大中小资产阶级及广大民众的利益，所以“民本主义”思想能够团结民众。由于“民本主义”巧妙地回避了“国家主权所在”的问题，因而能避免与天皇制及明治宪法的正面冲突，其主张能够得到统治者的认可，所以“民本主义”获取了最大的政治实效。就“民本主义思潮”在大正时期政治思潮中的地位及作用而言，在战前日本社会中具有一定的可行性。可以说，吉野作造的“民本主义”的要求也为二战后日本民主改革奠定了战前基础。

吉野作造以基督教博爱主义及人道主义精神来观察社会问题，以“民本主义”儒学概念来嫁接西方民主原理与现行政治体制。他始终站在体制之外，以自己的思想言论指导大正民主运动，保持着人格的独立性与同一性。他以舆论参政和舆论干政的方式关注政体改革，从而引导国家向良好的方向发展。吉野作造通过报刊、杂志及“演说会”向广大民众宣传自己的思想。他创办或直接参与的思想团体有黎明会（1918 年 2 月）、东大新人会（1918 年 12 月 5 日）及全国学生促进普选同盟（1919 年 2 月 11 日）等。在一定意义上讲，他所领导的大正民主运动既是自由民权运动的继续，又超越了自由民权运动。因为大正民主运动是推动欧美政体模式在日本真正实践的历史过程，并取得了一定的实效。吉野作造始终以大学教授的身份与政界保持着距离。他以“民本”理念引进西方民主思想，并认为“民本主义”与君主制可以两立。他的参与意识、对信念的执著、观察问题的敏锐及其独立性，构成了其独立人格的外在表现。

但是，吉田作造的民本主义，即使在他的《论宪政之本义及其完成至善至美之途径》一文中，也没有回答在法理上主权属于谁的问题。也就是说，他回避了作为主权论最大课题的“主权是属于人民还是君主”这一问题。正如上杉慎吉所指出的那样，“他的这篇论文，是想通过君主亲政来完成民本主义”。①

在吉田作造首倡的民本主义思想的影响下，大杉荣和荒畑寒村等社会主义者，在1915年10月再次出版了《近代思想》，堺利彦也于1915年9月创刊了作为“社会主义运动的机关报”的《新社会》。

但是，1916年1月，山川均打破了6年的沉默来到东京，加入卖文社，参与编辑《新社会》。他在1917年3月号的《新社会》上发表了题为《建于沙滩上的民主（评大山郁夫的民本主义）》的论文，此后至1919年共发表论文十余篇，对以吉野作造为中心的民主论展开了批判。山川均指出，吉野所主张的民本主义是“以现行宪法为永久既定之事实，并由此出发的”。山川均认为：“不承认人民是最后的主权者的所谓‘来自人民并为了人民的政治’，虽然有可能是君主恩赐给人民的善政，但绝不可能是人民的主张。”②

“大正德谟克拉西”在第一次护宪运动发生前后，东京帝国大学教授美浓部达吉发表了《宪法讲话》一文，用“国家法人说”的理论对《明治宪法》做出了新的解释。他反对当时通行的穗积八束、上杉慎吉等人的“天皇主权论”观点，认为一国主权属于国家，而不属于天皇，天皇只是作为国家的最高机关行使统治权，其权力的行使须依据内阁的意见，内阁则须对议会负责，议会是直接以宪法为根据的国民代表机关。美浓部达吉在这里是用资产阶级君主立宪说，解释专制主义宪法，旨在肯定、扩大议会的权能，提高立宪政治的地位。结果，美浓部的这种“天皇机关说”取代了“天皇主权说”，风行一时。1920年代天皇机关说得到公认，美浓部“君民共治”的主张，得到广泛共鸣，成为大正民主运动及政党政治的理论根据。

大正时期，作为知识分子与民众相接触的手段之一，更多地依赖大学和报刊、杂志等宣传媒体来完成启发民众的任务。如自1918年起，日

① 针生诚吉、横田耕一：《国民主权和天皇制》，法律文化社1983年版，第123页。

② 信夫清三郎：《日本政治史》第四卷，上海译文出版社1988年版，第102页。

本的出版业迅速发展，到 1920 年左右出现高潮。1920 年初，长谷川如是闲、大山郁夫等人创办《我们》《改造》《解放》等杂志，京都帝国大学教授河上肇也在此前发行了个人杂志《社会问题研究》。这些杂志与历史悠久的《中央公论》《东洋经济新报》等杂志一起，在广大知识分子中间发挥了启蒙作用。《改造》《解放》等左派杂志在 20 多岁的青年、学生中间影响最大，而具有自由主义性质的《中央公论》则受三四十岁的人青睐。

据内务省 1922 年 5 月调查的有关《最近出版物的倾向与取缔状况》记载，每月出版 4 次以上的报纸与每月出版 3 次以下的杂志的增加状况，报纸为 1915 年 600 种，1917 年 666 种，1918 年 798 种，1920 年 840 种，1922 年 908 种；杂志为 1915 年 1 040 种，1918 年 1 442 种，1919 年 1 751种，1920 年 1 862 种，1922 年 2 236 种；（主要论及思想及劳动问题的）单行本为 1917 年 21 种，1918 年 49 种，1919 年 190 种，1920 年 220 种。[①] 这既反映了大正时期文化思想的活跃，也是政治民主化成果的一个标志。

长谷川如是闲、三浦一鏔太郎、石桥湛山等为代表的一批进步知识分子通过报刊、杂志展开了反对专制主义统治和军国主义的活动，特别是石桥湛山，长期坚持反对军国主义和反对侵略中国的立场，发表了许多文章。石桥湛山所主持的《东洋经济新报》，就日本的内外政策发表过一系列主张：诸如政治上实行普选制、经济上实行自由开放、国防上实行小军备主义、教育上废除官学特权等。

（四）社会运动

进入 1900 年代，日俄战争后，随着产业工人的增加，日本工人运动的数量和规模都出现蓬勃发展的局面。1907 年，日本爆发了经济危机，工人运动更加高。这一年发生的枥木县足尾铜矿大罢工，参加者 3 600 多人，历时十天才镇压下去，是日本工人运动史上第一次有组织的大

① 金原左门编：《近代日本的轨迹 4：大正德谟克拉西》，古川弘文馆 1994 年版，第 55 页。

罢工。

第二届桂太郎内阁上台后，加强了对工人运动和社会运动的镇压，使运动暂时进入低潮。但 1911 年 12 月底爆发的东京市电车公司职工大罢工，一直延续到次年 1 月初，使当时拥有 200 万人口的首都交通一时陷入瘫痪状态，形成新的工人运动高潮。有关当局被迫答应了工人们的要求。这次工人运动中，片山潜等人被捕，1914 年被释放后被迫流亡美国，从此再也没能回到日本。

第一次世界大战给日本迅速带来繁荣，但在“一战”期间和战后初期，由于工人劳动时间长，劳动条件恶劣，各地不断发生罢工事件。从 1915 年 9 月到 1918 年 4 月间，工人团体友爱会参与罢工事件达 100 余件。[①] 在此前后，大阪、长崎等地也成立工会或发动工人举行大罢工，并获得胜利。1917 年的罢工斗争为 396 起，参加人数为 57 309 人次。1918 年罢工事件为 417 起，参加人数达 66 457 人次，比战前和大战期间均有明显增加。[②]

明治以来，日本工人一向隶属于老板，没有人身自由，一战期间，工人为了争取自由，摆脱束缚，开展了“桎梏破坏运动”。此类运动由 1915 年的 64 件迅速上升到 1917 年的 398 件，参加人数由 1915 年的7 852人增至 1917 年的 57 309 人，这标志着工人运动开始向纵深发展。[③]

第一次世界大战后，日本经济又陷入严重的经济危机。原敬内阁推行的“振兴产业”和扩充军备政策的经费来源，完全是靠发行公债和增加税收。这些政策，激起了日本下层国民的反抗，于是工人运动又进入高潮。1919 年全国发生工人斗争 2 388 起，参加者有 335 225 人。其中罢工和怠工斗争 497 次，参加者有 63 137 人。[④] 工人斗争遍及各产业部门，造船、钢铁、矿山等战时繁荣部门的斗争规模更大。

---

① 金原左门编：《近代日本的轨迹 4：大正德谟克拉西》，古川弘文馆 1994 年版，第 81 页。

② 森喜一：《日本工人阶级状况史》，三一书房 1961 年版，第 255 页。

③ 金原左门编：《近代日本的轨迹 4：大正德谟克拉西》，古川弘文馆 1994 年版，第 83 页。

④ 今井清一：《日本的历史》第二十三卷，中央公论社 1967 年版，第 225 页。

这一时期的工人斗争都是在工会领导下有组织地进行的。通过斗争实践,工人懂得组织起来的重要性。1914 年仅有 49 个工会,1919 年增加到 187 个,还出现了“全日本矿工总联合会”等工会联合组织。工会运动的高涨还促使当时的工会中心友爱会改组。1919 年 8 月 30 日,友爱会在大阪召开了成立七周年纪念大会,并改名为“大日本劳动总同盟”,开始从经济斗争转向政治斗争。工人组织的加强,促进了工人斗争的发展,往往一处斗争,多处响应,形成燎原之势。

1920 年 3 月经济危机爆发后,工人运动次数减少。这一时期的工人斗争虽多属经济斗争,但也有政治性斗争。1920 年 5 月 2 日,东京 1 500 人为庆祝五・一国际劳动节而举行了示威游行。这是日本历史上第一次五・一劳动节游行。1921 年五・一劳动节时,东京、大阪、横滨、神户等地都举行了示威游行,参加人数仅东京一地就达 5 000 人。

这一时期的工人运动,存在着改良主义、议会主义和无政府工团主义等社会思潮。当改良主义和议会主义受到挫折后,无政府工团主义乘机而入,为一部分不满改良主义和议会主义的工人群众所接受。无政府工团主义的代表人物是大杉荣。在他的影响下,东京的信友会、正进会等印刷工人工会和出版工人工会都成为无政府工团主义工会。他们主张采取所谓直接行动,鼓吹总罢工万能论,主张“无政府共产”社会。大杉荣认为:“不论是资本家的政府还是工人的政府,任何政府……都是不可信的。”①由于无政府工团主义的影响,各工会组织处于分裂状态,无法采取统一行动,削弱了工人运动的战斗力。

1918 年的“米骚动”(抢米风潮)是一战后日本农村阶级矛盾的一次大爆发。发生米骚动的直接原因是米价飞涨。米价暴涨的原因很多,但根本原因还是由于半封建土地所有制下停滞的粮食生产与大战期间资本主义工商业发展矛盾的结果,斗争的主力是城市各阶层的劳动人民。

“米骚动”是日本历史上规模最大、参加人数最多、时间最长、影响最

① 住谷悦治等编:《日本社会思想史》第二卷,芳贺书店 1969 年版,308—309 页。

深的一次农民暴动，有其深远的历史意义。日本共产党创始人片山潜认为："在日本历史上，从未见过具有如此重要性的暴动。显然这次米骚动是日本民众彻底觉醒的、最早显示强大力量的开端，可以视为现代革命运动的引爆点。日本革命运动从短暂的米骚动中获得了十倍的力量。"①米骚动的巨大威力推动了日本民主派知识分子，成为"大正德谟克拉西"的动力。

通过"米骚动"，农民的政治觉悟大为提高，同工人的关系也密切起来。在工人阶级影响下，农民越来越认识到租佃制的不合理，提高了同地主作斗争的自觉性。同时，被解雇的大批在农村的工人，回到农村后，不仅壮大了农民斗争的队伍，而且把工人运动的经验带回农村，提高了农民运动的战斗力。这一时期农民运动以佃农斗争为主，1921 年佃农斗争达到高潮。据统计，1920 年发生佃农斗争 408 起，参加者为 34 605 人；1921 年猛增为 1 680 起，参加者达 145 898 人。斗争次数和参加人数一年内增加约 3 倍。斗争多数在不同程度上取得了胜利。

这一时期农会组织发展迅速。据日本内务省调查，1919 年有佃农协会 298 个，1920 年为 403 个，1921 年达 732 个。到 1922 年 6 月，佃农协会增至 902 个。② 但这些农民组织之间一般缺乏联系，且规模小，势单力薄。农民迫切希望扩大农会组织的规模。1922 年 4 月 9 日，大阪、兵库、广岛、爱知、福岛等 13 个县市的 69 名代表，在神户召开了日本农民组合成立大会，通过了"日农"纲领。"日农"的成立对日本农民运动具有重要意义。

与工农运动发展的同时，由特殊部落民组成的部落解放运动也开始兴起。据日本政府调查，1919 年日本全国的特殊部落有 5 294 个，共计 148 706 户，87.6 万人。其中有公民权的为 6.3 万人，而有选举权的仅 3.1 万人，③绝大多数人都被排斥在政治生活之外。特殊部落民是处于

① 片山潜：《片山潜著作集》第三卷，河出书房 1960 年版，第 210 页。

② 信夫清三郎：《大正政治史》，河出书房 1954 年版，第 765 页。

③ 国史研究会编：《岩波讲座日本历史》第 18 卷，岩波书店 1963 年版，第 185 页。

日本社会底层的群众。他们不仅政治上受压迫，经济上受剥削，而且人格上也倍受侮辱和歧视。占部落民总数49%的部落农民，一般只能租到最次的土地，而缴纳地租却比一般农民高得多。从事工业的部落民在职业和待遇上也比一般工人差得多。他们只能从事制革、建筑、编织、掏粪工、搬运工、人力车夫等低贱的劳动。

一战后工农民主运动的高涨，给特殊部落民以强烈影响。特别是通过"米骚动"，使部落民看到自己的力量，增强了争取解放的信心和决心。在一战后工农民主运动高潮中，许多部落民和一般工农群众一样积极参加斗争。当时与部落民关系很深的皮革和竹木制品业，不断爆发斗争，农村的部落民也掀起反抗地主剥削、要求减轻地租的斗争。为了斗争的需要，还成立了许多部落解放组织。1922年3月3日，在京都市召开了全国水平社成立大会。参加大会的有来自全国各地的部落民代表2 000人。大会通过了水平社的纲领、宣言和行动方针。纲领规定：一、我们依靠部落民自己的力量争取彻底解放；二、我们要求在社会上取得绝对的经济上和职业上的自由；三、我们懂得人类社会的原理，并朝着人类最高目标迅猛前进。大会还决定出版机关刊物《水平》月刊。水平社的成立，促进了特殊部落民的团结，推动了部落解放运动的发展。

20世纪初，随着日本工人阶级的成长和工人运动的发展，马克思和恩格斯的著作开始译成日文传到日本。1906年3月15日，堺利彦创办《社会主义研究》，并刊载了《共产党宣言》。1917年俄国十月革命的胜利，进一步促进了马列主义在日本的传播。1919年，《资本论》第一卷的日译本在日本出版。1924年，列宁的重要著作《国家与革命》，由片山潜等译成日文出版，进一步扩大了马列主义在日本的传播和影响。以片山潜为首的共产主义者为传播马列主义发挥了先锋和桥梁作用。

在马列主义传播和工人运动高涨的形势下，1920年12月9日成立了"社会主义同盟"。它是一个各种思潮的混合体，既有共产主义者，也有无政府主义者和改良主义者，其中无政府主义者的势力较大。"社会主义同盟"刚成立时，受到工人群众的欢迎，但不久即被镇压，1921年5

月终于被迫解散。

“社会主义同盟”解散后，所谓社会主义者迅速分化为无政府主义、改良主义和共产主义三个派别，相互间展开了激烈的论争。以大杉荣为首的无政府工团主义者创办了《劳动杂志》，攻击俄国十月革命。山川均则在《社会主义研究》和《前卫》上发表文章，批驳改良主义和无政府工团主义。属于布尔什维克派的人们，在“社会主义同盟”解散后先后成立了“水曜会”“晓民会”“无产阶级社”等政治组织，为日本共产党的成立作了思想准备和组织准备。

日本革命先驱片山潜，曾于1920年建议成立日本共产党。为此，片山潜以旅美日本人社会主义团为中心开展活动。1921年4月，堺利彦、山川均、近藤荣藏等人成立了日本共产党筹备委员会，起草了《日本共产党宣言》和《日本共产党章程》。1922年初，日本各组织的代表在莫斯科就建立日本共产党的必要性相互交流经验。1922年1月21日，远东各国共产党及民族革命团体代表大会在莫斯科召开。会议强调了日本革命在亚洲民族解放运动中的重要作用，促进和帮助了日本共产党的建立。

1922年7月15日，日本的社会主义者在东京涩谷区一家民宅召开党的成立大会，宣布日本共产党成立。大会通过了党的章程和行动纲领，选出了由堺利彦等7人组成的中央执行委员会，堺利彦任委员长。

刚刚成立的日本共产党，在处于非法状态的艰苦条件下，为巩固、发展党组织和推动日本革命运动，进行了不懈的斗争。1923年4月5日，日本共产党出版发行了党的机关刊物《赤旗》以及《劳动新闻》《农民运动》等报刊，宣传党的路线和方针，以扩大党在群众中的影响。日共还大力加强对工人运动的领导和影响。劳动总同盟是当时日本较大而有影响的工会。日共在总同盟中发展党员，并通过他们扩大党对总同盟的影响。

日共站在反对《过激社会运动取缔法》《工会法》《租佃纠纷调停法》等三大恶法的斗争前列，促进了这一斗争的发展。总同盟等50多个工会、思想团体成立了“反对三大恶法无产者同盟”，在各大城市举行示威游行。结果迫使政府撤销了镇压工农运动的法案。日共还支持部落民的斗争，努力把部落解放运动和无产阶级革命运动联结在一起。

1923年9月“关东大地震”后，日本统治阶级乘震灾之机发布戒严令，镇压幼年的日本共产党和在日朝鲜侨民。进步人士浅沼稻次郎和大山郁夫等人被捕。

综上所述，“大正德谟克拉西”在反对官僚、军阀专制统治，实行议会政治和建立政党内阁等方面，发挥了积极作用。大正时代在普选（护宪）运动、启蒙运动、民众运动等方面，与明治时期相比都进入了一个新的阶段。所以，“大正德谟克拉西”在日本近代史上的确应占有一席之地。但是，大正时代在天皇大权、统帅权独立、元老、枢密院、贵族院等天皇制机构方面并没有发生本质的变化。天皇制虽然在表面上受到一定的攻击和批判，但是，由于天皇制包容了若干近代化因素，而且随着时代的推移而有所变化，增强了保护色，乃至为发展成更强大的昭和时期的天皇制法西斯埋下了伏笔。①

日本为什么经过了“大正德谟克拉西”之后，到昭和时期又迅速出现了法西斯专制，这是一个值得研究的问题，也是一个关系到对“大正德谟克拉西”如何评价的问题。应该说，在充分肯定“大正德谟克拉西”在日本民主化进程中的历史作用的同时，也要实事求是地指出其历史局限性。当然，这是一个需要另文探讨的问题。

三　天皇制法西斯专制的形成与崩溃

（一）天皇制法西斯专制的基本形成

第一次世界大战后，日本的军队和民间都相继建立了不少法西斯组织，发起国家改造运动，策划一系列军事政变事件；政府机构也逐渐法西

① 针生诚吉、横田耕一：《国民主权和天皇制》，法律文化社1983年版，第121页。

斯化，对内实行法西斯专政，扩军备战，使国民经济进一步军事化，对外积极准备发动侵略战争。

（1）国家改造运动与“满洲事变”

1919年3月，北一辉在上海完成了《日本改造案原理大纲》（后来改称《日本改造法案大纲》）一书，书中称，为了拯救“内忧外患及将要来临的有史以来之空前国难”，计划通过政变来实行“国家改造”。当时，日本军队内部还没有发生国家改造运动，所以，北一辉的理论对青年军官集团的影响很大。“在乡军人团”的核心人物西田税就是其中之一。

西田税早在陆军士官学校读书时就开始对《日本改造法案大纲》产生了深刻的共鸣。1927年10月前后，西田在向青年军官散发的《天剑党章程》中，描述了自己关于国家改造的思想。天剑党是一个“以军人为基础，联络全国战斗的同志而结盟的改造国家的秘密结社”。他所寻求的革命“经典”，就是北一辉的《日本改造法案大纲》。受《天剑党章程》影响的海军少尉藤井齐在次年，即1928年3月，建立了王师会，作为海军青年军官的组织。王师会主张，作为“奉天皇之大命而完成维新之实力”，必须“完成奉戴日本皇帝建设世界联邦国家之圣业”。在《伦敦海军裁军条约》即将签字的1930年4月3日，藤井又起草了意见书《忧国慨言》，在激进的海军军官中散发。与领导海军青年军官的藤井一丘之貉的是领导陆军青年军官的大岸赖好中尉。他也于1930年4月，在激进的陆军军官中散发秘密小册子《兵火》，号召“开始正义之战斗”，呼吁以“推戴天皇为根本方针”，鼓吹“组织陆、海、国民军三位一体的武装力量”。

如果把北一辉、西田税和现役青年军官视为第一个集团，那么第二个集团便是井上日召等人的恐怖主义集团。井上曾作为军事密探和走私商人在满洲和华北流浪12年。1921年回国后，投师头山满门下，与内田良平等玄洋社、黑龙会的浪人过从甚密。

第三个集团是以大川周明和桥本欣五郎大佐为核心的樱会的陆军幕僚们。樱会是一个“以改造国家为最终目的”的秘密结社，会员大部分是陆军大学出身、陆军中央的幕僚军官。建立樱会的直接动机在于伦敦裁军问题以及围绕《伦敦海军裁军条约》的统帅权论争，而在樱会建立的1930年下半年，日本便因统帅权论争的后遗症而开始动荡不安。

在幕僚军官中间，早就有革新陆军的动向。1921年，派往德国工作的冈村宁次、小畑敏四郎、永田铁山3位少佐，在巴登—巴登相会，研究如何排除当时独占陆军首脑部的萨长阀，筹划陆军的现代化，为总体战作准备。1929年成立一夕会，目的就是要刷新陆军人事，拥立非萨长系的荒木贞夫、真崎甚三郎、林铣十郎3位将军重整陆军，把解决满洲问题作为重点。他们所说的革新，就是要打倒陆军中的萨长阀，由他们自己亲手解决满蒙问题。

桥本欣五郎1922年在哈尔滨的特务机关工作时，曾学过俄国革命史，1930年5月回国后进入参谋本部。他对传入日本的共产主义深表忧虑，有“政党政治乃天皇政府唯一最大障碍之感”。他决心为“实现天皇单一之政治”而改造国家。他所要实行的国家改造，是希望维护因“共产主义”而面临危机的“世界无双之国体”，于是便建立了樱会，作为推进国家改造的团体。

桥本等人打算以统帅权为后盾，来干预国政，强制实行对国家的改造。他们在策划对国家的改造时，主张“先内后外主义”，首先通过内部改造建立强有力的政府，再处理对外问题。①

改造国家是与对外侵略，即以武力解决“满蒙问题”相辅相成的，但在如何实行的问题上，樱会内部意见也有分歧。分歧点在于首先改革内部，还是首先对外行动(武力解决“满蒙问题”)。桥本等人认为，靠现在这样软弱无能的政党内阁，对外行动是不可能的，因此首先要改造内部，建立强有力的政府。从这种先内后外主义产生的计划，发展为后来所谓的“三月事件”。

“三月事件”是通过政变来建立以陆相宇垣一成为首的军人政府。参与这一计划的有：陆军次官杉山元、参谋次长二宫治重等军部首脑和以桥本欣五郎为首的樱会激进派以及右翼的大川周明一派。该政变计

---

① 信夫清三郎：《日本外交史》下册，商务印书馆1988年版，第546页。

划虽被挫败，但“三月事件”却给“国家改造运动”以巨大的影响：第一，由于军部首脑带头以政变来实现改造计划，便使类似的政变计划此后相继出现；第二，由于该计划受到挫折，使先内后外主义退居劣势，被先外后内主义取而代之，占据主导地位，后来就具体表现为“满洲事变”。

在日本陆军内部，另一个国家改造运动的核心就是与北一辉及西田税等人相勾结的少壮军官集团。在海军中也形成了以藤井齐中尉为中心的国家改造运动的骨干。右翼团体也与军部相互呼应，投入了国家改造运动。不过，这些右翼团体大多数只不过是受雇于政党或资本家团体的打手而已。

自从经济危机前后工农群众运动和社会主义运动进入了新的阶段以后，一些所谓革新右翼团体相继建立。急进爱国党、日本国民党、爱国勤劳党、全日本爱国者共同斗争协议会、大日本生产党等都属于这类组织。革新右翼团体的特征在于，它并不象过去的右翼团体那样仅限于鼓吹单纯的排外主义和对外扩张主义，而是对资本主义制度和政党政治也进行一定的批判，主张改造国家。它们的作用在于依靠革新的伪装，把国民大众的力量引向反革命的国家改造和对外侵略。

1930 年的统帅权论争，是由政党和军部在关于天皇的统治权问题上的对抗而引起的。在论争中，军部意识到天皇制的危机，为了维护天皇的统治权，便不断攻击政党，并在军部的领导下展开所谓国家改造运动。这场闹剧的灵魂人物就是石原莞尔。

石原莞尔认为，战争本来的目的在于完成“以武力彻底地压倒敌人”的“歼灭战争(决定性战争)”，但在武力不能自行解决一切的场合，将会限于“消耗战争(持久战争)”。为了进行持久战，“国内改造”是必要的。但是，为了推进国内改造，作为跳板，首先必须实现“对外发展”。因此，石原主张：“根据我之国情，宜迅速使国家在对外发展上突飞猛进，并根据情况断然实行国内之改造。”①

① 信夫清三郎：《日本政治史》第四卷，上海译文出版社 1988 年版，第 261—263 页。

无论是陆军还是海军,青年军官都提出了以"军人为基础"的关于国家改造的设想,这是因为他们掌握着统帅权。在这一点上,他们与石原莞尔是不谋而合的。

1931 年 4 月 13 日,滨口内阁总辞职。元老西园寺公望推荐若槻礼次郎继任首相职务。若槻成为民政党总裁,第二次组阁。南次郎大将就任陆相,宇垣则调任朝鲜总督。

表 1.2　第 2 届若槻内阁(1931. 4. 14—1931. 12. 13)

职　务	姓　名	出　身	职　务	姓　名	出　身
总理大臣	若槻礼次郎	民政党	外务大臣	币原喜重郎	
内务大臣	安达谦藏	民政党	大藏大臣	井上准之助	贵族院
陆军大臣	南次郎		海军大臣	安保清种	
司法大臣	渡边千冬	贵族院	文部大臣	田中隆三	民政党
农林大臣	町田忠治	民政党	递信大臣	小泉又次郎	民政党
商工大臣	樱内幸雄	民政党			

与桥本欣五郎中佐的先内后外主义相反,石原莞尔中佐则主张先外后内主义。他自 1928 年 10 月就任关东军作战主任参谋以后,便策划解决"满蒙问题"。1929 年 5 月,板垣征四郎大佐就任关东军参谋,更加强了关东军的力量。在 1930 年 11 月至 12 月间,永田铁山大佐作为陆军省军事课长视察朝鲜、中国东北和华北时,曾在沈阳与板垣、石原会谈,详细讨论了武力解决满蒙问题的方策。

1931 年,围绕侵略"满洲"的活动更加紧锣密鼓地展开。4 月,参谋本部起草了《昭和六年度(1931 年)形势判断》一文,设想"满蒙计划"分步走,最后达到直接占领的目的。5 月,关东军参谋板垣征四郎大佐以关东军司令部的名义制定了一个《满蒙问题处理案》的政策性文件,也提出了要"领有满蒙"的计划。石原莞尔在此前后则起草了《满蒙问题之我见》的意见书,强调必须在 1936 年以前解决满蒙问题。在东京,陆军省的永田铁山、冈村宁次大佐与参谋本部编制动员课课长山胁正隆大佐、参谋部第二部欧美课课长波久雄大佐和中国课课长重藤千秋大佐共五人，于6月召开秘密会议，商讨“满蒙问题”。

1931年7、8月间，连续发生了万宝山事件、中村大尉事件等。8月26日，前首相滨口雄幸去世。9月4日，日本外务省接到来自“满洲”的电报，称“关东军的青年军官正计划对满洲的中国军队下手”。

9月11日，陆军省军事课长永田铁山以中村事件为理由，要求各个方面采取诉诸实力的方针，并同参谋次长二宫治重中将、陆军次官杉山元中将和奉天特务机关长土肥原贤二大佐一起，商议了采取实力报复手段的具体办法。这时，日本三省二部（外务省、陆军省、海军省和参谋本部、军令部）与满蒙问题有关的课长级人物一致认为要“乘中村事件的机会，包括铁路谈判在内，解决一切悬而未决的问题”。①

计划终于付诸实施，1931年9月18日，在奉天境内的柳条湖附近，关东军奉命炸毁铁路，随后向北大营进发，“满洲事变”爆发。9月20日，关东军在奉天（沈阳）发布了事实上的戒严令，任命土肥原贤二特务机关长为奉天市长，开始为“赴援”长春、哈尔滨、吉林作准备，并向驻朝日军求援。朝鲜军未等奉敕命令，便于21日下午1时擅自越境，开往奉天。陆军中央决定采取“先斩后奏”的方针，即在内阁会议不同意出兵时由军方上奏，如天皇不裁允，则参谋总长和陆相先后提出辞呈。但23日召开的内阁会议，对驻朝日军擅自出动问题采取了默认的态度，并事后追加批准了经费开支，最后也得到天皇的裁可，这一事件以军方胜利而告终。

从此，军部更加有恃无恐，军部开始无止境地采取单独行动。9月22日，关东军决定了“一举解决”满蒙问题的基本态度，制定了要“建立一个接受我国支持、包括东北四省（辽宁、吉林、黑龙江、热河）及蒙古在内的、以宣统为首的中国政府，使之成为满蒙各民族之乐土”的方针。②

9月24日，政府发表声明极力表白：日军的行动是为了保护日本侨

---

① 信夫清三郎：《日本政治史》第四卷，上海译文出版社1988年版，第273页。

② 同上书，第280页。

民和维护日本的正当权益，并非意图吞并的军事占领，甚至驻朝鲜军队的越境出兵，也被说成是在条约规定范围之内，企图用这种诡辩使之合法化。但是，随着关东军的侵略逐步升级，日本政府再也不能自圆其说了。

在事变之前策划了流产的"三月事件"的参谋本部俄国班班长桥本欣五部中佐，"满洲事变"后又策划了未遂的"十月事件"，企图实现所谓的国家改造。"十月事件"的核心人物，主要是参谋本部的成员，预定于10月21日动手，在东京的120名军官"首先发动政变，由军部夺取政权，宣布独裁制，进行政治变革"，实行"天皇的一元政治"。

政变计划败露后，10月17日，宪兵司令部便将12个核心人物逮捕和"保护"起来。十月事件以未遂而告终，被捕的12个人在软禁中受到特殊待遇。但十月事件使"国家改造运动"发生分裂。失败了的陆军幕僚军官因被降职而鸟散，樱会归于消失。陆军和海军不久也分道扬镳。未遂的十月事件对日本资产阶级政党也产生了深刻的影响，最后导致政党的分裂。

进入1931年11月，"举国一致内阁论"盛行起来。所谓举国一致，并非为了抑制军部的独断专行，而是政客们为了谋取下届政权的谋略。在这些主张中，既有政友会和民政党的联合，也有军政相勾结的"超然内阁论"。安达谦藏内相极力主张成立政友会和民政党的联合内阁。但若槻内阁成员除安达内相外都不同意与政友会合作，若槻首相要求安达内相辞职，安达予以拒绝。在内阁出现严重分裂的情况下，若槻内阁于1931年12月11日总辞职。

(2)"五·一五事件"与"国体明徵运动"

若槻内阁总辞职后，12月13日，政友会总裁犬养毅组成犬养内阁。1932年1月9日，日本民间人士集团同海军集团就国家改造问题密谋采取行动，席间，多数人主张立即行动。与会者决定采取孤注一掷的方法，在2月1日纪元节那天，集体动手袭击那些进皇宫祝贺的高官。

表 1.3　犬养毅内阁(1931.12.13—1932.5.26)

职　务	姓　名	出　身	职　务	姓　名	出　身
总理大臣	犬养毅	政友会	外务大臣	犬养毅	政友会
内务大臣	中桥德武郎	政友会	大藏大臣	高桥是清	政友会
陆军大臣	荒木贞夫		海军大臣	大角芩生	
司法大臣	铃木喜三郎	政友会	文部大臣	鸠山一郎	政友会
农林大臣	山本悌二郎	政友会	递信大臣	三土忠造	政友会
商工大臣	前田米藏	政友会			

为把世界的目光从“满洲”转移开去，关东军的花谷正少佐与参谋本部驻上海的田中隆吉少佐合谋，于 1932 年 1 月 28 日在上海制造了暗杀日本僧侣的事件，于是，“上海事变”爆发。

1 月 31 日，日召集团与在东京的海军集团决定改变发动袭击的日期和目标。犬养内阁于 1 月 21 日解散议会，公布 2 月 20 日为大选日。日召决定把集体袭击改为“一人杀一人”的方式，袭击前来参加声援演说的政党巨头。

2 月 9 日，小沼正在东京本乡区一所小学暗杀了前来发表支持民政党候选人演说的前藏相井上准之助，随后在 3 月 5 日，菱沼五郎暗杀了三井合名公司理事长团琢磨。这次暗杀行动是由日召集团指使的。但因暗杀行动败露，日召于 3 月 11 日自首被捕。这次暗杀的集团被称为“血盟团”，这次暗杀事件被称为“血盟团事件”。

关东军发动事变的目的是要把满蒙变为日本的领土，但在事变之后，这一占有计划改为所谓“满蒙独立”方案，决定建立“满洲国”。于 3 月 1 日发布独立宣言，建立“满洲国”，推出宣统为傀儡皇帝。

“满洲事变”在“满洲建国”之后而告一段落，上海事变也于 3 月 3 日发表停战声明而进入一个新阶段。4 月 26 日，日本财阀三井和三菱向“满洲国”贷款 2 000 万日元，开始向“满洲”发展。9 月 15 日，日本政府宣布承认“满洲国”。

在海军青年军官的政变计划中，有的陆军候补军官也参加进来。在总共 21 名参与政变的军官中，有 10 名海军军官和 11 名陆军候补军官，还有 20 名民间人士。民间人士的核心人物是桔孝三郎。

权藤成卿青年时代即梦想前往中国大陆，此后便加入国家改造运动。1919 年时，他把自己的思想概括为《皇民自治本义》一书，并于 1920 年 6 月组织了自治学会。深受权藤成卿影响的有海军的藤井齐中尉、古贺清志中尉和中村义雄中尉。

古贺清志和中村义雄，从 1931 年 12 月便开始一起参加了国家改造运动。他们强调，必须由“破坏行动”来实现“社会的改造”。1932 年伊始，古贺清志和中村义雄开始着手采取行动的准备工作，3 月下旬制定了第一次行动计划，又根据情况不断修改计划。在行动计划中，准备通过袭击首相官邸及其他袭击目标而引出戒严令的发布，“希望建立军政府，进入革命阶段”，然后在“革命”阶段实现“国家改造”的目的。

4 月 3 日，大川周明交给古贺 5 只手枪、125 发子弹和现金 1 500 日元。此后，于 4 月 29 日和 5 月 13 日，大川又提供资金共 4 500 日元。而且就在 5 月 13 日，政变全体参加者一起决定于 5 月 15 日采取行动。这一天以海军军官和陆军候补军官为中心的政变主力部队，分为四组，在约定的下午五时三十分，袭击了首相官邸、内大臣官邸、政友会本部和三菱银行。后来，袭击三菱银行的一组首先向宪兵队自首，其他三组则在对警视厅发动攻击后，向宪兵队自首，以爱乡塾为首的别动队，则计划袭击 6 个变电所。

在这次袭击中，暗杀了首相犬养毅，但是，暗杀内大臣牧野伸显没有成功，对政友会本部和三菱银行的袭击也未获成功，对警视厅的攻击也归于失败。别动队对变电所的袭击也未能使东京变黑暗。结果，还未等宣布戒严令政变就失败了。主力部队向宪兵队自首，别动队逃亡。桔孝三郎打算让别动队逃往“满洲”，事先去了“满洲”，但别动队在前往“满洲”前就被抓获了。在“满洲”的桔孝三郎于 7 月 24 日向哈尔滨的宪兵分队自首。大川周明提供武器和资金一事也被发觉，于 1932 年 6 月 15

日被捕。

“五·一五事件”虽未能实现建立军政府的目标，然而，一个国家的首相在官邸被现役军人集团暗杀，这种事件在国内外还是造成了很大的震动。

军部当局对政变青年军官显示出一种同情的姿态。事件发生次日，陆相荒木贞夫强调“纯真青年做出如此之举动，就其心情而言，不能不令人落泪”，因此，在处理本事件时，“必须举国一致，尽全力克服此困难局面”。海相大角岑生则声称：“抛开罪与罚的问题不谈，仅就这些青年之动机而言，不禁落泪。”①

在日本国民中，由于政变参与者替他们发泄了对日本现状的不满，所以对身陷囹圄的这些人表示同情。要求为他们减刑的请愿书，在一年多时间内高达 355 万封。审理军界参与者的军法会议于 1933 年 9 月和 11 月宣判，审理民间人士的东京地方法院于 1934 年 2 月宣判。审判结果是：10 名海军青年军官犯有叛乱罪，刑期重者 15 年，轻者 1 年；11 名陆军候补军官则以叛乱罪全部判处监禁 4 年；17 名民间人士分别判处无期徒刑（橘孝三郎）至 3 年徒刑不等。从判处决结果看，民间人士重于军界。

“五·一五事件”最主要的后果是日本由此结束了政党政治。元老西园寺与军政部门资深要人就下届首相问题反复商量的结果，是绕开第一大党政友会的继任总裁铃木喜三郎，而奏请天皇由历任海军大臣和朝鲜总督的海军大将斋藤实担任下届内阁首相。5 月 26 日，即事件发生后第 11 天，才成立了斋藤内阁。西园寺希望斋藤内阁能起“过渡内阁”的作用，待政局稳定之后再恢复政党政治。然而事与愿违，斋藤内阁反而“过渡”为“法西斯亲军内阁”，政党政治崩溃。

---

① 信夫清三郎：《日本政治史》第四卷，上海译文出版社 1988 年版，第 307 页。

表 1.4　斋藤实内阁(1932.5.26—1934.7.8)

职　务	姓　名	出　身	职　务	姓　名	出　身
总理大臣	斋藤实		外务大臣	斋藤实 内田康哉 广田弘毅	
内务大臣	山本达雄	民政党	大藏大臣	高桥是清	政友会
陆军大臣	荒木贞夫 林铣十郎		海军大臣	冈田启介 大角岑生	
司法大臣	小山松吉		文部大臣	鸠山一郎 斋藤实	政友会
农林大臣	后藤文夫		递信大臣	南　　弘	
商工大臣	中岛久万吉 松本烝治		铁道大臣	三土忠造	政友会
拓务大臣	永井柳太郎	民政党			

斋藤内阁上台伊始，首先着手解决承认“满洲国”的问题。斋藤内阁最初基本上沿袭了犬养内阁的渐进主义，在 1932 年 6 月 1 日召开的第 62 届临时议会上，斋藤首相兼外相还表示承认“满洲国”的时机尚未成熟。但是，日本国内政、财、军界要求立即承认的呼声甚嚣尘上。关东军、“满洲国”政府、“满洲国”协和会等也大肆活动。于是，6 月 14 日，众议院全体会议一致通过了承认“满洲国”的决议。

1932 年 7 月 6 日，满铁总裁内田康哉被任命为外相后，日本政府和外务省的态度逐渐强硬起来。本来，斋藤任命内田为外相就是希望得到军部的支持，而内田本身也是一个强硬派人物，他认为：“从日本国立场来看，满洲问题已不存在，有的只是承认满洲国问题。”①因此，他一进外务省，就开始推行强硬外交路线。在内阁会议上，内田外相支持荒木陆相关于退出国联的主张。

9 月 13 日，枢密院全体会议一致通过了《日满议定书》。9 月 15 日，派驻“满洲”的临时特命全权大使武藤信义和“满洲国国务总理”郑孝胥

①《内田康哉》，鹿岛研究所出版会 1969 年版，第 334 页。

签署《日满议定书》,日本正式承认了"满洲国"。

日本承认满洲国的侵略行径引起国际联盟的关注和谴责。1933 年 2 月 24 日,在国联的特别大会上;以绝对多数通过了反对日本承认"满洲国"的决议。3 月 27 日,日本退出国联。退出国际联盟意味着日本外交的基调从过去的国际协调外交转变到了"自主独断外交的强硬路线"。退出国联这件事本身意味着日本与欧美列强之间的帝国主义对立激化,日本在国际上更加孤立。

日本退出国际联盟后,摆脱了国际联盟对日本的牵制,1933 年 9 月 27 日,海军修改《军令部条例》,把海军军令部长的地位提高到与陆军参谋总长相同,改称为军令部总长。

1934 年 7 月,冈田内阁成立。作为友党的民政党派出松田源治任文相,町田忠治任商工相。政友会的床次竹二郎为邮政相、山崎达之辅为农相、内田信也为铁道相。政友会总裁铃木喜三郎将入阁的以上 3 位阁僚和其他十几名在内阁任政务次官的党员开除出党,以表示强硬姿态。

表 1.5　冈田启介内阁(1934.7.8—1936.3.9)

职　务	姓　名	出　身	职　务	姓　名	出　身
总理大臣	冈田启介	海军	外务大臣	广田弘毅	
内务大臣	后藤文夫		大藏大臣	藤井真信 高桥是清 町田忠治	 政友会 民政党
陆军大臣	林铣十郎 川岛义之		海军大臣	大角岑生	
司法大臣	小原直		文部大臣	松田源治 川崎卓吉	民政党 民政党
农林大臣	山崎达之辅	政友会	递信大臣	床次竹二郎 冈田启介 望月圭介	政友会 政友会
商工大臣	町田忠治	民政党	铁道大臣	内田信也	政友会
拓务大臣	冈田启介 儿玉秀雄				

“五·一五事件”后，由海军大将斋藤实为首相的内阁和以海军大将冈田启介为首相的冈田内阁，被称为“中间内阁”时期。所谓中间内阁，是在要求变革现状或维持现状这两种相反的主张与行动中，倾向于维持现状，并试图使两者妥协而产生的。在中间内阁时期，日本政党迅速衰落下去。恢复政党内阁的期望越来越渺茫，政党政治即将崩溃。

“五·一五事件”后，日本又相继发生了多次法西斯政变阴谋事件，如1933年7月，由“大日本生产党”发动的“神兵队事件”，同年11月发生的“救国崎玉挺身队事件”，1934年11月发生的“士官学校事件”等。士官学校事件（十一月事件）充分体现了统制派对皇道派采取又打又拉的两面政策。这些阴谋事件虽都中途流产，但每次事件都加速了日本法西斯化的进程。

皇道派精神领袖荒木贞夫大将和真崎甚三郎大将是国家改造运动的领军人物。真崎位居负责陆军教育任务的教育总监。冈田内阁陆相林铣十郎于1935年7月罢免了真崎的职务，由渡边锭太郎大将接任。按照内部规定，将官以上的人事任免本应由陆相、参谋总长和教育总监“协商”决定。因此，皇道派则把林陆相左右教育总监的人事安排视为干犯统帅权而提出批评，指出担任陆军省军务局长的永田铁山少将是操纵林陆相罢免真崎的元凶，激起了对统制派的憎恨。

1935年7月16日，相泽三郎中佐从报纸上得知真崎被免职一事，便于19日来东京拜访永田，劝其辞职，永田没有听从。相泽返回福山，于8月10日，他再次自福山前往东京，并于12日在陆军省军务局局长室杀死永田（相泽事件）。

以1935年2月贵族院的质疑为契机而发生天皇机关说问题后，帝国在乡军人会和右翼团体的活动就活跃起来。在3、4月期间，参加这个运动的团体，东京有55个，京都有7个，大阪有6个，各县有多有少，总共达到151个团体。① 在乡军人会的老将军们，由地方来到东京拥进了陆

① 升味准之辅：《日本政治史》第三册，商务印书馆1997年版，第732页。

军省。他们对政府和军部感到不满,期望通过"国体明徵"消灭"诸恶"的根源。

冈田内阁在议会两院的要求和军部的压力下,对天皇机关说的提出者美浓部达吉实行了禁止出售其各种著作的处分(4月9日),并通过两次发表内阁声明(8月3日和10月15日)禁止了天皇机关说。这不是宪法争论,而是政治斗争。从1930年以来已扩大到军部和右翼的对政党、财阀、元老、重臣的攻击,打着国体明徵的旗号使中央政界受到了震动。支撑政治体制的基础观念变成了政治争论的焦点。军部逼迫内阁作出让步,内阁不得不妥协。

关于国体明徵运动的社会背景,丸山真男在其《日本法西斯主义的思想和运动》(1947年)一书中谈道:

> ……谈到我国的中间阶层或小市民阶层,必须区别为以下两种类型:第一种类型是小工厂主、町工厂的师傅、土建承包业者、小卖店店主、木工头儿、小地主,乃至上层自耕农、学校教员——特别是小学和青年学校的教员、村公所的小吏和负责人、其他的一般下级官吏、僧侣、神祇官等这样的社会阶层;第二种类型是城市的工薪阶级、所谓的文化人乃至新闻记者、其他自由职业及知识业者(教授、律师等)和学生阶层。……我们在观察分析法西斯运动时,必须把这两种类型区分开来。①

国体明徵运动一定会获得第一种类型的中间阶层的支持。农村革新派、官职名望家支持在乡军人会的老将军,城市里也有因期待打破现状而支持运动的社会阶层。走投无路和陷入内讧泥潭的政友会,在国体明徵运动中发现了倒阁的手段。同《伦敦海军裁军条约》签字时的统帅权问题一样(当时与海军军令部和枢密院取得了联系),政友会为了倒阁而不择手段,迅速采取了破坏政党政治的自我毁灭行动。

---

① 丸山真男:《现代政治的思想与行动》,未来社1964年版,第63—67页。

1936年1月21日，众议院休会期满而开会时，政友会提出了内阁不信任案，结果内阁宣布解散众议院。政友会埋头于国体明徵运动，没有认真作选举准备，而民政党为了挽回势力，却进行了不懈的准备。西园寺为冈田首相从住友财团那里秘密筹措到100万日元资金。这在西园寺来说，是前所未闻的事情。①

2月大选的结果，政友会大败。在466个议席中，民政党获205席(44%)，政友会获174席(37%)，社会大众党获22席(5%)，昭和会获20席(4%)，国民同盟获15席(3%)，中立派及其他获30席(6%)。在6大城市中，政友会的势力明显下降，而民政党和社会大众党的势力却显著增强。即在62个议席中，民政党获35个(56%)，政友会获13个(21%)，社会大众党获12个(19%)。②

政友会在大城市选区之所以惨败，也许是因为国体明徵运动声誉不佳。但一般来说，在野党在选举中都处于不利地位。社会大众党在大城市选区的势力发展，说明了革新趋势的扩大，但这个革新是向右的。总之，作为友党的民政党虽然还远远没有达到过半数，但冈田内阁通过吸收小党派，终于得以使众议院多数成为友党。但在六天之后，突然发生了“尊皇讨奸”的政变——“二·二六事件”。

(3)“二·二六事件”与日本的法西斯化

1935年7月，皇道派首领之一真崎甚三郎被免去教育总监职务。8月，皇道派军官相泽三郎在陆军省军务局刺死统制派头目永田铁山，两派矛盾加剧。1936年2月，有较多皇道派骨干的原驻东京的第一师团即将派往中国东北，当此时机，该师团部分皇道派少壮军官，与近卫师团部分军官以及因“士官学校事件”被罢免的军官勾结在一起，准备发动政变。

1936年2月10日，矶部浅一、栗原安秀与第三联队第六中队长安藤

① 松村谦三:《三代回顾录》，东洋经济新报社1964年版，第198—200页。

② 升味准之辅:《日本政治史》第三册，商务印书馆1997年版，第736页。

辉三大尉及近卫步兵第三联队第七中队队长中桥基明中尉会谈，准备动手。行动的旗号是“尊皇讨奸”，即要清除“蒙蔽天皇圣心”的“君侧之奸”，以“显现国体”。政变口号为“昭和维新”，企图推翻被元老、重臣、官僚、政党与财阀控制的现政权。

2 月 24 日，准备起事的这批青年军官向各方面散发了《起事旨趣书》，内称，“所谓元老、重臣、军阀、官僚、政党等，乃破坏国体之元凶”，“斩除君侧之奸臣军贼，粉碎其核心，乃我等之任务”。①

2 月 26 日晨，1474 名官兵由 9 名军官指挥，再加上 75 人的卫队和 9 名民间人士，分为七支队伍开始行动，分兵袭击了各要害部门。在首相官邸连续暗杀了被错当成首相冈田启介的海军预备役大佐松尾传藏、藏相高桥是清、内大臣斋藤实、教育总监渡边锭太郎，刺伤了侍从长铃木贯太郎，首相冈田启介幸免于难。占据了内相后藤文夫的官邸和警视厅，袭击了东京朝日新闻社。河野寿大尉率领的另一队准备暗杀前内大臣牧野伸显，但牧野伸显在汤河原休养，被袭击前逃出。陆军省、参谋本部、议会、首相官邸、警视厅一带被占领。

1936 年 2 月 26 日，起事部队在对攻击目标发动攻击的同时，要求陆相川岛义之大将“迅速上奏陛下，仰祈圣断”。下午 3 时 20 分，东京警备司令部公布陆军大臣的告示，强调“起事之旨趣已上达天听”，“承认诸子之真意系于显现国体之至情”。在此前后，东京警备司令部公布的战时警备令，便以“警备重要事项，并维持一般治安”的名义，把起事的部队编入了警备部队。起事部队认为，陆军大臣的公告是“承认了吾人之行动”，把被编入警备部队解释为是承认了起事部队的合法性，“正将步入维新之途”。②

但事实上天皇一开始就主张“坚决镇压”，要求川岛陆相“迅速把事件平定下去”。2 月 27 日，天皇的态度更加强硬，他对侍从武官长本庄繁

① 信夫清三郎：《日本政治史》第四卷，上海译文出版社 1988 年版，第 322 页。
② 同上书，第 325 页。

大将强调说："将朕最为信赖之老臣悉数杀死，就如同以软刀子对付朕一样。"天皇表示要"亲率近卫师团将其镇压"，并作为担任大元帅的绝对君主而出现于起事部队的面前。[1]

2月27日，甲府、佐仓等地警备队奉命进京，正在演习的海军舰队也向东京回航。28日，布置好"坚决镇压"的态势后，戒严司令部包围了起事的部队。29日，在大部队包围与宣传攻势下，士兵纷纷散归原部队，政变首领两人自杀，其余被捕。震撼日本的"二·二六事件"在4天内以失败而告终。

1936年3月1日，陆军给起事部队定性为"叛军"，天皇召来侍从武官长本庄繁大将，强调"如果像对相泽中佐的审判那样，采取优柔寡断之态度，则反将增多麻烦。此次军法会议之审判长及审判员，需要委派刚正坚强的军官充任"。[2] 4日，以紧急敕令宣布设立东京陆军军法会议。天皇要求东京军法会议采取不妥协态度。

东京陆军军法会议实行"三不准"政策：一不准辩护；二不准公开；三不准上诉。1936年7月5日通过一审，对在起事中起核心作用的17名军官和民间人士宣判死刑。在判决一周后的1936年7月12日，除村中孝次和矶部浅一以外的15名军官被处决，1937年8月19日，又将村中孝次、矶部浅一和北一辉、西田税4人枪决。"二·二六事件"以起事部队的惨败而告终。从处理结果的严重程度看，和三月事件、十月事件，乃至暗杀了首相的"五·一五事件"都不可同日而语。

东京陆军军法会议把北一辉和西田税也处以死刑。他们并没有在事件中起核心作用，而是"帮助主谋者的利敌行为"。一般情况下，他们只处中等以下的刑罚。但是，由于有来自陆军领导机关的指示，遂不得不宣判死刑。所以，"二·二六事件"的审判，是出于要根除陆军中的皇道派和北一辉对陆军的影响这一特定目的而进行的审判。

---

① 信夫清三郎：《日本政治史》第四卷，上海译文出版社1988年版，第326页。
② 同上书，第334页。

“二·二六事件”究竟是不是政变？原大尉村中孝次认为“此次起事的目的不是实行政变”，而是在于“为实现昭和维新而宣明大义，欲开昭和维新之端绪”。他认为他们的行动乃是继承了“血盟团、五·一五两事件中忧国之士精神的起事”。那么，“二·二六事件”又为什么动员了下级军官和士兵呢？栗原安秀中尉辩称“正因为如此，起事才是代表全体国民的发言”。①

然而，在参加“二·二六事件”的下级军官和士兵中，多数人并不知情，尤其是一般士兵，既不知道举事的宗旨，也不知道袭击的目标，在凌晨受命紧急集合，便匆匆出发了，当时接受的命令是“从现在起前往参拜靖国神社”。步兵第三联队第六中队的士兵在行军途中才知道是要去袭击侍从长铃木贯太郎。在28日这天，起事部队的领导机构以“维新义军”的名义，向起事部队的下级军官和士兵散发的檄文说道：“全国军队要在各地起事，全体国民正在高呼万岁。”继续欺骗这些官兵。

“二·二六事件”失败的具体原因，是青年军官重复“五·一五事件”的错误，制定了一个盲目的行动计划。然而，最根本的原因，在于没有正确认识天皇制的本质。

《起事旨趣书》起草人村中孝次，把“元老重臣”和“政党”混为一谈，攻击为“破坏国体的元凶”，并把解救苦难中的“农民”和“庶民”的一切希望交给天皇。然而，天皇作为大元帅一方面保持着绝对君主的本质，另一方面又正走在通往立宪君主的道路上，他既不想成为能“一切任凭其发落”的绝对君主，也不赞成把“农民”的一切苦难归之为资本主义腐败堕落所致的所谓农本主义。

所以也可以说，“二·二六事件”是由于起事的青年军官看错了天皇制的本质而告失败的。②

第一次世界大战后，日本出现了不少法西斯组织，其中影响较大的

---

① 信夫清三郎：《日本政治史》第四卷，上海译文出版社1988年版，第323页。

② 同上书，第336页。

是由北一辉、大川周明等于 1919 年组织的“犹存社”。它是日本最早的法西斯团体，有完整的纲领及机关报《雄吼》。随后，东京帝国大学的“日会”、北海道帝国大学的“峰会”、早稻田大学的“潮会”，拓植大学的“魂会”、第五高等学校的“东光会”、佐贺高校的“太阳会”，以及京都帝国大学的“犹兴学会”等组织，也竞相鼓吹法西斯主义。

在北一辉、大川周明等人的鼓吹和日本统治阶级的扶植下，整个 1920 年代，军队内出现了 100 多个法西斯团体，其中实力较大的有：国本社、行地社、建国会、天剑党、王师会、一夕会等。到 1930 年代，日本法西斯势力更加猖獗。这时，军部成为法西斯势力的中心，他们企图以武力为手段，在国内实现军部的独裁统治，在国外发动侵略战争，达到称霸世界的野心。少壮派军人法西斯组织——樱会，就是在这种形势下出现的。

同军队内部的法西斯势力相呼应，社会上也出现了各种法西斯政党、团体。其中主要有：1930 年 2 月由大川周明等人组织的“爱国勤劳党”，同年 11 月由茨城县的和尚井上日召组织的“血盟会”，1931 年 3 月在大阪成立的“国粹大众党”，同年 4 月由桔孝三郎组织的“爱乡塾”，以及同年 6 月由大阪、京都等地的许多法西斯组织合并而成立的“大日本生产党”等。① 这些法西斯组织的共同特点是，利用群众的力量，打倒其政敌，然后用更反动的法西斯军事独裁，取代资产阶级政党政治。

民政党总裁若槻礼次郎上台后，法西斯势力更加猖獗，甚至在执政的民政党内，也出现了以内相安达谦藏和众议员中野正刚等为首的一派，同政友会的法西斯派勾结，策划建立“举国一致内阁”。

“二·二六事件”被镇压后，皇道派随之解体。皇道派法西斯军人集团中直接参与政变的一些少壮派军官，以及民间的法西斯头目北一辉、西田税等人虽然被处死刑，但这些法西斯分子建立法西斯政权和推行法西斯内外政策的愿望，并没有因皇道派垮台而消失，而由其政治对手统

① 小山弘健等：《日本帝国主义史》第三卷，青木书店 1960 年版，第 57 页。

制派予以实现了。

冈田内阁因“二·二六事件”总辞职后，元老西园寺上奏推荐近卫文麿出任首相。近卫以身体状况不佳为由，辞退了组阁大命。实际上，除健康原因外，“还由于觉得与西园寺公爵在想法上有相当大的距离”。①近卫对皇道派的观点一直抱有同感。结果，首相的衣钵传给了曾在斋藤、冈田两内阁担任外相的广田弘毅。1936 年 3 月 5 日，天皇命令广田弘毅组织新内阁。

表 1.6　广田弘毅内阁(1936.3.9—1937.2.2)

职　务	姓　名	出　身	职　务	姓　名	出　身
总理大臣	广田弘毅		外务大臣	广田弘毅 有田八郎	
内务大臣	潮惠之辅	贵族院	大藏大臣	马场锳一	贵族院
陆军大臣	寺内寿一		海军大臣	永野修身	
司法大臣	林赖三郎		文部大臣	潮惠之辅 平生釟三郎	贵族院 贵族院
农林大臣	岛田俊雄	政友会	递信大臣	赖母木桂吉	民政党
商工大臣	川崎卓吉 小川乡太郎	民政党 民政党	铁道大臣	前田米藏	政友会
拓务大臣	永田秀次郎	贵族院			

继任首相广田弘毅是军部同意的右翼组织“玄洋社”主要成员、老牌法西斯分子。陆军省军务局的高级科员武藤章中佐以代理陆相的资格干涉组阁，要求实现“以积极政策刷新国政”的内阁。广田大量接受陆军所要求的阁僚人选，并决定暂由自己兼任外相，广田内阁才勉强成立起来。

广田弘毅组阁时，军部大臣恢复由现役军官担任，寺内寿一以陆军大将出任陆军大臣。在陆军省军务局中，又新设了与军事课平行的军务

① 冈义武：《近卫文麿》，岩波书店 1972 年版，第 228 页。

课,开辟了一个军队介入政治的窗口。9月25日,公布了《帝国在乡军人会令》,把在乡军人会变为官方机构,完成了军部统治向地方渗透的组织手段。

广田内阁时期,镇压了叛乱部队的统制派幕僚,掌握了政治上的主导权,军部对政治方针的发言更为强硬。他们一方面排除皇道派,肃清军内异己分子,一方面极力推动确立国家总动员体制。这样,陆军中的统制派在自己的主导权之下开始建立起军部的法西斯独裁体制。军部法西斯几乎完全控制了内阁,内阁的大政方针要取决于军部,而且政府的人事安排也要由军部决定。例如原定参加广田内阁的吉田茂等人,由于在某些问题上同军部看法稍不一致,被军部斥为"自由主义分子"而被排除在内阁之外。

广田内阁完全按照军部法西斯的要求,在"庶政一新""广义国防"的口号下,采取了一系列加速法西斯化的措施,诸如改组政府机构,强化法西斯体制,设置由首相、外相、藏相、陆相、海相组成的所谓"五相会议",处理一切大政方针,等等。在所谓高度国防、外交一元化的名义下,军部不仅掌管国防,还掌管外交及其他大权。

希特勒于1933年1月当上德国总理后,于10月退出国际联盟,1936年11月,意大利总理墨索里尼与希特勒形成了"德意轴心"。这样,后进帝国主义国家日、德、意三国,在1930年代前后,便开始向先进帝国主义国家于第一次世界大战时建立的国际秩序——华盛顿体制和凡尔赛体制——挑战,并肩投入了重新瓜分世界的勾当。

日本对"满洲国"的经营,在1935年前后也暴露出不满足于现状的野心。"满洲"重工业、化学工业的建设,形成了与日本内地重工业、化学工业争原料和资源的态势,相互间的贸易也缩小。为了打破这一局面,就必须把"日满经济共同体"扩大为"日满华经济共同体"。所以,关东军从1935年开始着手"对华北的工作"。所谓"华北工作",就是企图把华北五省(河北省、山东省、山西省、绥远省、察哈尔省)从中国分离出来,使之"满洲化"的工作。1935年11月,建立了冀东防共自治委员会,12月,组织了冀东防共自治政府。

1936年8月7日，广田内阁的五相会议通过了所谓"基本国策"。它规定：必须使"外交与国防相互配合，一方面确保帝国在东亚大陆之地位，另一方面向南方海洋发展"，"以便确保帝国在名义上、实质上都成为东亚安定势力之地位"。① 这就毫不掩饰地表明，日本帝国主义不仅要继续扩大侵华战争，而且企图对亚洲、太平洋地区其他国家进行侵略扩张。不久相继爆发的全面侵华战争和太平洋战争，就是贯彻实施这项侵略方案的必然结果。

这项基本国策还规定要"消除北方苏联的威胁，同时防范英、美"。1936年11月25日签订的《日德防共协定》，名义上是反对共产国际的思想同盟，而实际上是法西斯轴心国之间的政治同盟。其侵略矛头除针对苏联外，也针对美、英等国家。

加紧对人民的控制是广田内阁采取的又一项加速法西斯化的措施。为了巩固后方，适应对外侵略的需要，广田内阁在国内进一步实行法西斯专政。他们以镇压叛乱、稳定时局为名，长期维持"二·二六事件"期间在东京地区实施的戒严令。在1936年5月召开的第69届特别议会上，制定并通过了《不妥文件临时管理法》《思想犯保护观察法》等法西斯法案。禁止群众集会、游行。从这一年起一直到1945年日本帝国主义崩溃为止，五·一劳动节纪念活动与军工厂的工会组织均被禁止。此外，还加紧了对舆论及宣传机关的控制和收集情报的活动。1936年6月，将过去的"联合""电通"两个通讯社合并为"同盟通讯社"。7月，又在内阁中设立了主要由军人组成的情报委员会。同年10月，日本政府发行了一份官报的附录——《周报》，以此指导社会舆论。同时还广泛实施所谓"国民教化运动"，加紧法西斯思想的宣传。

为了大规模扩军备战，广田内阁大力扶植和保护经营军火工业的财阀。陆军提出了6年内增建41个师团、142个航空中队的计划。海军也

① 外务省编：《日本外交年表与主要文书》下卷，原书房1978年版，第344页。

提出了5年内增建各种军舰66艘、共27万吨的5年扩军计划，其中包括当时世界上最大的战舰“大和”“武藏”号的建造计划。为了保证扩军计划的实现，1936年11月7日召开的内阁预算会议，通过了一项庞大的1937年度军事预算。这个年度的财政预算支出总额为30.4亿日元，其中军费就达14亿日元，占财政预算支出总额的46%。同时还提出了1937年以后数年内的军费预算。庞大的军事预算需要解决财源问题。为此，新上台的藏相、原劝业银行总裁马场锳一，实施了所谓“马场财政”。其主要内容是增税和增发公债，1937年度税收额增加6亿日元，增发公债8亿日元以上。

扩军备战大大刺激了军事工业的膨胀，短期内增建和扩建了许多军事企业。此外，为了保证军需物资的供应和战争的其他需要，政府大力扶植外贸，奖励航空、海运等业，使国民经济进一步军事化。这一切表明天皇法西斯专政已基本形成。

陆军的统制派掌握了政治上的主导权后，乘机形成了军部的独裁。然而，以宫廷势力为首的很多人对军部独裁持批判态度，海军和陆军的矛盾也越来越深。日本国内政局陷入不可收拾的泥潭之中。因滨田国松众议员（民政党）的反战演说而坚决要求解散众议院的陆军，与为使预算成立而要求避免解散的海军之间发生对立，使广田内阁在1937年2月总辞职。

（二）法西斯统治体制的确立

为了对外侵略战争的需要，日本政府加紧建立国家总动员体制。发动全面侵华战争后，近卫内阁开展了法西斯总动员运动。

近卫新体制运动完成了统治体制的法西斯改组。近卫新体制是典型的日本式法西斯统治体制。新体制运动的出现，标志着日本式的法西斯独裁体制的确立。

在太平洋战争时期，日本法西斯统治达到登峰造极的地步。但是，日本帝国主义发动的长达15年的侵略战争，最后以失败而告终。

(1) 法西斯体制的形成

广田内阁受到来自日本陆军和海军的夹击而于1937年2月2日总辞职。元老西园寺公望推荐陆军大将宇垣一成为继任首相，天皇命令宇垣组织内阁。但是，掌握着陆军实权的统制派以“宇垣组阁将会使整肃军队工作受到妨碍”为由，拒绝提供陆相人选，终于使宇垣组阁流产。于是，枢密院议长平沼骐一郎成了首相第一候选人，陆军大将林铣十郎为第二候选人。因为平沼坚辞不受，便由林铣十郎组阁。

表1.7　林铣十郎内阁(1937.2.2—1937.6.4)

职　务	姓　名	出　身	职　务	姓　名	出　身
总理大臣	林铣十郎		外务大臣	林铣十郎 佐藤尚武	
内务大臣	河原田稼吉		大藏大臣	结城丰太郎	
陆军大臣	中村孝太郎 杉山元		海军大臣	米内光政	
司法大臣	盐野季彦		文部大臣	林铣十郎	
农林大臣	山崎达之辅	昭和会	递信大臣	山崎达之辅 儿玉秀雄	昭和会 贵族院
商工大臣	伍堂卓雄		铁道大臣	伍堂卓雄	
拓务大臣	结城丰太郎				

林内阁成立后不久，西园寺便以年老多病为由提出辞去奏荐首相的任务。这是因为他对宇垣内阁流产和不得不推举平沼作为第一候选人感到不满和无能为力的缘故。但由于宫中近臣的恳求，拜辞元老一事未能如愿，但决定今后的首相人选改由内大臣和西园寺共同协商后上奏，即由西园寺与内大臣以及木户幸一、近卫文麿、原田熊雄等组成奏荐集团。

当时，推选首相必须得到陆军的支持，陆军为了尽快实现国家总动员体制，便从旁干涉首相人选的推荐和阁僚人事的安排，并要求作出庞大的军事预算和国防计划，甚至以再进行政变或恐怖相威胁，采取拒绝推荐陆相或图谋撤回陆相等手段。

这时的日本政党已没有重掌政权的可能,只好通过议会斗争反抗军部。但是,政党并不是能和军部对抗的势力。于是,除与军部同流合污外,无法在政界保持其独立地位。因此,在反抗的背后便扩大了同一步调活动的阴谋。所谓为掣肘陆军而策划政界改组和新党运动,都是自欺欺人之举,实际上是"亲军运动",亦是政党自取灭亡的前兆。

总之,一方是"推进集团",即为确立国家总动员体制而搅乱政界的陆军;另一方是"反抗集团",即反抗陆军但又逐渐与陆军同流合污而又在分化的原有政党。奏荐集团必须把首相置于这两个集团之间,但又找不到有能力收拾混乱时局的候选人。

林内阁成立不久,预算通过之后,于 1937 年 3 月解散议会。理由是议会因新党运动争吵不休,无法进行审议,导致 80 余件法案中尚有 60 余件未审议完毕。也就是说,这是对众议院进行带有惩罚性的解散。4 月大选结果,在 466 个议席中,民政党减少到 179 席(38%),政友会获 175 席(38%),两党大体相同,社会大众党增加到 37 席(8%),昭和会获 19 席(4%),国民同盟获 11 席(2%),东方会获 11 席(2%),日本无产党获 1 席,中立派及其他获 33 席。① 政友、民政两党要求林内阁立即下台,软弱无能的林内阁于成立四个月后的 5 月 31 日总辞职。

辞职当天,文部省出版了《国体之本义》,一书,强调"大日本帝国由万世一系之天皇,皇祖之神敕永远统治。是为我万古不易之国体。基于此大义,作为一大家族国家,亿兆一心奉戴圣旨,充分发挥忠孝之美德。是为我国体之精华。此国体为我国永远不变之根本原则,贯通于国史而彪炳生辉。其将随国家之发展而弥坚,与天壤共无穷。我等必先知晓,于我肇国之事实中,此根本原则当光灿辉耀"。②

大选刚刚结束之后,命近卫文麿组阁。1937 年 6 月 4 日,贵族院议长近卫文麿组织内阁,在近卫组阁一个月后的 7 月 7 日,就发生了日军

① 升味准之辅:《日本政党史论》第 6 卷,东京大学出版会 1980 年版,第 386 页。

② 信夫清三郎:《日本政治史》第四卷,上海译文出版社 1988 年版,第 357 页。

大规模侵华开端的卢沟桥事变。从此，中日两国进入全面战争阶段。近卫内阁决心将卢沟桥事变扩大，8月13日，内阁决定派遣陆军前往上海，15日，声明全面战争开始，海军也于8月15日渡海炮击南京。11月占领南京，开始了历时两个月的南京大屠杀。

表1.8 第一届近卫内阁(1937.6.4—1939.1.5)

职务	姓名	出身	职务	姓名	出身
总理大臣	近卫文麿	贵族院	外务大臣	广田弘毅 宇垣一成 近卫文麿 有田八郎	贵族院 陆军 贵族院
内务大臣	马场锳一 末次信正	贵族院	大藏大臣	贺屋兴宣 池田成彬	
陆军大臣	杉山元 板垣征四郎		海军大臣	米内光政	
司法大臣	盐野季彦		文部大臣	安井英二 荒木贞夫 木戸幸一	陆军 贵族院
厚生大臣	木戸幸一	贵族院	递信大臣	永井柳太郎	民政党
商工大臣	吉野信次 池田成彬	三井财阀	铁道大臣	中岛知久平	政友会
拓务大臣	大谷尊由 宇垣一成 近卫文麿 八田嘉明	贵族院 陆军 贵族院			

发动全面侵华战争后，为了在国内建立战争体制，保证因扩大战争而急需的庞大兵力和军需物资，近卫内阁开展了法西斯总动员运动。1937年8月14日，近卫内阁决定开展“国民思想运动”。8月21日，内阁会议正式通过了《国民精神总动员计划实施纲要》的决议。并于9月9日发出了内阁训令，实行所谓国民精神总动员。9月11日，由政府主持召开国民精神总动员演说会。所谓国民精神总动员运动就此开始。

打响大规模侵华战争的的近卫内阁，继内阁训令之后，于1937年10

月12日，成立了以海军大将有马良桔为会长的“国民精神总动员中央联盟”，作为推动全国精神总动员运动的指导组织。10月25日创设了企划院，作为国家总动员的中枢机构。

到1938年3月31日止，参加“国民精神总动员中央联盟”的有帝国在乡军人会、海军协会、海军有终会、国体拥护联合会、时局协议会、爱国妇女会、壮年团中央协会、大日本联合青年团、全国神职会、佛教联合会等74个右翼团体。[①] 这些所谓群众团体主要骨干成员是官僚、金融资本家、地主、工场主、神官、僧侣等，完全是天皇制法西斯政府的御用工具。国民精神总动员运动的指导思想是“举国一致，尽忠报国，坚忍持久”。[②]其目的除了扩大侵略、充实军备之外，就是加强对日本人民的思想控制，限制人民的言论、集会、结社等自由。

但是，在对华侵略的问题上，近卫内阁和日本军部存在着权力之争。近卫打算借助宇垣一成和财界巨头池田成彬的力量，来恢复内阁的“领导作用”。1937年10月15日，近卫任命了以他们两人为中心的10名内阁参议。然而陆军也于11月18日通过军令公布了大本营令，20日在宫中设置了大本营。

新设的大本营是使军部在领导战争中成为更加独裁的机构而设置的，与过去的战时大本营的区别是，它不仅是战时的“最高统帅部”，同时“要统一和加强政治与战略的一致性，尤其要成为统一和加强有关善后处理以及国家经营等领导的推动力”。因此，大本营的设置，不但强化了统帅权的独立，而且在“统一政治和战略上将起主导作用”。[③]

1937年12月，近卫政府以“企图组织人民阵线”为罪名，逮捕了日本无产党和“评议会”领导人及骨干成员400多人，并强令立即解散这两个组织。司法省声称：“在今天，民主主义、自由主义思想有成为滋长共产

---

① 国民精神总动员中央联盟：《昭和四十二年度国民精神总动员中央联盟事业概要》，1939年版，第239—260页。

② 国史研究会编：《岩波讲座日本历史》第20卷，岩波书店1976年版，第274页。

③ 信夫清三郎：《日本政治史》第四卷，上海译文出版社1988年版，第360页。

主义思想温床的危险性。”据此，反动当局不仅镇压共产主义者，而且也向民主主义者、自由主义者发动了新的进攻。东京大学经济学教授大内兵卫等人，以违反《治安维持法》的罪名被捕入狱。自由主义者、东京大学的河合荣治郎教授，也以违反《出版法》的罪名被起诉，他的著作被禁止发行，对日本发动的战争稍有批评的东京大学教授矢内原忠雄等人也被解聘。

在白色恐怖的政治背景下，近卫内阁于1938年1月22日的第73届国会上，制定和通过了作为推行战时体制根本措施的《总动员法》。《总动员法》包括政治、经济、军事、文化教育、言论出版以及工农运动等方面的内容。其根本目的是把全国的国民经济、政治生活等一切领域都置于法西斯政府控制之下，把全国纳入战争轨道，建立法西斯天皇制警察国家。1938年3月24日，国会通过了《电力国家管理法》。7月又公布了《国民征用法》，建立了全国性义务劳动体制。这就奠定了日本式法西斯独裁统治体制的基础。

但是，近卫内阁开展的总动员运动，并没有实现迅速完成侵华“圣战”的愿望，反而陷入了长期战争的泥潭。为了摆脱这种困境，近卫首相于1938年11月3日发表了所谓“建设东亚新秩序”声明，表示愿意“建设确保东亚永久和平的新秩序”。① 其目的是，既引诱国民党政府中的投降派对日妥协，又表明了日本征服中国的意图。12月6日，大本营决定了关于停止在大陆进行进攻作战而向持久战略转变的方针。12月22日，近卫首相以谈话的形式提出了调整“日华国交”的三原则。

法西斯总动员运动和建设“东亚新秩序”的口号，不仅未能使日本摆脱困境，反而进一步激化了国内外矛盾。近卫内阁终因未能解决“两个政权”的矛盾，被迫于1939年1月4日总辞职。1月5日，奏荐集团推举枢密院议长、右翼团体“国本社”头子平沼骐一郎组成新内阁。

---

① 日本外务省编：《日本外交年表与主要文书》下卷，原书房1978年版，第401页。

表 1.9 平沼骐一郎内阁(1939.1.5—1939.8.30)

职 务	姓 名	出 身	职 务	姓 名	出 身
总理大臣	平沼骐一郎		外务大臣	有田八郎	
内务大臣	木户幸一	贵族院	大藏大臣	石渡庄太郎	贵族院
陆军大臣	板垣征四郎		海军大臣	米内光政	
司法大臣	盐野季彦		文部大臣	荒木贞夫	陆军
农林大臣	樱内幸雄	政友会	递信大臣	盐野季彦 田边治通	
商工大臣	八田嘉明		铁道大臣	前田米藏	
拓务大臣	八田嘉明 小矶国昭				

但是,平沼内阁没有处理问题的能力,虽然不断召开有首相、外相、藏相、陆相和海相参加的五相会议,共同商讨问题,但因陆军省与外务省的意见不能取得一致而议而不决,在维持了半年多之后,于 1939 年 8 月 30 日下台。

元老西园寺公望试图建立一个强有力的内阁,希望由池田成彬组阁,然而池田内阁未能产生,西园寺的希望终成画饼。继平沼内阁之后的是以陆军大将阿部信行为首相的阿部内阁,阿部内阁于 1939 年 8 月 30 日成立。9 月 1 日,希特勒对波兰发动进攻。3 日,英法对德国宣战,从而拉开了第二次世界大战的帷幕。

表 1.10 阿部信行内阁(1939.8.30—1940.1.16)

职 务	姓 名	出 身	职 务	姓 名	出 身
总理大臣	阿部信行	陆军	外务大臣	阿部信行 野村吉三郎	陆军 海军
内务大臣	小原直		大藏大臣	青木一男	
陆军大臣	畑俊六		海军大臣	吉田善吾	
司法大臣	宫城长五郎		文部大臣	河原田稼吉	
农林大臣	伍堂卓雄 酒井忠正		递信大臣	永井柳太郎	民政党

续表

职　务	姓　名	出　身	职　务	姓　名	出　身
商工大臣	伍堂卓雄		铁道大臣	永井柳太郎 永田秀次郎	民政党
拓务大臣	金光庸夫		厚生大臣	小原直 秋田清	

阿部内阁一开始就被看成是脆弱内阁，10月，因设立贸易省问题发生纠纷，首相地位出现危机。11月，请民政党总裁町田忠治入阁，遭到拒绝。曾经促进阿部内阁成立的武藤章军务局长等人，联手在12月公然宣称：内阁没有应付时局的能力。翌年（1940年）1月9日内阁会议之后，陆相畑俊六向阿部首相进言：反对解散议会，实行内阁总辞职，反对现役军人担任下届首相。另一方面，民政党、政友会、社会大众党的240多人，也向首相呈交了要求内阁于12月末总辞职的决议书。

在陆军和议会的压力下阿部内阁总辞职后，汤浅仓平内大臣立即就下届首相人选问题向重臣（首相离职后享受在职时荣誉待遇者）们征求意见。近卫文麿推举池田成彬，其他人（指冈田、平沼、清浦等）推举海军大将米内光政。内大臣决定推举米内，西园寺亦表示同意。1940年1月16日，米内内阁成立。

表 1.11　米内光政内阁(1940.1.16—1940.7.22)

职　务	姓　名	出　身	职　务	姓　名	出　身
总理大臣	米内光政	海军	外务大臣	有田八郎	
内务大臣	儿玉秀雄	贵族院	大藏大臣	樱内幸雄	政友会
陆军大臣	畑俊六		海军大臣	吉田善吾	
司法大臣	木村尚达		文部大臣	松浦镇次郎	
农林大臣	岛田俊雄	政友会	递信大臣	胜正宪	
商工大臣	藤原银次郎		铁道大臣	松野鹤平	
拓务大臣	小矶国昭		厚生大臣	吉田茂	

由于在如何争夺殖民地问题上日本外务省和陆军意见相左，陆军便

谋划倒阁。参谋本部骨干军官于 7 月 4 日以参谋总长的名义向陆相畑俊六大将提出要求书，一方面批判现任内阁的政策“消极颓废”，一方面则要求实现“举国强有力之内阁”。8 日，陆军次官阿南惟几中将会见新任内大臣木户幸一，要求近卫文麿上台。16 日，陆相畑俊六提出辞职，陆军三长官会议拒绝推荐继任人选，米内内阁只得总辞职。

(2) 近卫新体制运动与法西斯统治体制的确立

平沼内阁、阿部内阁、米内内阁等几届内阁，都因为内外交困，无法统一军部、元老、政党与政府间的矛盾而难以长期维持其统治。特别是在米内光政内阁的末期，相互之间已发展到公开指责、对骂的地步。为了缓和矛盾，协调行动，实现其使日本完全法西斯化的共同目标，日本各派都把希望寄托在近卫文麿身上。

继任首相由重臣会议推荐。组成重臣会议的是枢密院议长原嘉道和若槻礼次郎、冈田启介、广田弘毅、林铣十郎、近卫文麿、平沼骐一郎这六位前任首相。重臣会议推举了近卫文麿。近卫本人也早想东山再起，把日本引向彻底法西斯化的道路上去。1940 年 7 月 22 日，正式组成第二届近卫内阁。

表 1.12　第二届近卫内阁(1940.7.22—1941.7.18)

职务	姓名	出身	职务	姓名	出身
总理大臣	近卫文麿	贵族院	外务大臣	松冈洋右	
内务大臣	安井英二 平沼骐一郎	贵族院	大藏大臣	河田烈	贵族院
陆军大臣	东条英机		海军大臣	吉田善吾 及川古志郎	
司法大臣	风见章 柳川平助	陆军	文部大臣	桥田邦彦	
农林大臣	近卫文麿 石黑忠笃 井野硕哉		递信大臣	村田省藏	
商工大臣	小林一三 丰田贞次郎		铁道大臣	村田省藏 小川乡太郎	
拓务大臣	松冈洋右 秋田清		厚生大臣	安井英二 金光庸夫	

7月26日，近卫内阁召开会议，通过了《基本国策纲要》，主要内容是：一、建立以日、中、“满”为骨干的国家基础力量，为建设“大东亚新秩序”而确定一系列内外政策；二、建设“国防”新体制，在国民中灌注“树立以效忠国家为第一义务的国民道德”，建立坚强的新政治体制，以谋求一切国政的集中统一；三、加强战争经济新体制，“建立一元化的统制机构”；四、加强日、德、意轴心国的团结，实行日、德、意防共协定军事联合；五、“寻求良机”，力求把战争的对手仅限于英国，但也要考虑到同美国开战的可能性而作好准备；六、把英、法、荷、葡在东亚的殖民地划入建设东亚新秩序的范围，进一步提出建设大东亚共荣圈；七、完全封锁援蒋活动，力争尽快结束对华战争；八、“调整日苏关系”，与苏联签订互不侵犯条约，同时“充实军备”。[①] 从这里可以清楚地看出，近卫内阁决心要发动一场更大规模的侵略战争，太平洋战争的爆发已迫在眉睫了。

随后，7月27日，又召开了大本营与政府的联络会议，通过了《适应世界形势变化的处理时局纲要》。它与《基本国策纲要》一起，构成了近卫内阁的政策，而近卫内阁的政策虽说是“国策”，但实际上几乎全部是接受了陆军的政策。

近卫内阁的《基本国策纲要》采用“皇国”的称呼，取代了过去所称的“帝国”。《国策纲要》强调，眼下最紧要的任务是“向完成国防国家之体制迈进”，指出“皇国之国是”就是根据“以八纮为一宇之肇国之基本精神”，“以皇国为核心，以日满华的强有力结合为根本，建设大东亚新秩序”。[②]

因为近卫内阁决心不惜进行以英、美两国为对手的全面战争，实现“大东亚新秩序”的建设，所以要在外交上“迅速加强同德、意的政治团结，谋求尽快调整对苏邦交”，内政上要建立“强有力的新政治体制”和确立“新国民组织”。

9月19日，大本营—政府联络会议为谋求“加强同德、意政治团结”

① 服部卓四郎：《大东亚战争全史》，原书房1971版，第16页。

② 信夫清三郎：《日本政治史》第四卷，上海译文出版社1988年版，第370页。

的具体办法，通过了《关于加强日德意轴心的问题》，更进一步明确了由加强轴心来瓜分世界的企图。

1940 年 2 月初，民政党众议员斋藤隆夫发表反战演说，以此为导火线，新党运动再次活跃起来。在民政党内，围绕开除斋藤的问题，热衷于亲军和主张新党运动的永井柳太郎派与主张维持现状的町田忠治总裁派之间矛盾激化。在政友会的正统派内，积极主张亲军和“一国一党”的久原房之助派与反对这一主张的鸠山一郎派之间的斗争也尖锐起来，而政友会革新派(中岛知久平派)、东方会、国民同盟等，都是亲军的。在社会大众党内，想利用产业报国运动实现国家社会主义的“一国一党”目标的麻生久、龟井贯一郎、三轮寿壮等人，与依靠日本劳动总同盟而消极对待产业报国运动的安部矶雄、松冈驹吉、西尾末广等人之间掀起内讧，后者退党。3 月 25 日，政友会久原派和中岛派、民政党永井派、社会大众党麻生派以及自愿参加的议员们，结成贯彻圣战议员联盟。加入联盟的众议员大约有 100 名，其口号是取消所有政党，结成一大强有力的政党。结成新党的目的，是要跟在陆军后头捞好处。乘机利用时局的顺势思潮，由东方会、国民同盟这样的小党派扩展到政友会的久原派、中岛派、民政党的永井派，现有政党开始分裂为顺势革新派与维持现状派。枢密院议长近卫文麿被拟定为这个顺势新党党魁。

但是，近卫本人对以现有政党为基础组建新党并不热心，而且不认为由此能够集结新生的强有力的政治势力，他也不赞成陆军和小党派所鼓吹的一国一党论。那么，既不是新党运动又不是一国一党的第三种运动是什么呢？就是新体制运动，也就是以近卫文麿为中心，建立法西斯政治体制的运动。

面对侵华战争长期化和第二次世界大战爆发的困难形势，近卫及其侧近策划排除政党自由主义分子，组织近卫新党，以此为基础建立强有力的近卫内阁，抑制军部，解决侵华战争问题。1940 年 6 月，近卫辞去枢密院议长职务，专心构思新体制。近卫推进新体制运动的目的就是接掌政权。

从 6 月到 8 月，政党相继解散。首先是东方会和社会大众党，接着是政友会久原派和民政党永井派。处于原有政党主流派地位的民政党总裁町田忠治和政友会总裁中岛知久平，都反对解散政党，但却无法抗拒已波及到下层的解散政党形势。

这这种情况下，8 月组成新体制筹备会，在 8 月 28 日新体制筹备会开会时发表《近卫声明》，阐明了关于新体制的基本思想。所谓新体制就是“为建设世界新秩序而起指导作用”，“最大限度地发挥国家、国民的全部力量，使之集中于这一大事业中”的“高度国防国家的体制”。“构成其基础”的，正是“万民翼赞之国民组织”。① 近卫强调，“国民组织就是国民在日常生活中为国家服务的组织”，“在这种组织之下，才能下意上达，上意下达，把国民之全部力量集结于政治上”。为了实现国民组织，就有必要开展国民运动，而国民运动应是从国民当中“自发地蓬勃开展起来的”。

但是，近卫又指出：在目前形势下，“对此运动，政府当然也有积极予以培养和指导的必要”。于是，近卫强调，国民组织的运动将成为“官民协同之国家事业，全国性的国民翼赞运动”；国民的运动就是“要超越以自由主义为前提的分散性政党政治的运动”，是“举国一致的、全体的、公共的运动”，是要“促进全国的所有力量一元化地集结”的“超政党的国民运动”。②

但是，他又强调，“不容许采取所谓一国一党的形式”，“这是因为，一国一党就是认为以一个‘部分’即可构成‘全体’，把国家和党同样看待，断定反对‘党’就是反叛国家。把‘党’掌握权力的地位永久化，就意味着把党魁当成永久把持权力的人。不管这种形态在别国显示出了多么优异的成绩，但在日本，如果容许这种形态，那么便会扰乱我一君万民国体之本义。我国乃万民分担翼赞之责，绝对不能容许一人或一党以权力而垄断翼赞。万一对翼赞之想法出现分歧时，则正需仰赖圣断，而一旦作

① 信夫清三郎：《日本政治史》第四卷，上海译文出版社 1988 年版，第 375 页。
② 同上书，第 375 页。

出圣断时，则一切臣僚必定统一于‘承诏必谨’之大义，乃日本政治之本色”。①

新体制运动虽然没有达到纠集各派势力，实现统一领导的预期目的，但却解散了一切政党和工农团体，把所有居民都编入大政翼赞会的基层组织町内会、部落会、邻组以及产业报国会等官办团体，从而完成了统治体制的法西斯改组。

近卫的新体制运动驱使日本的各种势力趋之若鹜。陆军企图模仿纳粹，把新体制作为一国一党的组织，使之成为军部独裁的国民基础而加以利用；率先倡导国民精神总动员运动的内务官僚，则企图把新体制当作内务行政的辅助组织；政党势力看到近卫发起的新体制运动，便竞相解散原有政党，要把新体制作为“政治领袖的团体”，使之政党化，谋求政党势力的起死回生。新体制运动成了潜在的各种势力以及形形色色思想麇集活动的舞台。

1940 年 8 月 23 日，近卫内阁公布了新体制筹备会的 26 名委员和 7 名常任干事名单。这些委员代表了日本的各种势力和思想，既有自由主义者，也有社会主义者，既有革新派右翼（接近陆军的统制派，主张一国一党的亲德主义者），也有唯心派右翼（接近陆军的皇道派，鼓吹国体明徵的纯正日本主义者）；既有东京大学的校长，也有爱国团体的代表，甚至贵、众两院与新闻出版界、经济界的代表也参加了进来，是一个“吴越同舟”的大杂烩，而并非志同道合的同仁。常任干事的人选，也是由书记官长、法制局长官、陆军和海军的军务局长、企划院次长和内务次官这类官职的人充任。

自 1940 年 11 月起，近卫内阁开始着手建立经济新体制。但是，因为经济新体制抛弃了以往以追求企业利润为根本目的的自由主义经济体制，而以为建设高度国防国家的“公共经济原理”为基调，扩大生产为其根本目的，因而受到财界的强烈批判。12 月 7 日，近卫内阁通过了《确

① 信夫清三郎：《日本政治史》第四卷，上海译文出版社 1988 年版，第 376 页。

立经济新体制纲要》。《纲要》强调说，这是一个以“完成国防国家体制”为目标的“企业体制”，是为了“使国民经济成为一个有机的整体，发挥整个国家的力量，实现高度国防国家的目的”而组织的“经济团体”。

“经济团体”不久改为统制会，统制会于1941年4月首先在钢铁业界成立，会长是日本制铁公司总经理。其他各行业也根据8月公布的《重要产业团体令》，自11月起建立了统制会，均由大公司的总经理、会长和专务会长担任。统制会的成立，表明日本国家垄断资本主义的新发展。

1940年10月12日，近卫举行了大政翼赞会的成立仪式。翼赞会设本部、支部。本部总裁由首相担任，支部头目均由都道府县知事担任。基层方面，村设“部落会”，町设“町内会”，邻里设“邻组”（由邻近的10户组成）。1941年2月，已建立郡支部502个、市支部175个、区支部82个，町村支部1万多个。这是一种比封建幕府时期统治还严密得多的监视人民活动的法西斯组织。近卫试图通过这个组织系统去实现天皇制法西斯政治。

近卫作为大政翼赞会的总裁在成立大会上致词说：“大政翼赞会的纲领，一言以蔽之，是辅佐大政，实践臣道。除此之外，其实可以说纲领和宣言都不需要；我认为，国民无论任何人，唯有日日夜夜站在各自的岗位上竭诚奉公才是。”①近卫的这一发言，从根本上否定了大政翼赞会作为“国民组织”的存在。近卫在关键时刻终于抛开了“国民”和“国民组织”，剩下的唯有“圣断”而已。

近卫文麿企图以“国民组织”为后盾来纠正军部的独裁，但当出现“一国一党”与“一国一人”之间的矛盾后，便放弃了“国民组织”。他把大政翼赞会当作“实践臣道”的机构，大张旗鼓地展开了以“纪元二千六百年”②庆典为中心的关于国体意识的宣传。

---

① 升味准之辅:《日本政治史》第三册，商务印书馆1997年版，第775页。

② 明治五年（1872年）将日本神话中虚构的神武天皇即位年份规定为公元前660年，称为“皇纪”元年。

庆祝纪元二千六百年的仪式一直持续到 1940 年 7 月。在大政翼赞会成立前一天的 10 月 11 日,海军为迎接作为大元帅的天皇而举行了特别阅舰式。21 日,陆军也为迎接作为大元帅的天皇举行了纪念阅兵式。11 月 10 日,近卫内阁在皇宫外苑(皇居前广场)举行了纪元二千六百年庆典,天皇身着军装出现在 5 万名庆典参加者的面前,近卫首相把充满溢美之意的贺词上奏天皇。天皇宣读了“望尔臣民善自体察以往所降宣谕之旨趣,显扬我唯神之大道于中外,以期对人类之福利与万邦之协和有所贡献”的敕语。第二天,天皇再次出席了在皇宫外苑举行的庆祝会,下赐敕语,举杯祝贺。全国学生代表 3 000 人合唱了国民庆祝歌曲《纪元二千六百年》。

这期间,10 月 30 日,教育界的 15 000 余人在明治神宫外苑的宪法纪念馆举行了纪念《教育敕语》发布 50 周年的仪式。天皇下赐敕语,强调了“国体之精华”。

1941 年 1 月 8 日,近卫内阁的陆相东条英机中将在年初的陆军阅兵式上向全军发布了《战阵训》,指出:“夫战阵乃根据敕命发挥皇军之精神,攻必取,战必胜,广泛传布皇道,使敌人感受天皇棱威尊严之场所。临战阵者,必期深刻体察皇国之使命,坚守皇军之道义,以宣扬皇国之威德于四海。”强调指出“皇军军纪之核心,在于对大元帅陛下绝对顺从之崇高精神”。

1941 年 9 月 2 日成立“翼赞议员同盟”,参加者 362 人。参加这一同盟的便成了翼赞议员,完全控制了议会的活动。未参加同盟的少数议员成立了“同交会”(鸠山一郎、片山哲等)和“兴亚议员同盟”(西尾末广、松本治一郎等)。

总之,近卫新体制是典型的日本式法西斯统治体制。新体制运动的出现,标志着日本式的法西斯独裁体制的建立。

(三) 法西斯统治体制的崩溃

在太平洋战争时期,日本法西斯统治达到登峰造极的地步。

东条内阁加强了法西斯的大政翼赞体制，议会成为名副其实的法西斯议会，但终因侵略战争的节节败退而倒台。小矶内阁继续推行战争政策，仍然没有逃脱失败的命运。最后，日本帝国主义发动的这场长达15年的侵略战争，终于以失败而告终。

(1) 东条内阁的法西斯统治及其崩溃

1941年10月16日，近卫内阁总辞职，辞职的理由是他与陆相东条英机就对美英开战问题"商谈达四次之多，但终未能达成一致意见"。① 10月18日，东条英机内阁成立。

表1.13　东条英机内阁(1941.10.18—1944.7.22)

职　务	姓　名	出　身	职　务	姓　名	出　身
总理大臣	东条英机	陆军	外务大臣	东乡茂德 东条英机 谷正之 重光葵	
内务大臣	东条英机 汤泽三千男 安藤纪三郎		大藏大臣	贺屋兴宣 石渡庄太郎	
陆军大臣	东条英机		海军大臣	嶋田繁太郎 野村直邦	
司法大臣	岩村通世		文部大臣	桥田邦彦 东条英机 冈部长景	
农林大臣	井野硕哉 山崎达之辅		递信大臣	寺岛健 八田嘉明	
商工大臣	岸信介 东条英机		铁道大臣	寺岛健 八田嘉明	
拓务大臣	东乡茂德 井野硕哉		厚生大臣	小泉亲彦	
大东亚大臣	青木一男		企划院总裁	铃木贞一	

① 升味准之辅:《日本政治史》第三册，商务印书馆1997年版，第796页。

1941年12月1日，御前会议决定12月8日对美英等国开战。同时，为巩固后方，提出了镇压群众的七项基本措施：一、取缔和逮捕共产主义者、不法朝鲜人及值得注意的宗教界人士；二、监督国家主义团体中的激进分子；三、取缔流言蜚语，加强舆论导向；四、逮捕有间谍嫌疑的外国人；五、加重战时犯罪分子的刑罚，简化裁判手续；六、加强警察的非常警备；七、侦察民心的动向。① 据此，在开战次日（9日），即逮捕了宫本百合子等进步人士216人，拘留180人；同时拘留旅日朝侨124人。②

1941年12月11日，日德意三国同盟中的德意两国向美英两国宣战。欧洲战场与亚洲战场直接结合起来，形成名副其实的世界战争。从此，日本开始了以英国和美国为对手的战争。初战利用先发制人、发动进攻的方式，进展非常顺利。

1941年12月16日，众议院临时议会制定《对言论、出版、集会、结社的临时管理法》，要求各社团重新审批。结果，除法西斯团体外，其他一律遭到取缔。该法完全扼杀人民的言论和出版自由，严禁报刊登载违反国策、妨碍战争的消息，只许刊登《大本营公报》。据统计，因违反该法而被捕者，1942年531人，1943年1至4月即达327人。甚至连通信自由也被剥夺，信件须经警察检查。

由于对法西斯高压政治和战争造成的生活困苦表示不满者日益增多，内务省于1943年1月制定《治安对策纲要》。规定对国民的过激行动"将周密、果断地予以取缔"。东条政府对"思想犯"的镇压更为严厉。日共领导人德田球一、市川正一和许多革命者，在狱中遭受严刑拷打，市川正一甚至被折磨致死。1942年7月，东条内阁秘密拟定的《对曾犯有思想罪者的措施》规定：一、犯有部分思想罪者，从中央和地方的机关、学校中清除出去；二、犯有思想罪者，继续押在拘留所。不宜居住国内者，

① 日本参谋本部编：《杉山笔记》上卷，原书房1962版，第559—560页。
② 国史研究会编：《岩波讲座日本历史》第21卷，岩波书店1977年版，第169页。

强行收容在占领的南方岛屿。作为思想犯而被捕受审者，1942、1943两年达1 920人。①

在工厂企业中，东条内阁推行产业报国运动，把工人强制编入"产业报国会"。1943年时，该会扩大到8.5万多个，所属工人为581万。在车间成立五人组，监督工人劳动。此外，警察和军队也常到厂监视。工人稍有"越轨"举动，立刻被捕判刑。

日军在战场上伤亡惨重，为了补充兵员，日本政府就征用不够服役条件的工人、农民，进行人力总动员。为此，内阁接连制订了《国民征用令》《国民勤劳报国协力令》《女子挺身勤劳令》《学生勤劳令》等命令，把12岁以上的男女青少年学生和60多岁的老人都驱赶到工厂强制劳动。当时，人们若接到一张红纸，就是被拉去当炮灰的征兵通知书；接到一张白纸，就是被赶进工厂服劳役的劳工征用通知书。

东条内阁为加强法西斯的大政翼赞体制，1942年6月23日，把各个部门管辖的法西斯团体（如大日本产业报国会、农业报国会、商业报国会、大日本青少年团、大日本妇女会，海运报国会等），都划归大政翼赞会领导。8月14日，又把亲信安插在町会、部落会及邻组等基层组织，使内务省和警察当局得以严密监视群众。邻组是法西斯体制的基层组织，按居住区域设置，以十户为一组，实行连环保。政府一切法令和措施，诸如物资配给、居住登记、摊派公债、强制储蓄、金属回收、防空演习、征收苛捐杂税等，都通过邻组实施。甚至群众的穿衣、发型等生活琐事，也往往受到邻组的干涉。群众如不服从或不积极参加上述活动，就被扣上"非国民"的帽子，或被视为"国贼"而受到惩罚。

为了控制青年，东条内阁于1942年1月16日成立"大日本翼赞壮年团"。这是由翼赞运动的青年积极分子组成的法西斯青年组织，是翼赞体制的支柱。其职责是对青年灌输法西斯思想，进行军训，带头增产军

---

① 国史研究会编：《岩波讲座日本历史》第21卷，岩波书店1977年版，第169—170页。

需用品，并监视地方官厅，实际上成为法西斯运动的突击力量。东条曾称赞它为大政翼赞运动的最有力的“实践部队”。①

翼赞体制的另一个支柱是翼赞政治会。1942 年 4 月 30 日，东条内阁举行所谓“翼赞选举”，以改造战前议会，使之成为彻头彻尾的法西斯机构。在选举前的 2 月 23 日，首先成立翼赞政治体制协议会，然后由这个协议会推荐议员候选人 466 名。同时动员壮年团、邻组等为新推荐的法西斯候选人宣传。选举结果，协议会推荐的候选人当选 381 人，占议员总数的 80%；壮年团的 40 名候选人和桥本欣五郎等著名法西斯分子都进了议会。这样，议会成为名副其实的法西斯议会：东条内阁所提出的法西斯法令和战争预算可以在这里顺利地通过。在此基础上，于 5 月 20 日成立翼赞政治会，会长阿部信行。同时解散同交会、东方会等原议会中的派系组织，把大多数议员吸收到翼赞政治会内。至此，议会完全成为协助政府推行法西斯战争政策的工具。

随着美国开始反攻与日本的节节败退，日本国内各种对立和矛盾越来越明显地暴露出来。日本预计美国将在 1943 年发动反攻，但在 1942 年下半年便开始反攻了。中途岛战役后两个月的 8 月 7 日，美国机动部队又攻击了日本的太平洋基地之一的瓜达尔卡纳尔岛，在 8 月至 11 月的三次所罗门海战中，给了日本舰队以沉重的打击。

在进行第三次所罗门海战的 1942 年 11 月，盟国的反攻便在欧洲和亚洲全线展开。11 月，美、英军队在北非登陆，1943 年 2 月，苏联军队在斯大林格勒击溃了德军。7 月，美、英军队又在西西里岛登陆，墨索里尼垮台。9 月，意大利终于无条件投降，三国同盟的一角猝然崩溃。日本舰只和飞机损失急剧增加。1943 年 4 月 18 日，联合舰队司令长官山本五十六大将战死，9 月，御前会议决定放弃腊包尔、所罗门、马绍尔等，同时把“太平洋及印度洋方面须绝对确保的重要地域”划定为“包括千岛、小

① 国史研究会编：《岩波讲座日本历史》第 21 卷，第 175 页。1945 年 5 月 30 日准备本土决战时，大日本冀赞壮年团被国民义勇队取代。

笠原、内南洋(中、西部,马里亚纳群岛、加罗林群岛等日本的委任统治地)及西新几内亚、巽他、缅甸在内的地区”,将其作为绝对的国防圈,并确认“美英”为主要敌人。东条首相于11月设置了军需省并亲自兼任军需相,企图克服军需生产中各自为政的现象。但是,争夺资材之战并未停止,生产赶不上损失,败局已无可挽回,“终战”问题终于提上议事日程。

1944年以后,日本的败局更加无可挽回。2月11日,美军在马绍尔群岛的夸贾林岛登陆。2月17日和18日,美军突然袭击了日本的联合舰队司令部刚刚撤出的绝对国防圈要冲——特鲁克岛,使日本舰只受到了“世界船舶史上前所未有”的损失。19日,东条首相撤换了运输相,21日,为了亲自调整国务与统帅的关系,便采取非常手段,在原来兼任陆相的情况下,东条又亲自兼任参谋总长,而海军的军令部总长也由海相岛田繁太郎兼任。但是,东条的非常手段也并未能奏效。3月23日,美军北上空袭马里亚纳群岛的塞班岛。

马里亚纳海战更加尖锐地突出了日本战争指导体制的矛盾。刚刚向马里亚纳派出的第一航空舰队的生力军被打得七零八落,3月31日,继去年4月山本五十六大将战死后任联合舰队司令长官的古贺峰一大将也战死。6月15日,美军终于开始在塞班岛登陆。6月20日,日军被迅速击败,6月24日,大本营决定放弃塞班岛,7月7日,3万名守备部队战死。从此日军每况愈下,本应尽早结束战争,但是,大本营抱住“捍卫国体”不放,要以“唯一之捍卫国体”为条件讨价还价,将战争继续进行下去。

日本在这场战争中一步步走向失败,已无回天之力。在一部分议员当中,批判东条的势力逐渐发展到要求他下台的地步。要求他下台的人包括下述两种观点:一种认为,失去民心的东条打不赢战争,为完成圣战,东条必须下台;另一种认为,东条的独裁亵渎议会的尊严,要维护议会的尊严,东条必须下台。

对维护国体十分敏感的宫廷势力开始策划使处于指导战争核心的

东条首相下台，试图通过“和平”来挽救国体的危机。站在这一倒阁活动前列的是近卫文麿，同伙有海军元老冈田启介大将、末次信正大将、米内光政大将和前首相若槻礼次郎等，以及海军省顾问、财界人士藤山爱一郎和内大臣木户幸一等人。

对东条下台起了决定性作用的是奏荐集团。1943 年秋天，冈田以及若槻、近卫等重臣，作为停战工作的第一步，就已开始寻找机会当面责问东条，迫其辞职。在其背后，海军出现了强硬的反东条倾向。从翌年 1944 年春开始，高松宫、东久迩宫也加入了反东条行列。但东条首相也在顽强反抗。2 月他兼任了参谋总长，以谋求强化领导力量，并进一步加强了特高和宪兵的监视与镇压。

1944 年 7 月 2 日，近卫在他起草的“倒阁”文件中指出：“战败已不可避免，这是陆海军当局得出的相同结论。”他设想建立停战内阁，强调必须“在现任内阁辞职时，立即敕令皇族组阁，由新内阁辅佐，及时下达停战诏敕”，指出停战的目的“仅是为了维护国体”。

但是，已成孤家寡人的东条首相，为负隅顽抗，在塞班岛失守(1944 年 7 月 7 日)后，悍然决定改组内阁。重臣会议(除阿部、广田以外)主张让东条下台，认为“部分改组内阁不起任何作用”，并将这个意见转达给了内大臣木户。这样，东条内阁便被木户、重臣、皇族一起抛弃。

近卫的倒阁运动取得了成功，与藤山爱一郎关系密切的国务相岸信介从内阁内部进行策应，终于在 7 月 18 日迫使东条首相提出辞呈。打倒东条的运功是以财界的广泛支持为背景的，但运动的领导者并非财界，这是一场以重臣为中心的宫廷势力和海军联合进行的“宫廷革命”。但这一运动仅限于打倒东条政权，甚至不要求推翻军部的独裁，继陆军大将东条英机之后组织内阁的仍然是陆军大将小矶国昭。7 月 22 日，小矶国昭接替东条，在海军大将米内光政的协助下组阁。

表 1.14　小矶国昭内阁(1944.7.22—1945.4.7)

职　务	姓　名	出　身	职　务	姓　名	出　身
总理大臣	小矶国昭	陆军	外务大臣	重光葵	
内务大臣	大达茂雄		大藏大臣	石渡庄太郎	贵族院
陆军大臣	杉山元		海军大臣	米内光政	
司法大臣	松阪广政		文部大臣	二宫治重 儿玉秀雄	
农商大臣	岛田俊雄	翼赞议员	运输通信大臣	前田米藏	
军需大臣	藤原银次郎 吉田茂		大东亚大臣	重光葵	
国务大臣	町田忠治 儿玉秀雄 绪方竹虎	翼赞议员	厚生大臣	广濑久忠 相川胜六	

但小矶内阁并不是能立即实现和平的内阁,无法指望其实行强有力的领导,扭转乾坤。当时日本官方存在"立即和平论""一战和平论"和"彻底抗战论"三种意见。一战和平论是要"一战"而给敌人以打击,取得有利地位后再争取有利的和平。但是,无论立即和平论、一战和平论还是彻底抗战论,都是以"捍卫国体"为前提条件的。

(2) 日本的垂死挣扎与战败投降

小矶内阁继续推行战争政策。小矶首相希望把国务和统帅统一起来,于1944年8月5日决定将原来的"大本营—政府联络会议"改为由首相、外相、陆相、海相及陆军参谋总长、海军军令部总长组成的"最高战争指导会议",19日,在天皇亲临的情况下,决定了《世界形势判断》与《今后应采取的战争指导大纲》,会议承认大东亚共荣圈正在崩溃这一事实,但又强调,在"指导国内彻底贯彻捍卫国体之精神,激起同仇敌忾,振奋斗志,斗争到底"的同时,"坚信必胜,捍卫国土,以期战争之最后完成"。①

① 信夫清三郎:《日本政治史》第四卷,上海译文出版社1988年版,第420页。

美军占领塞班岛和马里亚纳群岛后，准备攻打菲律宾。战局在向菲律宾方面集中。大本营把菲律宾战场当作“豁出皇国兴废之最重要的作战”，为此拟定了“捷一号作战”方案，准备与美军决战。按照这个作战计划，陆军将驻守菲律宾的第十四军升格为第十四方面军，山下奉文大将被任命为司令官。海军也对各舰队进行整顿。

10 月 17 日，美军在莱特湾的苏卢安岛登陆，18 日，大本营便发动了“捷一号作战”，采取“机毁人亡”自杀手段的“神风特攻队”四面出击，表明日军要孤注一掷，垂死挣扎。但是，这种自杀式战术效果并不理想，命中率还不到 10%，美国方面则认为只有 3%。

天皇对日军的这种自杀式特攻战术赞赏有加，称：“神风特别攻击队干得好，对各队员实有不胜爱惜之情。”“取得如此不寻常的战果，实在不错。”[①]然而，这种非人道的特攻战术并没有挽救日本失败的命运。

美军联合参谋部加快作战速度，于 10 月 19 日起即开始攻打莱特岛，从中部突破日军防线，打乱了日军的作战计划。日军仓皇调动太平洋联合舰队的 77 艘、共 66 万吨的海军舰艇，以及陆军第十四方面军麾下的第三十五军（包括第十六师团、第二十六师团、第一师团、第六十八旅团）约 7.52 万人，在莱特岛及其 50 万平方海里的水域内同美军决战。美国方面投入战斗的有 170 艘、共 150 万吨舰艇，陆军约 25 万人。[②] 失去制空权的日本联合舰队主力在前往决战地点途中就丧失了 6.5 万吨级的巨型战舰“武藏号”，派去的 4 个师团作战部队中有 1 个多师团在中途被歼灭。12 月 19 日，大本营放弃了关于在莱特陆上决战的方针，日本方面战死 7.95 万余人，损失惨重。26 日，美军宣布莱特岛的战斗结束。至此，日本太平洋联合舰队已名存实亡。

与此同时，美军开始向日本本土进行空袭。11 月 24 日，从马里亚纳基地起飞的 100 架 B29 型飞机首次空袭了东京。29 日，开始对东京进行

---

① 信夫清三郎：《日本政治史》第四卷，上海译文出版社 1988 年版，第 422 页。

② 秦郁彦：《太平洋战争六大决战》，读卖新闻社 1976 版，第 108 页。

夜间空袭。战争接近尾声，日本准备“一战”的希望终于化为乌有。

近卫文麿越来越强烈地感到国体的危机，为了保住国体，也越来越迫切地希望早日结束战争。1945 年 2 月，天皇分别召见重臣，询问关于战局的意见。曾担任过首相的平沼骐一郎、广田弘毅、近卫文麿、若槻礼次郎、冈田启介、东条英机和前内大臣牧野伸显等都分别晋谒天皇。近卫也上奏天皇力陈早日结束战争。但是，天皇仍然主张“一战和平论”。显然，天皇和近卫所关心的，都是如何保住国体的问题。天皇为保住国体而不惜主张“一战和平论”，而近卫则为了保住国体而主张“立即和平论”。无论天皇或是近卫，与国民的生命财产相比都更关心自己的权力。

1945 年 1 月 9 日，美军在菲律宾主要岛屿吕宋岛登陆，2 月逼近马尼拉。1945 年 3 月 5 日，菲律宾的战斗完全结束。接着，美军又攻打硫磺岛，美军占领硫磺岛后，更加紧了对日本本土的轰炸。

3 月 26 日，美军在冲绳西南部的庆良间群岛登陆。4 月 1 日，开始在冲绳岛的嘉手纳海岸登陆。在冲绳的攻防战中，日本的败势日渐明显。在冲绳岛上，日军官兵对当地居民烧杀抢掠，草菅人命，无恶不作，甚至迫使当地居民接受手榴弹和炸雷的训练，充当战争肉弹。日军试图在冲绳展开肉搏式持久战，以为本土决战争取时间。但是，6 月 23 日，冲绳战争还是以完全失败而告终。日军在冲绳有组织的抵抗结束以后，零星的抵抗继续到日军代表在投降书上签字的 9 月 7 日为止。

缅甸战场方面，1945 年春，经过曼德勒和敏铁拉地区会战，日军战败，退守仰光。5 月 1 日，缅甸人民武装进入仰光。5 月 6 日，盟军登陆部队与自北南下的盟军先头部队会师。在缅日军土崩瓦解，缅甸宣告解放。

1945 年 4 月 5 日，小矶内阁因战局继续恶化而垮台，随后是以海军大将铃木贯太郎为首的内阁。就在这一天，苏联告知：将在明年 4 月 5 日期限届满的日苏中立条约不再延长。这意味着指望苏联斡旋和平停战的可能性越来越小。

表 1.15　铃木贯太郎内阁(1945.4.7—1945.8.17)

职　务	姓　名	出　身	职　务	姓　名	出　身
总理大臣	铃木贯太郎		外务大臣	铃木贯太郎 东乡茂德	贵族院
内务大臣	安倍源基		大藏大臣	广濑丰作	
陆军大臣	阿南惟几		海军大臣	米内光政	
司法大臣	松阪广政		文部大臣	太田耕造	
农商大臣	石黑忠笃		运输通信大臣	丰田贞次郎 小日向直登	
军需大臣	丰田贞次郎		大东亚大臣	铃木贯太郎 东乡茂德	贵族院
国务大臣	樱井兵五郎 左近司政三 下村宏 安井藤治		厚生大臣	冈田忠彦	

欧洲战局也发生了对日本不利的变化。1943 年秋，苏军开始总反攻。1945 年 7 日，德国法西斯无条件投降后，形成了日本一国与世界对峙的局面。铃木内阁外相东乡茂德提出召开由正式成员参加的最高战争指导会议，以尽快结束战争。会议决定了请求苏联出面斡旋的方针。为此，日本废除了《朴次茅斯条约》和 1925 年为恢复日苏邦交而缔结的《日苏基本条约》。

最高战争指导会议结束的次日，即 5 月 11 日，日本政府宣布废除日德意三国间缔结的全部条约。由于德意两国已经失败，所以宣布废约收效甚微。5 月 25 日，东京遭到大规模空袭。包括皇宫在内，皇宫御所、东宫临时御所、青山御殿、秩父宫邸、三笠宫邸、梨本宫邸、闲院宫邸、东伏见宫邸等处都被烧毁。这时，天皇不得不放弃“一战和平论”，而转向主张“立即和平论”。因为德国投降后只剩日本孤军作战，东京空袭愈演愈烈，本土决战迫在眉睫，天皇朝不保夕，谈何维护国体。

鉴于日本始终把维护天皇制作为投降的绝对条件，5 月 28 日，美国代理国务卿格鲁向杜鲁门总统建议:“(日本)无条件投降的最大障碍是(我们)没有做出维持天皇制国体的保证。如果予以保证,不损害他们的面子,就可以引导他们无条件投降。”①格鲁指令特别助理杜曼草拟了敦促日本投降的文告,其中第 12 条为:“如现政府能使各国爱好和平的人民确信其真正有决心采取和平政策,使日本将来不可能发展为侵略性军国主义国家,则其政权形式可包括现行皇统下的君主立宪制。”②

对日本来说,战败已是不可避免的了。1945 年 6 月 3 日,前首相广田弘毅开始与苏联驻日大使马立克进行谈判,希望苏联从中斡旋。6 月 6 日,最高战争指导会议决定了《今后应采取的战争指导基本大纲》,8 日,得到御前会议批准。6 月 22 日,天皇召集参加最高战争指导会议的首相、外相、陆相、海相和参谋总长以及军令部长,作了关于加速结束战争的指示。

1945 年 7 月 17 日至 8 月 2 日,在柏林郊外的波茨坦举行了美、英、苏三国首脑会议。7 月 26 日,《波茨坦公告》公布。这是反法西斯盟国敦促日本无条件投降的公告,规定了战后处理日本问题的根本方针。日本政府于 7 月 27 日晨收听到公告后,立即召开最高战争指导会议,研究对策。阿南惟几陆相等人坚决拒绝接受公告,并迫使铃木首相于 28 日发表无视公告的谈话,铃木首相采取了对《波茨坦公告》“不予理睬”的态度。

8 月 6 日和 9 日,美国在广岛和长崎相继投掷原子弹,炸死炸伤数十万人。8 月 8 日,苏联参加对日作战。苏军分三路向中国东北和朝鲜北部进驻;同时还从库页岛北部向南部发起进攻。苏军的太平洋舰队也投入战斗。

在苏联参战后的 8 月 9 日,最高战争指导会议和铃木内阁同时召开会议,讨论关于接受《波茨坦公告》的问题。铃木贯太郎首相认为,“从周围的形势看,不能不接受《波茨坦公告》”。东乡茂德外相也表示,“现在只能把

---

① 美国国务院编:《美国对外关系文件》(1945 年柏林会议)第 6 卷,美国政府出版局 1969 年版,第 546—547 页。

② 格鲁:《动乱的年代》第 2 卷,米夫林出版公司 1952 年版,第 1428 页。

维护国体的绝对条件作为保留条件，其他条件不必坚持”。[①] 阿南惟几陆相、梅津美治郎陆军参谋总长、丰田贞次郎海军军令部长此时也不敢完全拒绝公告，但提出了接受公告的 4 个条件。这 4 个条件是：一、保证维护国体；二、战犯由日本自行处理；三、自动解除武装；四、避免盟军占领日本本土，如不可则用少数兵力实行短期占领，但东京除外。[②] 同日下午召开临时内阁会议，进行了 7 个小时的争论，但意见仍不一致。铃木首相在晚 10 时许中断了内阁会议。在完成了通过御前会议进行“圣断”的程序之后，天皇于晚 11 时 50 分出席御前会议，并于 10 日凌晨 2 时半做出决断，采纳首相及外相的意见。铃木首相从凌晨 3 时开始重新召开内阁会议，决定接受《波茨坦公告》，但围绕对《波茨坦公告》的解释问题仍有不同意见。

10 日晨 7 时，日本通过瑞士、瑞典向美、英、苏、中等国发出接受公告的照会，但附加了一项谅解，即“基于……联合公告所举的条件中不包括变更天皇统治国家大权的要求的理解，帝国政府接受上项公告”。[③] 对此，英、中、苏、美通过瑞士答复说，“自投降之时刻起，日本天皇及日本政府统治国家之权力，即须听从盟国最高统帅之命令”。这就暗示同意保存天皇制和日本政府，于是天皇决定发出投降诏书。14 日，天皇再次做出“圣断”决定投降，同时，日本通过瑞士向美、英、中、苏四国发出通告。次日即 8 月 15 日，天皇向全体国民作了“玉音”广播。

“圣断”的效果还是大的。在第一次做出“圣断”的 8 月 14 日拂晓，天皇会见重臣，并逐个听取他们的意见。东条英机表示：“自己虽有意见，但既然是圣断，那也就没有办法了。”陆军其他首脑也表示将按照“圣断”行动。主战派受到孤立，没有发生大的混乱，战争便结束了。

在日本宣布投降前后，中国、朝鲜及东南亚各国人民对日本侵略者展开了总反攻。日本帝国主义发动的这场长达 15 年的侵略战争，终于以失败而告终。

---

① 日本外务省编：《终战史录》第四卷，北洋社 1977 年版，第 105—106 页。

② 服部卓四郎：《大东亚战争全史》，原书房 1973 年版，第 925 页。

③ 日本外务省编：《日本外交年表与主要文书》下卷，原书房 1978 年版，第 632 页。

第二章　日本的战败与战后政治改革

一　战后初期的政治改革

日本战败后，在美国的单独占领下，实行了一系列全方位的政治民主化改革，这些改革促使日本旧体制迅速解体，从而为日本走上现代民主制国家之路奠定了坚实的基础。战后初期的政治民主化改革涉及到方方面面，本章仅就解除公职及其对日本政党的影响、政党政治的恢复以及新宪法的制定等问题作一重点论述。

(一) 美国对日占领及其民主化政策

(1) 美国对日占领

1945年8月15日，根据天皇裕仁宣布的《终战诏书》，日本决定接受《波茨坦公告》投降。对长年被卷入战争漩涡的日本国民来说，突如其来的"终战"犹如晴天霹雳，使他们陷入惊愕、困惑和不知所措的氛围之中。据美国战略轰炸调查团的调查报告，日本国民在刚投降时的反应，"后悔、悲叹和遗憾"的占30%，"惊愕、冲击、困惑"的占23%，认为"战争结束、苦难到头而有安全感、放心和幸福感"的占13%，"早就预感到必然失败”的只有 4%。①

上述调查数字显示，战败前夕，日本国民虽然有厌战情绪和希望早日结束战争的一面，但长期受大日本帝国思想熏陶、受制于日本精神（大和魂、特攻精神、忠于天皇）的日本国民，不少人仍抱有抵抗到底的信念，对战败缺乏思想上的准备，有些人虽有厌战情绪但并没有采取与国家对立的行动，因此短时间内还不能从支持、赞同的状态中摆脱出来。在日本国民中，多数人“依然相信，在最后的一瞬间，‘神风’会吹来保护日本”（美国《战略轰炸调查团报告书》）。日本国民的这种意识，是日本军国主义者长期封锁外界消息，一味宣传好战，鼓吹日本必胜的必然结果，也使日本国民陷入一种既害怕战争，更害怕失败的欲罢不能和孤注一掷的境地。

日本宣布投降以后，铃木贯太郎内阁立即总辞职，东久迩宫内阁（1945.8.17—1945.10.9）取而代之，这是日本宪政史上前所未有的“皇族内阁”，其政治使命是利用东久迩宫在军队的地位和皇族的身份，来妥善处理日军的无条件投降和美军占领日本等“终战事宜”，所以有人称其为“终战措施内阁”。东久迩宫也表示，“维护国体这条线，既是对外谈判的底线，也是国民指导的基本方针”。② 可以说，维护国体是东久迩宫内阁的最高政治目标。

麦克阿瑟以盟军最高司令官身份君临日本，被授予至高无上的权力。杜鲁门总统在命令中称：“天皇和日本政府统治国家的权限，隶属于作为盟国最高司令官的贵官。”③麦克阿瑟也自称：“我对日本国民，事实上具有无限的权力。历史上，任何殖民地总督、征服者或司令官，都没有拥有过我对日本国民所拥有的这么大的权力。……我是 8 000 万日本国民的绝对统治者。”④

① 粟屋宪太郎编：《日本现代史资料》第二卷，大月书店 1980—1981 年版。

② 崛幸雄：《战后政治史》，南窗社 2001 年版，第 16 页。

③ 末川博：《战后二十年史资料——法律》第三卷，日本评论设 1971 年版，第 13 页。

④ 袖井林二郎：《麦克阿瑟的两千日》，中央公论社 1974 年版，第 88 页。

鉴于东久迩宫内阁极力维护日本国体的举动，麦克阿瑟向日本政府发出指令：立即释放政治犯，废止思想警察及其他一切类似机关；罢免内务大臣、有关的警察首脑及其他与镇压活动有关的官吏；废止一切镇压市民自由的法规。在该指令的冲击下，东久迩宫皇族内阁被迫辞职。战后维护国体势力宣告崩溃，治安维持法体制也随之垮台。

根据《波茨坦公告》的精神，日本领土应由同盟国军事占领。当时由于中国国民党政府忙于内战，英国也无力占领日本，只有苏联提出把北海道的北半部和全部千岛归于苏联占领。而美国的既定方针是：关于对日本的占领，美国将同参加对日作战的各盟国进行协商，各盟国将参加对日本的占领、统治及占领政策的制定，美国则负责实施占领政策。因此，各占领国所提供的部队将由美国任命的司令来指挥，并把日本作为一个单位来统治，而不像德国那样划分占领地区。显然，这便是美国实质上的单独占领。

美国政府制定的《日本投降后美国初期对日方针》（简称“初期政策”）由四部分组成：最终目的、盟军权利、政治、经济。主要包括以下内容：

第一，美国占领日本的目标。在“初期政策”中规定，美国占领日本的最终目标是：确保日本今后不再成为美国的威胁，不再成为世界和平与安全的威胁；促使最终建立一个和平与负责的政府，该政府将尊重他国的权利，并支持《联合国宪章》的理想和原则中所显示的美国目标。对日占领基本目标表明，美国出于其全球战略利益的需要，决心把日本改造成为依附于己的国家。

第二，对日本社会实行改组。美国为了实现上述占领目标，在“初期政策”中规定，在战后日本实行非军事化和民主化。关于实施非军事化措施，必须完全解除日本的武装，并使其完全非军事化。凡军国主义者的权力和军国主义的影响，都必须从日本的政治、经济和社会生活中彻底清除。凡显示军国主义精神和侵略思想的机构，都必须坚决取缔。关于实施民主化措施，必须鼓励日本人民培养起争取个人自由、尊重基本人权，特别是宗教、集会、言论和出版自由的愿望，并鼓励日本人民建立民主的团体。通过对日本社会进行全面的改组，从日本社会体制中铲除法西斯主义、军国主义、封建主义的残余，从而使日本社会走向现代化。

第三，美国统治日本的方式。在“初期政策”中规定，占领军最高统帅具有至高无上的权力，“天皇和日本政府的权力……应从属于最高统帅，最高统帅应具有为实现投降条款与贯彻有关占领和控制日本的政策所必需的一切权力”，“日本国政府在最高司令官的指示下，有行使国内日常行政事务的政治机能，但是，如果不能满足最高司令官的要求时，最高司令官则有权更换政府机构或人事，或者依据直接行动的权利和义务加以限制”。① 这样，天皇和日本政府就成为执行盟军最高司令官总司令部（简称“盟总”）指令的附属机构，而“盟总”和日本政府的关系则是利用和被利用的关系。美国占领当局通过这种关系，可以达到一箭双雕的目的，既能控制日本政府，又能通过它统治日本人民，从而达到比军政更好的占领效果。

（2）民主化政策与旧体制解体

美国占领当局在建立、健全占领机构的同时，开始实施一系列民主化政策，促使日本的旧统治体制迅速解体。

首先，“盟总”相继发出一系列指令，其中主要包括：解除日军武装，增强民需生产和禁止军需生产，废除战前和战时的《新闻法》《国家总动员法》等限制言论、新闻自由的统制性法规等。这些指令只是作为占领初期的“终战处理”，扫除实施占领政策的障碍，还没有涉及日本的政治体制和经济体制问题。

美军占领日本以后，大批政治犯还关押在狱中。这一情况引起国际舆论和日本进步人士的关注。有人指出：“反军国主义的领袖人物，在占领军的民主改革中是不可缺少的，他们现在正在狱中。……占领军果真

① 日本历史科学协议会、中村尚美、君岛和彦、平田哲男编：《史料・日本近现代史Ⅲ・战后日本的进程》，三省堂 1985 年版，第 6 页。

在日本推行民主，释放政治犯是先决条件。”盟国的特派记者纷纷要求会见狱中的政治犯人。日本国内，也成立了两个要求释放政治犯的组织：“政治犯释放委员会”和“朝鲜人政治犯释放委员会”。

面对这一局面，日本政府的态度是“《治安维持法》[①]可以修改，但不考虑废除，政治犯也不准备释放”。麦克阿瑟虽然不喜欢共产主义，但是他知道，如果《治安维持法》不废除，日本的军国主义体制就不可能改变，民主化就无从谈起，于是他决定立即向日本政府递交了《关于废除政治警察的备忘录》。备忘录主要内容包括：保障思想、宗教、言论、集会的自由，乃至自由议论天皇和皇室；立即废除《治安维持法》等一系列剥夺自由的法律、敕令及法规；释放政治犯；废除秘密警察及一切言论统制机构；罢免内务大臣、警视总监、特高警察等官吏。

据此，接替东久迩宫内阁的币原喜重郎内阁(1945.10.9—1946.5.22)释放了2 400名政治犯和思想犯。其中包括在狱中度过18年的日共党员德田球一和志贺义雄。《国防保安法》《军机保护法》《言论集会结社等临时取缔法》《治安维持法》《思想犯保护观察法》《治安警察法》等相继废除。这标志着天皇制国家的治安机构解体，向民主化道路迈出了第一步。

随后，麦克阿瑟下达了所谓“五大改革”指令，这就是：一、赋予妇女参政权；二、鼓励成立工会组织；三、实行教育自由化，开设各类学校；四、废除秘密检察等各类专制机构，确立保护人民的司法制度；五、促进经济制度民主化。[②] 遵照这一指令，币原内阁随即着手进行改革。首先，承认妇女参政权，修改了《众议院议员选举法》，规定选举权由25岁降至20岁，被选举权由30岁降至25岁，并着手制定《工会法》，废除军国主义教育，实行国家与神道分离，冻结皇室财产，解散超国家主义团体等。当然，解散财阀、解除公职、农地改革以及修改宪法等重大改革的指令，也

① 1925年专为镇压思想犯和政治犯而制定的法律。

② 日本历史科学协议会、中村尚美、君岛和彦、平田哲男编：《史料·日本近现代史Ⅲ·战后日本的进程》，三省堂1985年版，第23页。

在币原内阁时期相继下达。而币原内阁相对东久迩宫内阁而言，在推行这些改革指令方面是前进了一步，但从根本上讲，它还远远不能满足"盟总"的要求，甚至是貌合神离。

(二) 解除公职及其对日本政党的影响

(1) 解除公职

1946年新年伊始，盟总向日本政府下达了《关于解除不适宜从事公务者公职之备忘录》和《关于废除政党、政治结社、协会及其他团体之备忘录》，这就是使日本政府感到震惊的"解除公职令"。

解除公职与制定新宪法、农地改革、劳动改革等重大举措一起，成为美国对日占领政策的一个重要组成部分。它在以民主化和非军事化为目标的日本战后改革中占有重要一页，对日本战后政党的形成和走向产生了重大影响。

"解除公职令"规定的整肃对象为：战犯、职业军人、谍报机构和宪兵队的官兵及军属，极端国家主义团体、暴力团体及秘密爱国团体的骨干分子，大政翼赞会、翼赞政治会、大日本政治会的骨干分子，满铁、东洋拓殖公司等与日本扩张有关的开发机构及金融机构的高级职员，殖民地与占领地的行政长官，其他军国主义者和极端国家主义者。①

整肃共进行了3次，第一次整肃的结果，被整肃的团体达119个，1942年大选中由翼赞政治会推荐的382名议员全部失去议会议员资格。② 在1946年4月选举之前对候选人进行了"事前审查"。这次审查的结果，进步党的原274名众议院议员中，包括总裁和干事长在内的260名议员被整肃，只有14人通过审查；日本自由党的43名议员中，有30名被整肃；协同党的23人，有21人被整肃；社会党的17人，也有10人被

① 日本历史科学协议会、中村尚美、君岛和彦、平田哲男编：《史料·日本近现代史Ⅲ·战后日本的进程》，三省堂1985年版，第28页。
② 竹前荣治、中村隆英监修：《GHQ日本占领史》第六卷，日本图书中心1995年版，第23页。

整肃。①

4月10日，举行了战后第一次众议院选举（日本第22次大选）。选举结果，在464名议员中，没有任过议员的新议员375人，占81%；任过的89人，仅占19%。在此次选举中，妇女有了参政权，38名妇女第一次当选为议员，这在日本议会史上是第一次，表明妇女开始走上政治舞台。而且，有选举权和有被选举权的人的年龄分别下降了5岁，选民由1942年“翼赞选举”时的1 459万人增至3 688万人，增加了1.5倍，这在日本选举史上是具有划时代意义的。②

大选结束后，对当选议员又进行了复查，结果又有10名议员被刷了下来，其中包括准备就任众议院议长的三木武吉（自由党）和自由党干事长河野一郎等人。经过整肃和选举，日本的政党和议会初步得以改造。

第二次公职审查委员会（即所谓“美浓部委员会”）成立后，对日本政界和官界进行了整肃，对枢密院、贵族院和众议院的审查结果，共有191人被解除公职。对政府各部门的审查，共整肃905人，其中内务省官员344人，占总数的38%，人数最多。③ 美浓部委员会共审查了3 759人，其中3 495人通过审查，264人被解除公职。

美浓部委员会（第二次委员会）解散后，“中央公职审查委员会”（第三次委员会）成立。这次整肃的范围，在中央一级从政界扩大到经济界和言论界，同时在地方一级从都道府县扩大到市町村，因此中央和地方分别成立了审查委员会。

中央审查委员会（“公职适否审查委员会”）负责审查地方委员会的委员和与选举有关的地方官员、都道府县知事以及东京以外的五大市（大阪、神户、京都、名古屋、横滨）的市长、参众两院的议员候选人。2月中旬，46个都道府县的“公职适否审查委员会”和人口在5万人以上的

① 崛幸雄：《战后政治史》，南窗社2001年版，第39页。

② 日本历史研究会编：《日本同时代史》第一卷《战败与占领》，青木书店1990年版，第126页。

③ 增田宏：《解除公职—三大政治整肃研究》，东京大学出版会1996年版，第11页。

118 个市的“公职审查委员会”全部成立。

1947 年是“解除公职"工作大规模推进的一年，这是因为这期间采取了“暂定”措施。所谓“暂定”，就是各级审查委员会根据 1947 年 7 月 1 日公布的第一号《敕令修正令》和“暂定政令”，对因辞职等原因不能列为整肃对象的人，不必填报调查表便可将其“暂定”为整肃对象，暂定对象如果在 30 日内提出异议，则对其审查、判定，如果不提出异议，则被自动视为整肃对象。这一措施大大加速了整肃的进度。接受“暂定”的人总数达 204 304 人，提出异议后而被排除整肃的为 11 162 人，结果有 193 142 人被列为整肃对象。加上原来中央和地方经审查被定为整肃对象的 3 633 人和 4 081 人，三者相加共有 200 856 人。还有第一次被解除公职的 1 067 人，被解除教师职务的 7 003 人，总共为 208 926人，其中有 148 人请求复审后免于整肃，所以实际遭到整肃的全部人数为 208 778 人。① 在这些被整肃的人中，军人占 79.6%，政治家占 16.5%，超国家主义者占 1.6%，官僚占 0.9%，企业界占 0.9%，言论报道界占 0.5%。②

1947 年，正当日本开展大规模整肃的时候，以美苏为首的两大阵营出现冷战局面，美国开始推行杜鲁门主义。美国对日占领政策从此发生重大转变。在这一形势的影响下，解除公职工作于 1948 年 5 月匆匆结束。1948 年 6 月，成立“美国对日委员会”(ACJ)，具体负责美国政府对日占领政策从过去的非军事化和民主化向扶植日本经济方面的转化工作。

随后，“解除整肃”的工作全面展开。到 1951 年 11 月，共甄别了 177 261人。在《旧金山对日和约》生效的 1952 年 4 月 28 日以前，又甄别、解除了 9 306 人的整肃。随着《旧金山和约》的生效，有关解除公职的

① 增田宏：《解除公职——三大政治整肃研究》，东京大学出版会 1996 年版，第 16、17 页。

② 日本历史研究会编：《日本同时代史》第一卷《战败与占领》，青木书店 1990 年版，第 126 页。

法律全部被废除，尚处在被整肃状态的人这时只剩下 8 710 人了。[①]

解除公职与解散财阀等民主化政策一样，由于美国对日政策的改变而导致虎头蛇尾的结局。尽管如此，以旧军部为首的政、官、财、舆论和教育界等的有关人士多达 20 余万人被解除了公职，如果把慑于整肃而提前提出辞职的人和被整肃者家属计算之内，触及范围约达百万人以上，其规模之大，远远超出了日本人的预料。

(2) 解除公职对日本政党的影响

解除公职对日本战后政党政治体制的形成和走向产生了深远的影响。因为"解除公职令"明确指出，"限制被禁团体成员在政党组织中的比例""禁止被禁团体成员在新的政党组织中担任重要职务"等。指令还规定，凡符合整肃标准的所有个人，"即使在战后参加政党和其他组织"，"均应立即解除公职"，"今后的大选候选人也必须遵守这一规定"。[②] 所以日本大多数政党的政治活动都受到"解除公职令"的影响。

解除公职对战后日本政党产生了多方面的影响。通过整肃，剥夺了 1945 年以前积极参与日本侵略扩张政策的人物的参政资格。这些老牌政治家遭整肃后，一批新人填补了日本政治的空白，这些新人虽然缺乏从政经验，但对发展战后民主政治是有利的因素，使日本各政党朝着比较自由、民主的方向发展。

整肃计划的主要目标之一是从公职中除掉那些有反民主嫌疑的人物，代之以新的民主领导人。所以，检验整肃运动的结果，主要看有多少新的政治领导人和政党负责人登上政治舞台。仅从中央一级的情况看，在战后三次大选中初次当选为国会议员的人数以及他们在下次选举中再次当选的情况如下表：

---

① 日本首相府官房监察科编：《解除公职备忘录整肃人员名单》（长滨功监修《复刻资料解除公职Ⅱ》，明石书店，1988 年）卷末《解除公职事务经过》。

② 竹前荣治、中村隆英监修：《GHQ 日本占领史》第十一卷《政党的复活及其变迁》，日本图书中心 1995 年版，第 95 页。

表 2.1　战后三次大选中当选的战后派国会议员①

	1946 年	1947 年	1949 年	合计
新人	376	222	181	779
再次当选数		184	240	424
合计	376	406	421	

上表表明，战后通过大选进入政界的战后派国会议员，在 1951 年解除整肃以前，在政治力量对比中已经占据主导地位，所以解除整肃以后，战前派政治家虽然大部分恢复了从事政治活动的资格，但时过境迁，已经没有了往日的权力、地位、影响和机遇，实际上已经脱离了公职，除少数人外，不再对日本政治产生多大影响，所以在整肃后期，解除整肃的政治家即使对政治体制产生某些影响，也多半是靠个人的能力和影响力，而不是作为一股整体的力量。

总之，通过整肃，大批政界人物、企业家和行政官僚被解除职务，一大批支持战时体制的核心人物销声匿迹，使政府和企业的领导阶层大大年轻化，加速了民主化进程。

(三) 政党政治的恢复

日本投降后不久的 1945 年 9 月 1 日，第 88 届临时帝国会议召开。这届议会的议员都是 1942 年 6 月 30 日通过翼赞选举而产生的，其构成为，大日本政治会(日政会)377 人，赞壮议员同志会(赞壮同志会)21 人，无所属 25 人。② 会后不久，9 月 6 日赞壮同志会解散，9 月 14 日日政会解散，其他战时御用政治团体也随之自消自灭。

与此同时，战前和战时的一些政界人物开始着手重建政党，各种政治势力重新组合，在短短两三个月的时间内，相继建立和重建了日本社

① 竹前荣治、中村隆英监修：《GHQ 日本占领史》第十一卷《政党的复活及其变迁》，日本图书中心 1995 年版，第 119 页。

② 崛幸雄：《战后政治史》，南窗社 2001 年版，第 67 页。

会党、日本自由党、日本进步党、日本协同党和日本共产党。在这5个政党中，日本进步党、日本自由党和日本协同党属于保守政党，日本社会党和日本共产党属于“革新政党”。

自由党纲领是：一、自主地实践《波茨坦公告》，根除军国主义要素，按照世界公理，以期建设新日本；二、维护国体，确立民主的负责任的政治体制，提倡学术、艺术、教育、宗教自由，以期思想、言论、行动的畅达；三、加强财政，促进自由的经济活动，重建农工商各产业，以期充实国民经济；四、提高政治道德、社会道义，以期国民生活的和谐；五、尊重人权，提高妇女地位，推行社会政策，以期社会的稳定、幸福。①

进步党是以战时御用政党大日本政治会为基础，经过改头换面而建立起来的。大日本政治会宣布解散以后，其核心成员旧民政党系和旧政友会中岛(知久平)派系的议员，不甘退出政治舞台，积极酝酿筹建新党。

日本进步党的纲领是：一、维护国体，贯彻民主主义，确立以议会为中心的责任政治；二、尊重个人自由，完成以协同自治为基准的人格，为建设世界和平和提高人类福利而努力；三、实现事事自主、人人劳动，在产业布局合理的情况下，力图生产旺盛和分配公正，建设新的经济体制，确保全体国民的需要。②

显然，在维护国体这一点上，日本进步党与日本自由党是相同的；所不同的是，自由党尚指出“根除军国主义要素”，主张自由主义经济，而进步党对日本的侵略战争却毫无反省之意，仍强调以“统制经济”为目标。可见进步党与战前的保守党相比较，毫无“进步”可言。

第三个保守政党是日本协同党。协同党没有战前政党的根基，可以说是战后产生的一个新党。其成员是与农村有关的部分议员。他们打着协同组合主义的旗号，成立日本协同党，有国会议员23人。该党核心成员是战前和战时的产业组合运动领导人，他们曾是大政翼赞运动的积

① 崛幸雄：《战后政治史》，南窗社2001年版，第70页。
② 同上书，第75页。

极分子，后来转而加入反东条内阁运动。所以协同党当属保守党中偏左的政党，也可以说是中间性保守党。该党党纲中主张“维护皇统”，“确立民主政治体制”，并在政策大纲中提倡“打破包括资本垄断在内的全部封建因素”。由此可以看出，协同党回避了“维护国体”问题，而且具有某种空想社会主义的因素，是“以既不是资本主义也不是社会主义的中道政治为目标”的保守政党。①

日本社会党是战后日本最先建立的政党，有国会议员 17 人。筹建社会党的核心人物都是战前工人运动、农民运动和社会主义运动的主要领导人，在战时翼赞体制下，作为非推荐议员，在翼赞议会中占有一席之地。社会党纲领指出：社会党作为“劳动阶级的联合体，确保国民政治自由，谋求建立民主体制”，“排除资本主义，实行社会主义”，“反对一切军国主义思想及其行动”，“实现持久和平”。② 归纳起来，社会党的纲领就是“政治上的民主主义、经济上的社会主义、国际上的和平主义”。③

在社会党政策中，虽然在政治、经济、行政、司法、劳动及文化教育等各方面都提出了自己的改革性主张，但从未触及天皇制问题。甚至有人在成立大会上公然高呼“天皇陛下万岁”。所以，从总体上看，社会党属左翼政党，但也表现出其右倾的一面。尤其在党的性质上，明确规定社会党是“左边除去共产党、右边除去鸠山的党，把这中间所有的人全部网罗在内的社会主义大众党”。④ 成分复杂，政见不统一，这就注定了社会党的日后分裂。

日本共产党成立于 1922 年 7 月，日本军国主义者发动对外侵略战争以后，日共屡遭镇压，主要领导人多被投入监狱，直至日本战败。战后伊始，日本政府被迫释放了德田球一、志贺义雄等 16 名日共领导人。在狱中度过 18 年之久的德田球一等领导人出狱后，立即以合法身份积极

① 富森睿儿：《战后保守党史》，日本评论社 1977 年版，第 6 页。
② 崛幸雄：《战后政治史》，南窗社 2001 年版，第 84 页。
③ 升味准之辅：《战后政治》上卷，东京大学出版会 1985 年版，第 151 页。
④ 大江志乃夫：《日本历史》第三十一卷——《战后变革》，小学馆 1977 年版，第 115 页。

着手恢复日本共产党。

重建后的日共纲领，公开宣布“打倒天皇制，建立人民共和政府”，“惩治一切战争罪犯”，“废除钦定宪法，由人民制定民主宪法”，“废除旧议会、枢密院和贵族院”，提倡建立人民战线，以实现民主主义革命。从日共的行动纲领看，可以说日共是个最急进的革新政党。

二　新宪法的制定与政治改革

（一）新宪法的制定

宪法是一个国家的根本大法，它规定国家的国体和政体，是统治阶级意志的表现。如果说《明治宪法》推行的是天皇极权制的政治体制，表现了大地主大资产阶级的统治意志，那么，美国占领下的战后日本重新制定的《日本国宪法》则是在否定封建残余势力的前提下，全面实行西方现代民主制的政治体制，主要体现了日本现代资产阶级的利益和要求。

战后日本宪法的修改，是在美国占领当局的直接干预下实现的。早在日本战败投降以前，美国国务院就开始着手讨论日本宪法的修改问题，并基本形成了一个改宪方案雏形。日本投降后，麦克阿瑟即强调指出，修改宪法时必须加进自由主义的要素。此后，币原内阁成立了以国务大臣松本烝治为首的宪法问题调查委员会，并非情愿地开始了宪法修改工作。

极力维护国体的币原内阁对修改宪法持消极态度，在占领当局的督促下，松本调查委员会匆匆起草了一个宪法草案。这一草案只是对旧宪法作了某些词句上的改动，依然保留天皇及其特权。例如，把“天皇神圣不可侵犯”改为“最高不可侵犯”，把“天皇统帅陆海军”改为“天皇统帅军队”。① 这表明，币原内阁力图原封不动地维护天皇专制主义的政治

---

① 历史科学协议会、中村尚美、君岛和彦、平田哲男编：《史料・日本近现代史Ⅲ・战后日本的进程》，三省堂1985年版，第35页。

体制。

占领当局对松本方案作出了不满意的反应，认为："修改草案只不过是对《明治宪法》在字句上作了最稳妥的修正，日本国家的基本性质毫无变化地保留下来了。……其意图在于把《明治宪法》的字句加以自由主义化，以便取得占领当局的承认。"①美国政府的基本态度是，天皇制的去留要取决于日本国民的自由意志，如若保留天皇制，也不许天皇有任何实权。根据这一精神，"盟总"民政局起草了《日本国宪法草案》，草案规定："皇帝是国家的象征，又是国民统一的象征，……不拥有政治上的权限。"草案还规定，日本"绝不允许设置陆、海、空军及其他战斗力"，"废弃作为国家主权的战争"。②

在美国占领当局和日本政府制定新宪法草案的同时，日本各政党也就改宪问题提出各自的主张。日本共产党主张废除天皇制，建立人民共和国。社会党同意保存天皇制，主张"主权属于国家(包括天皇在内的国民共同体)"。日本进步党和日本自由党则主张维护天皇制，"天皇按照臣民之辅翼，遵从宪法规定，行使统治权"。③ 围绕天皇存废问题，基本上形成这三派鼎立的局面。其他政治团体也提出了各自的方案。

从修改宪法的全过程看，美国政府和占领当局固然发挥了直接的和决定性的作用，但日本工会等各政治团体、日本国民的动向和舆论以及远东委员会在审议新宪法草案的过程中也分别提出了自己的纲领草案和修改意见，发挥了制约作用，施加了一定的间接影响。

宪法修正草案经过众议院和贵族院的反复审议、修改，枢密院通过以及远东委员会同意，最后于 1946 年 11 月 3 日公布，1947 年 5 月 3 日正式施行。这就是《日本国宪法》，一般又称作"和平宪法"或"1946 年宪法"。

---

① 末川博编：《战后二十年史资料》第三册——《法律》，日本评论社 1966 年版，第 66 页。

② 历史科学协议会、中村尚美、君岛和彦、平田哲男编：《史料·日本近现代史Ⅲ·战后日本的进程》，三省堂 1985 年版，第 41 页。

③ 同上书，第 39、37、33 页。

从新宪法的形成过程看，形式上采取修改宪法的方式，完全按照修改旧宪法的程序办理，但实质上是重新制定一部新宪法，内容上发生了质的变化。其之所以采取“修改宪法”的形式，是因为当时日本虽然处于美国占领之下，但旧秩序仍在起作用。另外，让日本政府“自主修改”，社会各阶层参与改宪，有利于调动各方面的积极性，消除其消极抵制因素。

新宪法的主要内容包括：改革了天皇制和议会制度；改革了内阁制度和司法制度；将中央集权制改为地方自治制度；以保障国民的基本人权为原则，详细规定了国民的权利与义务，明确规定了放弃战争的条款等。

新宪法从国民主权主义、和平主义、尊重基本人权这三大原理出发，集中反映了资产阶级思想理论体系，是一部比较完整的资产阶级宪法，从而在日本首次确立了资产阶级民主主义的政治体制。尤其值得注意的是，新宪法具有两个明显的特征，一是“象征天皇制”，一是放弃战争和非军事化。

（二）象征天皇制与放弃战争条款

新宪法第一条开宗明义规定：“天皇是日本国的象征，是日本国民整体的象征，其地位以主权所在的全体国民的意志为依据。”宪法虽然也规定天皇有权公布宪法修正案、法律、政令及条约，召集和解散国会，公布举行国会议员的选举等，但这些权力的行使，必须“根据内阁的建议与承认”，“天皇只能行使本宪法所规定的有关国事行为，并无国政的权能”。这样，天皇由战前的“神圣不可侵犯”变为“日本国的象征”，从明治宪法体制时的总揽国家大权的顶点地位降至新宪法体制中无任何实际权力的象征性元首地位。这就是战后的“象征天皇制”，也有人称其为“虚君国会内阁制”。

新宪法公布以后，又于 1947 年 1 月制定了新的《皇家典范》和《皇室经济法》。这些法律对天皇的地位和权力、皇室的继承、皇室财产以及皇族范围都作了明确规定。天皇的皇位由属于皇统的男性依照长子、长孙等次序继承。一切皇室财产属于国家。一切皇室费用纳入国家预算，须经国会议决通过。1947 年 10 月，11 个宫家的皇籍被褫夺，51 名皇族成员被废黜为平民，只保留了 3 位皇弟的皇籍。

战后日本的天皇，虽然处于象征性国家元首的地位，但仍要处理很多政务，尤其是外交事务。据说，天皇每年平均处理各类文件大约在 1 000件以上，另外要出席各类仪式、会议，接见外国宾客等。时至今日，世界帝制接连崩溃，除日本外，目前没有任何国家存在“皇帝”(Emperor)，也可以说，日本天皇是世界历史上独一无二的最后的“皇帝”。

新宪法的第二个特点是放弃战争和非军事化。宪法第九条规定：“日本国民衷心谋求基于正义与秩序的国际和平，永远放弃以国权发动的战争、武力威胁或武力行使作为解决国际争端的手段。……为达到前项目的，不保持陆海空军及其他战争力量。不承认国家的交战权。”这一非军事化条款可以说是日本新宪法的最大特色。

《明治宪法》规定“天皇统帅陆海军”，是日本军队的最高统帅。这样，军部首脑可以不受议会和内阁的控制与监督，直接向天皇“帷幄上奏”，军人在日本国家中享有特殊地位，从而形成战前日本军国主义随意发动侵略战争的恶果。

为了防止日本军国主义的复活，避免战前历史的重演，新宪法中特设了这一条款。宪法第九条反映了当时反法西斯联盟各国铲除日本军国主义的要求与愿望，同时也是日本政府和人民对从战争走向失败这一惨痛道路反思的结果。

尽管日本后来建立了实质上是军队的自卫队，但由于宪法第九条的制约，使战后日本长期以来将主要精力、物力和人力用于经济建设，迅速成为经济大国，所以，宪法第九条不仅为日本走和平主义道路奠定了基础，而且成为日本经济高速发展的一大重要因素。

(三) 新宪法体制下的政治改革

(1) 议会制度改革

在战前的日本，由于天皇“总揽统治权”，帝国议会只不过是天皇对国家进行统治的协助立法机关，而且，议会仅有的权能又受到元老、重臣会议及军部的很大制约。

新宪法将国家最高权力由天皇转到国会，国会成为国家的最高权力机关和唯一的立法机关，真正体现了现代资产阶级国家的“三权分立”的政治原则，从而完成了由“人治”国家到“法治”国家的转变。

1947 年 2 月 24 日公布《参议院选举法》，解散贵族院和枢密院。贵族院的废除，表明封建势力基本上退出日本的政治舞台。取而代之的参议院，与众议院一样，选举时“不得因种族、信仰、性别、社会身份、门第、教育、财产或收入的不同而有所差别”，取消了皇室和贵族的特殊地位和权威，清除了血缘的、身份的封建关系。3 月 31 日公布修改后的《众议院选举法》，解散按旧宪法组成的帝国议会即众议院。

按照新宪法第四章国会的有关规定，开始着手修改、制定新的《国会法》。在美国占领当局的指示下五易其稿，1947 年 3 月 19 日日本国会通过了一部深受美国《国会法》影响的日本《国会法》。新《国会法》的主要特征在于保证国会对政府的优势地位。这具体表现在：新《国会法》中取消了天皇的敕任，掌握了自主组织权；国会两院的活动可依法自主进行而不受其他限制；建立常任委员会制度，并使其在立法过程中发挥关键作用；实行国会议事公开，让国民了解国会的审议情况等。新国会法的这些特点，标志着资产阶级国家统治机构的现代化，形成政党政治和官僚政治相互结合的新政治体制。

(2) 内阁制度改革

在新宪法实施之前，占领当局为推行其非军事化和民主化政策，便着手改革日本的行政体制，先后撤销了直接为战争服务的大东亚省、军需省、陆军省、海军省和情报局等战时行政官厅，同时设置了一些处理“终战事宜”的行政机构。但是这些机构调整还只是对战前行政机构的修修补补，大规模的行政机构改革是在新宪法实施之后。

日本战前的首相，由元老和重臣提名，天皇任命，而且内阁的成立和权力常常受到军部的干涉和控制。军部不支持的内阁不是流产就是倒台。日本自1885年成立第一届内阁以来的60年间,30名首相中有15人是军人,政党出身的首相只有几人,这是日本军国主义在政治体制上的反映。

按照新宪法第五章内阁的有关规定,吉田内阁制定了《内阁法》,并于1947年1月16日公布。新宪法体制下,内阁成为名副其实的议院内阁,首相由政党总裁担任,而且内阁权力大大加强。新宪法第五章规定:"行政权属于内阁……首相及其他国务大臣必须是文职人员。"一切行政事宜均由内阁处理。

撤销内务省和加强管理经济的行政机构,是内阁制度改革的核心内容。内务省作为"保护国内事务安宁的管理机构"设立于1873年。1885年内阁制度建立以后成为内阁中的一个省,直至1947年内务省解体的74年间,内务省一直是天皇专制主义的核心行政机构。它总揽全国地方行政、议员选举、警察、监狱、宗教、社会、出版、通讯、国有财产等各种国内行政事务,是天皇专制政体的一大支柱和法西斯统治的得力工具。日本战败后历经两年多时间,在占领当局的迫使下,内务省职能由大到小,直至最后撤销。内务省解体以后,其职能分别由自治省、警察厅、建设省、厚生省、劳动省、外务省、法务省、通产省、农林省、邮政省、运输省、文部省等12个省厅掌握。内务省解体及其权力分散化,标志着日本行政机构和政治体制发生了重大变化,在日本资本主义发展史上具有划时代意义。

内务省解体后,随着经济体制改革的展开,内阁的经济管理职能大大加强,先后设立了经济企划厅、大藏省(财政部)、通商产业省和农林水产省等经济省厅,这些经济省厅在恢复和发展经济过程中发挥了重要作用。

(3) 地方自治制度的改革

明治维新以后,日本便建立起近代地方自治制度,在地方实行市制、町村制和府县制。但那时的府县和市一级,受内务省统制,町村一级受府县知事的监督,中央集权色彩很浓,地方自治实际上有名无实。特别是在对外侵略战争期间，地方自治更变为高度中央集权体制。

随着战败和投降，整个日本国家体制都在发生变化，地方制度的改革也势在必行。但习惯于中央集权的日本政府对地方自治制度不感兴趣，所以在宪法草案中没有地方自治的内容。为此，占领当局再三敦促日本政府“实行政府分权化和鼓励地方责任制”，于是，日本政府在 1946 年 3 月 6 日公布的《宪法修正草案纲要》中不得不加进地方自治的内容，并且，这一内容作为单独一章被列入《日本国宪法》之中。新宪法第九十二条规定：“关于地方公共团体的组织及运营事项，根据地方自治的宗旨由法律规定之。”所谓“地方公共团体”就是指都道府县、市町村以及大城市中的特别市、特别区等。

1947 年 4 月 17 日，《地方自治法》作为新宪法的附属法律之一予以公布，并与新宪法同时于 1947 年 5 月 3 日实施。

新的《地方自治法》取消了内务省对地方自治体的一切权力，也取消了府县知事对市町村一级的监督权。大大加强了地方自治体的自治性，使地方自治制度在较大程度上排除了中央集权官僚的束缚，强化了地方自治的权力。根据新宪法和《地方自治法》规定，各级地方公共团体都必须设置议会，议员同地方公共团体首长一样，均由当地选民直接选举产生，并且直接对选民负责。

当然，与西方的现代自治制度相比较，日本的地方自治制度尚有一定的局限性。中央对地方仍有较强的控制力，自主性尚嫌薄弱。从《地方自治法》公布到 1950 年的 3 年间，曾 3 次修改《自治法》，并制定了一系列相应法规，使地方自治制度逐渐完善。

地方自治是战后政治民主化的重要步骤，它扩大了地方自治体和地方居民的民主权利，调动了地方上的积极性，对促进各地社会经济和文化上的发展起到积极作用。

除上述改革之外，新宪法体制下的政治改革还有：选举制度的改革（包括地方选举制度的改革）；改革司法制度，制定了《法院法》和《检查厅法》并与新宪法同日实施。新宪法规定，一切司法权属于最高法院及其下属法院。最高法院成为与国会、内阁并列的独立机构，排除了国会和内阁对司法的干涉，实现了三权分立；制定了《国家公务员法》，把战前的官吏制度改称为公务员制度，完善了考试取士的近代文官制度，公布了与公务员制度有关的法律，形成了一套比较完整的现代化国家和地方公务员管理体制。这一体制保证了国家机关行政工作的稳定性和连续性，在政局动荡的情况下，保障了国家机器的正常运转和各项政策的贯彻执行，为战后经济发展发挥了重要作用。

三　吉田茂长期政权

吉田时代在日本战后史上占有极其重要的地位，为日后日本的政局稳定和经济发展奠定了基础。吉田时代完成的三件大事：一是战后日本经济复兴与自立；二是《旧金山对日和平条约》的签订；三是日本的重新武装初具规模。

《旧金山对日和平条约》的签订，意味着日本在法律上取得独立，建立了“旧金山体制”。但这也是日本在政治上、军事上对美从属的开始。旧金山体制建立以后，日本人民的群众运动明显地表现为以政治斗争为主的和平民主运动。

（一）吉田长期政权的确立及其政策

片山、芦田两届“保守、革新联合内阁”（1947.5.24—1948.10.15），在美国占领当局的指使下，先后提出过一些克服经济危机、复兴经济的对策，但终因内部意见分歧和外部国际形势变化及美国对日政策的改变而匆匆下台。

导致芦田内阁倒台的直接原因“昭和电工事件”曝光。当时，日本政府为了解决粮食危机，提高粮食产量，提出重点扶植化肥产业的政策。生产化肥的昭和电气工业公司从复兴金融金库得到30亿日元的融资，但其社长日野原节三为了抢占市场，还想得到更多的融资，于是向政界、官界的主管金融人士行贿了 3 000 万日元的财物。事情败露后，直接涉及芦田内阁，大藏省主计局局长福田赳夫、民自党顾问大野伴睦、经济安定本部长官栗栖赳夫、原副首相西尾末广等多人被捕。1948 年 10 月 7 日，芦田联合内阁被迫辞职。

芦田内阁的倒台，表面上是受昭和电工贿赂事件的牵连，实际上是美国占领当局民政局派(CS)和参谋二部(C2)之间围绕对日占领政策问题斗争的结果。片山、芦田两内阁时期，美国对日占领政策，由“民主化、非军事化”政策转变为“扶植”政策，同时，随着“战胜法西斯”这一共同目标的实现，由不同社会制度和意识形态的国家和民族联合起来的同盟国也出现裂痕，美苏之间形成“冷战”状态。在这种形势下，美国占领当局内部，以民政局(CS)为中心的理想派和以参谋二部(C2)为中心的现实派之间的明争暗斗日趋激化，而这一斗争的总的趋势便是现实派逐渐压倒理想派。

昭电事件的背后便充斥着 GS 和 G2 之争。当 G2 得知 GS 卷入“昭电事件”之后，便想乘机把 GS 压下去。于是，以军人为主的 G2 便取代支持芦田内阁的 GS 而占据优势，他们希望在日本建立一个更听命于美国的政权，所以迫使芦田内阁下台，重新抬出民主自由党总裁吉田茂组阁，于是第二届吉田内阁(1948.10.19—1949.2.16)诞生。

第二届吉田内阁于 1948 年 10 月 19 日成立。吉田内阁成立时，民主自由党拥有 150 个议席，在众议院只占 34%，属于民自党单独成立的少数派内阁，这样的内阁不可能长期存在下去。1948 年 12 月 23 日，国会通过内阁不信任案，于是，吉田于 1949 年 1 月解散众议院举行大选，这是新宪法施行以后的第一次大选，投票率达 74.04%。大选结果，吉田的民自党取得了重大胜利，由解散前的 152 席(由于解散前的党籍变动和补选，比内阁成立时增加 2 席)猛增至 264 席，增加率达 77%，占议席总数的 56.7%，大大超过了单独组阁过半数的要求。①

① 崛幸雄:《战后政治史》，南窗社 2001 年版，第 143 页。

与此相对照，社会、民主、国民协同三党议席数大减，其中尤以社会党为最，议席由解散前的111席锐减至48席，甚至委员长片山哲和书记长西尾末广都落选。民主党由解散前的90席减少到70席，国民协同党由解散前的29席减至14席。在野党在这次大选中，唯一增加议席的是日本共产党，由解散前的4人一举增加到35人，绝对得票率由上次的2.5%增加到7.1%，提高了4.6个百分点。其他党派和无党派当选29人。①

在此值得一提的是，在1949年的大选中，高级官僚出身的议员大量登场。如前所述，通过解除公职，大批政界人士退出历史舞台，保守党出现青黄不接的现象。民主自由党成立后，吉田茂意识到这一问题的严重性，立刻着手充实新鲜血液的工作，吸收各省厅次官、局长一级的官僚入党。岸信介的胞弟、运输省次官佐藤荣作，在大选前尚未获得议席的情况下，就破格提拔为吉田内阁的内阁官房长官；北海道长官增田甲子七也早在第一届吉田内阁(1946.5.22—1947.5.24)时就被任命为运输大臣，然后在1947年大选时进入国会。1949年大选时进入国会的高级官僚还有：池田勇人(大藏次官)、冈崎胜男(外务次官)、桥本龙五(内阁官房次长)、大桥武夫(战灾振兴院次长)、前尾繁三郎(大藏省主税局局长)、西村英一(运输省电力局局长)、小金义照(商工省燃料局长官)、远藤三郎(农林省畜产局局长)、周东英雄(农林省总务局局长、物价局长官)、西村直巳(高知县知事)等。

正如吉田茂所说："我认为，这次大选民自党取胜的主要原因有二：一是表现出国民对民自党稳健务实政策的信赖；二是说明国民希望出现一个稳定政权。事实上，这次选举之后，战后以来我国动乱的局面总算趋于稳定，为其后……的政权延续打下基础。"②

选举结果，占据众议院一半以上席位的民主自由党总裁吉田茂再次

① 石川真澄：《战后政治史》，岩波书店1995年版，第49、50页。
② 崛幸雄：《战后政治史》，南窗社2001年版，第144页。

当选为首相，组成第三届吉田内阁(1949.2.16—1952.10.30)。在此期间，吉田茂为了建立一个稳定和有效的政权，同时也为了壮大政党的力量，大量吸收官僚入党，形成了被人们称为“吉田学校”的官僚政治家群体。随着大批官僚的入党，官僚出身的政治家也就从政权的后台走到了前台，成为战后日本政治的主导力量。这一力量是战后保守政治得以确立和发展的重要基础。

在1949年的大选中，民自党虽然单独超过半数，但吉田茂等人为了进一步稳定政局，希望与同是保守党的民主党组成联合内阁。“昭电事件”之后，民主党总裁已由犬养健取代芦田均。1949年2月10日，吉田茂和犬养健发表了建立联合政权的共同声明，但民主党内主张在野论的芦田派和主张联合论的犬养派发生激烈争论，导致民主党分裂。最后得到美国占领当局支持的犬养派占据上风，民主党两名成员人阁。但是，其后不久，民主党正式分裂。大约一年后的1950年2月，主张联合的22名民主党议员并入民主自由党。3月，民自党改名为自由党，原民主党在野派则与重组后的国协党等党派于1950年4月组成国民民主党，1952年2月又改名为改进党。

从1948年10月至1954年12月，吉田茂连续4次组阁，日本历史上称这一时期为“吉田时代”。而第三届吉田内阁时，推行了一系列重大政策，签署了《旧金山对日和平条约》，是吉田时代的黄金时期。吉田时代在日本战后史上占有极其重要的地位，为日后日本的政局稳定和经济发展奠定了基础。概而言之，吉田时代完成了三件大事。一是战后日本经济复兴与自立；二是《旧金山对日和平条约》的签订；三是日本的重新武装初具规模。

这三件大事，都与美国对日政策的转变息息相关。可以说，追随美国的全球战略和维护日美关系是“吉田时代”推行各项内外政策的基石。

从1945年战败到1954年的近10年间，是日本经济从战争废墟走向复兴、稳定、自立的艰苦时代。正处于这一时代的吉田内阁担负了复兴经济的使命。吉田内阁推行了稳定“经济九项原则”和“道奇计划”。

通过稳定经济九原则和“道奇计划”，在吉田内阁时期，日本经济基本上得到恢复。当然，“朝鲜景气”也帮了吉田内阁一个大忙。朝鲜战争爆发后，作为侵朝美军后方基地的日本，不但把长年积压的库存滞货作为“朝鲜军事特需”很快销售一空，而且成为制造和修理武器的据点。

在推行经济九原则的同时，吉田内阁在社会、共产、劳农等在野党的强烈反对下，强行公布了《行政机关职员定员法》，定员法规定裁减 28.5 万人，相当于预算定额 169.2 万人的 15.7%。①

日本的重新武装是美国对日占领政策转变的必然产物，随着美国逐渐把日本纳入冷战的世界格局体系中，重新武装日本问题也便提到了议事日程。1948 年 10 月 7 日，美国国家安全保障会议(NSC)决定增强日本警察力量，建立具备机动能力的警察预备队，这是美国首次表明重新武装日本的方针。

1948 年 10 月，第二届吉田内阁成立后，根据美方意图，吉田首相开始组织一批旧军人，着手研究重建军队的计划。1950 年初，麦克阿瑟发表了“宪法不否定自卫权”的声明，为此，日本重新武装的主张更加活跃。

朝鲜战争爆发以后，大批美国占领军调往朝鲜战场。1950 年 7 月 8 日，麦克阿瑟致函吉田茂，要求日本建立警察预备队，以填补驻日美军的“空缺”。信中命令吉田内阁立即组建 7.5 万人的国家警察预备队，海上保安厅增员 8 000 人。② 8 月 10 日，日本政府发布《警察预备队令》，8 月 23 日，第一批招募的 7 000 名队员入伍。随后，建立起警察预备队从中央到地方的组织机构。

《旧金山和约》生效前的 1952 年 4 月 26 日，根据《海上保安厅法》，日本政府决定在海上保安厅内增设海上警备队。海上警备队的机构和编制虽然没有警察预备队庞大，但二者的区别在于，警察预备队组建时，由于当时旧军人均已解除公职，加之社会舆论的压力，其上层领导没有起

---

① 峒幸雄:《战后政治史》，南窗社 2001 年版，第 148 页。

② 田中浩:《战后日本政治史》，讲谈社 1996 年版，第 114 页。

用旧军人，而海上警备队组建时，旧职业军人早已被“解放”出来，所以这些人成为海上警备队的核心力量。

《旧金山和约》《日美安保条约》两条约的缔结，意味着日本的重新武装进入一个新阶段。1952 年 5 月，两条约生效伊始，根据《保安厅法》设立了保安厅，并将警察预备队改为保安队，海上警备队改为警备队，统一隶属于保安厅，由吉田茂首相亲自兼任第一任保安厅长官。总人数增至 12 万人，军费占 1952 年度一般会计预算的 21%。吉田首相在就任保安厅长官时说：“新设保安厅的目的就是建设新国军。诸君的任务就是为建设新国军打基础。”①

朝鲜战争爆发以后，美国对外援助的军事色彩更加明显。1951 年 10 月，美国制定了《相互安全保障法》（简称“MSA 法”），这一法律将过去的经济、军事援助合为一体，要求受援国尽“相互防卫”的义务，“为增进本国的自卫能力及自由世界的防卫能力……做出全面贡献”。② 该法是为对苏战略而给西方各国进行援助，受援国必须承担增强军备义务的法律。显然，据此制定的双方协定具有军事同盟条约的性质。

1953 年 7 月，日美之间就《相互防卫援助协定》（简称“MSA 协定”）问题开始谈判。10 月 30 日，日美双方在“自卫力量逐渐增加”问题上意见一致并发表“共同声明”。在此基础上，于 1954 年 3 月签署了“MSA 协定”。与此同时，还签署了《剩余农产品购买协定》《经济措施协定》（日元使用协定）和《投资保障协定》。

在日美之间交涉“MSA 协定”的同时，日本国内执政的自由党和在野的改进党之间也就组建自卫队问题进行协调，并基本达成一致意见。1954 年 3 月 2 日，内阁会议通过了《防卫厅设置法》和《自卫队法》（合称“防卫二法”）的草案纲要，3 月 11 日提交国会。国会围绕“防卫二法”展开激烈争论，甚至出现动用警察进入会场干预的局面，但是最后还是强

---

① 白鸟令编：《日本的内阁》第二卷，新评论出版社 1986 年版，第 120 页。

② 藤村道生：《日本现代史》山川出版社 1981 年版，第 132 页。

行通过。

《自卫队法》第三条规定,“自卫队的主要任务是防卫直接侵略和间接侵略,以维护我国的和平与独立,保卫国家安全。并根据需要维持公共秩序”。[①] 从此,实际上的军队正式诞生。也就是说,由7.5万人组成的警察预备队,四年之后,已经形成一支总人数超过15万、以对外防卫为主要任务、由海陆空三军组成的自卫队,这一形式一直延续至今。

(二) 对日媾和与旧金山体制

美军对日本的占领,从1945年8月下旬直至1952年4月,达6年零8个月。除过去的殖民战争外,作为现代大国间的战后处理,这样的长期占领是异乎寻常的。美国为什么在对日本实行了长达近7年的长期占领之后才缔结《旧金山对日和平条约》呢?其基本原因有以下几点:

第一,战后改革的完成。美国在第二次世界大战中,一直把民主、自由和经济制度等的改革作为其战争目的,所以战后要求战败国按照美国的意图完成这些改革。在推行改革时,美国表面上是按照战败国国民的自由意志选择自由、民主体制,而实际上采取的方法是由占领军排除改革的阻力,强制性地改变原来的制度。所以要看到这些改革最后完成,必须有长时期的占领。

第二,世界形势出现冷战局面。战后不久,反法西斯盟国出现分裂,进入东西两大阵营冷战时代,直接影响原盟国内部对日占领政策的分歧。尤其是美国改变对日占领政策之后,这种分歧形成尖锐的对立。在对日媾和问题上,美国利用其单独占领日本的优势,力图排除苏联和中华人民共和国等主要战胜国,形成长期的全面媾和与片面媾和之争。

第三,战争带来的沉重灾难和战后经济危机,使日本国民从受骗中觉醒,工人运动不断扩大。工人运动形成直接威胁占领军权力的强大主体,这是占领当局所始料未及的,是违背其初衷的。美国感到,日本的民

---

① 藤原彰:《日本军事史》下卷战后篇,日本评论社1987年版,第61、62页。

主化结果,“助长了共产主义的活动”,所以不敢轻易放弃占领。

第四,美国改变对日占领政策以后,开始把重点从非军事化和民主化转向扶植和武装日本,把日本变为它的“远东军工厂”。朝鲜战争爆发以后,日本更成为美军不可缺少的后方基地。在这种形势下,美国越发认识到,对日媾和的前提条件是,必须自由使用美军基地,否则便不可能实现媾和。

由于上述原因,对日媾和经历了一个漫长的过程。这一过程大体可以分为三个阶段:第一阶段,美国改变对日政策之前的“早期媾和”;第二阶段,美国改变对日政策之后至朝鲜战争爆发;第三阶段,朝鲜战争爆发以后。在这三个阶段,都贯穿着片面媾和与全面媾和之争,同时也反映了美国政府在媾和问题上的不同态度和要求。

早在1946年秋,美国政府便开始着手研究对日媾和问题。这时美国所关心的焦点是,防止媾和后的日本,自行修改战后改革的方向,重新成为威胁美国地位的势力。所以打算签署一个严格限制日本的条约。但是,在议决方法上,美苏之间出现对立,双方各不相让。同时,在美国政府内部,在媾和内容及方式等问题上也存在很大分歧。于是,这次有关媾和问题的交涉,到1947年底就这样不了了之。1948年以后,美国对日政策由非军事化和民主化改变为扶植日本经济自立的方针。美国将日本视为对抗苏联和中国的战略据点,对日媾和政策也改为“非惩罚性”方针,推行所谓“事实上的媾和”政策。

所谓“事实上的媾和”,就是一方面大力推行经济自立政策,一方面放宽对日本的占领管理,将行政权逐步移交日本政府。这期间,美国占领当局开始大力精简管理机构和人员,允许日本参加国际会议和国际机构,放宽对日本人进出国境和政府外交机能的限制,扩大日本政府的立法和司法权限等。总之,“事实上的媾和”就是解除美国占领当局与日本政府之间的所谓“从属”关系,意味着管理体制的改变。

与此同时,美国政府开始探讨“片面媾和”的可能性。1949年秋,美国政府又开始将一度中断的对日媾和问题提到议事日程。这时,国际形势发生了新的变化，苏联的原子弹试验成功(1949 年 9 月)，中华人民共和国宣告成立。在这种形势下，美国开始修正其对日媾和和安全保障政策。

这时，吉田内阁的态度是，为了实现早日单独媾和，愿意以提供美军基地为前提条件。最后，日美之间在“全土基地方式”问题上达成共识。一向主张日本中立的麦克阿瑟，也转而支持“本土基地化”的方针，公开表示“为了防止苏联入侵，今后也要留驻军队”。①

美国总统杜鲁门为了加速对日媾和的进程，于 1950 年 4 月 6 日任命杜勒斯为专门负责对日媾和的国务院顾问。杜勒斯上台以后，立即拟定了第一次媾和草案，并为实现片面媾和四处奔走。朝鲜战争爆发以后，美国军部又强烈要求延期对日媾和，理由是自由使用日本基地的现状必须继续维持下去。杜勒斯一方面对军部作说服工作，一方面继续修改条约内容。

在 1950 年秋至 1951 年 8 月的近 1 年时间内，杜勒斯为了实现美国的对日单独媾和，展开了频繁的穿梭外交，除三次访问日本外，往返于除苏联和中国之外的菲、澳、新、英、法之间，行程达 12 万余海里。经过一番紧张策划之后，1951 年 7 月 12 日，美国公布了美英共同起草的《对日和平条约草案》。从此，对日媾和进入一个新阶段。

“早期媾和”流产以后，以美苏为首的世界两大阵营的对立日趋激化，在对日媾和问题上，围绕片面媾和还是全面媾和之争也就更加不可调和。美国从自身利益出发，在片面媾和的道路上越走越远，从而更激发了中国、苏联、亚洲各国及日本人民为反对片面媾和、争取全面媾和而进行的不屈不挠的斗争。可以说，媾和方式之争，贯穿于对日媾和的始终。

在国际上展开媾和方式之争的同时，日本国内“是全面媾和还是片面媾和”的争论也一浪高过一浪。

日本政府在媾和筹备过程中，虽然没有太大的发言权，但随着美国

---

① 日本《朝日新闻》1950 年 4 月 27 日。

冷战政策和“遏制”政策向亚洲的扩大，日本政府的态度由形式上不排除包括苏联和中国在内的全面媾和，转向即使中苏两国不参加也要缔结和约的单独媾和(多数媾和)。这引起国内在野党和进步民主势力的强烈反对。日本共产党坚决主张全面媾和，日本社会党也提出“全面媾和、坚持中立、反对提供军事基地”的媾和三原则。

进入 1951 年，以革新政党、工会和和平民主团体为核心的要求全面媾和运动蓬勃展开。但是，日本人民的斗争未能阻止住片面媾和，1951 年 9 月，终于签署了《旧金山对日和平条约》。

对美国来说，《旧金山和约》谈判的核心是军事战略上的问题。具体体现在两个方面：一是实现单独媾和；二是把占领日本的最大目的非军事化完全抛在一边，选择了重新武装日本的方向。在这一原则下，美国政府于 1950 年 9 月和 10 月，先后拟定出《对日和平条约草案》和《安全保障条约草案》。

1951 年 9 月 4 日，在美国旧金山召开对日媾和会议。这次会议，包括日本在内，邀请 55 个国家参加。南斯拉夫、缅甸、印度拒绝参加会议，苏联、捷克斯洛伐克、波兰虽参加了会议，但拒绝在条约上签字，因此，在和约上签字的，除日本外是 48 个国家。日本政府根据杜勒斯的旨意组成了一个所谓“超党派”6 人代表团，除首席代表吉田茂之外还有池田勇人等人。

在签署《旧金山和约》的当天，美国和日本又签署了《日本国和美利坚合众国间的安全保障条约》，即《安全保障条约》。《安全保障条约》是根据《旧金山和约》第五、六条制定的。该第六条规定：“外国武装部队依照由于一个或一个以上的盟国与日本业已缔结之双边或多边协定，而在日本领土上驻扎或驻留。”根据这一条款，本应撤走的美军，以保障日本的安全为名，得以继续留在日本。实际上，美国是先起草《安保条约》，后拟定《对日和约》，因为在美国看来，《安保条约》比《对日和约》更为重要。

参加对日媾和会议和签署和约的国家虽然为数不少，但这些国家多半是由于对德作战才同日本宣战的欧洲国家以及站在盟国一边的中南美国家。与日本直接交战的国家只有美、英、英联邦、荷兰以及东南亚一些国家。包括大陆和台湾在内的中国未被邀请,印度和缅甸拒绝出席会议。因此,虽然和约第一条便规定,“日本国与各盟国之间的战争状态,依照第二十三条之规定,自本条约在日本国与该盟国之间生效之日起,即告终止”,①但是,上述未签字或未出席的国家,占对日交战国人口的70%,达12亿人以上。尤其是最大交战国和受害最大的中国,被排斥于会议之外,所谓“和平条约”便无从谈起。这样,日本军国主义侵略亚洲各民族的“战争责任”这一最根本的问题未能提到和会议事日程上,形成一个没有追究日本“战争责任”的“和平条约”。

1951年10月10日,日本召开临时国会,众议院和参议院先后通过了《旧金山和约》和《日美安保条约》。11月28日,日本政府将《旧金山和约》批准书交付美国政府。12月10日,杜勒斯访日,要求日本政府与“台湾政府”建交,并威胁说,如果日本政府不明确表态,美国参议院就有可能不批准《旧金山和约》。12月24日,吉田致函杜勒斯,表示同意与台湾建立“正常关系”。这就是所谓的“吉田书简”。1952年4月28日,和平、安保两条约生效的当天,日本和台湾签署“日台条约”。1952年2月28日,日美签署《日美行政协定》。该协定未经国会审议、通过,与《安保条约》同时生效。

和约签署以后,日本在法律上取得独立,与签约国结束了战争状态。美国占领军改名为“驻日美军”,“盟总”和“盟总”司令官也分别改称驻日美军司令部和驻日美军司令官。远东委员会和对日理事会被解散,美日之间占领者和被占领者的关系,在法律上改为国与国之间的关系,美国不能以“盟总指令”“一般命令”“备忘录”等形式直接向日本政府发号施令。但是,美军改头换面继续留驻日本,实际上日本并没有获得真正的独立,而是一种半独立、半占领状态。尤其是冲绳,仍处于美军的占领之下。因此,《旧金山和约》的签订,对日本来说,与其说是恢复主权的“独

---

① http://www.geocities.jp/nakanolib/joyaku/js27-5.htm

立”,不如说是日本在政治上、军事上对美从属的开始。

《安保条约》有两个明显的特点。第一,它不是军事同盟条约,而是日本单方面提供军事基地的条约,根据这一条约,日美双方并不负有相互防卫的义务,而是日本单方面承担向美国提供军事基地的义务,美国并不负有“防卫”日本的责任。《日美行政协定》就保留美军基地和驻扎条件做了具体规定。1952 年 4 月和约生效时,还有大量的驻日美国基地存在着。

《安保条约》的第二个特点,它虽然不是日美军事同盟条约,但已为军事同盟铺平了道路。军事同盟是以军事力量的相互“防卫”和共同军事行动为前提的。《安保条约》规定,美国有“在日本国内及其附近配备陆空海军的权利”,并且该军队可以“镇压一国或两国以上外国煽动或干涉而引起的日本国大规模内乱及骚扰”。同时,日本“为了对付直接及间接的侵略”,也要“主动负起自卫的责任”。①

综上所述,和平、安保两条约生效,日台签署“日台条约”,加上《日美行政协定》的签署和生效,这一切意味着美国要达到的目的均已达到,日美关系进入一个新时代。通过旧金山对日媾和形成的这一新体制,一般叫做旧金山体制。

(三) 吉田内阁的反民主路线与群众运动

日本国会于 1947 年 8 月 28 日通过了《劳动省设置法》,9 月 1 日正式实施。劳动省的建立,标志着日本劳动行政现代化进入一个新的历史阶段,也意味着日本的劳动体制改革基本完成。在新的劳动体制下,日本工会组织迅速发展壮大。1945 年末,日本工人的组织率仅有 3.2%,1946 年 4 月上升到 40%,1948 年末又增至 55.8%。

国民经济和工业生产因战争而遭受巨大破坏,资本家趁机大批解雇工人,加之海外军队和驻外人员及家属被遣返回国,失业人口一度高达

① 石丸和人:《战后日本外交史》第一卷,三省堂 1983 年版,第 356 页。

1 300万之多。建立工会组织以后，工人展开了各种形式的斗争。反解雇斗争和生产管理斗争是当时两种比较突出的斗争形式。

应该指出的是，战后初期日本工人运动的蓬勃展开，劳动体制改革、劳动立法的建立和健全固然为其提供了法律依据，创造了战前所无法相比的有利条件，但是以下因素也不容忽视：一、由于战争而造成的全民性灾难，使日本工人阶级乃至全体国民从噩梦中惊醒，他们对军国主义法西斯统治的不满情绪如火山爆发一样喷发出来，形成一股势不可当的洪流；二、战前被压抑的民主政治势力迅速崛起，成为工人运动的核心和领导力量，这股力量虽然在政策和观点上未尽相同，但率领工人群众与统治阶级进行斗争这一点是一致的，并且取得了应有的成效。

第一届吉田内阁正是战后民主改革方兴未艾的时期。在改革过程中，吉田茂对新宪法和刑法的制定、解散财阀等，一再表现出抵制或迫不得已执行的态度，而对战后蓬勃兴起的工人运动，却毫不掩饰其敌视的立场。当工人进行反对解雇、要求增加工资的罢工斗争时，他在 1947 年元旦通过广播讲话，诬蔑工人是破坏社会秩序的“不逞之徒”，并同美国占领当局密切配合，迫令工人放弃全国规模的“二・一大罢工”。

迫令中止“二・一大罢工”，既是美国占领当局对日本工人运动的直接干预，也是吉田内阁反民主路线的第一个行动。1948 年以后，随着美国对日占领政策的转变，吉田内阁更有恃无恐，着手修改有关工人运动的法规。第二届吉田内阁成立伊始，便通过了《国家公务员法修正案》和《公共企业体劳动关系法案》，这两个法案旨在对国家公务员和国营铁路、专卖企业的劳动争议行为进行严格限制和干预。随后又修改了《工会法》和《劳动关系调整法》，制定了《限制团体令》，对工人运动和进步民主势力采取越来越严厉的高压政策。尤其对以日共为代表的左翼民主势力，更是变本加厉，公然采取一系列镇压行动。

1949 年 2 月，第三届吉田内阁成立后，以苏联为首的社会主义国家不断发展壮大，美国占领当局将“遏制”日本共产主义作为这一时期对日占领政策的基本问题之一。吉田内阁密切配合，实行所谓“红色整肃”，将日本的共产主义者及其同情者从政府部门和大企业中大批清洗出去。

1949年7、8月间，日本连续发生三大事件。7月5日，国营铁路总裁下山定则外出时突然失踪，后来发现死于铁路旁边；10天后的7月15日，东京附近三鹰车站车库内的电车在无人驾驶的情况下冲出库外，造成死6人伤20余人的惨剧；一个月后的8月17日，在福岛县的松川车站附近，一列火车脱轨翻车，造成死3人伤5人的事故。这就是战后日本史上有名的下山事件、三鹰事件和松川事件。

下山事件长期以来存在自杀与他杀之争，至今没有定论，对三鹰事件和松川事件，吉田内阁则认为是“共产主义者挑起社会不安”，“估计是集团组织有计划的妨害行为”。故此大作文章，横加逮捕。关于三鹰事件，法院最后判决，是一个与共产党无关的个人单独犯罪，竹内景助被判处死刑，1967年该人死于监狱。关于松川事件，1950年一审判决死刑5人，无期徒刑5人，有期徒刑10人。但经过众多日本和平民主人士顽强不懈的斗争，1963年9月，最高法院终于判决全体被告无罪。这次长达14年之久的斗争虽然取得了最后胜利，但当时当事人受此事件牵连而遭到的迫害却是无法挽回的。

朝鲜战争爆发以后，吉田内阁与美国占领当局相呼应，加紧镇压共产党势力。《旧金山和约》签订前夕，占领当局授予日本政府“重新审查各项法令的权限”，政府据此设立“政令咨询委员会”，在1951年5月至1952年3月间，该委员会就经济法令、劳动法规、行政制度、教育制度和解除公职等问题进行了全面审查，将反民主的“逆行路线”推向一个新阶段。

“逆行路线”在制度方面突出表现在以下三个方面：一是取消“解除公职令”；二是制定《破坏活动防止法》（简称“破防法”）；三是加强“爱国教育”。

美国改变对日占领政策之后，被整肃的一大批人逐步被分期分批地“解放”，到1952年4月《旧金山和约》生效时，95%以上的人已被解放。与此同时，“破防法”也在《旧金山和约》生效前夕通过。另外还设置了内阁调查室和公安调查厅，目的是以取缔“暴力破坏活动”为名，企图取缔以共产党为首的政党及工会、民主团体的组织和活动。为此，各工会组织、新闻界和知识界从 1952 年 4 月开始，展开了长达半年之久的反对“破防法”运动，掀起三次大规模罢工浪潮。1952 年 5 月 1 日，数千名游行队伍在皇居前广场集会，警察动用催泪弹和手枪驱赶集会群众，造成死亡 2 人，2 000 多人负伤的“五·一节流血事件”。日本政府以此为借口，强行通过了“破防法”，从此，日本民主运动开始走向低潮。

在教育领域，吉田内阁一向强调要培养日本国民的“爱国心”和“国防精神”。早在 1950 年 10 月，吉田首相便声称，今后文教政策的支柱，是“重新振兴纯正而顽强的爱国心”。为此，文部大臣天野贞祐立即向各大学及都道府县教育委员会发出通告，要求学校在节日时挂国旗、唱国歌。从此，中小学校开始挂起“太阳旗”和唱《君之代》国歌。1951 年 2 月，文部省公布“道德教育振兴方策”，要求将天皇作为国民道德的核心，在国会遭到非议。随后，天野贞祐文部大臣又以个人名义提出“国民实践要领”，要求国民必须“尊敬天皇”。这一被称作“天野敕语”的“要领”因受到舆论的非难而被迫收回。

但是，文部省随后向国会提出《关于义务教育学校确保教育政治中立的法案》和《教育公务员特例法部分修正法案》。这“教育二法案”表面上要求学校和教员保持政治中立，实则不仅限制了教师的基本人权，而且将学校置于警察权力的威压之下，因而受到教育界和广大国民的激烈反对。但是政府采取种种高压手段，强行在国会通过。

如果说战后初期的日本群众运动，是以经济斗争为主，那么，进入 1950 年代以后，随着美国对日占领政策的改变与日本政府反民主路线的贯彻执行，尤其是《旧金山和约》签订、旧金山体制建立以后，日本人民的群众运动明显地表现为以政治斗争为主的和平民主运动。

反对美军基地是这一时期的主要斗争形式之一。

农地改革以后，绝大部分农民得到了土地，生活基本上有了保障。而且，农地改革政策与解散财阀不同，没有随着美国对日占领政策的转变而发生变化，因此，农民对执政的保守政权还是比较满意的。农地改革以后，农民运动一直处于“冬眠”状态。但是，随着美军基地的不断扩大，农民反对美军基地的斗争逐渐激烈起来。

《旧金山和约》生效时，日本本土的美军基地（空域、水域除外）共2 824处，占地面积 1 352.6 平方公里。以后，部分基地移交自卫队，数量有所减少，但至 1953 年 3 月末，仍有 658 处，占地 1 296.3 平方公里。[①]这些基地给当地居民的生活和经济带来严重影响，美军胡作非为和强占土地等事件时有发生。至 1952 年末，驻日美军尚有 26 万余人，在基地周围，据说有多达 5 万余人的妓女专门为美国兵服务，问题之严重可想而知。

这一时期基地斗争的核心是阻止基地的新建和扩建。土地是农民赖以生存的根本，美军滥用土地，自然引起农民的不满和反抗。最有名的反对美军基地的斗争是石川县内滩村斗争，历史上称作“内滩斗争”。

1952 年 9 月，美军打算在石川县内滩村沙地上建立一个炮弹试射场，遭到内滩村议会和村民的坚决反对。于是，日本政府决定“临时使用”几个月。1953 年 3 月，美军开始进行炮击训练，使附近渔民的捕鱼量大减。随后政府又把“临时使用”改为“永久性使用”，从而引起村民的激烈反对。内滩斗争很快得到各在野党、工会及其他进步社会团体的广泛支持，成为日本农民反对美军基地的导火线，从此，反对美军基地的斗争在日本全国各地蓬勃展开。日本人民反对美军基地的斗争一直持续到1960 年代。

1950 年代初，在世界范围内掀起一股反对军事同盟、禁止核武器、呼吁裁军和和平利用原子能的反核、和平热潮。日本作为核武器的直接受害国，与世界反核运动相配合，在开展“基地斗争”的同时，也发起一场范围广泛并持续不衰的禁止原子弹氢弹运动。

1954 年 3 月 1 日，美国在西太平洋的马绍尔群岛比基尼珊瑚岛上进

① 日本历史学研究会编:《日本同时代史》第二卷，青木书店 1990 年版，第 123 页。

行了一次氢弹试验，其威力是在广岛所投原子弹的850倍。当时日本渔船第五福龙丸正在距该岛200公里处捕鱼，氢弹“死灰”落在该船上，23名船员受放射能的伤害，其中一名船员不久死亡。这一事件公之于众后，在日本乃至全世界引起强烈冲击；以此为契机，在日本全国各地掀起一个反对原子弹氢弹的全民运动。

1955年8月6日，在广岛召开第一次禁止原子弹氢弹世界大会。与此同时在全国掀起反核签名运动，全国签名人数超过3 000万人。大会后成立“禁止原子弹氢弹日本协议会”（简称“原氢协”）。1956年8月9日，又在长崎召开第二次禁止原子弹氢弹世界大会。后来，日本反核运动的群众组织虽因政策方针分歧而几经分化组合，但日本人民的反核和平运动至今仍在以各种形式开展着。

根据《旧金山和约》，冲绳仍直接处于美国的管理之下，成为美国在远东的最大军事基地。1950年代初期，冲绳美军基地共占地约1.6万公顷，约为冲绳本岛的13%。尽管如此，美军仍不断强制征收土地，肆意扩大基地范围。为此，1953年成立“冲绳诸岛回归祖国期成会”，要求立即撤走外国军队、坚决反对征用土地。1954年4月，民选的琉球立法院一致通过了包括反对征用土地等内容的“保卫土地四原则”，这四原则基本上反映了冲绳县人民的意愿。冲绳各阶层、各政党广泛展开了保卫土地的斗争。

1950年代初期的群众运动，涉及范围是极为广泛的，除上述几项主要斗争之外，还有教育领域以日本教职工组合（日本教育工会，简称“日教组”）为核心的进步团体展开的“捍卫民主教育的斗争”，以日本工会总评议会（简称“总评”）为核心的工人运动，围绕修改宪法还是维护宪法而展开的“改宪与护宪”之争，等等。

总之，1950年代初期的群众运动，是日本新宪法中和平、民主精神的具体体现和实践，对吉田内阁的反民主路线起到重要的制约作用。

第三章 “五五年体制”的确立与发展

一 “五五年体制”的确立

鸠山内阁时期，在日本战后史上具有划时代意义，在经济上，日本经过十年恢复，从此开始进入高速增长的起飞阶段；外交上，实现了日苏邦交正常化和加入联合国，为日本走向国际社会迈出了第一步；政治上，形成了长达30年的“五五年体制”。岸信介内阁成立后，确立了自民党“八大派阀”的派阀体系。

(一) 保守政党的分化组合

1953年4月19日，举行了第26届众议院议员选举，选举结果是：吉田自由党199个议席，鸠山自由党35席，改进党76席，左派社会党72席，右派社会党66席，劳农党5席，共产党1席，其他党派和无党派12席。①

在这次大选中，吉田自由党的议席远未超过半数，鸠山自由党和改

① 升味准之辅：《日本政治史》第四册，商务印书馆1997年版，第1005页。

进党也都没有进展。保守政党的绝对得票率为48.7%,约减少2%,投票人数约减少100万人,这部分人转向革新政党。左右两派社会党有了较大发展,尤其是左派社会党由上次的56席增加到72席。1951年秋社会党分裂时,左派社会党在众议院仅有16个议席,1年半之后的这次大选一举增加了3.5倍,超过了右派社会党。① 从此以后,左派势力在社会党内长期处于主导地位。

这次大选吉田自由党虽然未过半数,但仍为第一大党。吉田为稳定政局,曾设想与改进党组成一个联合政权。但改进党提出,如该党总裁重光葵不担任首相则不入阁。于是,1953年5月19日,首相提名人吉田茂和重光葵举行决选投票,由于社会党弃权,吉田茂以204票对116票取胜。5月21日,第五届吉田内阁(1953.5.21—1954.12.10)成立。

作为少数党政权的吉田内阁成立后,继续做拉拢其他保守政党的工作。9月27日,吉田首相和重光会谈,首先在增强防卫力量方面与改进党达成共识:鉴于现在的国际形势和国内正在高扬的民族独立精神,双方明确了此时应当增加自卫力量的方针,应因美军逐渐减少而订立适应国力的长期防卫计划。同时,现在就要修改《保安厅法》,将保安队改名为自卫队,将防卫直接的侵略增列为自卫队的任务。②

与此同时,吉田自由党对鸠山自由党也做出较大让步。在11月17日吉田鸠山两党首会谈时,吉田答应鸠山成立"宪法修改调查会"的要求。1954年3月12日,成立了以岸信介为会长的"自由党宪法调查会",并于11月5日发表了《日本国宪法修改案纲要》,主要内容是"废除第九条、天皇为国家元首、削弱国会权限、限制基本人权"等,极其保守和反动。③

于是,一直反对吉田的鸠山一郎为觊觎吉田后的政权,率"分党派自由党"大部分人马于1953年11月29日回归吉田自由党,鸠山派的三木

① 石川真澄:《战后政治史》,岩波书店1995年版,第67、68页。
② 升味准之辅:《日本政治史》第四册,商务印书馆1997年版,第1008页。
③ 田中浩:《战后日本政治史》,讲谈社1996年版,第141页。

武吉、河野一郎等 8 人于 12 月 1 日另组“日本自由党”。鸠山回归以后，自由党国会议员达到 227 人，但距超过半数的 233 人还差 6 人，所以反吉田强硬派三木等只有 8 名议员的日本自由党，在关键时刻仍能发挥重要作用。而鸠山等人的回归，对自由党来说也并不意味着稳定。

第五届吉田内阁期间，围绕是否加强再军备体制的问题，保革对立越来越激化，而各保守政党之间在政策方面没有出现太根本的对立。所以国会通过了一系列旨在限制过激政治运动、强化国内治安维持体制的法律，诸如《电力、煤炭事业罢工规制法》(1953 年 8 月)、《MSA 协定》(1954 年 3 月)、“教育二法”、“防卫二法”、《警察修正法》(1954 年 6 月)等。这些法律都是在保守政党意见一致而在野党激烈抵制下通过的。尤其是在《警察修正法》问题上，在国会引起保革严重对立和混乱，致使众议院议长找来警察维持秩序。但是，从这时开始，保守党内部趋于一致，已经为保守党的合并创造了条件。

自由党副总裁绪方竹虎和干事长佐藤荣作等人为打开少数派内阁的困难局面，开始策划成立新党。1954 年 4 月 13 日，自由党干事长佐藤荣作向改进党干事长松村谦三提出“两党解散、成立新党、总裁公选”的三原则，同时发表了“政局稳定乃当务之急”的自由党声明。4 月 28 日，成立了自由、改进、日本自由三党的筹建新党促进协议会，但新党政策大纲拟出之后，在总裁公选问题上谈判陷入僵局，6 月 23 日谈判中断。

但是，保守党合并的步伐并没有停止。组建新党工作宣告失败后的吉田派，于 7 月 26 日起用池田勇人为干事长，大野伴睦为总务会长，以图起死回生。但吉田茂本人已经声名狼藉，自由党的地方支部都不希望他下去进行竞选演说，担心会对当地下次选举带来不利影响。① 可见吉田的自由党已经回天无术。在这种情况下，改进党、自由党的鸠山派和岸信介派以该协议会为基础展开了反吉田派的新党运动。9 月 19 日，鸠山、重光、三木、河野、岸、石桥 6 人举行会谈，一致同意成立反吉田的新

① 田田宫太郎：《鸠山热的幕后》，实业日本社 1955 年版，第 164 页。

党，并公开发表了打倒吉田内阁的声明。

吉田内阁的声望降到最低点，各方面集中攻击和非难吉田首相。日薄西山的吉田面对反对派的攻势，采取不予理睬的态度。9 月 26 日，吉田率团出访欧美 7 国。在吉田出访期间，国内筹建新党的工作正在热火朝天地展开。11 月 1 日，鸠山就任新党筹备会委员长，15 日，成立新党创立委员会，鸠山仍为委员长。17 日，吉田茂回到气氛骚然的东京。24 日，日本民主党成立。民主党中众议院议员包括改进党 69 人、日本自由党 8 人、自由党新党筹备会派 43 人，共计 120 人；参议院议员 18 人(改进党 13 人、自由党 3 人、无党派 2 人)。民主党总裁为鸠山，副总裁为重光葵，干事长为岸信介，总务会长为三木武吉，政务调查会长为松村谦三，芦田均、石桥湛山、大麻唯男为最高委员。①

11 月 30 日，召开临时国会。民主党联合左右两派社会党对吉田内阁提出不信任案。在野党联合起来共有 252 票。在向议会提交不信任案之前的 12 月 6 日晚，吉田茂召集自由党首脑和阁僚紧锣密鼓商讨对策。吉田坚持主张解散议会，但自由党主要成员中除池田和佐藤同意吉田的意见外，其他人都反对解散而主张内阁辞职。副总裁绪方竹虎甚至表示："如果首相要坚持解散议会，我作为阁僚将不在解散文件上签字，宁可退出政界。"②总务会长大野伴睦也当面指责吉田说："我们都知道大多数阁僚是反对解散议会的。内阁是短暂的，党是长期存在的。即使是总裁也不允许无视党。"③其他内阁成员也都纷纷表示，如果解散议会便提出辞呈。在群起而攻之的形势下，吉田愤然退出会场，在他缺席的情况下，内阁成员决定总辞职。吉田茂将辞去首相和总裁的辞职书丢在桌子上默默回到家中。就这样，持续 6 年多的吉田内阁宣告结束，吉田也

① 田中浩：《战后日本政治史》，讲谈社 1996 年版，第 141 页；升味准之辅：《日本政治史》第四卷，东京大学出版会 1988 年版，第 203、204 页。

② 升味准之辅：《战后政治》下卷，东京大学出版会 1986 年版，第 432 页。

③ 升味准之辅：《日本政治史》第四卷，东京大学出版会 1988 年版，第 204 页。

被赶出自由党。① 12月8日，自由党议员大会决定绪方竹虎为新总裁。

1954年12月9日，鸠山得到民主党和左右派社会党的支持而被提名组阁。作为执政党的民主党当时只有120名国会议员，如果在首相提名时左右两派社会党不支持鸠山，鸠山的票数将低于自由党总裁绪方竹虎。当然，左右派社会党支持鸠山的前提条件是尽早解散议会，而位居自由党之后的民主党也需要解散议会，双方在这一点上是不谋而合的。所以民主党和两派社会党在首相提名的当天便发表了“1955年3月上旬以前举行大选”的共同声明。随后，众参两院举行首相选举，在众议院，鸠山一郎得257票，绪方竹虎得191票；在参议院，鸠山得116票，绪方得85票，鸠山当选为新首相。② 1954年12月10日，第一届鸠山内阁(1954.12.10—1955.3.19)成立。

大选于1955年2月27日举行，选举结果是：民主党得185席，自由党得112席，左派社会党得89席，右派社会党得67席。民主党虽然跃升为第一大党，但议席只占总数的39.6%。从第一届鸠山内阁成立到这次大选，只有短短的两个半月，所以第一届鸠山内阁实际上是一个“选举管理内阁”。

表3.1 大选时的政党势力动向③

党派		1953年大选			1955年大选		
1953年	1955年	议席数	议席率	得票率	议席数	议席率	得票率
改进党		76	16.3	17.9			
鸠自党	民主党	35	7.5	8.8	185	39.6	36.6
吉自党	自由党	199	42.7	39.0	112	24.0	26.6
左派社会党		72	15.4	13.1	89	19.1	15.3

① 大野伴睦：《大野伴睦回想录》，弘文堂1962年版，第110—116页。

② 白鸟令编：《日本内阁》第二卷，新评论1986年版，第164页。

③ 同上书，第166页。

续表

党派		1953年大选			1955年大选		
1953年	1955年	议席数	议席率	得票率	议席数	议席率	得票率
右派社会党		66	14.2	13.5	67	14.3	13.9
劳农党		5	1.1	1.0	4	0.9	1.0
共产党		1	0.2	1.9	2	0.4	2.0
诸派		1	0.2	0.4	2	0.4	1.3
无所属		11	2.4	4.4	6	1.3	3.3
计		466	100	100	467	100	100

这次大选有两个明显的特点：一是民主党大幅度增加了国会议席，跃升为国会第一大党；二是两派社会党合计议席数创战后6次大选的最高记录。如果再仔细分析，正如表1所示，民主党获得185席，比上次大选时改进党和鸠山自由党的总和(111席)还多74席，得票率也由上次的26.7%上升到36.6%；自由党则由上次的199席减至112席，得票率由39.0%下降到26.6%。另外，在这次大选中，左派社会党由上次的72席上升到89席，其上升幅度仅次于民主党，与只增加一席的右派社会党也形成鲜明对照。而左右两派社会党议席总数为156席，这一数字正好占议席总数(467席)的三分之一，达到阻止修改宪法的最低条件。①

大选之后的1955年3月19日，第二届鸠山内阁(1955.3.19—1955.11.22)成立，同年11月22日，成立第三届鸠山内阁(1955.11.22—1956.12.20)，到1956年12月20日总辞职，共在任2年零11天。

保守党的合并，原因是多方面的。但社会党，尤其是左派势力在选举中长驱直入的发展，引起包括财界在内的保守势力的不安。社会党决定在1955年秋季实现统一，目的显然是瞄准政权，这更增加了保守势力的紧迫感。

左派社会党早在1954年1月就通过了以建立"无产阶级专政的日

① 白鸟令：《日本内阁》第二卷，新评论1986年版，第166页。

本形态”为目标的左派社会党纲领。社会党特别是左派社会党日益强大，两派社会党统一的动向加强，甚至有可能出现社会党政权。日本财界对此深感不安，日本经营者团体联盟（简称“日经联”）等经济团体一方面强烈抨击这一动向，一方面要求保守势力停止权力之争。“日经联”大会于 1954 年 10 月 20 日做出了“迅速实现保守联合”的决议。

对保守政党来说，财界是战后提供政治资金的唯一来源，而政治资金是决定保守政党生死存亡的大事。鸠山内阁成立后，第 2 年（1955 年）1 月以经济团体联合会（简称“经团联”）副会长植村甲午郎等人为中心，成立了“经济再建恳谈会”。其目的是使“造船渎职事件”扩大以来对政治捐款感到不安的财界团结起来，建立向民主党和自由党提供大选资金的安全捐款团体。

大选后，该恳谈会也没有解散，而成为每月向保守政党提供经常费用和随时供给选举费用等临时费用的经常捐款机构。这个团体募集的捐款在第一个年度（1955 年）为 1.4 亿日元，而 1960 年度则达到 14 亿日元，累计高达 37 亿日元。其中捐给自民党（包括合并前的民主党和自由党）的为 35 亿日元，占捐款总额的 92%；其余很少一部分是捐给社会党、绿风会（后改称参议院同志会）、民社党的所谓“泪金”（安慰费）。①

在保守党方面，很多人也在积极推进保守联合。吉田内阁副首相绪方竹虎于 1954 年 3 月 28 日发表了保守联合构想和“推察时局，政局稳定是当务之急”的声明。4 月 13 日，自由党向改进党发出了“解散两党，建立新党”的呼吁。当时吉田内阁正热衷于保住自己的政权，在总裁公选问题上与改进党意见不一而未谈成，但在两党内部，多数人已经认识到保守联合应尽快实现。② 因为自由党和民主党之间在纲领政策方面本来就没有根本的分歧，当时阻碍两党联合的最大因素是吉田和鸠山积怨太深，随着吉田的引退，联合的条件日趋成熟。

---

① 升味准之辅：《战后政治》下卷，东京大学出版会 1986 年版，第 435—443 页。

② 石川真澄：《战后政治史》，岩波书店 1995 年版，第 76 页。

1954年5月23日,自由党和民主党的干事长与总务会长会谈。6月4日,鸠山和绪方举行正式会谈。随后发表了关于共同修改预算案和集结保守势力的共同谈话。但是,在由谁出任总裁这一关键问题上,双方各执己见,互不相让。自由党主张以鸠山引退为条件,联合后公选新党总裁,而实际上是要推选自由党总裁绪方竹虎;民主党则提议"首相总裁不采取公选办法,而通过协商由鸠山一郎担任"。当时在众参两院议员中,民主党有209名,自由党有207名,双方旗鼓相当。①

1955年10月13日,两派社会党正式统一,客观形势不允许保守党在合并问题上久拖不决。社会党统一两周后的10月27日,自由党和民主党终于成立了"新党筹备会",由三木武吉和大野伴睦牵头,双方各出7人组成。一直反对联合的民主党三木武夫派和鸠山直系以及自由党的吉田派等派别,在社会党统一的刺激下也不得不改弦更张,同意合并。11月6日,民主党的岸信介干事长、三木武吉总务会长和自由党的石井光次郎干事长、大野伴睦总务会长4人举行会谈,达成如下妥协方案:一、党首问题暂时搁置起来,以"代行委员"制领导新党;二、在适当时期(来年春)公选党首;三、成立第三届鸠山内阁。②

11月14日,自由、民主两党分头召开解散大会,15日,举行自由民主党成立大会,参加新党的众议院议员有299人,参议院议员118人。就这样,一个统一的保守新党从此诞生。

仓促合并的自民党,本来就山头林立,貌合神离,在党首问题上争执不下的情况下,采取了"代行委员制"的权宜之计,代行委员为鸠山一郎、绪方竹虎、三木武吉和大野伴睦,暂时实行集体领导,实际上是由鸠山一郎出任首相,分管政府事务,绪方竹虎负责党务的"首相·总裁分离方式"。

本来,党首问题准备在1956年4月的党代表大会上选举解决,但

---

① 宫本吉夫:《新保守党史》,时事通讯社1962年版,第425—426页。
② 升味准之辅:《日本政治史》第四册,商务印书馆1997年版,第1015页。

是，最具竞争力的总裁候选人绪方竹虎突然于1956年1月28日病逝，所以鸠山一郎就顺利地当选为自民党的首任总裁，代行委员制予以取消。

1956年7月8日，日本举行第四届参议院议员通常选举，这是鸠山内阁时代的第二次全国选举，也是社会党统一和保守党合并之后的首次全国选举。这次选举的背景是，在此之前闭幕的第24届国会上，执政的自民党和在野的革新政党之间在一系列问题上发生激烈冲突，因此在这次参议院议员选举中表现为政治势力的保守、革新两极分化。这次参议院选举，自民党获61席，比选举前增加7席，议席率为48.0%；社会党获49席，比选举前增加21席，议席率为38.6%，两党相加，占参议院议席总数的86.6%。通过这次选举表明，以“一又二分之一政党”为主要标志的“五五年体制”基本形成(参见表2)。

表3.2　参议院选举时的政党势力动向①

<table>
<tr><th colspan="2">党　派</th><th colspan="3">1953年参院选举</th><th colspan="3">1956年参院选举</th></tr>
<tr><th>1953年</th><th>1956年</th><th>议席数</th><th>议席率</th><th>得票率</th><th>议席数</th><th>议席率</th><th>得票率</th></tr>
<tr><td>鸠自党</td><td rowspan="3">自民党</td><td>0</td><td>0.0</td><td>0.4</td><td rowspan="3">61</td><td rowspan="3">48.0</td><td rowspan="3">39.7</td></tr>
<tr><td>吉自党</td><td>46</td><td>35.9</td><td>22.8</td></tr>
<tr><td>改进党</td><td>8</td><td>6.3</td><td>6.0</td></tr>
<tr><td>左社党</td><td rowspan="2">社会党</td><td>18</td><td>14.0</td><td>14.3</td><td rowspan="2">49</td><td rowspan="2">38.6</td><td rowspan="2">29.9</td></tr>
<tr><td>右社党</td><td>10</td><td>7.8</td><td>6.4</td></tr>
<tr><td colspan="2">共产党</td><td>0</td><td>0.0</td><td>1.1</td><td>2</td><td>1.6</td><td>2.1</td></tr>
<tr><td colspan="2">绿风会</td><td>16</td><td>12.5</td><td>12.2</td><td>5</td><td>3.9</td><td>10.1</td></tr>
<tr><td colspan="2">诸派</td><td>1</td><td>0.8</td><td>1.6</td><td>1</td><td>0.8</td><td>2.7</td></tr>
<tr><td colspan="2">无所属</td><td>29</td><td>22.7</td><td>35.2</td><td>9</td><td>7.1</td><td>15.5</td></tr>
<tr><td colspan="2">计</td><td>128</td><td>100</td><td>100</td><td>127</td><td>100</td><td>100</td></tr>
</table>

① 升味准之辅:《日本政治史》第四卷，东京大学出版会1988年版，第208页。

如果说吉田时代的主要功绩是恢复和复兴了日本经济，那么鸠山内阁则开始着眼于政治上的自主独立。这时的国际形势也有所缓和，为鸠山推行的“独立自主”政治路线提供了前提条件。鸠山内阁时代，日本国内政治格局的最大特点是：各种政治势力逐渐演化为保守和革新两大阵营。

鸠山内阁对内主张修改宪法，重整军备，公然提出修改宪法第九条，重建真正的“自卫武装”，成立“宪法调查会”，以为修改宪法作准备，并强迫议会通过《宪法调查会法案》。但在深受战争灾难之苦的日本人民的抵制下，鸠山最终未敢正式修改宪法，不过在重整军备方面还是将自卫队兵力由 15.2 万人增至 21.4 万人，比吉田茂又向前迈了一大步。

鸠山内阁的最大功绩是实现了日苏邦交正常化。恢复日苏邦交很早就是鸠山的主要政策之一，鸠山当上民主党总裁时就说，新党的目标是让日本在外交和军事上独立。组阁后不久他又说：“我作为政治家的使命，在于日苏谈判和修改宪法。”修改宪法受挫后，鸠山将主要精力用在日苏邦交问题上。当时，吉田茂、池田勇人等亲美派极力反对，身为鸠山内阁外相的重光葵也持消极态度，但鸠山不惜一赌自己的政治生命，决心抱病亲往莫斯科，举行日苏首脑会谈。在谈判过程中，围绕“北方领土”问题，日苏双方曾一度陷入僵局，后来以“将领土问题搁置起来”为前提，于 1956 年 10 月 19 日签署了《日苏共同宣言》。

对日本来说，急于与苏联复交至少有以下几方面的原因：一、日本战败后尚有大批战俘滞留苏联，复交后可以尽快引渡日本；二、解决日苏之间海域的“北方渔业”问题，确保稳定的海上捕捞作业；三、尽快加入联合国；四、改善日苏关系，确保日本安全。鸠山本人决心与苏联复交的原因主要有二：一是他认识到，日本要加入联合国，必须与苏联谋求关系正常化；二是鸠山预感自身老病，任期苦短，作为政治家，急于留下一定的政绩，因为修改宪法无望，只能在外交上有所突破。

《日苏共同宣言》于 11 月 15 日在众议院顺利通过，《日苏渔业条约》和《海难救助协定》等也同时生效。随着《日苏共同宣言》的生效，两国战争状态结束，苏联同意日本加入联合国，但是悬而未决的北方领土问题至今一直是日苏之间最大、最棘手的外交课题。

随着日苏关系的正常化,联合国于1956年12月18日正式接纳日本为成员国。至此,鸠山一郎以政治生命做赌注的政治课题已经解决,这也就意味着鸠山内阁的政治使命业已完成,于是,日本加入联合国的第2天,鸠山内阁宣布总辞职。

(二) 社会党的统一与工人运动

社会党是日本战后成立最早的政党。但由于其成分复杂,左、中、右各派势力政见不一,所以社会党一成立便埋下了分裂的种子。

在1949年第24届国会大选中,社会党惨败。4月14日,召开第四次党代表大会,此后,社会党主导权开始掌握在左派手中,以后,矛盾越来越尖锐。1950年1月召开的第五次党代表大会上,左右两派领导人在组织上正式分道扬镳,左派选举铃木茂三郎为书记长,右派选举片山哲为委员长和水谷长三郎为书记长。但这时还没有殃及到基层组织,形成“上分下合”的局面。通过中间派从中斡旋,加上基层组织的要求,1950年4月召开第六次临时代表大会又归于统一,委员长空缺,浅沼稻次郎就任书记长,但实际上是貌合神离。

形式上统一起来的社会党在媾和问题上又发生对立。1951年1月19日,召开了第七次社会党代表大会,大会做出了“和平四原则”(全面媾和、坚持中立、反对军事基地、反对重新武装)的决议,并选举左派的铃木茂三郎为委员长,中央执行委员的半数也由左派占据,左派掌握了党的主导权。这时右派提出“原则上不反对重新武装”的修正案,但以绝对多数票而被否决。9月,在旧金山召开对日媾和会议,签订了《旧金山和约》和《日美安保条约》,对此既成事实,社会党两派发生对立。右派和中间派主张“赞成《和平条约》,反对《安保条约》”的所谓“条约可分论”,而左派则是两个条约都反对。①

① 日本国政问题调查会编:《日本政治—近代政党史》,1992年版,第204页。

1951年10月2日，中央执行委员会以微弱多数表决支持右派的意见。10月23日，社会党召开第八次临时代表大会，当时，左派国会议员193人，右派161人，基本上势均力敌，大会出现混乱局面。10月24日，左、右两派决裂，分歧的焦点是围绕“和平”和“安保”两个条约看法不一致。随后，右派社会党于1952年1月20日成立，左派社会党于1月28日成立，左派选举铃木茂三郎为委员长，书记长空缺；右派选举浅沼稻次郎为书记长，委员长空缺。双方都叫日本社会党，但一般称其为右派社会党和左派社会党，这种分裂状态大约持续了4年之久。

朝鲜战争结束以后，国际形势趋于缓和，但在日本国内，随着《旧金山和约》的生效，日本政府却推行了一系列倒行逆施的反民主路线和重新武装政策。为此，左、右两派社会党意识到有必要联合起来共同对付这股逆流。左派社会党在1953年的大选和参议院选举中遥遥领先于右派社会党后，便呼吁右派社会党进行合并，随后于8月成立“社会主义政治势力团结委员会”，右派社会党也于同年9月设置“统一问题调查研究委员会”，从11月9日开始，两派便开始了为谋求统一的“两社恳谈会”。这种走向统一的动向通过在国会内的联合斗争进一步加快了步伐。

第2年春天，吉田内阁因受到“造船渎职事件”的冲击而风雨飘摇，出现“末期症状”，于是吉田政权在3月末发起了企图起死回生的保守新党运动。在这种形势下，两派社会党都产生了通过合并夺取政权的设想，左派社会党委员长铃木茂三郎和右派社会党委员长河上丈太郎于3、4月间举行会谈，就合并及建立共同政权问题达成共识。社会党的国会议员也迫切希望社会党成为国会中的“第二大党”，以统一社会党的形式达到夺取政权的目的。这一共识成为两派社会党加速统一的决定性因素。

1954年9月下旬，设立了由两派社会党组成的促进统一委员会。11月，民主党成立，吉田内阁垮台。12月，鸠山内阁成立。1955年1月，众议院解散，社会党统一的活动更加活跃。1月18日，同时召开的两派社会党临时大会，通过了由两派“促进统一委员会”联合拟定的《关于实现社会党统一决议案》。2月27日，举行众议院选举，两派社会党力争确保三分之一以上议席，以阻止修改宪法。选举结果，左派社会党由解散前的72人增加到89人，右派社会党从解散前的61人增加到67人，两社合计156人，确保了阻止改宪的议席数。①

1955年3月2日，左派社会党书记长和田博雄与右派社会党书记长浅沼稻次郎会谈，决定双方各出10名统一交涉委员，就“纲领、政策、组织等方面达成一致意见，迅速完成统一”问题进行磋商。1955年4月以后，两派社会党开始着手进行合并的具体工作。9月，制定了统一纲领草案，在双方妥协的基础上，党纲中把党的性质规定为“阶级的群众性政党”。

1955年10月12日，两派社会党分别召开解散党的大会，翌日举行了两派合并统一大会。经过4年分裂之后，社会党又最终实现了统一。会议决定铃木茂三郎为委员长，浅沼稻次郎为书记长，中央执行委员会由左右两派各出20人组成，但领导核心的7人中，左派4人，右派3人。党的组织活动方针的“三原则”是“坚持党的阶级性，确立党内民主”；“排除议会偏重主义，开展日常斗争，尤其要开展党在群众中的组织活动”；“在党和群众组织之间既要互相保持民主，又要保持紧密联系与合作”。这表明统一后的社会党加强了左派社会党的色彩。②

日本社会党在战后初期的工人运动中发挥了重要作用。随着《工会法》的实施，各类工会组织应运而生。1945年底，成立工会809个，会员38万人；1946年6月就发展到1.2万个工会，会员达375万多人，半年时间就增长近10倍。工会组织化率(对日本工人总数931万人)由4.4%增至40.4%。③ 根据形势的要求，全国性工会相继成立。1946年8月，成立了日本工会总同盟(简称“总同盟”)和日本产业别工会会议(简称

① 日本历史学研究会编:《日本同时代史》第三卷,《五五年体制与安保斗争》,青木书店1990年版,第103页。

② 升味准之辅:《现代政治》下卷,东京大学出版会1987年版,第503—508页。

③ 升味准之辅:《战后政治》下卷,东京大学出版会1986年版,第816页。

"产别会议")。后者属于左派工会,参加该工会的有21个行业工会,175万会员,占全国工会会员的43%,其核心领导成员是日本共产党和社会党。"产别会议"发动和领导了战后初期如火如荼的工人运动,斗争的重心由初期的反饥饿、反解雇等经济斗争发展到反对片面媾和、争取全面媾和、反对重新武装等政治斗争。

"红色整肃"之后,日本共产党受到沉重打击,日共的主要领导人转入地下。1950年7月,"总评"成立。"总评"罗致了17个工会276万会员,成为日本最大的工会。"总评"纲领规定:维护和改善工人的劳动条件,提高其经济和社会地位,工会不得成为夺取政治权力的行动部队,坚持以立宪手段谋取政权。①

日本社会党于1949年11月通过了《关于媾和问题的一般态度》,即全面媾和、中立、反对提供军事基地的"媾和三原则"。1951年1月,又通过了《反对重新武装决议案》,把三原则发展为"和平四原则",加进了"反对重新武装日本"的新条款。与此同时,1951年1月15日,日本共产党、社会党左翼和劳农党联合其他民主团体,成立了由115个团体组成的"全面媾和爱国运动协议会"(简称"全爱协"),开展争取全面媾和的斗争。"全爱协"在斗争方针中提出"为了日本的和平与独立,全面媾和后美国占领军立即撤出日本"的要求,②开展了"争取全面媾和","反对重新武装"的签名运动,征得了500万人的签名。"全爱协"的活动反映了日本人民的心声。

"总评"在成立之初,具有一定的反共色彩,但是美国发动的侵朝战争使"总评"从反共立场转向反美,开始支持社会党的"和平四原则"。在1951年3月10日召开的第二次代表大会上,通过了"反对重新武装,坚持中立,反对提供军事基地,实现全面媾和,为保卫日本的和平和争取独立而奋斗"的行动纲领。

① 大河内一男:《战后二十年史资料—劳动》第四卷,日本评论社1971年版,第158—159页。
② 同上书,第180页。

在“总评”的影响下，全日本汽车工会、全日本造船工会、私营铁路工会总联合会、全日本港口工会等行业工会，相继接受“和平四原则”，开展了反对单独媾和的斗争。1950年“五·一国际劳动节”，日本各工会在东京的芝公园举行了1.5万人参加的中央大会。与此同时，农民、妇女、知识分子等各个阶层也组织了相应的斗争。

“朝鲜特需热”结束以后，“总评”的斗争重心转向为提高工人工资而展开的每年一度的“春季斗争”，同时致力于选举运动。当时社会党左、右两派在媾和和《日美安保条约》问题上出现严重分歧，乃至最后导致组织上的分裂，从这时开始，社会党左派与“总评”建立起密切关系。对组织薄弱的社会党来说，“总评”是它最有力的支持团体，在历次大选中，社会党的议席多半都依赖于“总评”的组织、动员，社会党的政治资金也大都来自于“总评”，在社会党国会议员中，工会出身的人数大大超过农民运动出身的人数，从而领导权从右派转移到左派手中，于是，担当“五五年体制”之一翼的社会党逐渐形成。

（三）自民党派阀体系的确立

鸠山下台后，自民党总裁的最有力候选人当属自民党干事长岸信介。从实力上看，岸信介财大气粗，实力雄厚，但由于总务会长石井光次郎和通产大臣石桥湛山极力反对，最后提出3名总裁候选人：岸信介、石井光次郎和石桥湛山。

岸信介自从担任民主党干事长以来，一直作为党的核心人物开展活动，积蓄实力，且有岸派、佐藤派（旧吉田派的一部分）、河野一郎派（旧鸠山派的一部分）、大麻唯男派（旧改进党的一部分）的支持。而石井则继承了绪方竹虎派（旧吉田派），并得到池田派（旧吉田派的一部分）的支持。石桥派虽势单力薄，但也得到三木（武夫）·松村（谦三）派（旧改进党的一部分，反鸠山和反河野派）和石田博英派的支持。从派系支持的票数来看，3个人谁也不能单独超过半数。为此，他们展开了激烈的“拉票战”。

1956年12月14日，自民党举行了第二次总裁公选（实际上是第一次）。在这次选举中，岸得223票，石桥得151票，石井得137票。因为三人都没有过半数，所以立即对第一位的岸和第二位的石桥进行第二次投票，结果因为石井按照事先协议把票投给了石桥，这样，石桥以7票之优势战胜岸信介，当选为自民党第二任总裁。

石桥的成功，大大出乎人们的意料，连岸信介本人也始料未及。他原以为这次选举只是他和石井之争，想不到突然冒出了一个石桥，并且采取"第二、三位联合"的手段把他打败。[①] 几乎没有群众基础的石桥派之所以取得成功，是因为当时自民党的派阀尚在形成之中，还没有固定下来。但是，通过这次总裁选举时的拉票交锋，企图登上政权宝座的自民党领导者们更加明白了培养派阀是必要和不可或缺的道理。

12月20日，国会提名石桥组阁，随后石桥内阁（1956.12.23—1957.2.23）成立。从政策上看，石桥内阁打出"对美自主、轻武装"的路线，这和石桥的一贯思想是一脉相承的。石桥战前对日本军国主义的侵略和军部的经济统制持批判态度，曾任《东洋经济新报》社社长，以自由主义经济评论家著称。战后曾任第一届吉田内阁大藏大臣和鸠山内阁通产大臣等要职，有"经济通"之称。石桥首相在自民党报告会上曾提出"五条誓言"：一、国会运营正常化；二、振兴刷新政界，严肃官界纲纪；三、扩大就业，增加生产；四、建设福利国家；五、确立世界和平。[②] 但由于他不久病倒而未及实行。

被冷遇的石井光次郎和大野伴睦对石桥组阁中的人事安排极为不满，所以，石桥内阁成立伊始就因人事问题而引起党内纠纷，暴露出其基础十分脆弱，所以内阁成立不久石桥就打算解散议会。为此，石桥到全国各地游说，游说中因患感冒而引起肺炎，被迫于1957年2月23日宣布辞职，上任只有63天的石桥短命内阁就这样匆匆落下帷幕。这是日本

① 岸信介、矢吹一夫、伊藤隆：《岸信介回想》，文艺春秋社1981年版，第155—157页。

② 石桥湛山全集编纂委员会编：《石桥湛山全集》第十四卷，东洋经济新报社1970—1972年版，第361页。

战后政治史上继东久迩宫内阁(50天)之后的第二个短命内阁。石桥内阁因为短命而没有留下任何政绩。

1956年的总裁选举,给刚刚成立不久的自民党带来了划时代的重大影响,那就是通过这次选举确立了自民党的派阀体系。自民党成立之初,党内据说有11个派别:自由党系统的吉田茂派、绪方竹虎派和大野伴睦派;民主党系统的鸠山一郎派、三木武吉派和岸信介派;民主党中原改进党系统的三木武夫派、松村谦三派、大麻唯男派、芦田均派和北村德太郎派。① 这其中,有的派别很小,有的人分属于两个以上的派别,也有的人不属于任何派别。

但是,通过1956年的总裁选举,上述派别重新进行了泾渭分明的分化组合。在自由党系统内,吉田派分为池田(勇人)派和佐藤(荣作)派,绪方派演变为石井(光次郎)派,大野派保留;民主党系统中,由于鸠山引退和三木武吉去世,鸠山派的一部分加入石桥(湛山)派,其余部分形成河野(一郎)派,岸信介派扩大;旧改进党系统中,三木武夫派和松村谦三派合并,形成三木·松村派。这样一来,就形成了岸、佐藤、池田、大野、石井、河野、三木·松村以及石桥等八大派阀。这些派阀,是通过这次总裁选举,打破原来自由党和民主党的旧框框,重新合纵连横而形成的。换言之,从此以后,派阀超越了以往的党派界限,成为自民党的重要基本单位。

而且,这八大派阀中,除石桥、石井、大野三派先后消失外,其余五大派阀一直延续到1990年代初的宫泽喜一内阁时期。在这30多年里,派阀首领几易其人,最终岸派成为三冢(博)派,佐藤派演变为竹下(登)派,池田派成为宫泽(喜一)派,河野派成为中曾根(康弘)派,三木·松村派演变为河本(敏夫)派。换句话说,派阀是自民党的最大特色,这一特色的形成和出发点始自1956年的总裁公选。

---

① 北冈伸一:《自民党》,读卖新闻社1995年版,第73页。

二　自民党政权的巩固

(一) 岸信介内阁及其“岸体制”

石桥内阁成立仅 1 个月，石桥湛山便因病不能理政，这期间，外相岸信介被指定为临时代理首相。因此，石桥提出辞职后，以 7 票之差败给石桥的岸信介，顺理成章地被国会指定为首相接班人。1957 年 2 月 25 日，第一届岸信介内阁(1957.2.25—1958.6.12)诞生。新内阁除增加石井光次郎为副首相外，石桥内阁的原班人马都保留下来，岸信介兼任外相。岸出任日本首相，有诸多偶然因素在起作用，先是 1956 年绪方竹虎去世，然后是 1956 年末岸作为副首相规格的外相加入石桥内阁，接着便是石桥病倒，这也许就是命运使然。

在 3 月 21 日的党大会上，岸在投票总数 476 票中获得 471 票，出任了自民党第三任总裁。虽说是第三任总裁，但第一任鸠山可以说是“临时总裁”，第二任石桥又是如此短命，所以从某种意义上说岸信介是自民党的首任总裁似也不为过。而且，在岸任总裁的 3 年半时间里，基本上确定了自民党的政治方向。岸信介在保守党合并以及自民党走向方面，应该说是发挥了重要作用的。

在自民党历届总裁中，岸信介是一个具有特殊经历的人。为了更好地理解作为自民党总裁和内阁首相的岸信介的政治理念和所作所为，有必要简单回顾一下他的个人历史。

岸信介 1896 年出生于山口县，父亲佐藤秀助原姓岸，后为佐藤家养子，故改姓佐藤，以酿酒为业。岸信介兄弟 3 人，哥哥佐藤市郎，少年聪慧过人，升至海军中将，后因病退役。弟弟佐藤荣作是继他之后的首相。岸信介本人因又回到岸家做养子，所以改姓岸。岸信介于 1920 年从东京帝国大学法学科毕业后进入农商务省。当时，立志从政的年轻人一般都去内务省，以便将来当知事。农商务省的任务是领导、发展日本的产业,岸大概是有志于此,才决定进农商务省的。

后来,农商务省分为农林省和商工省,岸被划归商工省(现在的通商产业省)。1926 年他视察德国时,对德国的产业合理化运动留下深刻印象,回国后与他的上司吉野信次等人积极推进产业合理化政策,制定了《重要产业统制法》《工业组合法》《商业组合法》等。随着日本军国主义势力的抬头,岸一头扎进军国主义的怀抱。1936 年,岸退出商工省,先后担任“满洲国”实业部次长、总务厅次长(相当于伪满副总理),成为日本在“满洲国”产业方面的最高负责人,亲自制定并推行了《满洲国产业开发五年计划》。

1939 年,岸晋升为日本商工省政务次官,1941 年 44 岁时任东条英机内阁的商工大臣,是东条内阁的得力干将之一,1942 年在“大政翼赞会”的支持下当选为众议员,后任东条内阁国务大臣兼军需省次官,全面负责制定战时经济统制计划,指挥军事产业和战争物资的调配。但在东条内阁后期,岸与东条发生政见分歧,成立“护国同志会”,与东条的“翼赞政治会”相抗衡。

日本战败后,岸信介作为东条内阁重要成员的岸被定为甲级战犯,入狱三年多,1948 年 12 月获释。1952 年 4 月,岸信介解除“整肃”后组织“日本再建同盟”,继续从事政治活动,1953 年 4 月当选众议院议员并加入自由党,1954 年与鸠山一郎创建日本民主党,先后任日本民主党和自民党干事长。岸信介是日本战后唯一因甲级战犯入狱而又担任内阁首相的人。他之所以能在战后迅速崛起,主要是依靠他在商工省任职多年,与日本经济界建立了广泛、密切的关系,因而有着雄厚的财力支援。当然,作为政治家,岸信介有坚定的政治抱负,那就是,要重建日本,必须有根本性措施和建立强有力的体制,为此,必须实现保守政党的统一。

从个人经历看,岸信介与石桥湛山完全是两种类型的人。岸自知个人历史不光彩,所以刚上任时不得不谨言慎行,一方面保留石桥内阁原班人马,一方面声称要继承前内阁的方针政策,采取所谓低姿态。组阁时他表示:“我和国务大臣,大都是石桥内阁的阁僚,所以新内阁的施政方针与前内阁无异。……我希望与日本社会党创造更多的对话机会,以使国政大局不出差错。"①

经过几个月的准备,统治基础有所巩固之后,他便于1957年7月对内阁进行了大幅度改组。首先,他任命大野伴睦为自民党副总裁,干事长由岸派的川岛正次郎取代三木武夫。在阁僚方面,增设副首相职位,由石井光次郎出任。任命党外人士、日本商工会议所首脑藤山爱一郎为外务大臣。藤山是岸的老朋友,财界资深人士,岸启用藤山的目的,一是为了在政治资金方面寻找靠山,二是为了在外交政策方面能自由贯彻自己的主张。通过改组内阁,佐藤(荣作)派和河野(一郎)派的势力明显增强,而原大藏大臣池田勇人和干事长三木武夫受到冷遇,因此,作为石桥内阁主流的池田派和三木派被置于反主流派的地位。

改组内阁以后,岸信介所标榜的"独立自主"路线尚没有充分体现出来,所以岸的下一个目标是第28次大选之后的第二届岸内阁。自从1955年2月举行了第27次大选以后,日本内阁经历了第二届和第三届鸠山、石桥、岸这四届内阁的更迭,政党方面经历了保守党合并和社会党统一等重大变动,所以,应相机解散国会的呼声日益高涨,对岸信介来说,更希望通过大选进一步巩固党内基础,只是由于党内反主流派的抵制,解散国会才有所推迟。1958年度预算通过之后,解散国会、举行大选的时机基本成熟。1958年4月18日,岸信介首相在内阁会议上宣布:"25日以后随时解散国会。"至于具体解散时间,由自民党总裁岸信介与社会党委员长铃木茂三郎协商决定。采取这种"协商解散"的形式在日本还是没有先例的。

1958年4月,岸信介解散国会,5月22日举行大选。这次大选实际上是自民、社会两大政党进行首次较量的大选。自民党在这次选举中得287个议席,虽然比解散时的290席减少3席,但无所属当选者几乎都在国会召开前加入自民党,所以包括这"追加公认"的11个议席共298席,

① 白鸟令编:《日本的内阁》第二卷,新评论社1986年版,第192页。

超过解散前的议席总数。社会党也获得166票，比解散时增加8席，但比原来预计的要少。此次选举，是“五五年体制”形成以后的第一次众议院选举，在这次选举中，自民党成功地抑制了社会党的发展，巩固了其长期政权的基础，所以对自民党来说是一次极其重要的选举。

从自民党派阀的角度来分析，1958年大选呈现如下状况：

表3.3 1958年大选前后的派阀变化

	岸派	大野派	佐藤派	三木·松村派	池田派	河野派	石井派	石桥派
选举前	70	30	30	40	30	40	22	17
选举后	54	37	36	34	33	33	22	14

这表明，通过这次大选，旧自由党系统的佐藤、池田和大野派获胜，旧民主党系统的岸、河野、三木·松村和石桥派失败。这和上次选举中民主党乘“鸠山热”大胜，自由党大败的情况正好相反，由此可见，自由党已经恢复了元气。

总之，岸信介内阁成立之后，意味着“五五年体制”从政治上所要达到的目标基本完成。也就是说，日本形成了这样一个政治体制：一方面政权由保守政党牢牢地把握，成为资本主义世界的一员，同时也包容了一部分社会民主主义的内涵(构建福利国家、救济弱势群体等)。为此，一方面彻底镇压日本共产党过激的社会主义革命运动(这一点在“五五年体制”成立之前久基本做到了)，一方面允许稳健的社会主义政党(具体说是社会党)在议会制民主范围内的活动，实现了保守党优位的“两大政党制”(实际上是一又二分之一政党制)。①

第29次特别国会于6月10日召开，12日国会通过岸信介组阁协议。众议院投票结果是：岸信介得290票，社会党的铃木茂三郎得162票；参议院投票结果，岸信介132票，铃木茂三郎74票。当日，立即成立第二届岸内阁(1958.6.12—1960.6.23)。内阁主要成员是：外务大臣藤

① 田中浩：《战后日本政治史》，讲谈社1996年版，第129、130页。

山爱一郎、大藏大臣佐藤荣作、通产大臣高碕达之助等，从此确立了所谓“岸体制”。

如前所述，第一届岸内阁时期，岸信介采取低姿态，谨言慎行，低调处理国内问题和与社会党的关系。但是，通过这次选举，岸信介感到自民党的江山已经稳固，增强了信心，所以态度为之一变，改为强硬姿态。

首先，在第29次特别国会上，岸信介决定，议长、副议长、常任委员长等所有国会重要职位全部由自民党独占。根据惯例，副议长和部分常任委员长由社会党出任，因此，岸信介的做法引起社会党的强烈不满，国会出现混乱局面，但最后自民党还是全部霸占了这些重要职位。

其次，在第二届岸内阁组阁问题上，也可以看出岸信介的霸气。他决定，这次组阁的方针是，除外相藤山爱一郎留任外，其余阁僚全部换成新人，副首相职位空缺。这样，石井光次郎被排除在内阁之外，大藏大臣由他的胞弟佐藤荣作占据，在19名内阁成员中，岸、河野、大野、佐藤等主流派便占据了14名。反主流派池田勇人和三木武夫也都被纳入内阁，目的是便于控制反主流派。

在第29次特别国会上，岸信介发表了施政方针演说，其要点是：一、拥护民主政治；二、维护外交三原则（以联合国为中心、协调与自由阵营的关系、坚持作为亚洲一员的立场）；三、适时采取经济正常化的措施；四、减税与建立国民退休金制度。尤其是关于拥护民主政治，岸信介谈到：“为了谋求我国民主政治的健康发展，必须抑制极左和极右活动。最近，有些人公然无视法律秩序，或受到集团的压力，出现不当掣肘国会活动的倾向，这是令人遗憾的。对这种非民主的活动，要以断然态度对待之。”①这些言论明确表示出岸信介对“极右和极左”针锋相对的姿态，实际上是针对革新政党和人民群众运动的。

岸政权的这种强硬姿态，在特别国会上引起在野党的强烈不满，导致执政党与在野党之间的激烈冲突。岸内阁向国会提交了《市町村立学

① 白鸟令编：《日本的内阁》第二卷，新评论社1986年版，第201页。

校职员工资负担法修正案》(向市町村立中小学校长支付管理津贴的法案)。社会党认为,该法案是企图分化校长和教员的反动文教政策的体现,持坚决反对的态度。该法案虽然在众议院获得通过,但参议院的文教委员会委员长是社会党议员,所以根本没有审议。这样,在未经文教委员会审议的情况下,自民党便强行提交国会大会通过。

岸内阁时期,执政党与在野党之间的对立,更突出地表现在以下几个问题上。

(1) 教师考核制度问题

早在《旧金山和约》生效后不久,日本政府就开始加强对教育制度和教育内容的统制以及对教师自主活动的限制。1954 年 2 月,国会通过了《关于确保义务教育学校教育政治中立的法案》和《关于部分修改教育公务员特例法的法案》,这两个法案都是旨在加强对教师政治活动的限制,剥夺了国民直接参加教育行政的权力,确立了中央集权式的教育统治体系和文部省→教育委员会→校长→教员这样一种纵向管理序列。鸠山内阁时期,文部省修改了“学习指导要纲”,使其具有了强制性,并加强了对教科书内容的检查审订制度。

岸内阁为了进一步加强对国民思想的统治和削弱革新势力的基础,一直把在教师中有影响的“日教组”视为眼中钉,推行“教师考核制度”就是政府打击“日教组”的一项重要措施。

“教师考核制度”首先由爱媛县教育委员会于 1956 年 11 月发起。当时以县财政赤字为理由,试图将教师晋升工资的幅度限制在教师总数的 70%,为此对教师进行考核,以拉开其工资级差。具体考核办法是由校长一人说了算,对本人保密,本人无申辩权。这样,在提薪教员和未提薪教员之间制造矛盾,从而达到分裂教育工会的目的,同时也可以对教育内容进行严格的统制。

战后日本教育改革的基本原则是实行彻底的分权主义,即重视教育第一线教师们的自由和责任,尊重地方各教育组织的自主性。但是,岸内阁认为,要加强教育“质量管理”,必须克服分权化现象,加强对教育的统制。所以,教师考核制度与日本战后教育改革基本精神是背道而驰的。

"日教组"是以战后改革为背景发展起来的教育工会组织,成员包括全国大多数中小学教员和部分高中、大学教员,会员达50余万人,遍及全国城乡各地,是一个颇具影响的左派工会组织。岸内阁推行教师考核制度,目的就是削弱"日教组"在组织上和政治上的影响,进一步加强对教育的统制。因此,以"日教组"为核心,在全国范围内展开了一场反对对教师考核的斗争。1958年4月,岸内阁决定在全国全面实施考核的方针。12月22日,"日教组"召开临时大会,提出"坚决反对考核、与岸内阁针锋相对"的口号,全国各地都相继举行了"日教组"的集会、静坐和游行。到1959年底以前,"日教组"共组织了5次全国性阻止考核统一行动。但最终结果,全国除京都府以外的所有都道府县,都推行了政府规定的教师考核制度。

(2) 修改《警官职务执行法》

修改《警官职务执行法》(简称"警职法")是岸信介政府为修改《日美安保条约》所做的准备之一。修改《日美安保条约》是岸内阁的既定目标,但又预料到必然要引起社会党、共产党和"总评"以及广大日本人民的反抗,所以在与美国开始谈判修改条约4天之后的1958年10月8日,岸内阁突然向第30次临时国会提交了《警官职务执行法修改法案》。

现行"警职法"是1948年7月制定的。该法作为战后民主化的一环,从优先保障国民的自由和人权的观点出发,对警察的职务权限做了严格限制。自民党在解释修改"警职法"的声明中说:"过去由于警职法不完备,不能预防犯罪,在现行法中没有维护社会、公共安全和秩序的法律依据,所以暴力事件和最近的反对教师考核的斗争、反对道德教育的斗争等集体非法暴力事件、流血事件不断发生,必须采取对策。"①岸信介也承认:"从我的全部施政来说,修改'警职法'的提案也是一项重要法

① 正村公宏:《战后史》下卷,筑摩书房1985年版,第100页。

案。预感到修改《安保条约》将会遇到相当激烈的反对，但我决心要把这种反对顶回去，并拼命干到底，所以我当时认为，作为维持这种秩序的前提，无论如何要修改‘警职法’。”①由此可见，修改“警职法”的重点，是从保护个人生命、财产改为维护公共安全与秩序，目的是扩大警察镇压群众运动的权限。

自民党突然提出该法案，并表示出强硬态度，目的是使社会党措手不及，没有时间唤起舆论，迫使社会党妥协。但是，自民党的强硬态度并没有吓住社会党，反而使它更加团结了。社会党立即发表声明称：“该法案是违反宪法、侵犯国民权利与自由、从根本上破坏民主的恶法，是《治安警察法》和《行政执行法》的战后翻版。”②并指出，只要政府不就立即撤销该法案与社会党对话，社会党则拒绝一切审议事项。政府和自民党也不示弱，于是双方形成对峙，国会出现即将大打出手的混乱局面，直至 10 月 18 日，众议院才开始审议该法案。一直持观望态度的日本财界，于 10 月 30 日表态支持岸信介内阁，使本来态度强硬的岸信介和自民党领导核心更加有恃无恐，11 月 1 日，自民党突然宣布延长国会会期 30 天，以图通过该法案。

反对修改“警职法”的群众运动迅速席卷全国。10 月 13 日，以社会党和“总评”为中心的 65 个团体组成“反对修改警职法国民会议”。10 月中旬以后，在 44 个都道府县相继建立起反对“警职法”的共同斗争组织。10 月 25 日以后，“反对修改警职法国民会议”连续组织全国统一行动，开展集会、游行和罢工等活动。11 月 15 日，全国 1 500 多万工人、农民、学生、妇女和市民举行统一行动，规模巨大，气势磅礴。据说参加这一系列反对运动的群众团体达 604 个，其中学术团体 85 个、文化艺术团体 123 个、宗教团体 15 个、工人团体 221 个、妇女团体 52 个、学生团体 33 个，人数和范围远远超过了 1952 年的罢工运动。③ 社会党发表“延长会期无

① 岸信介、矢吹一夫、伊藤隆：《岸信介回想》，文艺春秋社 1981 年版，第 196 页。

② 白鸟令编：《日本的内阁》第二卷，新评论社 1986 年版，第 206 页。

③ 同上书，第 208 页。

效”的声明，并从11月8日起拒绝出席国会，国会处于瘫痪状态。舆论界也强烈谴责自民党一意孤行，强行延长会期的做法。

面对社会舆论的强大压力，自民党和岸内阁陷入困境。于是，自民党反主流派开始着手倒阁。他们的倒阁活动随着全社会反对运动的广泛展开而更加活跃。反主流派的经济企划厅长官三木武夫建议收回延长会期的成命，从而与岸展开了激烈的争论。松村等人反对自民党单独审议，主张使国会的工作正常化，建议与社会党坐下来谈判。鸠山、石桥等人也劝告岸信介及早以“审议未完”形式摆脱困境，稳定局势。四面楚歌的岸信介被迫同意修改“警职法”以“审议未完”收场。11月21日，自民、社会两党举行会谈，达成以下协议：一、同意“警职法修改案”以“审议未完”结束；二、同意众议院自然休会；三、同意参议院审议补充预算后休会。① 另外，为使国会工作正常化，还决定由社会党人出任众议院副议长。社会党在阻止修改“警职法”上取得了成功。

“警职法”修改案从提出到形成废案，引起历时一个半月的动荡，最后以人民斗争的胜利而结束。这是战后日本人民斗争取得的第一次完全胜利。通过这一事件，岸信介的反动形象在广大人民中间进一步加深；反体制势力也通过这一事件进一步扩大了基础，在斗争中团结了各阶层甚至是思想、观点不同的人民群众，积累了斗争经验。

本来，岸信介看到围绕教师考核等问题出现的“日教组”和在野党势力的激烈反抗，预感到《安保条约》的修改和批准都会阻力重重，所以要一举实现“警职法”的修改，加强警察权力，以有效地压制人民的反对运动。但是，这种加强警察权力的做法会动摇战后民主的根基，招致人民的强烈反抗，反而形成了规模空前的全国性反对运动，为反对修改《日美安保条约》的斗争打下广泛的群众基础，这一点是岸信介所始料未及的。

这一斗争打乱了岸信介推行的从修改“警职法”到修改《日美安保条约》，而后再修改宪法的时间表，使日美两国政府预定在1959年1月签

① 升味准之辅：《现代政治》上卷，东京大学出版会1986年版，第51页。

署《新日美安保条约》的计划落了空。同时,岸信介在修改“警职法”问题上的失败,使自民党内派系斗争加剧,要求追究岸信介责任、刷新党政领导机构的呼声高涨起来。反主流派阁僚池田勇人(国务大臣)、三木武夫(经济企划厅长官)和滩尾弘吉(文部大臣)于1958年12月27日提出辞呈,挂冠而去,成立了反主流联合俱乐部——“刷新恳谈会”,要求刷新党的人事,党内抗争趋于表面化。

在反主流派的强大攻势下,岸信介不得不于1959年1月12日对内阁进行改组,这表明岸政权在党内的支持基础在不断动摇。而且,河野和大野与岸也有矛盾,如果他们也出来反对,岸内阁便会马上垮台。为了维持政权,有必要进一步加强主流派的团结。于是,岸信介对河野和大野两派进行了收买和拉拢。为此,岸不得不与他们订立“密约”。1月16日,岸与副总裁大野、总务会长河野、大藏大臣佐藤在帝国饭店举行四人会晤,席间,岸立下书面字据如下:

誓约书

昭和三十四年1月16日,立誓约如下:我们发誓一致协力实现在荻原、永田、儿玉三君见证之下约定的事项。

誓约书的日期为1月16日,署名人为岸、大野、河野、佐藤4人,在岸和佐藤的署名下有画押。① 所谓“约定的事项”,简单说来就是在岸之后,按大野、河野、佐藤的顺序私下相互授受政权。据说除了这份誓约书外,还用另一张纸写出了这一更迭顺序。② 在这次会晤之前,岸就约见大野,以恳切的语气对他说:“请您帮一帮岸内阁。我要充实地度过这短暂的一生。我并不想永远对政权恋恋不舍,但现在下台,人们会说岸内阁一事无成,被世人耻笑。我只想在岸政权的历史上留下一件事,那就是修订《安保条约》。如果修订《安保条约》大功告成,我立即下野。在推举谁做后继人的问题上,我认为您大野君最为合适,我肯定推举您为后继总

① 升味准之辅:《日本政治史》第四册,商务印书馆1997年版,第1023页。
② 岸信介:《岸信介回顾录》,广济堂1983年版,第454—455页。

裁……"①

大野虽然并非首相之材，但送上门来的东西是没有人不接受的。"密约"的效果立即显现出来，大野和河野开始为岸的连任而去努力统一党内意见。在1月24日的党大会上，经过公选，岸以320票再次当选为总裁，反主流派推选的松村只得166票而落选。

上述"密约"可以说使岸信介暂时避免了党内危机，但主流四派的团结在参议院选举之后再次出现裂痕。

1959年6月2日，举行第五届参议院议员通常选举，选举结果，自民党在127个改选议席中获71席，取得压倒性胜利。这次胜利恢复了岸的自信，于是开始了更换党的主要干部和改组内阁的工作。在内阁方面，除了外相藤山爱一郎和藏相佐藤荣作外，对其他阁僚进行了大换班，这次改组，实际上也可以说是成立第三届岸内阁。在这次改组中，最引人注目的是一直扮演主流派角色的河野一郎既没有入阁，也没有成为党的"三巨头"(干事长、政调会长和总务会长)之一，而成为半主流甚至反主流派。而一向处于反主流地位的池田勇人在高中时代同学佐藤荣作的鼓动下，作为通产相入了阁，与岸、佐藤两派成为主流派。河野自1955年9月与岸结盟以来，便一直支持岸，所以河野一直认为，岸决不能中途换马甩掉他而去启用池田，但最后看到岸不再依靠他，也不想让出政权，便拒绝入阁，而要求按照原先的"密约"出任将来最有可能获得政权的干事长，结果未能如愿。

岸信介一直主张修改日本宪法。在创建"日本再建同盟"时，他便把改宪主张写入同盟纲领之中。担任自由党宪法调查会会长时，他一再主张"改宪论"。组阁以后，又把鸠山内阁时制定的《宪法调查会设置法》付诸实施，于1957年8月正式成立了宪法调查会，为改宪做准备。岸信介的主要目标，是修改宪法第九条中关于放弃战争和军备的内容，为重建军备扫清道路。1958年8月，岸信介在记者招待会上公然声称："废除日

① 大野伴睦：《大野伴睦回想录》，弘文堂1962年版，第145—147页。

本宪法第九条的时代已经到来。”①本来，成立宪法调查会的最终目的是为了修改宪法，但修改宪法必须得到议会中三分之二以上议员的同意。而议会中社会党等反对修改宪法的议员始终占据三分之一以上的议席，所以岸信介的改宪主张一直没有实现。

宪法修改不成，只好退而求其次，在现行宪法的解释上做文章，以达到扩充军备的目的，这就是所谓“事实上的改宪论”。1957 年 5 月 15 日，岸信介在会见记者时说：“为了自卫，即使在现行宪法下也允许持有核武器。”6 月 14 日，岸内阁公布了《防卫力量整备目标》，这就是《第一次防卫力量整备计划》(1958—1960 年，简称“一次防”)。“一次防”规定，在 1958—1960 年的三年内，使陆上自卫队达到 18 万人；海上自卫队舰艇吨位达到 12.4 万吨，飞机约 200 架；航空自卫队飞机达到 1 300 架。② 1957 年 12 月决定购买空对空导弹，1958 年进口地对空导弹，使自卫队的导弹装置向前大大推进一步。

(二) 修改《安保条约》与新安保体制

岸信介上台时，正赶上“神武景气”时期。③ 按照石桥内阁既定的“积极财政”方针，岸主持制定了 1957 年度国家财政预算。这个战后以来最为庞大的预算，导致设备投资和技术引进规模急剧扩大，引起国际收支不平衡，日本经济由“神武景气”转入“锅底萧条”。

为了改变国际收支恶化局面，岸内阁于 1957 年 6 月制定了《综合紧急对策纲要》，采取了削减财政投资 15%、限制进口振兴出口、拯救中小企业等综合治理对策。1957 年底又推出了《新长期经济计划》，提出自 1958 年后的五年内，实现 6.5%的经济增长率。但实际执行结果，经济

---

① 白鸟令编：《日本的内阁》第二卷，新评论社 1986 年版，第 214 页。

② 藤原彰：《日本军事史》下卷，战后篇，日本评论社 1987 年版，第 80 页。

③ 1956 年至 1957 年 5 月，日本出现前所未有的经济景气，一般称作“神武景气”。“神武景气”意即自神武天皇以来未曾有过的繁荣。

增长速度大大超过政府的预料，1959年，日本经济又出现“岩户景气”。① 可以说，岸信介时期日本经济的发展，是日本经济高速增长的起飞期，为其后任池田勇人内阁制定《国民收入倍增计划》并实现经济高速增长奠定了基础。

但是，对政治中心主义者的岸信介来说，发展经济只不过是谋求政治“自立”的必要前提和资本，他的工作重心一直放在外交方面。

岸信介上台不久，便展开积极的外交活动。岸外交的基本方针是“自主外交”，其着眼点就是修改《日美安保条约》，协调与美国的关系，实现日本的“自主”，并在日美安全体制之下，封锁、敌视中国，改善同韩国的关系，向东南亚国家渗透、扩张，从而达到做亚洲盟主的目的。为此，岸信介组阁后不久，便于1957年5月20日至6月4日和同年11月18日至12月8日，两次出访东南亚等15个国家和地区。

岸信介出访东南亚的目的，就是“代表亚洲的日本……会见这些国家的首脑，考虑亚洲的未来，加强同美国的关系”。岸信介出访东南亚的当天，也就是1957年5月20日，日本内阁通过了《国防基本方针》。岸回国后又立即通过了《第一次防卫力量整备计划》，接着又访问美国。由此可见，岸信介出访东南亚，是和他急于做“亚洲盟主”并建立日美新关系的大目标紧密联系在一起的。

岸信介在1957年5、6月间第一次访问的所谓“东南亚六国”，是缅甸、印度、巴基斯坦、斯里兰卡、泰国和中国的台湾省。这6个国家和地区实际上包括东南亚、南亚和远东。从严格意义上讲，只有缅甸和泰国属于东南亚。11月18日至12月8日，岸信介又访问了南越、柬埔寨、老挝、新加坡、马来西亚、印度尼西亚、澳大利亚、新西兰、菲律宾9个国家和地区，先后共访问15个国家和地区。这是战后日本首相首次访问亚洲各国。

① 1958年6月至1961年12月，日本经济又出现前所未有的长期繁荣，历时长达42个月之久，通常称作“岩户景气”。“岩户”在日本传说中，是皇室神祖——天照大神开辟岩石，降临人世，开创了日本历史的神话。“岩户景气”意为开天辟地的繁荣。

岸信介访问东南亚的目的，表面上是为增进日本与这些国家和地区的关系，表明日本重视亚洲，淡化对美一边倒的外交形象，实质上是表明日本积极遏制亚洲共产主义的姿态，为修改《日美安保条约》创造有利条件。

岸信介一贯采取敌视中国的政策。本来，日苏邦交正常化以后，恢复日中邦交理应提到日本外交的议事日程。但岸信介上任后，继承吉田茂的衣钵，为与美国保持同一步调，多次表示无意与中国复交。两次访问东南亚，都跑到台湾与蒋介石会谈，发表攻击中国政府的言论。

中华人民共和国成立后，尽管美国“遏制中国”的政策和禁运措施为中日之间最初的贸易往来设置了种种障碍，但由于日本各界有识之士的努力以及企业界迫切寻求海外市场的实际需要，从 1950 年代初开始就出现中日民间贸易往来的迹象。1952 年 6 月 1 日，双方签署了《第一次中日民间贸易协定》；1953 年 10 月和 1955 年 5 月，又分别签署了第二、第三次《中日民间贸易协定》。这些贸易协定，在鸠山内阁时期，比较顺利地得以实施，但第三次《贸易协定》1957 年 6 月期满（协定延长 1 年）以后，岸信介却极力阻挠第四次《贸易协定》的签订，并百般刁难来日参加中国商品展览会的中方代表，迫使商品展览会无限期延期。

从 1957 年下半年开始，日本“神武景气”逐渐消失，日本财界迫切希望重新签订《贸易协定》，尤其是钢铁行业，想从中国进口铁矿石和煤炭等原料，以便降低成本，加强国际竞争力。经过双方经济界的努力，于 1958 年 2 月在北京签署了钢材和钢铁原料的长期换货协定，并于 3 月 5 日签署了第四次《中日民间贸易协定》。该协定规定：“对贸易办事处，给予悬挂国旗和承认其他外交特权的准外交机构待遇。”①

但是，岸内阁出于其反华立场，加之台湾当局的压力，通过官房长官爱知揆一发表谈话的形式，声明日本政府没有同意给中国“悬挂国旗的

① 田中明彦：《日中关系 1945—1990》，东京大学出版会 1991 年版，第 49 页。

权利”。[1] 同年4月13日，中国贸易促进会发表声明，反对日本政府的倒行逆施。第四次《中日民间贸易协定》也因此无法执行。

在岸信介内阁反华政策的影响下，1958年5月2日，在长崎举办的中国邮票展览会上，发生了一反华暴徒撕毁中国国旗的事件。岸信介又公然包庇罪犯，说什么既然日本政府没有承认中华人民共和国，五星红旗就不视为国旗，认为肇事者只是“损坏一般器物罪”，拒不接受中国政府提出的合理要求。对此，陈毅外长代表中国政府严正声明，谴责“岸信介政府敌视中国的态度，已经到了令人不能容忍的地步”。《人民日报》也发表声明说：“中日来往全面中断的责任，应该全部由岸信介政府担负。”由于岸信介拒不改变敌视中国的立场，中国不得不决定全面取消对日贸易谈判和《贸易协定》，中日关系恶化到战后以来的最低点。

为了打破中日关系的僵局，中国政府于1958年8月提出了“政治三原则”作为前提条件：一、立即停止并不再出现敌视中国的言论和行动；二、停止制造“两个中国”的阴谋；三、不阻挠恢复中日两国正常关系。但由于岸信介坚持“不承认共产党中国，但将设法扩大和共产党中国的贸易”的“政治经济分离”原则，岸信介内阁时期的中日关系陷于全面中断。

如果说岸信介在内政方面的最大宿愿是修改宪法，那么他在外交方面的最大课题则是修改《日美安保条约》。岸信介修改《日美安保条约》的目的，是想在日本经济恢复并开始起飞的基础上，改变条约的不平等性，缔结更平等的条约，实现“完全独立”，与美国在平等的地位上进行政治、经济以及军事方面的合作，借以提高日本的国际地位。

1950年代初期，日本人民进行了多次反对美军基地的斗争，著名的有1953年的“内滩基地斗争”和1955年的“砂川基地斗争”等。日本人民反对美军基地的斗争逐渐演变为反对《日美安保条约》的运动。所以，

---

① 日本外务省亚洲局中国课监修：《日中关系基本资料集 1949—1969》，霞山会1970年版，第135页。

通过修改条约，缓和日本国民的反美情绪，巩固岸政权，也是岸信介修改《日美安保条约》的目的之一。

修改《日美安保条约》的动向非自岸信介内阁始。早在1955年8月，鸠山内阁外相重光葵访美时便向美国提出这一要求。当时美国政府虽然表示在条件成熟的时候“将现行《安保条约》改换为相互性更强的条约”，但实际上拒绝了日本政府修改条约的要求。1957年6月，岸信介首相打着“日美新时代”的旗号访美，同艾森豪威尔总统和杜勒斯国务卿进行了会谈，再次提出这一要求。美方虽然没有答应修改《安保条约》，但同意在两国间设立一个委员会，以研究处理由《安保条约》所产生的各种问题。

7月，由美归国的岸首相，为巩固自己的政权，对内阁进行了改组，除石井国务相外，其余阁员一律更换。原日本银行总裁一万田尚登（河野派）取代池田出任藏相。河野派包括河野本人有5人入阁，故世人称这次内阁为“岸河内阁”。从佐藤派中提拔39岁的田中角荣出任邮政相。原来由首相兼任的外相，这次起用他的挚友“日商”会头藤山爱一郎出任。党的主要干部安排是：副总裁为大野，干事长为川岛正次郎（岸派），总务会长为砂田重政（河野派），政调会长为三木武夫。

1958年8月，驻日大使麦克阿瑟拟定一新条约草案，该草案就条约的“相互性”这一难点问题，提出可以采取“美国保护日本，日本保护驻日美军”这一形式来解决。8月15日，岸信介表示“只要排除困难，真正的日美新时代就会到来”，表明要修改条约的决心。1958年9月，日本外相藤山爱一郎访美，重新提起修改《安保条约》时，美国表现出意外的积极态度。

藤山外相在回忆录中写道：

……岸先生在（昭和）三十二年6月以首相身分初访美时，成功地将“现行的《安保条约》是暂时的”这句话加进了《日美共同声明》。其后，我就任外相一个月后，开始了使“日美安全保障委员会”具体

> 化的谈判,并于8月6日发表了共同声明。接着,在9月14日,我和美国驻日大使戴维·麦克阿瑟在《关于〈安保条约〉与〈联合国宪章〉的关系》的换文上签字。这一切在表面上是我履行了手续,实际上是岸先生访美的成果。
>
> ……岸先生的想法是:在他执政期间解决作为全民的悬案的《安保条约》改订问题,作出"日美新时代"的实际成绩;请艾克(艾森豪威尔的爱称)来日参加签字,实现美国现任总统首次访日,以证实日美合作体制;再以这些成果为基础,保持政权长期存在。可以说他就是为这一伟大构想布棋,而考虑改订《安保条约》的。①

美国改变态度的原因,首先是由于国际形势发生了变化。1957年8月,苏联洲际弹道导弹试验成功;10月,又成功发射了第一颗人造地球卫星。这标志着美国核优势行将丧失。同时,1950年代中期以后,在亚洲、非洲和拉丁美洲,民族解放运动蓬勃兴起,也给美国企图称霸世界的全球战略以沉重打击。在这种形势下,美国政府认为有必要提高日本的国际地位,使日本尽快建立起自卫体系,实现其"亚洲人打亚洲人"的策略。为此,必须对现行《日美安保条约》进行修改。其次,日本国内反对美军基地的斗争不断扩大,美国担心如果发展下去,反美情绪会日益高涨,所以有必要对条约进行修改。

美国政府态度的变化,增强了岸内阁修改条约的信心。岸内阁提出如下具体修改方针:一、明确该条约与《联合国宪章》的关系;二、在明确表示美国对日防卫义务的同时,也应表明日本在宪法范围内所应承担的义务;三、驻日美军在日本领域以外采取作战行动时,要事先同日本政府协商;四、取消允许美军镇压日本国内暴动及内乱的条款;五、规定条约期限。②

当时,在自民党内部,在修改《安保条约》问题上有两种意见:一种主

① 藤山爱一郎:《政治:我之道》,朝日新闻社1976年版,第60—61页。

② 正村公宏:《战后史》下卷,筑摩书房1985年版,第104页。

张全面修改；另一种主张条约本身不修改，通过交换公文等形式进行“修补”。后者的理由是：新条约虽然效果大，但需经美国参议院批准，手续上困难很大。自民党的吉田派倾向于后一种意见。他们认为：一、日美双边遵守现行条约可以增进两国之间的信任关系；二、国际形势尚未出现需要修改条约的变化；三、不平等条约在英美之间也不乏其例；四、在集体共同防务时代，单靠一国力量，防卫能力是不完备的。因此，他们主张，应以不断加深相互信任的方式去争取实质上的对等，而不必靠修改条约来实现。

但是，岸信介采取强硬姿态，坚持修改条约。日美双方经过 25 次正式会谈，历时一年零三个月，于 1959 年 10 月，自民党总务会才做出新条约和新协定的定案，并得到党总部的认可，12 月达成协议，1960 年 1 月 19 日在华盛顿签字。日本政府于 1 月 30 日把它提交给第 34 届通常国会，国会就相互防卫义务、“事前磋商”、条约适用区域、自卫力渐增义务等展开了论战。

在这期间，自民党内企图在岸之后上台的各派，也在各打主意和进行策划。3 月 21 日的党人派四方会谈（大野、川岛、河野、三木），第二天（22 日）反主流派四方会谈（池田、三木・松村、石井、石桥），虽然都一致主张早日通过条约，但反主流派却同时合谋阻止岸第三次当选。在总务会和党议员总会决定延长国会会期的第二天（5 月 18 日），池田、三木・松村、大野、河野、石井、石桥 6 派就阻止岸第三次当选问题达成协议。各派对政局的转变各有自己的想法，但一致认为应当使早日通过条约和阻止岸第三次当选配套进行，重点是阻止岸第三次当选。

1960 年 2 月，国会开始审议新条约和新协定。5 月 19 日晚，岸内阁在没有同自民党议员商量的情况下，就强行延长国会会期，由众议院表决新条约、新协定和有关法案。因为岸信介需要在艾森豪威尔总统来日访问（预定在 6 月 19 日）之前完成新条约的批准手续。

在“《日美安保条约》特别委员会”上，新条约经过 37 次审议，直到 5 月 19 日才强行通过。这是一次十分反常的强行表决。19 日中午召开的议院运营委员会理事会，对可否延长会期的问题争论不休，而于下午4时28分散会，但几名自民党委员在争论没有得到统一结论的情况下，就自行召开运营委员会，在一片混乱之中强行表决延长会期的决定。政府和自民党也提出动议，主张只用两分钟的质疑时间，就表决《要求承认新条约之议案》《要求承认新协定的议案》和《新条约和新协定的有关法令整理法》3项议案。

与此同时，清濑一郎众议院议长叫来500名警察开进院内，将静坐在议长室前阻止正式会议开会的社会党议员和秘书们一个一个强行拉走，11时49分正式会议开会。由自民党议员单独表决将会期延长50天，随即在20日0时6分再次开正式会议，对新安保条约和有关法案进行表决。结果共用了12分钟就全部通过。在野党没有出席，自民党也有三木、松村、石桥、河野等26人"光荣缺席"或中途退场。在院外，有3万多名冒雨示威的群众包围了议事堂。国会院内有3 500名警察。

20日早晨，日本各报均刊出抨击这种强行表决的社论。《朝日新闻》说："无论怎么说，这也是一次没有辩解余地的非民主的行动。"《每日新闻》说："无妨说这是既不让提问也不作解答的多数党强暴行为。"《读卖新闻》说："这也太不尊重议会政治的权威了。"等等。①

日美双方交涉中最大的问题是上述日本方面提出的"基本方针"第二、三条所涉及的双方责任和义务的问题。该条约虽然名为《相互合作及相互安全保障条约》，但这对不能向海外派兵的日本来说，是不能承担保护美国的义务的。所以美国认为，美国单方面的义务过大，而并非是"相互性"的。美国为了赋予条约以"相互性"，给日本加上一条新的义务，那就是"远东条款"。条约规定："不仅在日本防卫方面，美军为了远东的安全也可以驻扎日本并使用驻日基地。"②岸内阁对"远东"范围的解释是"只就这一条款而言"，"大体上"是指菲律宾以北、日本及其周围地

① 升味准之辅：《现代政治》上卷，东京大学出版会1986年版，第65页。
② 白鸟令编：《日本的内阁》第二卷，新评论社1986年版，第218页。

区,也包括韩国和“中华民国”,“但对这一地区发动武力攻击,或这一地区的安全因周围地区出现的事态而受到威胁时,美国的……行动范围……就不一定要限于上述区域”。①

新安保条约的全称是《日美相互合作及安全保障条约》。如果说旧条约是单方面承担义务,具有明显的不平等性,那么新条约则是由日本主动缔结的军事同盟条约,形式上表现为双方承担义务的对等关系。新条约与旧条约的相同之处是,都规定美军常驻日本,日本必须向美军提供军事基地。不同之处是:一、新条约明确了与《联合国宪章》的关系,即规定“两国具有宪章所规定的进行单独或集体自卫的固有权利”,以及用和平方法解决国际争端;二、明确了美国有保卫日本的义务和日本在其行政管辖区内有保卫美国的义务;三、日本承担增强军备的义务;四、扩大了协商范围并且新规定了对军事设施与行动的事前协商制度;五、确定了政治、经济方面的合作关系;六、明确了冲绳、小笠原与条约的关系,规定条约适用于日本全部领土,但对尚未实施行政权的地区暂不包括在内,待将来归还施政权后再纳入条约区域;七、删掉了关于美军镇压日本暴动和骚乱的条款;八、规定条约有效期限为10年,如若废除,需在届满前1年通知对方。②

《新安保条约》积极的一面,是它改变了旧条约的片面性,成为日美对等的双边条约。它剔除了美军可以镇压日本“内乱”的条款,规定了条约的期限,改善了《行政协定》等,克服了旧条约的若干不平等性,使日本处于较为平等的地位。这些都是可取的一面。

但另一方面,也确实增强了日美军事同盟的危险性。这种危险性主要体现在以下两个方面:第一,新条约仍然允许美军使用日本的区域和设施。条约规定:“为维护日本国的安全以及远东的国际和平与安全,美国的陆、海、空军可使用日本国的设施及区域。”这就是通常所说“远东条

① 升味准之辅:《日本政治史》第四卷,东京大学出版会1988年版,第254、255页。

② 王振锁:《日本战后五十年》,世界知识出版社1996年版,第175页。

款”。这一条的核心是，美军驻扎日本的目的，不仅为保卫日本，而且还要维护远东的安全。就是说，朝鲜半岛和台湾海峡等地一旦发生战争，要求能随意使用美军基地。这样，如果使用美军基地向其他国家出动美军时，日本就有可能被卷入战争。所以，“远东条款”实际上把日本更牢地拴在了美国的战车上，纳入美国的世界战略体制之中。加之美日军事力量悬殊，日本又主要靠美国的核保护伞，所以日本仍然摆脱不了对美国的从属性；第二，条约规定，日美双方确认，驻日美军的部署、装备发生重要变化，以及在日本国内进行作战行动时，要同日本进行“事前协商”。这种措词模棱两可的所谓“事前协商”，实际上是加强了日美的军事同盟关系。由于《新安保条约》的军事同盟性质，有可能使日本走上重新武装的道路。

(三) 反对修改安保条约的斗争

岸信介修改《日美安保条约》的主要目的是企图在美国新的亚洲战略之下，加强日美军事同盟，让日本在亚洲发挥更大的作用。这不仅使日本宪法第九条的非武装条款变成为一纸空文，而且有使日本重新被卷入战争的危险。因此，从日美开始谈判时起，一直到新条约自然生效，日本国内掀起了波澜壮阔的反安保群众运动。在一年多的时间里，日本全国共组织了 23 次统一行动，有 1 000 多万人参加了这一斗争，是战后日本人民掀起的规模最大的一次斗争。在这次斗争中，日本人民建立了全国统一领导机构，创造了统一行动这一斗争形式，形成了超越党派、阶层和信仰的统一战线。这不仅在日本，就是在世界上也是罕见的。

反安保斗争大体可以分为三个阶段：谈判阶段、签署阶段和签署以后。

1958 年 10 月 4 日，岸信介首相、藤山爱一郎外相就修改《安保条约》问题与美国驻日大使麦克阿瑟开始正式谈判。此后，藤山外相与麦克阿瑟大使又接连举行谈判。此间，岸内阁向国会提出了“警职法”修改案，曾引起了一场日本人民反对修改“警职法”的斗争。可以说，反对“警职法”的斗争也就是反安保斗争的序幕和前哨战，并为之作了思想上和组织上的准备。

日美之间修改《安保条约》的正式谈判开始以后，日本国内反对《新安保条约》的斗争便如火如荼地展开。在这场群众运动中发挥领导作用的是“阻止修改《日美安保条约》国民会议”。

1959 年 3 月 28 日，以社会党和“总评”等为首的 134 个团体联合召开了“阻止修改《日美安保条约》国民会议”(简称“国民会议”)成立大会，通过了“以国民的力量阻止修改《安保条约》，争取废除《安保条约》”的中心口号，同时指出，日本“不得参加任何军事集团和军事同盟”，“只有保持中立才是真正保证日本安全的道路”。“国民会议”从 1959 年 4 月 15 日组织第一次统一行动到 1960 年 10 月的一年多时间里，共举行了 23 次包括集会、游行、罢工、集体休假等在内的统一行动。

“国民会议”成立伊始，1959 年 3 月 30 日，东京地方法院审判长伊达秋雄宣布：因“美军驻扎日本违反宪法”，故对因参加反对砂川基地的斗争而被起诉的 7 名被告宣判无罪。这就是有名的“伊达判决”。这一判决虽然后来被最高法院驳回，但它在宪法和《安保条约》的关系方面做出了一个法律上的解释，反映了日本人民的愿望，鼓舞了斗争士气，有力地支持了反对美军基地的斗争和反安保斗争。

反安保斗争的一个显著特点是，一开始便与其他斗争结合起来，推动了运动不断向前发展。例如，第四次统一行动(1959 年 7 月 25 日)与煤炭工会斗争，第五次统一行动(8 月 15 日)与禁止原子弹氢弹运动，第六次统一行动(9 月 8 日)与反对“教师考核评定”斗争，第七次统一行动(10 月 20 日)与煤炭工会斗争相互配合等，壮大了声势，促进了运动的广泛发展。当然，反对“警职法”的斗争和“伊达判决”也是与反安保斗争相互结合的很好例证。

1959 年秋季以后，日美之间的谈判基本达成一致意见，双方拟定将于 1960 年初签署《新安保条约》。为此，日本的反安保斗争也进入一个新阶段。11 月 27 日，“国民会议”举行第八次统一行动。据说游行队伍有两万多人冲入国会院内。当时国会正在审议日本与南越当局的赔偿协定。在第二次世界大战中，遭受日军蹂躏最严重的是越南北方，在南北越南分裂的情况下，应给北方以更多的赔偿，但日本政府追随美国的越南政策，只与南越签订赔偿协定，并视南越为整个越南的代表。这个问题暴露了岸内阁东南亚政策的本质，招致在野党及广大民众的不满，由此也产生对修改《安保条约》不满，引发了游行队伍冲击国会的事件。

在这关键时刻，“国民会议”内部围绕安保斗争的策略问题发生分歧。1960 年 1 月，岸信介将率团前往美国签署条约，“国民会议”原准备在羽田机场发起的阻止岸赴美的活动因意见不一致而被取消。但日本学生组织“全国学生联合会”（简称“全学联”）不同意“国民会议”的方针，于 1 月 16 日岸信介赴美这一天，“全学联”的 700 名学生在羽田机场静坐，阻止岸信介一行去美国签署新条约和新协定，同警官队发生了冲突。岸信介在严密的防范措施下像逃跑一样离开日本。1960 年 1 月 19 日，《新安保条约》和《新行政协定》在华盛顿签字。

1960 年 2 月 5 日，岸内阁将《新安保条约》提交国会。反安保斗争也从阻止签订进入到阻止批准的阶段。《新安保条约》在国会审议阶段，朝野政党之间争论的焦点是“远东范围”条款问题。岸信介内阁在国会答辩时表达政府统一见解认为“菲律宾以北，日本及其周围地区”，台湾、韩国及苏联的沿海州“也包括在内”。这更激起了日本人民的不安。

在 1960 年 4 月 15 日至 26 日的第十五次全国统一行动中，群众高呼“阻止批准《新安保条约》”“打倒岸内阁”“解散国会”等口号，递交了有 330 万人签名的 17 万份请愿书。4 月 26 日，出现了 8 万名请愿者终日不断涌向国会的局面。这天中午，“全学联”主流派约 5 500 人在国会正门前与警官队发生冲突，结果有 28 人受伤。到 5 月 14 日为止，请愿签名人数达 1 350 万人。“全学联”主流派游行队伍在国会周围同警察和右翼分子再次发生激烈冲突，国会内外相互结合，使自民党强行通过的企图受挫。

但是，5 月 17 日，自民党要求延长国会会期，以便在 5 月 19 日的国会上强行通过《新安保条约》及其有关法案。此间，国会门前每天都有从东京附近各县来的请愿者乘坐的成排的汽车和穿着各种服装的大队人群。在众议院安保特别委员会理事会上，朝野政党之间也发生了严重冲突。在这种情况下，如前所述，自民党议员单独表决通过了《新安保条约》及其相关法案。

这一事件彻底暴露了岸内阁利用议会多数派的形式，践踏议会民主政治的伎俩。同时也说明，岸信介修改《安保条约》的紧迫性已经达到不顾一切的地步，连自民党的重要派别、岸派的合作者、通产大臣池田勇人在表决当天接见记者时都说：“今天这样通过安保，我是没有想象到的。”①同时，这一事件也充分暴露了自民党的议会政治观、政党观和政治道德观。这样做的结果，说明议会不是审议的场所，而是沦为以表决形式使内阁强权政治合理化的场所。

岸内阁的倒行逆施，激起了日本社会各界和舆论界的极大愤慨和批判。5月20日，“国民会议”发表声明称：“今天，充分暴露了岸信介与韩国的李成晚完全相同的本质。我们绝对不承认这样非法延长会期。我们要求否认议会政治、践踏民主的岸内阁总辞职，立即解散丧失权威的国会。”“总评”也发表声明表示：岸内阁“已具有法西斯性质”，“30天以内打倒岸内阁，为粉碎昨天的表决而斗争”。当天，各大报纸纷纷发表了抨击自民党强行表决的社论。

正当岸信介热衷于修改《日美安保条约》的时候，国际上也在发生着不利于岸政权的变化。1960年5月5日，苏联部长会议主席赫鲁晓夫在苏联最高苏维埃上宣布说，苏联用火箭击落了侵入苏联领空的U-2型美国间谍飞机；9日，又警告说：“如果再从空中对苏联进行挑衅，苏联将在击落入侵飞机的同时，把火箭的矛头对准飞机的基地。”当时人们都知道，美国在海外基地共驻有7架U-2型飞机，其中3架就驻在日本。这一事件表明，《新安保条约》的签订，显然会增加日本被卷入战争的危险。

---

① 日本历史学研究会编：《日本同时代史》第三卷，青木书店1990年版，第296页。

与此同时，从1960年4月开始，韩国人民发动了声势浩大的反对李成晚傀儡政权的示威游行（所谓“四月革命”），为此，韩国议会被迫做出要求李成晚总统立即辞职的决议。李成晚于4月27日提出辞呈，随后流亡美国。

在这一国际形势下，岸信介在修改《日美安保条约》问题上采取的孤注一掷的行动，更激发了日本人民的反岸情绪。许多群众团体纷纷发表反对声明，连日举行游行静坐示威，要求岸信介下台。但岸信介态度强硬，他在5月23日对自民党“三巨头”表示决心说：“在新安保批准之前，既不总辞职，也不解散众议院。”并在记者面前狡辩说：“日本是实行议会政治的国家。在议会中占绝对多数的自民党议员，大多数参加了《安保条约》的表决。因此，从法律上讲，这次表决是没有错误的。”①

众议院强行通过新安保之后，反安保斗争更推向了一个新的高潮。5月31日开始开展第十七次统一行动。6月4日，举行了以“国铁”工会和动力车工会为中心的政治大罢工。在此之前，日本提出过明确政治目标的罢工只有两次：一次是1952年的“劳斗”罢工（反对《破坏活动防止法》和反对修改《劳动关系法》），另一次是1958年反对把“警职法”改得更坏的罢工。这次“六·四”大罢工是战后规模最大的罢工，据说有76个行业工会和460万人参加。这次罢工说明，“反岸情绪已根深蒂固地渗透到一般群众之中”。与此同时，商店也“罢市”，据说在全国达2万家。6月10日，美国总统特使哈格蒂为安排艾森豪威尔总统访日来到东京，被15 000人的游行队伍所包围，哈格蒂被警察救出，乘直升飞机逃进美驻日使馆，被迫于翌日离开日本。6月12日，艾森豪威尔开始了包括访日在内的远东之行。6月14日，美国参议院批准了《日美新安保条约》。6月15日，日本全国110个工会、560万人举行第二轮罢工。游行队伍在国会前同警察和右翼分子发生冲突，造成东京大学学生桦美智子死亡、182名学生被捕和1 000多人负伤的流血惨案，激起了人民群众的

① 升味准之辅：《日本政治史》第四卷，东京大学出版会1988年版，第260页。

更大愤慨，也轰动了全世界。

岸信介内阁决心不惜代价于5月19日通过《新安保条约》，本来是想作为艾森豪威尔6月20日访日的见面礼。但是，自从5月19日强行表决通过《新安保条约》后，要求中止或延期艾森豪威尔访日的运动更加活跃。5月25日，社会党代表会见麦克阿瑟大使时，递交了要求艾森豪威尔延期访日的公开信。学者和知识分子团体也发表了许多要求艾森豪威尔延期访日的声明。另外，自民党内部和财界对艾森豪威尔访日也发生了动摇。总务会长石井光次郎向岸信介建议延期，内阁成员中不少人也主张艾森豪威尔延期访日，经济同友会也提出类似要求。在此期间，岸信介曾多次要求防卫厅长官和国家公安委员长出面收拾局势，维护治安，以实现艾森豪威尔访日，但均以警备力量不宜过多干预政治为由被拒绝。所以在人民群众的迫使和内部势力的抵制下，岸内阁不得不在16日夜召开紧急内阁会议，决定推迟艾森豪威尔访日（实际上是中止）。

6月19日零时，《新安保条约》自动成立。岸在回忆录中对当时的情景作了如下描述：

> ……最近发生的事情，现在回想起来，都使我感慨无量。从6月18日到19日早晨，我是在永田町的首相官邸度过的。到了18日晚间，我让聚集在官邸的各位阁僚回到各自的机关去了。这是因为官邸有被暴徒袭击的危险……只有我的弟弟佐藤荣作留下了……
>
> 我已下定决心，只要完成了安保条约的修改工作，被人杀了也没有关系。死在首相官邸反而可以瞑目。因此我在想，如果要杀的话，杀我一个人好了。但是弟弟说“不能把哥哥一个人留在这里”，于是就两个人困守在官邸里了。当19日零时自动通过的时刻到来的时候，这才真正松了一口气。①

① 岸信介：《岸信介回顾录》，广济堂1983年版，第562—563页。

6月20日至23日期间，仍有数十万工人和学生上街游行示威。22日，“总评”等工会组织620万人举行了大罢工。“国铁”有近1 100次列车停驶或晚开，东海道线处于全线瘫痪状态，这种局面还是有“国铁”以来的第一次。

23日，日美双方在极其严密的防范措施之下交换了批准书，《新安保条约》生效。以修改《日美安保条约》为政治赌注的岸信介内阁终于完成了其政治使命，在交换批准书的当天正式宣布辞职。从1957年2月15日成立到1960年7月15日辞职，历时三年多的岸信介政权就此结束。

岸信介外交的基本路线，是日本民主党时代提出、自民党继承下来的所谓“自主的国民外交”。但是，《新安保条约》是以坚持日美军事同盟为前提的，如果条约中写明美军对日本的防卫义务，也就必须要写上日本对美军的“合作”义务，而且这种对美从属关系是以反华反苏为其前提条件的。岸信介不摆脱日美同盟的框架，不独立自主地考虑日本的和平战略，就谈不上是什么“自主外交”。当然，岸信介作为统治所谓“满洲国”的实力人物和东条内阁的阁僚，更不可能推行真正的“国民外交”。

有人认为，如果不全面修改《安保条约》，不为向访日的艾森豪威尔献“见面礼”而强行延长国会会期并强行通过《新安保条约》，岸信介内阁肯定还能继续维持下去，或许能做更多的事情。① 但是，作为一个政客，岸信介始终坚持“政治主义”的信条，他认为，首相就该在外交和政治上下功夫，不能专搞经济，经济工作是官僚们做的事。所以岸信介修改《安保条约》是必然的。但是，由此而引起规模如此巨大的反安保斗争，却是岸信介未曾料到的。其后的历届内阁(从池田勇人到福田赳夫)都接受岸信介的教训，不敢把这种“政治主义”放在首位，而是推行经济优先的路线，这可以说是岸信介的一个“反面贡献”了。

我们姑且把修改《安保条约》问题从开始到结束的纷争过程称为“安保修改型政治过程”。它与前述的“警职法”修改问题的纷争过程有诸多

① 北冈伸一:《自民党》，读卖新闻社1995年版，第95页。

相似之处。参与纷争的主要势力有：1. 政府与自民党主流派；2. 自民党反主流派；3. 社会党；4. 院外群众运动。

在这次斗争中，首先暴露了执政党内部的政府·主流派与非主流派之间的矛盾。政府·主流派是为了实现其政策目标、巩固长期政权而提出该法案的；而反主流派则是一方面施以牵制之术，一方面等待时机，认为不论政府失败还是成功，都会对自己有利。所以时而采取合作态度以图承袭胜果，时而通过倒阁手段摘取政权。总之，岸内阁在修改《安保条约》的问题上未能取得执政党的充分合作。加之岸信介与其胞弟佐藤荣作关系过于密切，疏远了其他派阀，从而也加深了党内矛盾。

其次，社会党在这次斗争中，一方面在议会内部强烈反对政府的提案，在议事安排上拖长了会期，同时又使国会的审议陷入混乱无序而又议而不决之中，迫使自民党采取了延长会期并强行通过法案的非常手段而引起公愤，充分发挥了第一大在野党通过议会开展斗争的作用，体现了“五五年体制”的基本特点。

声势浩大的院外群众运动是这次反安保斗争的突出特点。反对新安保的斗争，是战后日本人民在经济走向繁荣的情况下进行的一次伟大的政治斗争，是战后日本人民争取独立和平运动的最高峰。在这场斗争中，建立了“国民会议”这样一个统一领导机构，创造了“统一行动”的斗争方式，有鲜明的斗争目标和口号，实现了议会内外斗争相结合。这场斗争参加阶层之广、斗争规模之大、持续时间之长，都是其他发达资本主义国家所未有的。

为什么会出现如此广泛的群众运动，原因是多方面的：第一，当时日本正处于经济高速增长的起飞阶段，农村人口（第一产业人口在 1960 年占日本总人口的 32.6%）大批流入城市，城市急剧膨胀，社会的多元化和流动化即“大众社会化”正迅速发展。在繁荣带来的激变之中，社会的失范现象扩大，人们渴望打破传统的旧秩序，建立一个新秩序；第二，日本人民对 15 年前的战争尚记忆犹新，修改“警职法”和《安保条约》，不管有其多么冠冕堂皇的理由，仍会勾起人们心中的创伤和不安。而且，战后

15年来已经接受“民主教育”的日本人民，不能再容忍无视议会民主、强行表决这种独断专行的做法。如果把日本人民的这种不安和不信任感再同岸信介的战犯形象联系在一起的话，那就对出现如此强烈的反抗运动不会感到不可思议了。岸信介的亚洲政策使人们联想到他当年的“大东亚共荣圈”思想，他一味追随美国、一心想修改宪法第九条的行为，更失去了人们的信任感；第三，从国际上看，当时苏联和中国对岸信介修改《安保条约》都做出强烈反应，一致认为新安保是一种以中苏两国为假想敌的日美军事同盟，“远东条款”便是一个有力的例证，当时的U－2型飞机事件更加深了人们的这一印象。《安保条约》加剧了两大阵营的对立，增大了战争的危险性。因此，日本人民坚决反对岸信介再次把日本带进战争的深渊；第四，大众宣传媒体对这次反安保斗争起到了鼓舞士气、沟通信息和推波助澜的作用。当时，日本全国的新闻广播网已经建立起来，电视网也正在全国形成（1960年的电视普及率为33.2%）。电视所传达的游行示威等场面，给观众留下深刻而鲜明的印象，无形中起到鼓舞人心和发动群众的作用；第五，以“总评”为核心的工会组织在反对修改“警职法”和修改《安保条约》的斗争中都发挥了重要的组织作用。

但是，在反安保斗争中，也始终存在着内部意见不一致、行动不协调的现象，甚至出现了在斗争目标和手段上严重对立的情况。在社会党内部，围绕修改《日美安保条约》，左右两派的分歧又突出出来，最终导致以西尾末广为首的右派于1960年1月24日正式成立民主社会党（后称民社党）。

反安保斗争作为日本“战后”型反体制斗争，是最大的一次，同时也是最后一次。以后随着国民经济的高速增长和人民生活的迅速提高，再没有出现过如此大规模的群众运动。

概而言之，岸信介政权与修改《日美安保条约》的关系，犹如鸠山内阁与日苏关系正常化、池田内阁与《国民收入倍增计划》、田中角荣与“日本列岛改造计划”等的关系，二者密不可分，其结果不论成功与失败，作为历史的一页，将永远留下浓重的一笔。

对岸政权的是非功过，这里无意做全面的评价。但至少在以下几点是值得回味和思考的。

第一，岸政权确立了“保守本流”的地位。所谓“保守本流”，一般是指相对“党人派”而言的官僚派，尤其是与吉田茂关系密切的官僚势力。但是，根据日本著名政治学者北冈伸一教授的理解，所谓保守本流，首先应该从外交的角度来界定。由吉田茂铺设的日美协调路线应视为保守本流的本质，而是否官僚出身以及与吉田茂关系等方面则是次要的。至于是经济重视型对美协调还是安保重视型对美协调，也应放在次要地位，因为这些在很大程度上取决于美国政策的变化和国际环境的影响。①

如果把保守本流定义为“试图维持、加强日美协调路线的势力”，那么，保守本流的确立可以定在1959年6月，因为这时岸信介完成了参议院选举之后的内阁改组，反主流派池田勇人力排众议，毅然入阁，从而岸・佐藤・池田三派在修改《安保条约》问题上达成共识，为后来日本长期推行日美协调路线打下了基础。

第二，如果把短命的石桥内阁忽略不计，那么岸内阁则是战后日本唯一在两大政党体制下诞生的内阁。不过，在岸内阁的末期，民社党已经成立，所以严格说来，两大政党制下的岸内阁是截止到1959年11月。但无论如何，过去多元化的保守势力统一归入自民党这一单一政党之下，形成一元化政党，这是事实；通过一元化政党，集约、强化了保守势力的影响，也是事实。岸政权正是以这种集约、强化的保守势力为背景而推行其强权政治的。

岸信介是第二次世界大战以前培养起来的官僚、政治家，所以战后复出以后，他还是靠政治官僚的老一套办法行事。战前的日本，官僚政治得以顺利推行的前提是法西斯式的所谓“灭私奉公”的原则，所谓“公”，无非就是官僚的意志。在岸信介看来，与战前官僚统治格格不入的新生政治势力，诸如社会党、“总评”“日教组”等，都是社会秩序混乱的

① 北冈伸一:《自民党》，读卖新闻社1995年版，第91页。

元凶，是扰乱社会治安的万恶之源。在“教师考核”和“警职法”修改等问题上岸政权的所作所为就充分地反映了这一点。但是，历史在发展，时代在进步，经历了战后改革的日本，民主化思想已经深入人心，岸信介的强权政治和“政治中心主义”理所当然地遭到国民的抵制和反抗。“警职法修改案”以审议未了而收场和反安保斗争最终迫使岸信介下台，证明战后日本民主势力已经形成一股强大的历史潮流。作为战前官僚政治家的岸信介看不到这一时代的变化，试图把“现在”拉回到“过去”，这就注定了他失败的命运，并把自己定位于反动立场。反动者，逆历史潮流而动也。

当“反动”终于不能改变现状这一事实被证明之后，就出现了试图把无法改变的现状保留下来的所谓“保守主义”。岸信介之后的池田勇人，就是这样一个把保守主义具体化了的政治家。从这一意义上说，岸信介作为反面教材，使自民党接受了教训，从而构筑了池田和佐藤时期这样一个自民党的黄金时代，出现了长达30多年的自民党长期政权。这也可以说是岸信介对自民党的一大贡献。所以日本有人认为，如果再把岸信介在保守党合并方面所起的作用一并考虑进去，岸信介可谓“自民党长期政权之父”。① 不过，这一长期政权到头来也未能实现岸信介所力主的“修改宪法，从根本上重建日本”的初衷。

三　自民党的“盛世”时期

(一) 池田内阁及其“低姿态”政策

1960年6月23日，岸信介正式宣布辞职。岸信介的下台，标志着他“重建日本”的梦想就此结束。岸信介内阁期间，他的修改宪法、小选举区制和修改“警职法”等梦想都先后破灭，只有以政治生命为赌注的修改《日美安保条约》与人民的反安保斗争一起留下历史的一页。

---

① 北冈伸一:《自民党》，读卖新闻社1995年版，第96页。

自民党在反安保斗争中的最大教训，就是避免重新突出政治主义，而走经济优先的道路。这一政策的具体体现者就是取岸信介而代之的池田勇人首相。

岸信介下台以后，规模空前的院外群众运动从国会周围销声匿迹，斗争焦点立即转入自民党内部，围绕后继总裁问题展开了激烈的角逐。最初，岸信介希望通过协商产生总裁，川岛正次郎干事长出面协调，但有力人选石井光次郎和池田勇人主张公开选举，协调以失败告终后，遂决定于7月13日举行公选。所谓“公选”，就是由众、参议员加上92名地方议员代表选举产生总裁。通产相池田勇人、副总裁大野伴睦、总务会长石井光次郎、松村谦三和外相藤山爱一郎都跃跃欲试，表示要出马竞选，其中最具实力的是池田勇人。于是，一场拉选票的总裁选举战开始。

池田和佐藤都是战后派政治家的代表人物。日本财界由于受“解除公职”的影响，也形成了一批战后型企业家。战后派政治家和战后型企业家有着相似的经历，从而产生一种亲密感和相互依赖关系。因此，池田派在这次总裁选举中从财界筹集到大量资金(据说达10亿日元)，并得到了财界的大力支持。

与此同时，池田派展开了大张旗鼓的拉拢工作，拉拢工作的重点是如何把参议院议员和地方议员拉过来。首先，池田把佐藤荣作拉了过来。池田和佐藤是旧制第五高中(熊本县)的同班同学，大学毕业后分别在大藏省和运输省任职，进入政界后都作为“吉田学校”的优等生而崭露头角。但后来逐渐分道扬镳，成为政敌。两人公开分袂是在1955年保守势力联合的时候。池田加入自民党，而佐藤跟随吉田成了无党派人士。后来在选举鸠山之后的总裁时(1956年12月)，池田在第一轮投票时支持石井，在第二轮投票时支持石桥，佐藤则始终支持他的哥哥岸信介。①

在这次总裁选举中，佐藤最初是想支持大野伴睦。因为大野如果当

① 佐藤宽子:《首相夫人秘录》，朝日新闻社1974版，第217—219页。

上总裁和首相，在较短时间内便可下台，只不过是个“过渡首相”。“让他下台的方法很简单，那就是让主治医师帮忙，说他的血压太高，无法再担任首相的重任。”[①]这样佐藤便可以接替了。如果是资历和年龄差不多的池田上台，佐藤便没有出山的机会了。但是，由于在《安保条约》问题上大野没有支持岸信介，甚至与河野一起策动“倒阁”，引起岸的不满，所以在这次总裁选举中岸撕毁原来的“密约”（即岸允诺下台后由大野继任总裁，并按河野、佐藤的顺序接下去），决定不支持大野。大野知道失去岸支持后出山无望，所以没有答应佐藤的要求，于是佐藤转而支持池田，而佐藤的后台是吉田茂。

面对池田派的攻势，石井、大野、河野、三木·松村、石桥这所谓“党人五派”联合起来相对抗，结果形成石井、大野等党人派集团与推举池田的官僚派集团对决的局面。党人派认为，池田上台将会是一个“岸亚流”官僚政权。他们摆出一副团结一致的架势，约定联合起来对付池田，并决定由石井和大野出马竞选，这样，即使在第一轮投票中占第二、三位，在第二轮投票时通过“二、三联合”也可稳操胜券。但是，据大野派和石井派私下测算，每一派都认为本派在第一轮投票中将占第二位，所以都想在第二轮决选投票中搞第二、三位联合而当选。

到公选之前，突然发现情况不妙。藤山派决定在决选投票中支持池田，岸派和佐藤派更是支持池田，参议院议员大部分被池田拉过去，甚至石井派参议员也将倒向池田。另外，石井派内部不够团结，假如只剩大野一个人去参加决选投票时，石井支持者会不会全部去投大野的票也是个未知数。总之，大野得到的信息是，不管如何计算，大野派都没有取胜的希望。为了确保两派联合成功，大野不得不挥泪忍痛退出竞选，决定干脆推出石井一个人。于是在在投票当天的早晨，大野突然宣布退出竞选。[②]

---

① 村上勇：《激荡的三十五年之回想》，产经新闻社 1978 年版，第 135—136 页。

② 大野伴睦：《大野伴睦回想录》，弘文堂 1962 版，第 152—155 页。

为此，选举大会出现混乱，只好推迟 1 天。这期间，情况又发生了变化，虽然党人派联合召开了“阻止池田政权实现大会”，但官僚派也加紧了拉拢工作。首先，属于党人派的川岛正次郎倒向了池田阵营。因为川岛支持大野而不同意石井出马。另外，岸派和藤山派最后都决定支持池田。这样，第一次投票结果是，池田 246 票，石井 196 票，藤山爱一郎 49 票。在第二轮投票中，池田得 302 票，石井得 194 票，党人派以失败而告终，池田当选自民党总裁并于 7 月 18 日正式成立第一届池田内阁(1960.7.18—1960.12.8)。①

围绕这次公选，自民党事实上处于分裂状态。党人派的失败和池田的取胜，原因固然是多方面的，但根本原因还是资金的多寡。据内部人士透露，大野派用于选举的资金为 3 亿日元，而池田派花了 7 亿日元，是大野派的两倍多。② 如果采取协调方式，副总裁大野很有可能被暂定为总裁。正因为如此，池田拒绝了协调方式。另一方面，这次选举再次说明，自民党实际上是一个派阀联合体。如果说自民党内的派阀斗争是从鸠山引退后，石桥湛山、岸信介、石井光次郎之间争当总裁开始，那么，到这次的总裁公选，自民党的派阀政治可以说是完全定型了。

池田在组阁时迫于岸、佐藤两派的要求，没有起用河野、三木·松村、石桥三派的人。阁僚中，池田派 5 人(包括首相)，岸、佐藤、大野三派各 2 人，石井、藤山和中间派各 1 人。官房长官为大平正芳。在党的人事方面，副总裁为大野伴睦，干事长、总务会长、政调会长分别为益谷秀次(池田派)、保利茂(佐藤派)和椎名悦三郎(岸派)，党政大权基本上由池田、岸、佐藤三派掌握，河野、三木、石井等党人派成为反主流派。

但是，选举结束之后，自民党的财政状况入不敷出。当时，自民党的日常经费开支是每月 9 000 万日元，而财界向自民党提供的政治资金每月只有 4 000 万日元左右，差额部分只好由总裁、干事长、主流派实力人

---

① 升味准之辅：《现代政治》上卷，东京大学出版会 1986 年版，第 106 页。

② 渡边恒雄：《派阀与多党化时代》，雪华社 1967 年版，第 64 页。

物个人筹资填补。加之在应付反安保运动时花了一大笔会议费和宣传活动费，所以在池田接手政权时，自民党财政出现 1 亿日元赤字和 4 000 万日元债务的亏空。另外还有数千万日元去向不明。第一届池田内阁就是在这种情况下成立的。

池田勇人 1899 年出生于广岛县农村一个酿酒之家，幼年聪明、顽皮。1925 年毕业于京都帝国大学法学部后，入大藏省从事税务工作，不久因病去职，妻子亡故，经历了一场人生生死变故。后来，病愈后重回大藏省，升任主税局局长，直至日本战败。战后，池田开始在日本政治舞台上崭露头角，1948 年升至大藏省事务次官，翌年当选为自由党众议院议员，并历任吉田内阁藏相、通产相和经济审议厅长官，主管政府经济事务，参与制定重要经济政策，在日本经济复兴中发挥了重要作用。由于池田深得吉田茂赏识和重用，被称为"吉田学校"的优等生。池田性格直爽、开朗，具有一定的"庶民性"，不像岸信介那样总是高高在上，用俯视的眼光看待民众。

吉田茂下台后，池田勇人与佐藤荣作把吉田势力一分为二，分头率领，形成池田派和佐藤派。作为自民党内"吉田学校"的头面人物，池田拥有很大的势力和影响，历任自民党最高顾问、石桥内阁藏相、岸信介内阁藏相、国务相、通产相等要职，是自民党内"官僚派"的代表人物之一。围绕岸政权问题，池田与支持岸的佐藤之间时而出现对立和矛盾，但最后还是赢得了佐藤的支持而组阁。

池田内阁刚成立时，战后最大的反政府运动——反对《新安保条约》的斗争余火未熄，举国瞩目的三井矿山、三池煤矿劳资争议还处在相持阶段，大规模流血冲突时有发生，其势大有形成"整个工人阶级与整个资产阶级决战"的危险。社会党等在野党反对势力自不待言，就是在自民党内部，也因总裁争夺战而加深了派系间的隔阂。在选举中失败的"党人派"大有分裂自民党、另起炉灶的势头。

但是，也有对池田政权有利的一面。鸠山、岸信介内阁完成了日苏复交、加入联合国及修改《安保条约》的使命，使日本以独立国的面貌重新跻身于国际政治舞台，池田已不必在这些重大问题上花费精力。特别是经过“神武景气”和“岩户景气”后的国民经济，正处在从起飞阶段进入高速增长的前夜。

在这种错综复杂的形势下，池田勇人上台伊始，就充分吸取了岸内阁采取强硬态度而招致反抗的教训，巧妙地利用有利因素，回避不利方面。池田内阁为了使人们忘却安保动乱的恶梦，尽量推迟大选的时间，决定把它放在4个月之后。并且改变针锋相对的态势，采取“低姿态”，提出“宽容与忍耐”的口号，使政府以“中庸”面孔出现在人们面前。为了收买人心，公开提出“不打高尔夫球”“不去高消费娱乐场所”，用调和方式软化各种政治势力之间的斗争，将国民的视线从政治引向经济，不失时机地提出《国民收入倍增计划》。总之，池田的政治就是“经济第一主义”。他认为只有国民生活的稳定和经济水平的提高才是保卫国家安全的基本前提，所以他一直推行彻底的经济优先政策，在外交方面，虽然坚持安保体制，但始终采取鸽派姿态。

1960年9月5日，池田内阁发表了如下几项新政策：一、维护民主政治，改革行政；二、推行和平外交，确立安全保障体制；三、推行经济高速增长政策，实现完全就业；四、减税1 000亿日元以上；五、扩大社会保障；六、制定农村、渔业基本政策；七、实现中小企业现代化；八、改革、充实文教，发展科学技术；九、加速制定青年问题对策。这里的核心问题是推行经济高速增长政策。

池田内阁的政策，首先着眼于改变岸信介时代的强权政治形象。在内阁组成上，尽量争取多数，减少官僚出身的阁僚，吸收竞选总裁时与之对立的党人派为主要阁僚，以调和党内矛盾，兼顾各派系的利益。阁僚成员分别由池田、佐藤、岸和藤山这新主流四派和大野、石井反主流二派组成。石井光次郎作为通产相入阁，党人派人物水田三喜男和小坂善太郎分别任藏相和外相。同时还任用了日本内阁史上第一位女大臣（厚生大臣中山正）。在处理与在野党的关系方面，池田内阁也贯彻“宽容与忍耐”精神，以协商态度来运营国会，不搞单独审议。自民、社会、民社三党首脑经常就重大问题协商交换意见，力求减少摩擦，避免直接对抗。

1960年10月12日，社会党委员长浅沼稻次郎发表公开演讲时，当场被一名右翼青年用匕首刺死。浅沼是德高望重的政治家，遇难后，池田立即命令对事件负有责任的国家公安委员长山崎严辞职，并为悼念浅沼发表了演讲。在大选高潮时的11月12日，在社会党倡议下，举行了首次三党首脑电视讨论会。这是日本历史上第一次将电视这一新的媒体作为政治舞台的宣传方式。

解决三井矿山、三池煤矿劳资争端，被认为是检验池田政治的“试金石”。当时，工会方面为反对资方停产和解雇政策，动员工人坚持了几个月的罢工斗争。资方以组织亲资工会复工相对抗，挑起工人间的流血冲突。警方出动1万名警察，动用装甲车、催泪弹等装备，开进三池地区去镇压，工会方面也从全国动员2万名工人与之对抗，形势异常紧张。池田主张，“三井三池问题虽然是当前社会治安的问题之一，但光靠增加警察是没有用的，关键是要创造出社会秩序不至于动乱的国民信赖的政治”。从这种“低姿态”出发，他委派劳动大臣石井博英出面干预，经过多方面的反复协商，终于以和平方式平息了这场旷日持久的劳资争端。

池田内阁的“低姿态”，博得了日本国民的认同和好评，但自民党内部的派系之争并没有因此而平息下来。在1960年11月的第36届临时国会上，池田发表了施政演说，随后解散众议院，于11月20日举行了大选。选举结果，自民党获296票(包括追加公认共300票)，比解散前略有增加，取得了胜利。在社会党方面，由于新当选的书记长江田三郎推行灵活政策，获145票(解散前为122票)，取得更明显的胜利。选举后的1960年12月成立了第二届池田内阁(1960.12.8—1963.12.9)。在人事安排上，自民党和内阁方面都变化不太大，自民党的副总裁、干事长、总务会长留任，政调会长由椎名悦三郎改为福田赳夫。表面看来，池田政权得到社会舆论和党内的支持。

但是，实际上，大选之后党内便出现批判池田的动向，理由是池田的路线与自民党内支持池田的派阀原来的期待不一致，所谓“低姿态”没有反映自民党的本来面貌。例如，吉田茂在选举之前给池田的信中称：“在这次内阁改组中，务必要在人事和政策方面加强内阁，现在的低姿态，会使国民感到内阁软弱无力，反而威信下降，影响内阁的未来。倒不如把政策和国家放在首位，勇往直前。既然佐藤君表示鼎力相助，又有岸派和佐藤派配合，何必再左顾右盼。”①岸派和佐藤派也批评说，池田不顾原来的课题，一味讨好，是一种不负责任的态度。事实上，因为岸内阁遗留下来一些悬而未决的法案，在国会上一味采取低姿态，这些法案自然就通不过了。因此，社会上有人批评说池田内阁“无所作为”。党内则认为池田太软弱。

在 1961 年的国会上，执政党与在野党发生冲突。在“防卫二法”、《农业基本法》等问题上出现对立，尤其是《政治暴力行为防止法案》招致在野党的抵制。但岸派的福田赳夫政调会长和佐藤派的保利茂总务会长态度强硬，迫使池田内阁强行通过，其用意是，这样做说不定会引起国会混乱，导致池田内阁辞职。

1961 年 7 月，池田访美归来后对自民党和内阁的人事安排做了较大调整。大野伴睦仍出任副总裁，起用心腹前尾繁三郎为干事长，佐藤派内最接近池田的田中角荣任政调会长，岸派中最接近池田的赤诚宗德任总务会长。这样，表面上池田、岸、佐藤三派体制并没有变化，但实际上是加强了池田的势力。在第一届池田内阁成立时，河野一郎因被排斥在外极度不满而想另立新党。在这次改组中，为体现派阀均衡的特点，河野一郎（农林大臣）、佐藤荣作（通产大臣）和藤山爱一郎（经济企划厅长官）等各派领袖全部入阁，大大增强了实力内阁的形象。

这期间，党内派阀之争并没有停止。岸信介派逐渐分化为藤山派、川岛派和福田派。福田赳夫公开在记者招待会上批评池田内阁的高速增长政策，主张稳定增长。池田对身为自民党政调会长的福田公开反对内阁重要政策的做法十分不满，于是在不久进行的人事调整中换掉了福

① 北冈伸一：《自民党》，读卖新闻社 1995 年版，第 107 页。

田。失去政调会长的福田纠集上百名各派中坚议员组成“党风刷新恳谈会”(后改为“党风刷新联盟”),继续批判池田,要求解散派阀。但是,在1962年7月的总裁选举中,池田以391票的绝对优势继续当选,反对票只有71票,这说明池田内阁的政策还是受到大多数人的拥护的。

进入1963年,池田内阁已在任三年,自民党内围绕池田后任的派阀之争又逐渐活跃。吉田茂仍力主由佐藤接班。但是,党内支持池田的大野、河野以及从岸派刚刚分化出来的川岛派这所谓“党人三派”,在内阁采取了孤立佐藤的政策,致使双方逐渐形成对立。

自从吉田内阁以来,日本的内阁基本上每年改组一次,这已形成惯例。在1964年的第三次总裁选举到来之前,池田对党政人事又进行了较大调整。总务会长和政调会长分别由藤山爱一郎和三木武夫担任,干事长前尾繁三郎留任。河野一郎继续留任建设大臣,佐藤荣作再次入阁任北海道开发厅长官,堪称是一个新实力内阁。但是,池田政府开始遇到这样那样的阻力,显得有些力不从心。池田为了把政权长期维持下去,于1963年10月解散国会,举行了池田内阁以来的第二次大选。选举结果,自民党获283票,比选举前减少13个议席,事实上以失败告终,社会党获144票,比此前减少一票。12月9日成立的第三届池田内阁(1963.12.9—1964.11.9)基本上是原班人马,表面上理由是维持政策的一贯性,实际上反映了池田内阁的“末期症状”。

1964年7月,自民党举行第三次总裁选举,选举之前,围绕总裁职位,政局再次出现动荡。佐藤荣作又跃跃欲试,出马竞选,派阀之争再度激化。早在这年1月,吉田茂就曾表示希望池田将总裁的位子让给佐藤,财界也为此出面调解,但被池田顶了回去。5月18日晚,佐藤给池田打电话,正式提出要池田让贤,池田则以“政权不得私下授受”为由予以拒绝。[①] 支持池田的除池田派外,还有大野派、河野派、川岛派。过去的岸派已于1962年11月分裂为福田派和川岛派。支持佐藤的是佐藤派

---

① 伊藤昌哉:《池田勇人》,至诚堂1966年版,第232页。

和福田派。藤山、石井、三木三派为中间派。一向反对佐藤的大野伴睦于 1964 年 5 月去世，这对池田无疑是一大损失。

1964 年 6 月 27 日国会闭会。佐藤辞去科学技术厅长官职务，发表了竞选总裁的政策性文件《向明天挑战——回答来自未来的呼吁》，提出自己的政策构想。藤山也表示出马竞选。在 7 月 10 日的自民党大会上，池田、佐藤和藤山三派角逐总裁。佐藤和藤山之间达成“二、三位联合”的协议，石井派也转而支持佐藤。这样，选举结果，投票总数为 478 票，池田得 242 票，佐藤得 160 票，藤山得 72 票，滩尾得 1 票，3 票无效，池田以微弱多数第三次当选。选举之前，池田派自信将以 40 票之差取胜，结果仅以 4 票之优势勉强过半数，这对池田来说是一个不小的打击，当时他曾对亲近者透露：“我的时代已经结束了。”①尽管如此，池田还是改组了第三届内阁。新内阁除河野一郎（副首相规格国务大臣）、田中角荣（大藏大臣）和赤诚宗德（农林大臣）外，其余都换成新人。但是不久池田便因患喉癌住院，10 月 10 日，东京奥林匹克运动会开幕，池田带病出席，这也是池田最后一次在公开场合露面。10 月 25 日，奥运会闭幕的第二天，池田在医院宣布辞职。11 月 9 日，池田内阁总辞职。自民党总裁因病辞职的只有石桥湛山和池田勇人二人。

长于经济的池田，在外交方面并不十分擅长，所以组阁以来池田的外交活动仍然着眼于发展经济和扩大贸易等经济活动，也就是开展以经济增长为目的的“经济外交”。

1961 年 6 月，池田出访美国和加拿大。池田内阁对美外交的基本方针是，一方面继承安保体制，一方面修复因安保斗争而受影响的日美关系，提高两国间的协调和信赖关系。访美期间，经与美国新任总统肯尼迪会谈，成立了日美经济委员会，把日美经济关系又向前推进了一步。同年 11 月，池田历访巴基斯坦、印度、缅甸、泰国四国，就扩大贸易和输出资本问题达成一项协议。一年以后，又对德、法、英、比、意、荷等国进

---

① 伊藤昌哉：《池田勇人》，至诚堂 1966 年版，第 121 页。

行了访问。1963年访问菲律宾、印度尼西亚、澳大利亚和新西兰。池田希望通过这些访问,恢复和提高日本的国际地位,成为与美国和西欧并驾齐驱的资本主义世界三大支柱之一。当然,在高速经济增长政策下日本经济实力的扩大和加强,是支持池田积极外交的基础。

在中日经济贸易关系方面,池田内阁对岸信介政府中断了的中日民间贸易关系又有所恢复和发展。1962年9月,自民党亲华派代表人物松村谦三访华并与周恩来总理会谈;11月9日,日本的高碕达之助和中国"亚非团结委员会"主席廖承志签署了《中日综合贸易备忘录》(又称"廖高贸易"或"LT贸易");1964年,双方互设"廖高贸易办事处",成为两国开展民间贸易的常设机构,这一"LT贸易"方式一直执行到1967年。但是,由于受美国对华政策的影响和吉田茂反共亲台思想的掣肘,在日中关系问题上,虽然与岸内阁时代相比有所改善,但实质上进展不大。

但是,作为资产阶级政治家,池田的"经济主义"也还是有其局限性的。例如,1962年10月发生"古巴危机",[①]池田首相表示支持美国。古巴危机后不久的11月,池田访问欧洲,与英国首相马克米兰会谈时声称:"如果日本拥有军事力量,我的发言权恐怕要比现在大10倍。"1963年5月池田访问联邦德国时,看到有关西德军备的新闻报道后,情不自禁地说道:"日本也必须拥有核武装呀!"在场的伊藤昌哉秘书赶紧提醒他说:"广岛出身的政治家可不能说这些话。"[②]

据《朝日新闻》的社会舆论调查,从自民党成立后的首次内阁——鸠山内阁到1993年自民党分裂时的宫泽喜一内阁,在这长达近40年的时间里,不支持率一次都没有超过支持率的内阁只有池田内阁(只作过一次舆论调查的石桥内阁除外)。可以说,在"五五年体制"下,在自民党的15名首相中,总的讲,池田是最稳定地受到日本国民信任的首相。[③]

---

① 古巴导弹危机,又称"加勒比海危机"或"古巴十月危机"。1960年代初反映美苏争霸和美古矛盾的国际

② 北冈伸一:《自民党》,读卖新闻社1995年版,第111页。

③ 石川真澄:《战后政治史》,岩波书店1995年版,第100页。

池田内阁时期，自民党内部的派阀之争并没有平息下来。如前所述，这期间，岸信介派逐渐分化为藤山派、川岛派和福田派。另一方面，自民党内出现以福田赳夫为首的要求解散派阀和推行政党现代化的呼声。1961年1月，池田首相成立党组织调查会，表示出积极对待自民党派阀问题的姿态。1962年10月，任命三木武夫为第三任组织调查会会长。经过一年的调查研究，于1963年10月提出了一份关于"党现代化"的报告。报告提出以下几点：一、无条件解散所有派阀；二、废除按派阀平衡安排人事的做法，做到人适其位，位适其人；三、政治资金统一交党总部，限制个人后援会接受政治资金的额度；四、改革选举制度，实现以政党为主的选举；五、担任过总裁和议长的人组成顾问会，由顾问会推荐党总裁，总裁任期为3年；六、扩充政务调查会；七、个人后援会的骨干成员加入党组织，以加强党的地方组织；八、进一步发展"国民协会"，以充实党的财政。①

自民党虽然接受了这一报告，一度宣布解散派阀，但1963年11月大选刚刚结束，各派又立即恢复活动。总之，调查会的报告完全是一纸空文。此后，在历次总裁选举和大选中，自民党的派阀都起了关键作用。在自民党的历史上，多次高喊"解除派阀"，但最终总是不了了之，因为派阀是与自民党共生共存的东西。即使口头上说解散派阀，声称在人事安排上要"人适其位，位适其人"，但实际上谁"适"谁"不适"，是很难界定的。

(二)《国民收入倍增计划》的实施

池田内阁与《国民收入倍增计划》是密不可分的。一提到池田内阁，便首先使人联想到收入倍增政策，可以说，池田内阁"始于斯，终于斯"，甚至可以说，收入倍增政策是池田内阁的全部。

第二届池田内阁成立后不到20天，1960年12月27日，内阁会议就

① 北冈伸一：《自民党》，读卖新闻社1995年版，第113页。

通过了《国民收入倍增计划》，提出在今后10年内，使国民实际收入增长一倍。

但是，《国民收入倍增计划》的形成是有一个过程的，并非池田内阁首先提出。1957年岸信介内阁制定《新长期经济计划》时，当时的自民党副干事长福田赳夫曾针对大来佐武郎（当时任企划厅综合计划局长）的说明反问过："难道不能用倍增这个提法吗？"[①]1959年1月，一桥大学名誉教授中山伊知郎在《读卖新闻》上发表文章，提出"未来日本经济的设想是建设福利国家，为达此目的，作为其具体形式应提倡'工资倍增'"。工资倍增的前提条件是提高生产力。为此必须积累资金、引进技术、扩大贸易、确保市场等。池田得此启发，开始提倡高速经济增长下的收入倍增论。1959年6月，池田为支援本派候选人竞选参议员到各地游说，作为自己执掌政权的政策，第一次提出了"月薪倍增"的口号。1959年12月，池田去广岛选举区时，向随从记者发表了"月薪翻一番论"。[②] 由于"月薪倍增"有将农民、中小企业者排除在外之嫌，根据宫泽喜一、大平正芳等人的建议，改为"国民收入倍增"。

池田的这一构想出人意外地受到欢迎，岸信介首相和佐藤藏相在秋天的国会上声明，将从1960年度预算开始实施此项计划。经济企划厅则表示反对，理由是，"新经济计划"（1958—1962年）尚未结束，以20年为目标的"长期展望"正在作业之中，要求该项作业完了之后再制作倍增计划，但在内阁的压力下又不得不协助制订。自民党经济调查会用了大约3个月的时间，于10月发表了"国民收入倍增构想"。于是，这项计划便成了岸内阁的三大政策之一。由经济高速增长达到国民收入倍增的政策，至此已具雏形。

但是，主张政治主义的岸信介内阁当时正热衷于修改《日美安保条约》，反安保斗争又把岸内阁搞得狼狈不堪，所以"收入倍增计划"虽然列

① 有泽广巳主编：《日本的崛起—昭和经济史》，日本经济新闻社1976年版，第427页。
② 伊藤昌哉：《池田勇人》，至诚堂1966年版，第62页。

入岸内阁的政策，但并未实际推行。

池田内阁成立后，政策重心试图由政治转向经济，9 月 3 日的内阁会议决定：“为在十年内使国民收入倍增，必须努力使今后三年的经济增长率平均保持在 9%。”①9 月 5 日提出的自民党选举“新政策”，也规定了同样的方针。财界也对池田内阁这一旨在恢复自民党声誉的政策表示完全赞成。《国民收入倍增计划》作为经济审议会的答询报告，于 1960 年 11 月 1 日提交池田首相，12 月 27 日经内阁会议正式通过。

池田内阁在制定“收入倍增计划”的过程中，网罗了一批有各方面专家学者参加的智囊团，其中包括大藏省出身的幕僚大平正芳、黑金泰美、宫泽喜一，经济评论家、学者高桥龟吉和稻叶秀三，以及银行和经济研究机构专家下村治、田村敏雄等人。当时在制定国民生产总值增长率问题上，曾发生下村、田村论战。前者主张增长率为 11%，后者坚持应为7.2%。池田虽倾向于下村的观点，但为慎重起见，确定了前 3 年年增长率为 9%，10 年内年增长率不低于 7.8%，实现国民收入翻一番的目标。

由经济审议会提交的这份《国民收入倍增计划》咨询报告，长达 8 万余字，经 250 位专家讨论和召开 152 次会议审议之后拟出。该计划全面阐述了制定计划的方针、计划的总目标和年度分目标，政府在实现计划中的作用及采取的手段，私人经济的地位与方针，产业结构的分布与调整设想，10 年后国民生活的展望等诸方面问题。计划以“显著提高国民生活水平和实现完全雇用”为目标，用提高生产、多产多销、增加企业利润和实现工资翻一番这些浅显而有诱惑力的道理，唤起了人们努力生产进而改善生活的希望。

池田内阁在 1960 年提出收入倍增计划的客观条件也基本具备。“神武景气”之后出现的“锅底萧条”出乎意料地短暂。1959 年初，又出现了“岩户景气”。这次繁荣持续了两年多，持续高速增长也改变了人们的

---

① 升味准之辅：《日本政治史》第四卷，东京大学出版会 1988 年版，第 1078 页。

观念。在“神武景气”阶段，人们普遍认为，高速增长是短期的现象，很快再回到低增长是正常的；而“岩户景气”时，则产生了高增长的持续反而是常态的看法。

池田在推行《国民收入倍增计划》时，根据自由竞争和“经济合理性”原则，人为缩小了政府对私人经济的保护、限制范围，主要采取间接指导方式。另一方面，政府加强了对公共事业（文化、教育、公共交通服务设施、社会保障福利事业等）的投资，通过改变国家公共投资的规模和方向，影响私人投资的方向和速度，用不增税或把自然增收的部分税收用于减税等方面，积极为私人资本的发展创造了条件。

《倍增计划》是把重点放在实现计划的“倍增政策”上，而不是计划规定的数字上，目的是要通过高速增长来推进日本经济的现代化。

在国营、民营混合的日本经济中，经济计划的作用是：一、从长远观点出发决定政府经济政策的方向；二、通过预测经济社会的发展动向，发现今后将面临的问题，从长远考虑，提前制定相应的对策；三、通过明确国民经济的发展规模，对企业和消费者的民间主体活动起主导作用，站在国民经济立场上，调整国民各阶层和各界的利害关系；四、在制定计划过程中，对国民经济的解释应起到启蒙作用。《倍增计划》忠实地贯彻了这几点，是一个卓有成效的计划。

《倍增计划》在“以增长为基轴，以稳定为必要条件”的前提下，提出了如下五个中心课题：充实社会资本；引导产业结构向高级化发展；促进贸易和国际经济合作；提高人的能力和振兴科学技术；缓和双重结构和确保社会的稳定。

《倍增计划》高度评价了日本经济的增长能力，没有采纳当时多数人认为的“增长到顶论”，决定通过高速增长实现经济的现代化和接近国际水平。从积极方面讲，《倍增计划》与以往的经济计划相比，是一个雄心勃勃、乐观的计划。

《国民收入倍增计划》所规定的目标是“10年内使国民收入增长一倍”。为此，测定年平均增长率为7.2%。规定这一增长率的依据是，

1947—1952年平均年增长率为11.5%,1953—1959年的平均年增长率为8.3%,岸内阁时期的《新长期经济计划》规定年增长率为6.5%,而实际增长率也大大超过。所以,从以往的经济增长实际成绩看,《国民收入倍增计划》所规定的7.2%并不高。实践证明,后来10年间的实际经济增长率远远超过了倍增计划所规定的数字,年率达10%左右。原来估计前5年增长率稍高,后5年由于受劳动力不足等影响可能会降低,但结果是后五年比前5年更高。

总之,《国民收入倍增计划》的实施是成功的,在计划内10年中,日本经济取得了惊人的增长。原计划国民生产总值和国民收入在10年内增长2.66倍,即分别翻一番。实际情况是,国民生产总值10年增长了4.16倍,国民收入10年内增长了4.10倍,都实现了10年翻两番,人均收入十年内增长3.62倍。经济的高速发展,使就业问题得到充分解决。池田内阁时期,人多地少、资源贫乏的日本,已出现劳动力供不应求的局面。

《国民收入倍增计划》的最终年份是1970年,10年中日本经济所取得的成绩与倍增计划相比如下表。

表3.4 国民收入倍增计划和实际成绩对比

	国民收入倍增计划		实际成绩值	
	1970年度要达到的水平	年增长率(%)	1970年度实际达到的水平	年增长率(%)
总人口(万人)	10222	0.9	10372	1.0
就业人数(万人)	4869	1.2	5094	1.5
雇用人数(万人)	3235	4.1	3306	4.3
国民总产值(亿日元)*	260000	7.8	405812	11.6
国民收入(亿日元)*	213232	7.8	328516	11.5
人均国民收入(日元)*	208601	6.9	317678	10.4
个人消费(亿日元)*	151166	7.6	207863	10.3
人均个人消费(日元)*	147883	6.7	204079	9.4

续表

	国民收入倍增计划		实际成绩值	
	1970年度要达到的水平	年增长率(%)	1970年度实际达到的水平	年增长率(%)
国民收入构成比(%)				
第一产业	10.1	—	7.4	—
第二产业	38.6	—	38.5	—
第三产业	51.3	—	54.1	—
工矿业生产指数	431.7	11.9	539.4	13.9
农林水产业生产指数	144.1	2.8	130.3	2.1
国内货物运输(亿吨公里)	2.173	6.9	3.438	10.2
国内旅客运输(亿人公里)	5.082	7.6	5.889	8.3
能源总需求(以千吨煤换算)	302.760	7.8	574.095	12.0
出口额(海关统计,亿美元)	93.2	10.0	202.5	16.8
进口额(海关统计,亿美元)	98.9	9.3	195.3	15.5

注:1. * 为1958年度价格,生产指数以1958年度为100。

2. 年增长率系与1956—1958年平均增长率的比值。

资料来源:有泽广巳主编:《日本的崛起——昭和经济史》,日本经济新闻社1976年版,第761页。

纵观国民收入《倍增计划》的执行情况,可以归纳为如下几个特点:一、充实了社会资本;二、充实了社会保障和提高了社会福利;三、重视了农业和中小企业的现代化,克服了双重结构;四、认为人的因素是经济增长最根本的条件之一,最大限度地发挥了国民的潜在能力。

(三)佐藤长期政权的存续

池田辞职后,在继任总裁的问题上,根据干事长三木武夫的提案,自民党决定采取先协商,再由现任总裁指名的方式。当时的候选人是河野一郎、佐藤荣作和藤山爱一郎,负责协调工作的是副总裁川岛正次郎和干事长三木武夫。

在1964年7月的大选中,佐藤已显示出明显的优势。如果三名候选人举行选举，佐藤获胜的可能性很大，因为7月大选时支持池田的选票很可能流向佐藤。但另一方面，河野一郎在池田政权后期曾出力不小，所以希望池田能提名他接班。另外，藤山爱一郎也曾心存幻想，心想一旦佐藤和河野势均力敌、进退维谷时，他作为第三位候选人还说不定能得“渔人之利”。但是，在吉田茂、岸信介和财界的大力推荐下，池田还是决定佐藤荣作为自己的接班人。不过，池田提出佐藤必须答应以下3个条件：第一，池田内阁不是因为政策碰壁而倒台的，所以希望佐藤发表声明，保证继续推行池田的政策；第二，至来年7月参议院选举之前不得更换阁僚；第三，希望佐藤能像自己与河野携手那样与河野携手。① 起初，佐藤不肯答应第三个条件，后来在别人的劝说下才勉强同意。

通过协商推选总裁，对自民党来说，有益无害，实属上策。因为在选举结果大体明朗的情况下，避开选举，一则可以省去一大笔选举经费，二则不致把党内关系搞僵。甚至充当协调角色的人也会趁此机会给被指定人留下一份人情。当然，如果协调结果与投票结果不一致，则是另外一番景象，不过，一般不会出现这种情况。

池田推选佐藤并非偶然。池田和佐藤原来都是吉田学校的高材生，又都是吉田路线的忠实执行者。他们作为保守正统中的大派，得到财界的极大信任，而且又都是官僚出身。要巩固保守政党长期执政的基础，促进政、官、财一体化，他们两人进行权力交接也是情理之中的事。再说，对池田来说，恩师吉田茂和财界的意向也是不可违抗的。

11月9日，川岛和三木正式推举佐藤为后继总裁，池田则指名佐藤为总裁，于是，指定总裁的程序当天完成。总的来说，第一届佐藤内阁(1964.11.9—1967.2.17)顺利成立。佐藤新内阁上台后，除了把内阁官房长官铃木善幸换成他的心腹桥本登美三郎外，其余人马都未变动。不过，这期间也出现一些小的矛盾，长年与三木采取共同行动的松村谦三，因不满三木推举佐藤而离开三木派。

---

① 升味准之辅：《日本政治史》第四卷，东京大学出版会1988年版，第1096页。

就这样,长达近8年的佐藤政权诞生。佐藤政权稍短于战前的桂太郎内阁,但如果从不间断连续在任的角度看,则创日本历史的最长记录。但是,佐藤内阁时代,既没有惊天动地的大事,也没有创下什么流芳万世的业绩,也许正因为如此,佐藤长期政权才得以维持。

佐藤之所以能长期执掌政权,很大程度上得益于时代的恩惠与机遇。鸠山、岸信介时期,通过恢复日苏邦交,日本加入联合国以及签订《新安保条约》,基本上解决了战后日本政治、外交上的最大课题;池田时代日本经济的飞速发展和制定的一系列经济政策,也为佐藤政权奠定了一定基础。总之,随着吉田、鸠山、岸、池田近20年多事之秋结束,日本政治、经济都进入了一个相对稳定的时期。从党内派阀的角度讲,与佐藤同辈的主要派阀领袖大野、河野、池田相继去世,消除了政治上的竞争对手,无疑也是一个重要因素。从这些情况看,佐藤在战后日本历届首相中可算是一位幸运儿。

但是,一位执掌权柄长达近8年的首相,光靠运气好是不行的。佐藤毕竟有胜于他人之处,那就是善于处理人事。如前所述,刚接任首相时,他几乎留用了原内阁的全部人马,并声称要继承前内阁的既定方针。但半年多以后,便大刀阔斧地改组内阁和党内人事,并多次通过调整党政人事,确保本派势力处于优先地位,一再摆脱政权危机。佐藤"长于人事"的秘诀是,平时沉默寡言,不动声色,内心想法秘而不宣,一旦决定人事变动,常使对方措手不及。另外,佐藤善于处理人事关系,在用人方面坚持"论资排辈"的原则。佐藤内阁期间,当选议员在四次以下的基本上不能当阁僚,因为佐藤认为,在人事上搞破格提拔会留下积怨。而按照"论资排辈"这一客观标准用人最便于维持派阀内部的团结。即使特别重用诸如中曾根康弘和宫泽喜一等人,也是以不损害"论资排辈"原则为前提的。

佐藤荣作出生于山口县,他与胞兄岸信介是日本实行内阁制以来唯一的一对"兄弟宰相"。但是,佐藤与他的二哥岸信介的阅历和性格都大不相同。岸信介少年得志,20多岁进入政界,当首相前历任多种要职,也是有名的战犯之一。佐藤虽出身东京帝国大学,但长期默默无闻地在铁道部门工作。日本战败前,45 岁的佐藤官至大阪铁道局局长。

战败后,佐藤开始官运亨通,升任铁道总局长官、运输省次官。当时与池田齐名,享有“铁道有佐藤,大藏有池田”的美名。1948 年加入自由党后,历任自由党政务调查会会长、干事长、吉田内阁官房长官、邮政大臣、建设大臣等要职。岸信介内阁成立后加入自民党,形成佐藤派,出任大藏大臣,池田内阁时期任通商产业大臣。在池田内阁末期与池田竞选总裁时虽然失利,但池田因病辞职,使他顺势上台执政,这一点与他哥哥岸信介接替病退后的石桥湛山极为相似。

佐藤政权启航后半年多,1965 年 6 月,佐藤开始着手改组内阁。自民党方面,除副总裁川岛正次郎留任外,干事长、总务会长和政调会长分别起用田中角荣、前尾繁三郎和赤诚宗德。内阁方面任命福田赳夫为大藏大臣,三木武夫为通产大臣。内阁成员中,佐藤派 6 人、池田派 3 人、福田派和三木派各 2 人、川岛派、石井派、河野派、藤山派、船田派(旧大野派)各 1 人。反池田的急先锋福田赳夫被任命为大藏大臣,池田、大野、河野等旧主流派受冷遇,至此,佐藤内阁完成了与池田路线完全不同的人事变动,形成了真正属于自己的内阁。在这次阁僚人事安排中,藏相福田赳夫和干事长田中角荣是支撑佐藤内阁的两大支柱。在这个举党一致体制中,只缺少了河野一郎。一个月后,河野因患腹部动脉瘤而去世,终年 67 岁。

佐藤时期,自民党的不少派阀完成了新老交替。1965 年 7 月和 8 月,河野一郎和池田勇人相继去世,加之 5 年前大野伴睦去世,派阀斗争暂时沉寂下去。这对佐藤来说无疑是一大幸事。此间,大野派分裂为船田(中)派和村上(勇)派,河野派分化为中曾根派和森(清)派。不久,因森去世,森派又演变为园田(直)派(1970 年代以后园田派又并入福田派),由池田派演化而来的前尾(繁三郎)派则被大平(正芳)派取而代之。这样,佐藤时代自民党的派阀主要有:佐藤、前尾(大平)、石井、船田、村上、福田、川岛、藤山、森(园田)、中曾根、三木和松村等十余个派阀,其中佐藤、前尾、福田、中曾根、三木等派阀实力较大。

然而，这时自民党的选举地盘开始动摇了。在1965年7月第七次参议院选举中，自民党由原来的75个议席减少为71个，社会党由28个增加到36个，公明党由4个增加到11个。自民党除农村地盘缩小外，大城市的地盘也在缩小，特别是在东京地区败得最惨。东京都议会因选举议长时自民党议员受贿而解散，在重选都议会时，自民党的议席锐减为原来的三分之一。①

进入1966年8月，佐藤进行第二次内阁改组。川岛副总裁和田中干事长留任，总务会长和政务调查会长起用前尾派的福永健司和船田派的水田三喜男担任。内阁方面，佐藤本来想起用宫泽喜一和保利茂，但因遭到反对而未能如愿，结果只进行了小规模改组，福田、三木、藤山等人均继续留任。

刚刚改组完内阁之后，佐藤内阁经受了一场“黑雾事件”的考验。1966年8月5日，自民党众议院议员田中彰治被捕，原因是他在担任众议院决算委员会委员长期间有诈骗罪嫌疑。田中彰治多有劣迹，早已为人所知，为此，佐藤曾于4月间劝其退党，但遭田中拒绝。被捕后的田中立即脱离自民党，并于9月10日辞去众议员职务。其实，在此事件之前，1965年就发生过东京都议会议长贿选事件，包括议长在内的8名议员被捕，导致了都议会解散和自民党在都议会的议席大幅度下降的结果。随后又发生了“吹原事件”等政治家丑闻事件，最后终于出现田中彰治事件的曝光。在田中彰治被迫辞去众议院议员之后不久，9月27日，在参议院又发生了被社会党追究的“共和制糖事件”。② 在此期间，运输大臣荒船清十郎向国铁当局施加压力，要求在其选区内的高崎线深谷站改为快车停车站。此后不久，荒船访问韩国时又带去两名民间的随行人

① 升味准之辅：《日本政治史》第四卷，东京大学出版会1988年版，第1099页。

② 1963年8月，日本政府实行贸易自由化后，农林省对遭受冲击的日本制糖业决定给以扶持政策，共和制糖公司总经理菅贞人趁此机会向政府有关部门行贿，从而获取建立制糖联合企业的大批资金，事发后称为“共和制糖事件”。

员。这些行为在国会受到追究，荒船因此而被撤职。在同一时期，防卫厅长官上林山荣吉又用自卫队的飞机将自卫队干部和一个乐队带到自己的选区炫耀自己的势力，受到社会舆论的谴责。自民党的这一系列腐败行为被称为“黑雾事件”。①

这些丑闻佐藤虽然并不负有直接的责任，但佐藤内阁也因此受到很大影响，据《每日新闻》（1966 年 10 月 17 日）调查，内阁支持率下降到 26.2%，创历届内阁支持率最低记录，不支持率达 24.9%。另据《朝日新闻》（1966 年 11 月 30 日）调查，支持率仅为 25%，不支持率达 38%。不支持的理由分别是，“政治腐败”占 12%，“对佐藤首相不信任”占 6%。② 1966 年末，大选在即，12 月 1 日，自民党举行总裁选举，参加竞选的有佐藤荣作和藤山爱一郎，选举结果，佐藤荣作虽以 289 票当选，但和预计的 315 票相差甚远，藤山得 89 票，没有参加竞选的前尾繁三郎也得 47 票。总裁选举之后，佐藤立即着手安排党和内阁的人事（第三次改组内阁）。川岛副总裁和田中干事长作为“黑雾事件”的替罪羊引退，大藏大臣福田赳夫改任干事长。内阁成员也进行了大换班，一律起用新面孔。从派阀上来看，佐藤派 6 人，三木派 3 人，福田派、前尾派、石井派各 2 人，藤山派、中曾根派和松村派受冷遇，因此，中曾根康弘称这次改组为“单翼飞行”。③

这次改组最引人注目的是更换了田中角荣干事长。田中在佐藤从池田手中攫取政权的活动中立过大功，为佐藤派筹集过相当多的资金，但佐藤派的资深议员对田中的位高权重颇为不满，他们集中在福田的周围，形成了反田中的势力。佐藤对田中的冒尖也开始存有戒心，于是将干事长的重任交给福田，表明将来有让福田接班的意向。

在第三次改组内阁的 1966 年 12 月 3 日，临时国会开幕，但抓住“黑

① “黑雾”一词来自松本清张的小说《日本的黑雾》，系指有滥用职权进行贪污或犯罪的迹象而言。

② 白鸟令编：《日本的内阁》第三卷，新评论出版社 1986 年版，第 66 页。

③ 北冈伸一：《自民党》，读卖新闻社 1995 年版，第 123 页。

雾”问题不放、欲迫使政府早日解散议会的在野党，一开始就对国会采取抵制态度，因此，临时国会是在全体在野党缺席抵制下由执政党单独进行的。在这期间，社会、民社、公明、共产四党发表了“团结起来迫使政府解散议会”的共同声明。临时国会在这种反常状态下休会，佐藤内阁看到只有解散议会而别无他法打破僵局，便于12月27日召开通常国会，解散了众议院，舆论界称这次解散为“黑雾解散”。

1967年1月29日举行大选。这次大选中自民党虽然保住了政权，但得票率由原来的54.67％下降到48.8％，首次降到50％以下。自民党的议席也由原来的283席减少为277席（包括追加公认在内为280席），议席率由原来的60.6％下降为57％。在野党中，社会党的议席也略有下降（由144席降至140席），共产党的议席依然是5席，民社党却由原来的23席增加到30席，首次参加竞选的公明党一举获得25个席位。由此可见，佐藤时期明显呈现出在野党多党化倾向。①

大选之后，1967年2月17日，第二届佐藤内阁（1967.2.17—1970.1.14）成立，内阁成员仍是原班人马。1967年11月，访美归来的佐藤立即着手改组内阁。在党的方面，川岛再次复出，担任自民党副总裁，福田留任干事长。在内阁方面，宫泽喜一留任经济企划厅长官，中曾根康弘入阁任运输大臣，佐藤心腹保利茂复出任建设大臣。如按派阀分配，佐藤派7人，三木派3人，福田派、前尾派各2人，川岛派、船田派、中曾根派、森派、石井派各1人。

这一人事安排引起田中角荣的不满，因为他不但没有进入党内“三巨头”的行列，而且福田的亲信保利茂再次入阁，这也是田中所不情愿的。但是，福田派也遇到了麻烦事。1968年2月，福田派农林大臣仓石忠雄公然声称：“现在的宪法是外力强加于我的，拥有如此荒谬宪法的日本，如同美国的小媳妇一般。”于是，在野党一致追究仓石的鹰派言论，引起国会的混乱。

---

① 正村公宏：《战后史》下卷，筑摩书房1985年版，第266页。

4 月的东京都知事选举，更清楚地说明了这一趋势。自民、民社、公明、社会和共产等政党分别推荐自己的候选人，结果，社会和共产两党联合推荐的美浓部亮吉当选，给自民党以重大打击。

1968 年 7 月参议院选举。选举结果，自民党基本上维持原状。11 月总裁选举，佐藤竞选连任，三木武夫和前尾繁三郎也出马竞选。结果，佐藤以 249 票当选，三木和前尾分别获得 107 票和 95 票(投票总数为 453 票)。在此次选举后的人事安排中，田中角荣复出任干事长，铃木善幸在前尾派的协助下出任总务会长。内阁中的核心人物是，藏相福田赳夫、官房长官保利茂、外相爱知揆一。从派别构成来看，佐藤派 6 人，福田派、石井派、三木派、前尾派各 2 人，川岛派、村上派、船田派、中曾根派、藤山派各 1 人。

1969 年 12 月 2 日，众议院解散，在 27 日的大选中，自民党大胜，得 288 席(含追加公认为 300 席)。社会党大败，由原来的 144 席减为 90 席。民社党得 31 席，与原来的 30 席基本持平。共产党由 5 席增加到 14 席，公明党由 25 席跃进到 47 席。自民党议席率为 59.3%(含追加公认为 61.7%)，有所上升，但得票率(47.6%)却下降了。大选之后，第三届佐藤内阁(1970.1.14—1972.7.6)成立，在随后的党政人事安排上变动不大，比较引人注目的是，在党的方面，田中角荣任干事长；内阁方面，宫泽喜一和中曾根康弘分别出任通产大臣和防卫厅长官。

自民党这次大选获胜的原因主要有三：第一，在选举策略上，自民党采取使候选人集中的办法，而不是像在野党那样乱立候选人。从这一意义上说，在野党的多党化帮了自民党的忙。第二，佐藤内阁的归还冲绳政策基本上是得人心的。据《每日新闻》调查(1969 年 12 月 5 日)，认为佐藤首相的归还冲绳谈判是“成功”和“基本上成功”的，约占被调查者的 77%。从这一点上看，社会党在冲绳问题上的反对立场反而失去了选票，导致选举失败。第三，国民生活水平的提高。佐藤上台后，国民经济持续高速增长。1965 年以后国民生产总值(GNP)的实际增长率分别为：1966 年11.4%、1967 年 13.4%、1968 年 13.6%、1969 年 12.4%(《朝日年鉴》1973年版），每年都超过10%，增长幅度超过了池田内阁时期。①

佐藤政权凭借自民党在大选中获胜这一有利时机，在1970年6月《日美安保条约》十年期到来之前，为自动延长这一条约大肆进行活动。自民党总务会为避免修改《安保条约》所引起的混乱，决定采取自动延长的方式，因为自动延长不需要国会批准。在野党为反对自动延长也展开了一些斗争，但由于革新政党内部不团结，所以，这次反安保斗争没有形成气候，这样，佐藤政府平稳地度过了“1970年的安保关”。

1970年10月29日，自民党总裁选举。由于自民党在1969年末的大选中获胜，佐藤第四次连任总裁的呼声很高，尤其干事长田中角荣极力主张。因为如果佐藤不连选连任，必由福田接班，这是田中所不愿看到的，所以田中力主佐藤连选连任。后来中间派也开始支持佐藤，这样，本来期待接班的福田也只好随声附和支持佐藤。竞选者除佐藤外，只有三木宣布出马竞选，结果佐藤以353票第四次当选总裁，三木得111票。上次出马竞选的前尾繁三郎，在中间派川岛副总裁的劝说下决定放弃竞选。川岛在岸派分裂时曾与福田争夺派阀首领交椅，由此二人结下积怨，这次川岛站在中间派的立场支持田中，并劝说前尾放弃竞选。

不过，前尾放弃竞选是有条件的，对前尾的去就，在川岛、田中与前尾之间已早有约定。但佐藤并未完全兑现，总裁选举后，佐藤没有依照惯例对党政人事进行调整。为此，前尾感到受了戏弄，前尾派内的强硬派也责难前尾，结果，大平正芳取前尾而代之，成为前尾派（大平派）的新领袖。池田派上至池田勇人，下至宫泽喜一，中间历经前尾、大平和铃木善幸，五人中唯有前尾没有登上总裁和首相的宝座。

但是，四选连任之后，佐藤已经显得黔驴技穷，没有了锐意进取、积极解决重大问题的气势，尤其在1971年6月《冲绳归还协定》签订以后，佐藤内阁已呈斜阳西下之势。协定签订之后的1971年6月27日，举行了参议院第九次选举，这也是佐藤内阁时期的第三次参议院选举。这次

① 白鸟令编：《日本的内阁》第三卷，新评论出版社1986年版，第82页。

选举中，自民党仅得62个议席，比上次的69席和上上次的71席都有大幅度下降，勉强维持住过半数议席，但离稳定半数相差甚远，人们开始议论“保革逆转”的可能性。据《朝日新闻》(1971年6月8日)调查，佐藤内阁支持率为35%，不支持率为46%，后者大大高于前者。不支持的理由为：一、已到政权交替时期占11%；二、对首相不信任占9%；三、物价高、生活不稳定占7%；四、对内阁不信任占6%。由此可见，佐藤政权的末日已经为期不远了。

参议院选举后不久的1971年7月，佐藤进行了最后一次内阁改组，党政人事做了全面调整。党内“三巨头”是，干事长保利茂、总务会长中曾根康弘、政调会长小坂善太郎；内阁方面，外相福田赳夫、通产相田中角荣、官房长官竹下登。但是，随后不久，接踵而来的两次“尼克松冲击”给佐藤内阁以沉重打击，一是1971年7月15日美国总统尼克松实行“越顶外交”，瞒过日本发表了以实现中美邦交正常化为目的的“访华声明”；二是同年8月15日尼克松发表了为保卫美元的、停止美元兑换黄金的“新经济政策”。这标志着日本仅靠日美关系来解决外交问题的时代已经结束，自民党必须适应这一新的情况。

1972年5月，冲绳施政权正式归还，这给佐藤多少带来一些慰藉，但佐藤也许早就等待着这一天的到来，归还不久的6月17日，佐藤便表明辞意，7月6日，执政7年又8个月的佐藤政权终于落下了帷幕。

(四) 佐藤政权的主要政绩

如前所述，佐藤之所以长期掌握政权，很大程度上得惠于时代的恩赐和机遇，从这一意义上说，佐藤可算是时代的幸运儿。但是，佐藤上台伊始，便赶上一次经济大萧条，这又是他幸运中的不幸。

在经过几年的连续高速增长之后，从1964年10月开始，日本经济出现萧条局面，进入1965年，萧条继续加剧。佐藤内阁于1964年11月上台后正好赶上这次大萧条。对1965年的经济萧条，日本经济界内部存在两种对立的意见。一种意见认为，作为纠正“高速增长弊病”的方法，应该采取解除金融紧缩、增加有效需求来恢复经济平衡；另一种意见认为，应该通过坚持金融紧缩来剔除高速增长时代积累下来的“暄肉”和水分。著名经济学家下村治、高桥龟吉等人支持前一种看法，而以批判池田内阁高速增长政策上台的佐藤内阁，尤其是当时的大藏省，则强烈坚持后一种看法。1965 年 6 月，佐藤内阁决定，将原来预算中的公共事业费、政府机构费用等冻结 10%(约 1 000 亿日元)。

但是，当衰退进一步恶化以后，7 月 27 日，政府又决定采取刺激经济的财政政策：解冻 6 月份冻结的 10%预算中公共事业费等 850 亿日元；增加财政融资 2 100 亿日元，扩大住宅、国铁等事业规模；采取减税措施并发行国债。另外，佐藤内阁还降低法人税，作为刺激景气的政策之一，将法人税降到前所未有的水平，起到了加速经济增长的作用。

1965 年萧条，当时日本经济界人士大都认为是战后最严重的“结构性萧条”。但是，这次萧条在 1965 年 10 月达到谷底，此后，直至 1970 年 7 月，日本出现了长达 57 个月的长期繁荣，景气延续时间创战后最长记录，一般称之为“长期繁荣”，又叫做“伊奘诺景气”。

“伊奘诺景气”的实现，标志着日本成为名副其实的经济大国。1966 年日本经济的实际增长率为 13%，以后直至 1970 年为止的 5 年间，实际经济增长率平均达 11.6%(名义增长率为 17.3%)，超过了神武景气(1955—1957 年)和岩户景气(1958—1961 年)时的增长率，所以被认为是“超高速增长”。

高速增长使日本在经济上的国际地位迅速提高。1965 年日本的 GNP 为 883 亿美元，在美国、西德、英国、法国之后，居资本主义国家第 5 位。到 1968 年，即明治维新 100 年之际，日本的 GNP 达1 419亿美元，超过联邦德国，仅次于美国，跃居第二位，日本已经成为一个经济大国。从此，日本经济高速增长的奇迹引起世界的广泛关注，各国学术界掀起一股研究日本的热潮。

在声称“纠正高速增长弊端”的佐藤内阁时期，高速增长反而更快、时间更长，这是为什么呢？原来，标榜“稳定增长”的佐藤内阁，实际上是保留并强化了促进经济增长的政策体系。早在1962年,佐藤在旧金山召开的美国经济开发委员会理事会(CED)上就说过:“我认为,不仅池田首相,谁担当日本政权也要尽量维持高速经济增长,通过经济高速增长来消除贫困和社会不稳定,是日本政治家的任务,是政治稳定的前提。”①

在第一届佐藤内阁时期之所以强调“经济的稳定增长”,只不过是为了对抗池田内阁而作的姿态而已。佐藤在池田内阁末期竞选总裁时,曾对池田的高速增长政策提出批评,认为池田“过分重视高速增长,中小企业政策和农业政策相对滞后”。佐藤认为,过快的技术革新、产业现代化、新产业城市建设等地区开发所引起的剧烈的社会变动,有必要加以认真对待,所以曾提出“社会开发”这一口号。

所谓“社会开发”,就是将伴随技术革新、城市化、经济增长而带来的社会摩擦减少到最小限度,使其直接与国民福利的提高挂上钩。但是,从1966年以后国民生产总值的实际增长率来看,每年都超过10%,比池田内阁时期还高,而国家在社会福利方面却几乎毫无进展,佐藤所主张的“社会开发”的口号并没有真正兑现。可以说,在佐藤内阁期间,“日本经济是任其自然地发展下去的”。②

佐藤时期日本经济之所以出现高速增长,外部原因也是一个不可忽略的因素。美国自从肯尼迪政权采取积极增长政策以后,从1961年到1969年,连续保持了100个月以上的繁荣;意大利从1965年1月到1969年秋,也大体保持了长达58个月之久的经济繁荣;稍晚,1967年和1968年,联邦德国和法国也先后从经济衰退中挣脱出来,转为景气上升。这种国际性的经济繁荣无疑对日本经济的高速发展起了促进作用。

由于国民经济的高速发展,社会结构和国民生活都发生了巨大变化。各地方自治体纷纷制定招徕企业的条例,一哄而上吸引企业家到本地办厂。于是,政府、财界和地方自治体联合在太平洋沿岸地带逐步建

① 白鸟令编:《日本的内阁》第三卷,新评论出版社1986年版,第91页。
② 富森睿儿:《战后日本保守党史》,上海译文出版社1984年版,第192页。

起大型联合企业。但与此同时也出现了不少社会问题,例如工业化带来的公害问题、汽车剧增而导致的交通问题以及劳动力外流而造成的农村人口“过疏”问题等。尤其是大气污染、河流污染等公害现象日益严重,佐藤内阁一方面继续贯彻经济高速增长政策,一方面将社会保障、公害对策、中小企业政策和农业政策结合在一起开展防止公害的立法工作。

1966年8月厚生省的咨询机构“公害审议会”的《中间报告》,是官方机构关于公害的具体方针的最初文件。它以“公害对策应与产业发展相协调”为原则,列举了公害制造者、政府和自治体对环境治理各自应负的责任等。通产省、自治省和建设省以这个《中间报告》为契机,互相争夺对公害对策的主导权,纷纷发表了各自的对策和意见。

厚生省1966年11月发表的《公害对策基本法》(暂称)试行纲要,因与公害有关系的15个省厅强烈要求修改而几成废案,但到第二年5月,政府方案终于成立,后经国会修改而通过,并于同年8月公布。但基本法是原则性立法,它的具体实施还需要单行立法,而在单行立法没有制定出来期间,公害问题仍频频发生。根据自治省的调查,至1969年7月底,有32个都府县制定了公害防止条例,到第二年8月底达到了44个,于是,形势为之一变。在1960年代前半期,自治体首长的竞选者多以“开发和招徕工厂”为口号,而后半期则把口号改为“福利和拒绝大企业进入”。于是,电力、石油、钢铁等公害产业进入地方就很难了,而政府和财界也抛弃了1961年《全国综合开发计划》(简称“全综”)的据点开发方式,转而在边远地区,以政府和民间合作的方式,建设与新干线、主干公路、立交桥、隧道、机场、电报电话等相配套的网状超大型工业基地。这就是1969年5月内阁会议决定的《新全国综合开发计划》(简称“新全综”)。

1970年连续发生铅公害、光化学烟尘公害等,日本人民反公害运动日益高涨。7月,政府设立了中央公害对策本部;11月,向临时国会提出有关公害的14个法案,随后这些法案相继成立。这些法案删去了基本法中“应在谋求与经济的健全发展相调和的同时保全生活环境”的条款,并按宪法第二十二条的规定，确认“在确保国民健康以享有文化生活的基础上防止公害是极为重要的”。土壤污染亦被列为公害的对象，明文规定了企事业单位对处理废弃物的责任，并对自然环境的保护作了规定。

面对高度工业化带来的争议，国民的反对运动、革新自治体的压力、新闻界的批判日益扩大，政府和财界、大企业不得不对此采取相应的对策。于是，自民党政府开始致力于扩大社会开发，重视社会福利和城市政策。

在经济政策上，佐藤基本继承了池田路线，而多少有所发展的是在外交方面。对佐藤来说，外交方面的最大功绩莫过于冲绳施政权的收复。吉田茂曾经说过“在战争中失去的领土，靠外交谈判来收复，这是前所未有的壮举”，是“败于战争，胜于外交”。佐藤收复冲绳施政权，具体体现了恩师吉田茂的遗愿。

冲绳问题是战后日美之间长期悬而未决的问题。1945 年 6 月 23 日，美军占领了冲绳岛。此后，美国为推行其亚洲战略，封锁、遏制中国，蓄意将冲绳作为它在亚洲战略体制中的重要军事基地长期占领。

长期以来，美军在冲绳建立了大批军事基地，驻有美军第七舰队、远东空军和核导弹部队。岸信介内阁时，为国内舆论所迫，也向美国提出归还冲绳和小笠原群岛问题。但美国政府态度强硬，不肯让步。

1964 年 7 月，佐藤与池田竞选自民党总裁时，出于选举对策上的考虑，正式表示过解决冲绳问题的决心，他在出马声明《向明天挑战》中说：“日本应在日美伙伴关系中抓紧时机，要求美国归还冲绳。同时，日本也将真诚地信守关于冲绳的《特别基地协定》。”①1965 年 1 月，佐藤就任首相后初次访美时，向约翰逊总统提出了要求归还冲绳的问题。但是，当时佐藤也只是抱着“姑且先提出来”的态度，并没有指望美国会轻意地答应归还。

---

① 升味准之辅：《日本政治史》第四卷，东京大学出版会 1988 年版，第 1103 页。

促使佐藤真正下决心要求归还冲绳的，是1965年8月对冲绳的访问，这是战后以来日本首相第一次访问冲绳。他当时发表声明说："我深知，只要未实现冲绳归还祖国，对我国来说，战后就没有结束。"[①]佐藤从冲绳访问归来后，指示有关阁僚拟定冲绳问题的对策，成立了冲绳问题阁僚协议会，并先后制定了义务教育费由国库负担一半、免费发放教科书、经济援助等对策。同时也开始研究关于收回施政权的方式。

当时美国政府虽表面上没有改变其基本态度，但由于冲绳人民对美国统治的不满情绪日渐激烈，美国政府内部已开始出现"现有方式难以为继"的看法，着手研究"可否在保留现有基地的前提下将岛屿归还日本"的问题。原驻日大使赖肖尔和亲日派元老、参议院议员曼斯菲尔德等人也力主美国政府及早解决冲绳问题。但是，美国政府在归还冲绳施政权问题上做出让步的"补偿"条件是要求日本更明确地承担起在远东战略中的责任。

进入1966年，日本开始提出几个归还方案。8月，首相府总务长官森清首先提出一个"教育权分离归还"的方案。1967年1月，佐藤希望"施政权一揽子归还"，否定了"教育权分离归还"的设想。随后，外务次官下田武三提出施政权归还的前提条件是"允许美军自由使用核基地"的主张，立即遭到社会舆论的谴责。关于归还方式，这时佐藤的想法是既不是"带有核基地的归还"，也不是"撤除美军基地后的归还"。8月，佐藤把"冲绳问题恳谈会"改组为"冲绳问题等恳谈会(新冲恳)"，并将其直接隶属于首相。

1967年11月，佐藤首相第二次访美，再次就归还冲绳和小笠原群岛问题与约翰逊总统会谈，并发表《联合声明》，双方表示"在两三年以内"归还冲绳。也就是要赶在1970年《日美安保条约》期满延长之前解决冲绳问题，以避免冲绳问题与《安保条约》问题搅在一起。这次会谈虽然在归还冲绳问题上从美方取得了一定的原则性保证，但日本却被纳入了美

① 中村隆英：《昭和史》第二卷，东洋经济新报社1993年版，第544页。

国的远东战略体制，因此遭到在野党的批判和冲绳人民的反对。

归还冲绳的日美谈判，焦点集中在归还当地行政权后，驻冲绳美军是否拥有核武器问题上。美国一直坚持“保留现有基地”的基本原则，所以对“撤除核武器”持强烈抵制态度。日本外务省认为，《日美安保条约》及有关规定要完全适用于归还后的冲绳是有困难的，有必要专门对冲绳作出一个“允许配备和运进核武器的特殊规定”。

但是，以社会党为首的在野党则主张冲绳要“与本土一样撤除核武器”。自民党的一部分人也同意这一主张。曾以外相身份参加归还冲绳谈判的三木武夫，辞去外相后出马竞选总裁时就明确表示：“关于冲绳基地的处理问题应该同本土一样进行谈判。”佐藤则反驳说：“与本土一样归还，作为目标是可以考虑的，但不能一开始就以此为前提进行谈判。”并且说：“让三木这样的人担任外相至今，是我的一个失误。”①

奉行“等待政治”的佐藤，这时处于美国和国内反对势力的夹击之中。他大约有一年时间坚持说“基地的状态如同一张白纸”，根本不提“带有核武器”还是“撤除核武器”。实际上他倾向于“即使带有核武器，也应争取早日归还”。但这一意愿又同佐藤本人所提出的“不生产、不拥有、不运进核武器”的无核三原则相矛盾。所以佐藤只说“如同白纸”这类模棱两可的话，以争取时间，等待时机成熟。

1968年11月，美国总统选举，约翰逊宣布不竞选连任，于是，曾在艾森豪威尔总统时任副总统的尼克松当选总统，尼克松在岸信介时代曾两次访日，与佐藤也有一定私交。不久，佐藤以过数选票，第三次当选自民党总裁，并对内阁进行了改组，爱知揆一出任外相，在人事安排上做好了收复冲绳的准备。此时，佐藤认为解决冲绳问题的时机已经成熟，于是改变了态度，表示要“像本土一样撤除核武器是对美交涉的出发点”。佐藤态度的这一转变，是因为当时从美方得到了“也可以撤除核武器”的信息。而美国态度的转变，是由于美国核战略发生变化的缘故。另外，

① 正村公宏：《战后史》下卷，筑摩书房1985年版，第361页。

1969 年春天展开的以反对安保和冲绳问题的大学纷争愈演愈烈，致使东京大学的春季招生被迫中止，这也是促使佐藤下决心解决冲绳问题的原因之一。

1969 年 6 月，爱知外相访美，就冲绳问题向美国总统表明日本政府的如下立场：

(1) 冲绳行政权至迟于 1972 年内归还日本；

(2) 对归还行政权后的冲绳，适用于《日美安保条约》及其有关诸协定，与本土同等对待之。

以后，日美双方又经过多次协商，在基本上达成一致意见的情况下，1969 年 11 月佐藤访美，决定按照“与本土一样撤除核武器”的方式于 1972 年归还冲绳。但是，双方在这里有两个重要的前提条件：一是包括冲绳在内的日本的美军基地，不仅是为了防卫日本，而且也是为了确保远东的安全。基于这一认识，日本则保证，一旦有事，对美军的活动得予以积极的协助；二是在《联合公报》中规定，日本“不得损害美国关于事先协商制度的立场”，即“美国可以撤除核武器，但在紧急时刻应为运进核武器而保留事先协商的权利”。这显然是加强了日美安保体制。

对此，在野党虽然进行了追究，但自民党极力宣传“在战争中失去的领土，通过外交谈判收复回来”这一道理来蛊惑人心，而且佐藤访美回国后表示：“1972 年冲绳归还后仍坚持非核三原则。即使远东有事时进行运进核武器的事先协商，也要遵守这一原则。”因此，当时的社会舆论调查表明，日本大多数人认为，归还冲绳问题“从总的情况看是成功的”。

自民党借此东风，迎接 1970 年 6 月《日美安保条约》十周年期满时间的到来，同时为自动延长这一条约大肆进行活动。各在野党原计划在《日美安保条约》自动延长之前开展一次大规模的反安保斗争，但由于佐藤内阁在冲绳归还问题上的胜利和在野党内部的不协调，“70 年安保斗争”与十年前的“60 年安保斗争”相比大为逊色，1970 年 6 月 22 日，佐藤内阁为了避免修改《安保条约》引起混乱，决定《日美安保条约》“自动延长”，因为自动延长不需要国会批准。在野党虽然也想掀起反对斗争，但由于内部不团结，反对斗争没有形成气候，这样，佐藤内阁便从容地度过了“1970 年安保”这一关，而且在 1970 年 10 月的自民党大会上佐藤第四次当选总裁，继续执掌政权。

在 1971 年 10 月开始的冲绳问题国会上，社会党、公明党、民社党与自民党内的亲华派联合，开展了打倒佐藤内阁的活动。11 月初，因中国在联合国的代表权问题和纤维谈判问题对福田外相和田中通产相提出的不信任案被否决后，便转而审议《冲绳归还协定》。社会、公明、民社三党认为“撤走核武器，与本土同样化”是骗局，反对《归还协定》，要求重新谈判。

美国方面，参议院于 11 月 10 日批准了《归还协定》。佐藤内阁无路可退。为了对付在野党拖延审议的战略，自民党突然在 17 日由特别委员会强行表决通过《归还协定》。自民党主张，特别委员会的表决有效，要求众议院正式会议批准；而在野党则声明表决无效，提出反对意见，要求将决议退回特别委员会。众议院议长出面斡旋，但在野党拒绝妥协，国会陷入空转状态。

强行表决通过和国会空转之后，群众运动开始扩大。在冲绳，从 10 日凌晨零时开始，举行了由冲绳县“祖国复归协议会”发动的第二次大罢工。大罢工的口号是：实现完全归还，重新开始归还谈判，粉碎《归还协定》，阻止通过有关法案。全军劳、县教组、官公劳、自治劳等团体约有 10 万人参加了罢工，（据斗争委员会称）这是战后在冲绳举行的规模最大的罢工。

在 11 月 19 日的全国统一行动中，一些学生同警官发生了冲突，日比谷公园的一座楼房被放火烧毁，一名守卫人员在冲突中死亡。在首都周围地区，反对的浪潮尤高。19 日在代代木公园举行的中央大集会，据主办单位称有 27 万人参加（据警视厅调查，为 78 000 人）。根据警视厅收集的材料，全国 46 个都道府县有 883 个地方、共有 526 000 人参加了这一天的统一行动。① 社、共两党要求佐藤内阁下台。

在国会连续空转三天期间，自民党内部出现了强行召开众议院正式

① 升味准之辅：《日本政治史》第四卷，东京大学出版会 1988 年版，第 1111 页。

会议的强烈呼声，但也有人反对强行通过，他们认为，如果这次由众议院正式会议强行表决通过，则有可能出现与1960年安保斗争相似的动乱。

在20日下午举行的自民、社会、公明、民社四党干事长、书记长会谈中，自民党干事长保利茂极力说服在野党。公明党表示，“如果政府和自民党赞成非核三原则和缩小冲绳基地的决议案”，则公明党准备妥协。民社党也表示与公明党同步。保利茂接受了公明党的要求。特别委员会和众议院正式会议在社共两党缺席的情况下召开，《归还协定》终于成立。

冲绳施政权的归还可以说是佐藤政权在外交方面最值得载入史册的政绩，除此之外，日韩关系正常化的实现也似乎应写上一笔。

日本与韩国缔结《日韩基本条约》的会谈始于1950年10月。佐藤上台伊始，于1964年12月就以积极姿态重开第七次日韩会谈。翌年2月，佐藤派外相椎名悦三郎访韩，草签了《基本条约》；4月，就争论已久的渔业、经济合作、在日韩国人法律地位等问题达成初步协议；6月，就竹岛问题达成妥协并正式签署了《日韩基本条约》和各项相关协定。是年末，在在野党强烈反对的情况下国会强行通过了该条约。佐藤为什么迫不及待地签订《日韩条约》？从国际上讲，当时越南战争日趋激烈，中国进行了第一次核实验（1964年10月），苏联的赫鲁晓夫政权垮台（1964年10月）等，这些事态都给一贯反共的佐藤以冲击，他认为，日韩两国有必要尽快联合起来应付千变万化的国际形势。

但是，《日韩条约》的签订遭到日本国内外舆论的批判。因为该条约加深了朝鲜半岛的分裂，单方面与韩国签约等于无视朝鲜的存在，形成了事实上的东北亚反共联盟。正如《纽约时报》（1965年6月28日）所指出的那样：“日本对韩国做出了重大让步。韩国不稳定的经济，通过日本政府和民间约数十亿美元的援助（其中约三分之一为无偿赠予），在今后10年内将大大增强。东京政府承认汉城政府为朝鲜半岛的唯一合法政府，这就是在对平壤的政治斗争中给韩国的强有力支持。”①

① 白鸟令编：《日本的内阁》第三卷，新评论出版社1986年版，第57页。

与日韩关系形成鲜明对照的是中日关系。佐藤首相在组阁后第二天的记者招待会上曾说:“日韩交涉和中共问题是日本面临的外交基本问题,也是寄予佐藤内阁的重要问题。”①承认日韩、日中关系是日本外交的两大课题。但实际上,佐藤在这两个问题上却采取了截然相反的态度。佐藤上台后,日台关系更加密切,而整个中日关系则屡屡出现危机,反而比池田内阁时代大大后退了。佐藤在对华政策方面,虽然在口头上一直表示要改善同中国的关系,但始终没有具体的实际行动。他的发言只是“对国内舆论围攻的一种进攻性防御”,“仅仅是为了选举的口头应酬话”。②

佐藤内阁在发展和改善与中国的关系方面没有具体的措施,但却在恶化中日关系方面逐渐有了行动。1964 年 11 月 20 日,刚刚成立的佐藤内阁拒绝中共中央政治局委员、北京市市长彭真赴日参加日共第九次大会,随后在第十九届联合国大会上反对恢复中国的合法权益。1965 年以后,佐藤指责中国是“红色帝国主义”,并在中日经贸关系上制造种种障碍。1967 年 9 月,佐藤访问台湾,并提出台湾地位未定论。1969 年 11 月访美时发表《日美联合公报》声称:“维护台湾地区的和平与安全也是日本安全的一个极其重要的因素。”当然,实事求是地讲,1960 年代后期,中国的“文化大革命”也是影响中日两国关系的一个重要原因,在中国国内政治、经济状况混乱的背景下,要求中日关系取得实质性的进展也是不太现实的。

① 《朝日新闻》1964 年 11 月 10 日晚刊。

② 黑柳明:《公明党的中国政策》,亚洲调查会:《亚洲季刊》,第二卷第二号(1970 年 4 月),第 34—35 页。

第四章　自民党政权的动荡

一　自民党的"金权政治"

(一) 自民党的派阀

"派"是人类群体的基本特征之一，而并非政党所特有的现象。但是，政党中的派阀，往往有其特定的含义。日本自民党的历史，是一部派阀盛衰与聚散离合的历史，是一部无休止的派阀抗争史。可以说，自民党因派阀而生，而兴，而衰。派阀与自民党是共生共存的关系。研究自民党，不能不涉及自民党的派阀问题。但是，自民党的派阀并非正规的组织机构，而是一种私下组织的集团。所以日本从来没有准确记载派阀情况和人员构成的公开资料，连专门研究自民党的日本学者，都很难正确把握自民党派阀的内幕。

下文仅就现有的手头资料初步作一简要论述。

(1) 自民党派阀形成的原因

所谓派阀，是指在一个集团内部所形成的小集团。产生派阀的动机和原因是多种多样的。一般地说，日本的派阀多源于特定的利益关系、思想、出身学校(学阀)和地区、血缘关系、人际之间的好恶感情等。

关于派阀形成的原因，大体上有两种不同的看法。一种侧重于宏观的分析，认为政党的派阀是一般社会集团的缩影；一种侧重于对日本战后政治的具体分析，认为是日本战后政治体制的特定产物。根据前者的看法，政党的派阀只是财阀、学阀和军阀等集团的“小型化”，在本质上没有什么不同；后者的看法则立足于对具体原因的分析，例如，众议院的中选举区制和自民党的总裁公选制等制度上的原因以及自民党基层组织薄弱等组织上的原因。不过，一般认为，自民党派阀形成的原因，是自民党“包罗性政党”的性质和制度上的原因相互交织的结果。

自民党作为代表垄断资本利益的资产阶级政党，与其母体——战前的政友会和民政党并没有本质上的区别，但在获取资金的来源和渠道上有所不同。政友会从其成立开始，就接受三井财阀的资助，其政策通常反映三井家族的利益和要求。民政党由三菱家族资助，其政策通常反映三菱家族的意愿和要求。当时的具体做法是，大财阀将资金直接提供给政党首脑，然后政党首脑将资金分配给所属议员，作为竞选经费。

战后初期，经过民主化改革，旧的财阀被解散，政党活动处于各自为政的“多党化”时代，党内派阀尚无从谈起。“五五年体制”建立以后，自民党作为由不同利益、不同政策、不同人际关系的集团聚合在一起的“混合体”，一开始便呈现出派阀林立的局面。

财阀被解散以后，大产业资本、大暴发户成为保守政党的资金来源。这些大资本、大暴发户与政界实力人物都有各自的联络渠道。通过这些渠道，财界资金流入几个政界实力人物手中，这些实力人物也就是派阀头目。一般议员为了获取政治资金和升迁的机会，必须投靠一个派阀头目的门下。于是，在这新的政治资金分配形态下，党内便形成一个相对固定的派阀。派阀领袖为了扩大自己的势力，必须不断扩大独自的资金网络，而财界方面也明白，向派阀提供资金比向政党总部提供资金，其“投资效果”更快、更明显。

总之，派阀形成的原因是多方面的，但为了获取官位和资金则是其中最主要的原因。就派阀领袖而言，派阀主要是获取总裁交椅的手段，是保障其在自民党内或政界的发言权和影响力的基础;就派阀成员而言,派阀可以带来诸多好处:提供政治资金、获取党和政府内的职位、在同一选区内与自民党其他议员相抗衡、信息和政策方面的交流等。

(2) 派阀的形态及其作用

由派阀联合而成的自民党,在实际政治运作中,也是以派阀为基础进行的。虽然派阀属于党内非正式组织,但实际上每个派阀都有一套完整的组织机构和专门班子,有加入和退出的组织手续,经常开展各种各样的活动。自民党的派阀都是由自民党所属的内阁成员、国会议员和党的核心干部所组成,所以,派阀政治的存在对自民党的政策决定具有深刻的影响。

自民党的派阀,规模大小不等,多者上百人,少则几人、十几人。据日本政治学家研究,派阀的最佳规模是 50 人左右,也有人认为 20 人左右为宜。[①] 派阀规模过大,人数太多,容易出现分裂。

派阀规模不宜过大的主要原因是:第一,资金方面的原因。维持一个派阀需要有庞大的经费。1980 年代中期,一个 50 名议员的派阀,每年的经费需 2 至 5 亿日元。一个派阀领袖的“聚钱”能力一般以 5 亿日元为极限,再多就困难了。对此,日本政治家多有经验之谈。大野伴睦曾说:“派阀的规模,在众议院以 40 名为上限。若超过此限,既不易统制,财力上也难以支撑。”长期担任池田勇人秘书的自民党智囊人物伊藤昌哉也认为:“即使取得政权,大权在握,也难以在众议院维持 50 人以上的派阀势力。”川岛正次郎也曾说过:“维持派阀的最佳数字是 20 名左右,若超过 25 人,既费钱又费劲。”[②]第二,人事方面的原因。派阀领袖的另一个任务是要给本派议员以“轮流坐桩”的机会,为他们争取内阁大臣、政务次官或国会常任委员长等官位。如果派内人头太多,势必出现僧多粥少、分配不均的局面,引起派内不满。第三,选举制度上的原因。这也是

① 渡边恒雄:《派阀与多党化时代》,雪华社 1967 年版,第 144 页。

② 佐藤诚三郎、松崎哲久:《自民党政权》,中央公论社 1986 年版,第 61 页。

最重要的原因。日本长期实行中选区制，也叫相对多数代表制。全国分为129个选区，一般情况下，同一选区中，不同政党或同一政党的不同派阀之间进行竞争，如果派阀太大，同一选区内出现同一派阀的两个以上的候选人，其中必然有人落选，这显然对本派不利。

但另一方面，如果一个派阀达不到40人左右，派阀领袖就很难出马竞选总裁。换句话说，如果派阀领袖老与总裁无缘，该派也很难成长为大派阀。一旦派阀领袖无力竞选总裁，该派也就开始走下坡路了。在好出风头、谋略有加者大有人在的政界，常常因派阀继承之争而引起内讧，派阀领袖隐退或去世之际而发生分裂。岸派分化为藤山派、福田派和川岛派，河野派分裂为中曾根派和森派，大野派分为船田派和村上派，田中派分裂为竹下派和二阶堂派便是很好的例证。

不过，五六十人的大派阀也不是不能存在，关键是看派阀领袖的聚钱本领大小和统率能力高低。“田中军团”最盛时超过百人，就是因为田中角荣有超人的聚钱本领和统率能力。当然，随着田中的病倒，田中派也难逃“树倒猢狲散”的下场。

派阀不可过大，但也不能过小。根据规定，竞选自民党总裁必须有20名以上的议员推荐。所以，如果一个派系不足20人，派阀领袖就很难出马竞选总裁，不能竞选总裁，就意味着他的派阀永远处于寄人篱下的非主流派境地，派内议员便与“大臣”无缘，久而久之，这类派阀也就自消自灭了。所以，自民党的派阀人数，以20人至50人为最佳。不过，在以争权夺利为“本分”的政界，同一派内勾心斗角、明争暗斗的现象也很普遍。所以，人数多少并不是制约派阀兴衰的决定因素。有时候，大派阀在权力分配时闹得不可开交、各不相让的时候，势单力薄的小派阀反而会被抬出来组阁，坐收渔人之利，1970年代的三木政权和1980年代的海部内阁均属此例。

派阀的作用，大体上有以下4个方面：

第一，就政治家个人而言，加入派阀是一种“资格认可”的标志，而从派阀和党的角度讲，又是发掘新生力量的手段。

如前所述，由于采取中选区制，作为执政的第一大党，自民党往往要在同一选区推举若干名候选人，以便争得多个名额，保住议会中的过半数席位，这就不可避免地造成这些候选人不仅要同其他党派的候选人争高低，而且要与本党的候选人争天下，从而使选举由政党间竞争转化为候选者个人间的竞争。在这种情况下，候选者个人的实力成为取胜的关键。这种实力，除个人能力外，主要的还是来自其所属派阀在资金、后援会组织等方面所给予的支持。

面对中选区制形成的选举办法，自民党所属各议员要想连任，就必须投靠强有力的派阀团体。如果没有派阀做靠山，单枪匹马很难得到党的支持。一旦成为实力派阀的核心成员，并有特定派阀的推荐，就等于有了权威组织的“保证”，在竞选中也就有了获胜的把握。同时，派阀方面可以借此机会拉拢新人，扩大势力，增加“规模效应”。田中角荣派在这方面做的尤为突出。

第二，以派阀为单位筹集和分配资金。在政党政治下，政党活动需要有足够的政治资金。在日本，自民党政治资金的主要来源是财界捐款，其次是国库补贴和党费。自民党实行“党”“派阀”“政治家个人”三重筹资结构，“党”一级筹资的目的是“维持自民党政权”，“派阀”一级筹资的目的是“获取总裁职位”，政治家个人筹资的目的是“在选举中当选”。而“党”和“派阀”的目的归根结底都是为了增加本党或本派的议员人数，所以，所筹资金的大部分实际上都用于为政治家的当选或连任所进行的竞选活动。

派阀是筹集和分配政治资金的重要单位，而派阀在资金方面的作用，主要是给所属成员提供一种“信用证”，其次才是资金的直接筹措和分配。就是说，政治家以派阀做靠山和保证，才可扩大其资金来源。

对派阀在筹措和分配政治资金方面作用的大小说法不一。有人认为，议员的绝大部分政治资金主要依赖所属派阀；有人认为，从派阀领取的资金大约只占议员所需资金的一二成。[①] 不过，自民党的政治资金流

① 《朝日周刊》:《田中角荣紧急采访》，1981 年 6 月 19 日。

向一向隐秘性极高，究竟内情如何，世人不尽了了，多半是估计和猜测而已。

第三，参与对各行政机构事务的处理。一个派阀内拥有精通各行政部门事务的行家里手，这些精通各部门事务的议员一般被称作“族议员”，在制定政策和决策过程中，派阀通过这些族议员施加影响，扩大自己的势力范围；族议员亦可依靠派阀的力量，在政策中贯彻自己的意图。对此，田中曾有一个精辟的比喻。他说，派阀好比一个综合医院，它拥有精通各科医术的专科医生和良好的医疗设备，对各种疑难病症（难以处理的行政事务），都能进行妥善的治疗。事实上，田中派议员参与处理各行政机构事务的能力高于其他派阀，与各行政官厅关系密切的实力派议员也最多，所以这也是“田中军团”长盛不衰的原因之一。

第四，官职的分配。在日本，从政的第一个目标是当选为国会议员，而国会议员的下一个目标是当内阁大臣。派阀领袖或幸运儿则有可能登上权力的顶峰——党的总裁和首相的宝座。国会议员为了谋取到内阁大臣一级的官位，往往不惜采取一切手段。当不上大臣者，国会、内阁或党的高级职务，诸如国会的常设委员会委员长、党的“三巨头”乃至更低一级的“部会长”都是国会议员猎取的对象。

自民党的人事安排，与派阀密切相关。根据惯例，可分为“派阀势力比例型”“派阀代表型”和“全员参加型”3 种。这三种类型，又根据官职的性质分别做出“各得其所”的安排。派阀势力比例型，是按照派阀所属议员的人员比例分配官职的一种方法。阁僚交椅的分配、党内“三巨头”以及总务会、政调会审议委员等的分配，都属于这种类型。一般地说，党内主要职位的分配都采取这种方式，因为这种方式最能反映各派之间的力量平衡，是比较“公平”的做法。

但是，只采取这种方法，也会带来“大派以势压人”的后果，有导致党内分裂的危险。所以，为了弥补这一缺陷，又出现“派阀代表型”。这种形态是不分派阀大小，各派都分配同一数量的官位（通常是每派 1 位）。每个部门的副职，例如副干事长、政务调查会、总务会、参议院议员总会等的副会长多属这一类型。这些官位由各派分管，各派代表可以同时起到与本派联系、协调的作用，有利于党内意见的统一。尤其是副干事长，作为各派的窗口，负责将本派的意见及时反映到党的人事部门，起到党和派阀之间的中介作用。

所谓“全员参加型”，是按国会议员的资历排出次序，将多余的官位分配给这些人。内阁各省厅的政务次官、自民党政务调查会下属的各部会的部会长、国会常任委员会委员长等大臣级别以下的官位属于这一类型。但由于官位数量的限制，实际上不可能做到所有国会议员都同时分到一官半职，仍然是将官位按比例分给各派。那些资历浅的议员，只好排队等机会了。

在自民党单独执政的前提下，国会的重要官位一般都被自民党所垄断。自民党国会议员最关心的两件事是如何在选举中当选以及当选后如何获取党政要职。议员猎取官位的途径不外有两条：一条是直接用钱买，财力雄厚的国会议员直接拿出大笔“政治捐款”换取一个大臣的头衔。不过这种人一般缺乏“政治家”的能力，不太受重用，只能得到一个无足轻重的大臣交椅，而且名声不好；另一条途径便是投靠一个派系，由派系领袖推荐入阁。因为大多数国会议员不具有通过个人捐款获取大臣职位的财力，所以议员当大臣的最佳途径是靠派阀的力量。

自民党的派阀，是官职分配的单位。但是毕竟官位有限，僧多粥少。派阀领袖为避免派内纷争，一般都事先排好顺序，这一顺序取决于以下4个因素：第一，当选议员的次数。例如，当选3次者，可担任政府各省厅的政务次官（副部长）；当选5次者，可担任国会的常任委员长（相当于大臣级）；当选6次者，可当大臣；众参两院议长则要党内元老出任；党内“三巨头”，其地位相当于政府大臣，下设的商工、建设、农林等“部会”的部会长，多由与财界关系密切或官僚出身的人担任，其地位在政务次官之上、国会常任委员长之下。第二，议员对本派的贡献大小。凡对本派发展贡献大，对派阀领袖忠诚和向领袖提供财源多的优先。第三，经历。例如官僚出身的议员，当议员前曾任内阁各省厅的事务次官（负责业务的副部长)的，优先考虑，这一类人一般当选3次议员便有资格当大臣。第四，行政手腕。

在上述四要素中，最重要的是第一条“当选次数”，其次是加入本派的年限及对本派领袖的贡献大小。所谓“贡献”，包括资金和在派别斗争中的表现两个方面。有的议员已当选八九次，但由于他在各派之间“跳槽”，“政治节操”不佳，所以一直无缘入阁。相反，有的议员由于在大选时向本派领袖提供了数量可观的政治捐款，其在派内地位也便随之上升，提前坐上大臣交椅。由此可见，自民党的派阀，与其说是由于思想和政策上的一致而结成的政策上的集团，不如说是为猎取首相、总裁、阁僚和党内高官等的人事派别色彩浓厚的“猎官集团”。①

(3) 自民党派阀的利弊得失

在谈论自民党派阀的利弊得失时，首先要弄清是对谁而言。对自民党的“利”和“得”，对日本整个政治和全体国民来说可能是“弊”和“失”。这里所指的利弊得失，一般是对自民党而言的。

自民党的长期统治，从某种意义上说派阀恰恰是有用的。因为自民党政权基本上是通过派阀的相互交替而建立起来的“拟似联合政权”。换句话说，自民党实际上是政策上稍有不同的小保守政党(派阀)构成的联合体。所以政权由一个派阀转到另一个派阀，可以起到“拟似政权交替”的作用，以此稳定政权。这就是所谓“钟摆”原理。通过这种钟摆式的政权交替，阻止在野党对自民党政权的批判，以缓解国民的不满，达到维持政权的目的。

同时，通过派阀之间的相互对立和抗争，间接地反映舆论动向，派阀的“拟似政权交替”，也容易完成自民党的政策转变。所以自民党能比较灵活地应付国民的意见和要求，甚至可以采纳在野党的政策。

另外，自民党的基层组织薄弱，派阀还可以起到弥补这一弱点的作用。自民党通过派阀这一相对稳定的组织机构，培养和输送干部，形成

① 北西允、山田浩:《现代日本的政治》，法律文化社1983年版，第175页。

了一种独特的党内职务晋升制度，在制定和变更政策、统一党内意见、教育党员等方面发挥作用。

所以，在维护自民党政权长期化方面，派阀的积极作用是不可低估的。正因为如此，自民党长期以来“解散派阀”之声不绝于耳，而事实上不但解散不了，反而越来越组织化、制度化，成为自民党组织机构中的重要组成部分。

然而，激烈的派阀之争也造成严重的内耗，不时招致国民的厌恶和反感，多次危及自民党的统治。为此，自民党内主张解散派阀的人曾为派阀列举了三条“罪状”：一、议员组织派阀、筹集政治资金，在各级议员选举中千方百计使本派议员当选，从而扰乱了党的统一部署；二、在选拔内阁成员和党的高级干部时，为输送本派议员向中央施加压力；三、为了本派利益，迫使政府和党的机关更改或废除正式决定的政策和人事安排。①

其实，派阀的弊端远不止于此。以争夺官位和政治资金为主要目的的派阀之争，导致政治的“金权化”和腐败，造成派阀之间的对立和相互攻击；而派阀之间为了私利而进行的政治交易，又会带来政治的“密室化”和政策的扭曲。同时，一个大的派阀一旦长期居于统治地位，形成一派独霸的“总主流化”，②派阀原有的防止执政党专权的作用也会黯然失色。

总而言之，同一政党内各派轮流执政的“拟似政权交替”，掩盖了自民党垄断政权的实质，阻碍了真正的政权交替。如果说议会制民主的真正价值在于政权交替，那么建立在派阀结构基础上的“拟似政权交替”实际上妨碍了这一真正价值的发挥。从国民的角度看，自民党一党独裁的长期化，正是派阀政治的最大问题，这也正是派阀的最大弊端。

---

① 升味准之辅：《现代政治》下卷，东京大学出版会 1987 年版，第 343 页。

② 所谓总主流化，就是非主流派和反主流派的势力过小，位居支配地位的主流派占绝对优势，派系之间制约机制受到破坏。

(二) 自民党的组织结构

(1) 自民党的基层组织

自民党建立之初,最迫切的任务是与重新统一的社会党相抗衡,以确保保守政权的稳定。所以,当 1955 年 11 月自民党召开建党大会时,便通过了加强基层组织的《组织活动纲要》。

《纲要》说,日本正面临政治危机和经济混乱,自民党要同有着雄厚群众基础的社会党相对抗,必须改变“议员政党”的形象,不能只停留在充当“选举组织”的水平上。应努力克服脱离群众的“光杆政党”的弱点,使党的组织活动深入到千家万户。为此,必须把党的基层组织扩大到各经济团体、产业机构中去,甚至“要勇敢地打入工会内部”。①

自民党成立不久,各级基层组织相继建立起来。1956 年 4 月 5 日的第二次临时大会以前,完成了都道府县一级支部联合会的组建工作。同年 7 月,全国有 2 200 余个市町村建立起基层支部,约占日本市町村总数的一半。② 到 1956 年 12 月召开第三次党代表大会时,党员总数超过 100 万,其中交纳党费的党员约 45 万。以后,党的基层组织继续发展,到 1961 年初,基层支部达 2 948 个,约占市町村总数的七分之六(当时市町村总数为 3 556 个),交纳党费的正式党员达到 143.83 万人,只履行入党手续未交纳党费的所谓“准党员”为 447.92 万人,两者共计 591.75 万人。1966 年 3 月,基层支部发展到 2 569 个,正式党员为 195 万人。③ 1992 年 8 月发展到 382.76 万人。

自民党为了发展、巩固其基层组织,建党初期设立了培训“组织指导员”制度。在党总部全国组织委员会内配备 20 余名负责组织指导的专职人员,他们在全国各地的基层组织中分期分批地培训骨干党员,培训

① 自由民主党编:《自由民主党十年历程》,自由民主党出版社 1966 年版,第 236、237 页。

② 升味准之辅:《现代政治》下卷,东京大学出版会 1987 年版,第 380 页。

③ 日本《国民政治年鉴》1963 年版,第 736 页。

内容包括政治思想的统一和对组织工作的具体指导。从1956年到1959年,共举办过7次组织指导员中央研修会,培养了2 000余名“组织指导员”。①

从1958年开始,采取府县一级党组织推荐、党总裁颁发委托书的方式向地方派遣“组织指导员”,一般每个町或村配备五六人,每个市配备二三十人,到1961年初,共配备了12 300余名。

1957年7月,开办了自民党政治大学院,学员经过短期培训,被分配到党总部和府县一级党的部门工作,但后来由于生源不足而暂时停办。1960年代初,日本人民反对《日美安全保障条约》的“安保斗争”空前高涨,给自民党政权以沉重打击。自民党为了巩固其统治地位,加强党组织建设,在一次党的组织工作会议上,对党总部录用新职员问题作出如下规定:“作为现代政党的总部事务职员,责任重大,因此,在录用新职员时,应是中央政治大学院毕业生,经总部考核合格后择优录用,同时对现有工作人员开设研修制度。总部事务职员均应是中央政治大学院毕业者(含修业)。”②

在1962年1月制定的《自民党总部事务局规程(草案)》中规定,“职员原则上从中央政治大学院毕业生的考试合格者中择优任命”。该《规程》是一部由10章89条款构成的大型法规,规定自民党总部设参事、主事、主事助理等职衔和事务局。对事务局组织、服务章程、工资体系、退职金、福利和身分保障都有详细规定。该《规程》从1966年开始正式实施。据《朝日年鉴》记载,自民党总部事务局职员1963年为215人,1965年227人,1971—1975年约250人,1976年以后减至180人左右,1992年又增至240人。

自民党为了加强地方组织建设,60年代以后又采取了如下两项措施:第一,大幅度增加“地方组织员”人数。在1961年7月制定的《组织

① 自由民主党编:《自由民主党十年历程》,自由民主党出版社1966年版,第214、220页。

② 升味准之辅:《现代政治》下卷,东京大学出版会1987年版,第381页。

活动方针》中，要求“在年内建立中央和地方的组织工作负责人制度”。到1963年6月，各基层组织的“地方组织员”达2.2万人，取得了飞速发展。地方组织员的任务是巩固和发展党的基层组织，以“同左翼政党对抗”。在1962年8月至1963年2月的半年内，在町、村一级的议员中，有4 800名无党派议员加入自民党，而动员这些人入党的便是自民党的“地方组织员”。第二，向地方党组织派驻组织员。除了发展地方组织员之外，1961年自民党又制定了由中央向府县一级党组织派遣组织干部的计划。在同年1月党代表大会的《活动方针》中指出：“实现驻地方组织员制度，作为总部职员向支部联合会派遣，同时整顿、充实府县联合会的党务活动家阵容。”在同年5月制定的《全国组织委员会具体方案》中提出：“由党总部向全国各府县派驻3名组织干部，每位组织干部在该府县一般任职3年，负责在属下基层组织巡回视察，发展党员和党友，以便为选举做准备。同时负责宣传政府和自民党的政策。一切费用由党总部负担。”①驻地方组织员作为总部职员，加强了中央和地方组织的联系，对发展壮大党的地方组织发挥了一定作用。

选派驻地方组织员的条件相当严格，采取由地方党组织推荐、经中央考核择优录用的方式。全国组织委员会向各都道府县支部规定了如下推荐要领：一、驻地方组织员是作为总部职员派往地方从事组织指导的干部，鉴于其任务的重要性，在选拔候选人时应十分慎重；二、没有合适人选不必勉强推荐；三、与特定国会议员或都道府县议会议员有“裙带”关系者不得推荐；四、各都道府县支部联合会会长的推荐也须经联合会干部会讨论，以保持被推荐者的公正；五、被推荐者应是大学毕业或同等学历者，年龄在35岁以下；六、接受总部的统一考试（论文）并合格者；七、有两人推荐；八、总部从上述被推荐者中选拔50名以内输入党中央政治大学院，经两个月研修，毕业后再经录用考试合格者；九、录用者一律被分配回本县工作，但日后可能调往他县；十、费用问题，在大学院研

① 升味准之辅：《现代政治》下卷，东京大学出版会1987年版，第382页。

修期间免交学费并给予一定补助。①

根据上述方针，自民党连续培养了几批组织干部，其中有些人留在总部工作，有些人被分配到各府县地方党组织。到1964年，大部分府县都配备了地方组织员。

自民党为什么实行驻地方组织员制度，自民党干事长田中角荣在1965年9月曾解释说：自民党登记在册的党员现有约170万人，但“党的地方组织，实际上是议员后援会的松散的联合体，没有起到地方组织的作用。为克服这一缺点，指导党总部和地方组织充满活力的党员活动和组织活动，有必要灵活运用驻地方组织员制度，在党员活动中发挥核心作用”。②

但是，从后来的实际结果看，自民党的地方组织并没有因为中央派驻组织员而增强党总部的统制力。据说驻地方组织员制是想学习英国保守党的“心腹党员制”，但日本和英国国情不同，条件不具备，效果就不一样。另外，虽然对驻地方组织员规定了很多严格的选拔条件，但这些人的地位、收入和前途都不稳定，缺乏吸引力。从组织机制上讲，自民党的各级组织实际上是国会议员和地方议员派阀对立和个人争权夺利的联合体，真正维持自民党地方势力的是个人后援会。

(2) 自民党的决策机制

自民党的中央领导机构，由总裁、副总裁、干事长、总务会长和政务调查会长组成。副总裁一职一般是派系人事平衡的产物，有时空位。掌握自民党实权的是干事长、政务调查会长、总务会长这“三巨头”。其中干事长一职最关键，称为党的“总管”，一般都由总裁亲信出任。

作为执政党，自民党的总裁也就是首相，所以总裁不仅是党内的最高决策者，也是国家的最高决策者。自民党派阀抗争的焦点也集中在总裁交椅上。

---

① 日本《国民政治年鉴》1962年版，第596、597页。

② 自由民主党编：《自由民主党十年历程》，自由民主党出版社1966年版，第261、262页。

自民党成立以来，关于总裁的选举产生办法曾做过多次修改和变动。1956 年 1 月自民党大会上所作的《总裁公选规程》中规定，有权参与总裁选举的人员是：自民党所属国会议员和各都道府县支部联合会推选的 2 名议员。采取无记名投票方式。1962 年 1 月的党代表大会修改《规程》时，将每都道府县支部联合会推选的议员代表由 2 名减为 1 名。

1971 年 1 月党代表大会再次修改了《规程》。规定总裁任期由 2 年改为 3 年，并规定只能连任 1 次，原则上禁止第 3 次连任。总裁候选人需有 10 名自民党国会议员推荐。① 1977 年 1 月的党代会又决定将总裁任期由 3 年缩短为 2 年。4 月的临时党代会修改了《总裁公选规程》，新增了由全体党员推举总裁候选人的"预选"制度。在其后决定的《实施纲领》中规定：总裁候选人要有 20 名以上自民党国会议员推荐，连续 2 年以上交纳党费的党员和交纳 1 年会费（1 万日元）的自由国民会议会员（党友）才有资格当总裁候选人。前两名候选人参加总裁正式选举。②

1981 年 6 月，两院议员大会又决定修改总裁预选制度，总裁候选人增至 3 人，不足 3 人时不举行预选。推荐总裁候选人的国会议员人数由 20 人增至 50 人，3 年以上连续交纳党费的党员和党友方有资格参加总裁预选。③

自民党总裁选举的规定虽然很具体，而且多次修改，但实际上，自民党总裁通过公选产生的情况并不多。1956 年 12 月，鸠山一郎引退时，从形式上看，由岸信介、石桥湛山和石井光次郎 3 名候选人"公选"产生总裁，但实际上仍然是金钱和派阀在起作用。据说这三位候选人竞选时，岸信介派花了 3 亿日元，石桥派花了 1.5 亿日元，石井派花了 8 000 万日元。④ 除了金钱之外，还要封官许愿。这时的封官许愿，多半是开空头支票。据说石桥湛山竞选总裁时，石桥派参谋石田博英曾向 60 个人发出

① 朝日年鉴编辑部编：《朝日年鉴》，朝日新闻社 1972 年版，第 281 页。
② 朝日年鉴编辑部编：《朝日年鉴》，朝日新闻社 1978 年版，第 269 页。
③ 朝日年鉴编辑部编：《朝日年鉴》，朝日新闻社 1982 年版，第 237 页。
④ 升味准之辅：《现代政治》，上卷，东京大学出版会 1987 年版，第 34 页。

担当内阁大臣的许诺，而实际上内阁大臣的交椅只有18个。通产大臣的交椅同时给5个人开出空头支票。农林水产大臣的官位，同时向8个人许诺。[①] 以后的总裁公选，有1960年和1964年池田勇人当选总裁，1972年田中角荣当选总裁，情况都大同小异，形式上是公选，实际上是靠金钱和开空头支票获得的。

按照惯例，自民党总裁出任首相，集党政大权于一身，但党内决策过程，一般由干事长、总务会长、政务调查会长这“三巨头”来分头完成。作为执政党，自民党的党内决策直接影响着国家的决策。根据《日本国宪法》的规定，国会是国家决策的最高机构（立法权）。但实际上，国会只是国家政策“注册”和最后公布的机构。真正的决策过程，在提交国会之前，是由官僚、内阁、财界和“压力团体”等“行动主体”来完成的。在这些行动主体中，哪一个是最具影响力的主体，日本学术界存在着不同的看法，从而产生了官僚政治、内阁政治、财界政治和压力团体政治等各种观点。

战后，日本确立了议会制民主的原则。从理论上讲，决策权掌握在被称为“政治家”的国会议员手中。但是，纵观战后日本的政治体制，“行政主导主义”的传统一直起着重要作用，提交国会的法律草案，绝大多数是内阁提出的法案。所以一般认为，日本的政治体制是“官僚政治”，决策过程主要由官僚来完成。

当然，在自民党一党执政的前提下，内阁法案在内阁会议决定之前，必须经过自民党的审查、同意，这叫做“执政党审查”。但是，1962年，当时的自民党总务会长赤诚宗德曾要求内阁“提出各项法案时，在阁议决定之前希望与总务会联系”。[②] 从赤诚的这句话来分析，当时的“执政党审查”似乎并非具有实质性意义。

但是，进入1980年代以后，决策过程发生了明显的变化。一般认

① 升味准之辅：《现代政治》，上卷，东京大学出版会1987年版，第34页。
② 小岛和夫：《法律制定之前》，行政出版社1979年版，第105页。

为，决策主导权开始由官僚向政党（具体讲是自民党）方面转移，“政党优位论”压倒了“官僚优位论”。舆论界将这一现象称之为“党高政低”（自民党高政府低）和“政高官低”（政党高官厅低）。[①] 但是，如果把政府部门与自民党的关系完全对立起来看也是不妥当的。因为自民党作为执政党，与官僚之间有着千丝万缕的联系，自民党的影响越大，政府各部门的影响未必就越小。另外，所谓“决策”，也不能笼统而言，政策的类型不同，决策的参与者及其作用也会有所不同。政策的政治性越强，政党（包括在野党）的作用就越大，相反，如果政策的技术性越强、越专门化，有关政府部门的作用就越大。

但是，如果进一步考察自民党与政府部门之间在决策过程中的关系，就会发现二者发生了如下两方面的变化：第一，自民党原先将决策权限基本上委托给政府部门，后来，随着自民党与政府部门相互依存、相互渗透的深化，出现所谓“政官混合体”，这种“政官混合体”成为形成和决定政策的主导体制；第二，由于上述变化，自民党内的主要决策单位，由派阀转向政务调查会下属的部会和调查会，以及通晓行政事务的实务派核心议员集团“族”方面。[②] 总之，日本的官僚和政治家的关系，总的倾向是在相互靠近和“混合化”。这种变化正是在自民党长期控制政权的情况下产生的。日本的行政机构独立性较强，内阁的综合调整能力较弱；自民党的组织结构比较松散，而国会的委员会制度却比较完善，这就出现上弱下强、上面松散下面严谨的局面，从而为政治家和官僚提供了容易“混合化”的条件。

在自民党的“三巨头”中，政务调查会在决策过程中发挥着举足轻重的作用。政调会的决策机构“政务调查会审议会”（简称“政调审议会”，自民党内部又简称“政审”）中设置若干部会，这些部会的名称、性质和任务大体上与各省厅以及国会的常任委员会相对应（如下表）。

---

① 关于“政党优位论”，松村岐夫在《战后日本的官僚制》（东洋经济新报社 1981 年版）一书中有详细、精辟的论述。

② 佐藤诚三郎、松崎哲久：《自民党政权》，中央公论社 1986 年版，第 79 页。

表 4.1 政调会部会与省厅及国会相关机构对照表

内阁省厅	国会委员会	自民党
首相府	内阁	政审
法务	法务	法务
内阁省厅	国会委员会	自民党
外务	外务	外交
财务	财务	财政
文部	文教	文教
厚生	厚生	社会
农林水产	农林水产	农林水产
通商产业	商工	商工
运输	运输	交通
邮政	递信	通信
劳动	劳动	劳动
建设	建设	建设
自治	地方行政	地方行政
防卫	安全保障	国防
环境科技	环境科技	
经济企划	预算	
北海道开发	决算	
冲绳	议院运营	
	惩罚	

政调会中除"政审"所属的若干部会之外，还设有综合处理基本政策的调查会和处理特定问题的特别委员会以及临时性的恳谈会（这些机构经政调审议会讨论后设置并随时增减）。部会是与内阁各省厅及国会常任委员会相对应的常设机构，具有决定权限，而调查会则是咨询机构，在调查会做出的决议必须经有关部会审议通过。所以调查会和部会的作用是不一样的。

但是，这并不意味着调查会的规格就比部会低。在人事任用方面，当选国会议员2次者有资格当副部会长，当选3次者可当部会长，而担任调查会长者必须是有大臣资历的人，也就是说，调查会长是大臣级待遇。按照自民党的惯例，当选国会议员5次以上的人才有资格入阁当大臣。佐藤政权以后首次入阁的大臣，平均当选议员6.28次（众议院），几乎所有的内阁成员都是在担任过国会常任委员会委员长和当选6次议员之后才入阁的。① 因此可以说，从规格上讲，调查会要高于部会。

调查会和特别委员会的区别在于，调查会的目的是"对基本的重要政策进行调查研究和综合调整"。例如外交调查会、文教制度调查会等。特别委员会的目的则是"对跨越各省厅的有关政策进行综合调整，或者对特定问题进行处理"。

但是，实际上，部会、调查会和特别委员会的职责有时难以截然分开。例如，外交部会和外交调查会、文教部会和文教调查会的分工就不十分清楚。随着调查会的增加，对处理特殊问题的调查会，又往往冠以特别调查会的名称。例如，国际经济对策特别调查会（1981年设立）、教育改革特别调查会（1984年设立）等，究竟该属于调查会还是特别委员会很难说清。

关于自民党政调会的作用和活动情况，世人知之甚少。因为政调会作为自民党总部的机构之一，几乎其全部内容就是无休止地开会，而会议内容又不公开。据统计，从自民党成立的1955年到1985年的30年间，政务调查会的审议会、部会、调查会和特别委员会等，共召开各种会议36 015次，平均每年开会1 000次以上，如果将紧急会议、秘密会议、非正式的正副会长会议等算在内，会议次数更难以统计。

自民党成立初期，政调会的构成情况是：政策审议会1个，部会15个，调查会3个，特别委员会12个，其他2个。到1986年，政调会的构成发展为：政策审议会1个，部会17个，调查会32个，特别委员会50个，分

---

① 佐藤诚三郎、松崎哲久：《自民党政权》，中央公论社1986年版，第42页。

科委员会16个，恳谈会4个，机构越来越庞大。① 但是，除宪法调查会、外交调查会、文教制度调查会和治安对策特别委员会等少数机构自始至终一直存在外，绝大多数机构都是因时因事而设，任务完成后，随时取消、合并或改组。

从组织形式上看，政调会是自民党中负责制定政策的重要机构。但是，如果进一步分析，在自民党内，有一批在特定政策领域拥有很大发言权和影响力的老资格议员和中坚议员，他们对政策的形成起着决定性的作用。这些议员通常被称作"族议员"。

在日语中，"族"的基本含义有三：一是指"同宗"，如"家族"；二是指"世袭的身分"，如"皇族""华族""贵族"；三是指同类型的人物，如"社用族"(假公济私挥霍公款的人们)、"斜阳族"(没落的上流阶层)、"暴走族"(驾车横冲直闯的年轻人)等。族议员属于第三种。

所谓"族议员"，只是社会上和舆论界对同类型议员的一种约定俗成的称呼，并非有严格的界定。如果归纳一下舆论界的用例，大体可分为以下三种：第一，从广义上讲，是指"对某一政策领域特别关心的议员群"。不过，这样的议员群，实际上就等同于政调会某部会的成员，似乎没有再用"族"来划分的必要。第二，是将"对某一政策领域有巨大影响的议员"统称为"族议员"，这种说法也似乎太宽泛。例如，担任过内阁大臣和自民党"三巨头"的或当选5次以上国会议员的政治家，对内阁各省厅一般都有着广泛的影响，所以这些人几乎都可列入"族"的范畴。第三，也是最狭义的说法，是指"不仅对特定政策领域有巨大影响力，而且平时在这些领域中能指挥得动的中坚议员集团"，他们在这些领域实际上具有决策作用。当然，这些中坚议员的影响所及，不仅限于这些特定的政策领域。

综上所述，如果给"族议员"下一个定义，基本上可以界定为"以内阁省厅为基本单位，在对这些政策领域能经常施加巨大影响的议员中，有

① 佐藤诚三郎、松崎哲久：《自民党政权》，中央公论社1986年版，第254页。

过一次大臣资历或即将有资格入阁的中坚议员”。[①] 由这些议员组成的集团就叫“族”，例如文教族、建设族、财政族、外交族、农林族、工商族、邮政族、运输族等。由族议员决策的政治被称作“族政治”。

如上所述，由于自民党的长期一党执政，国家政策实际上也就是自民党的政策，国家的决策过程，实际上也就是自民党的决策过程。1980年代以后，日本的国家决策过程由官僚主导型逐步演变为自民党·“族”主导型。从总的趋势上讲，这意味着国家决策权越来越向自民党的少数人手中集中。但具体分析起来，自民党的“族”所关心的政策领域，主要是建设、运输、邮政、农林水产这些与其切身利益密切相关的有利可图的部门，至于其他那些日常性的政策领域，仍以官僚主导型的形式来决定。通常，一届国会审议、通过的法律往往多达150个左右，这其中由官僚自主制定的也不在少数。

另外，1980年代以后，还出现一种“审议会主导型”的说法。所谓审议会，是指由财界要人、老资格官僚、工会代表和首相智囊人物等构成的审议机构，诸如“第二次临时行政调查会”（简称第二“临调”）、“临时教育审议会”（简称“临教审”）等。在这些机构中先于国会作出决策的方式，叫做审议会主导型决策。一般来说，有关政治性很强的战略性决策，在在野党强烈反对、很难达成一致的情况下，采取“审议会主导型”的方式来决定。这种方式又叫做“新团体统合主义”。[②]

不论是“族政治”还是“审议会政治”，都是将决策权游离于国会这一决策机构之外的“密室政治”，都意味着在决策过程中自民党权力的加强。但自民党权力的加强并不意味着官僚和财界力量的削弱。因为一般来说，在资本主义国家，政官之间的融合与合作关系越来越强化。也就是说，为了更好地适应国民的要求，官僚必须越来越“政治化”，而政治家在从事政治活动的过程中，也必须具备必要的专门知识和技术，使自

---

① 佐藤诚三郎、松崎哲久：《自民党政权》，中央公论社1986年版，第265页。

② 五十岚仁：《现代政治概说》，法律文化社1993年版，242页。

己"技术官僚化"。这样,自民党的"族"主导型决策,就需要以自民党政调会为舞台,加强政治家与官僚的合作关系,从而促进了政、官密室勾结。所以,这种现象,与其说是"政高官低",不如说是"政高官高"更确切,实际上是强化了政、官的合作与粘着关系。至于"审议会政治",更不意味着财界和官僚的影响降低。因为审议会这种形式,将财界和官界元老推到了前台,在决策过程中直接发挥主导作用,而不像过去那样甘居后台,只是间接地施加影响。

总之,不论是官僚主导型,还是"族"主导型,或者是审议会主导型,自民党都扮演主要角色。从这个意义上可以说,自民党在决策过程中的作用和影响越来越大。尤其在"族"主导型和审议会主导型的决策方式中,自民党更是发挥着主导作用。另外,哪项政策委托给官僚,哪项政策交给"族",哪项政策由审议会来承担,其决定权也都掌握在自民党手中。

这样一来,本来只是政治团体之一的自民党,在长期执政的情况下,实际上已经完全控制了国家的决策,自民党也宛如国家机构之一,在决策过程中占据特殊的地位。

(三) 自民党的财源——后援会

日本自民党在组织结构上有两个明显的特点:一是派阀林立,二是由国会议员决定党内政策,地方级党组织形同虚设。在这种情况下,自民党国会议员作为党组织和选民之间的桥梁,发挥着尤其重要的作用,而支持国会议员的是后援会组织。这样,自民党的组织结构,便形成了"党(总部)——国会议员——后援会"这样一种模式。由此可见,后援会组织在自民党组织中处于十分重要的地位。

后援会组织不仅存在于自民党,也存在于多数其他政党中。所以,后援会作为日本政治中的一种特有的组织形式,经常被人们所提及。但是,日本学者专门论述后援会的文章尚不多见,我国的日本研究者也似无人涉及。[①] 这里，仅就后援会的形成、发展、活动情况及其在自民党中的地位和作用等做一简单介绍。

(1) 后援会的形成与发展

战前的日本资产阶级政党，其基础是以地主为核心的地方势力。国会议员大都是地主阶层的人物，政党的基础在农村。因为当时农村人口占绝大多数，地税在国家税收方面占有很高的比重，而税收多少是决定选举资格的重要条件。

1890 年(明治二十三年)举行第一次众议院议员选举时，有投票权的人限制在缴纳直接国税 15 日元以上者，全国只有 45 万人，只占当时人口8 990万的 1.1%，投票成为一种特权。1899 年(明治三十二年)新选举法出台，选举权的条件规定为缴纳直接国税 10 日元。1902 年根据这一制度进行选举时，有资格的选民为 98 万，占总人数的 2.1%。以后，选民人数有了较大幅度的增长，选举资格的规定也有所改变，但随着总人口的增长，选民在总人口中的比重，在 1908 年和 1920 年选举时，仍分别只占3.2%和 5.5%。直至 1925 年制定《普通选举法》和废除纳税资格的规定后，在 1928 年大选时，25 岁以上成年男子有了选举权，选民人数达到1 240万人，占到总人口的 20.1%。[②]

战前的日本保守政党，在这种带有附加条件的选举制度下竞选国会议员，一般要得到地方“名望家”的支持，这些有名望的人士，一般是指地主和工商业主等有权势和一定知名度的人，这些人在社会上有地位，有财富，有文化，有威望。选民比较容易团结在这些地方名人的周围，对候选人采取一致的投票行为。这种以地方“名望家”为核心构成的地区性人际关系网，就是政治家的“集票组织”，一般称作“地盘”。如果候选人

① 有关后援会的论述，散见于日本政治及自民党的论著中，一般比较简略。近期的研究成果主要有：山田真裕：《自民党国会议员的集票体系：桥本登美三郎后援会、额贺福志郎后援会之事例研究》，1992 年度筑波大学大学院博士课程社会科学研究科博士学位论文；蒲岛郁夫、山田真裕：《后援会与日本政治》，见日本政治学会编 1994 年年报《新闻业的现在・战后日本的政治》等。

② 北冈伸一：《自民党》，读卖新闻社，1995 年 11 月版，第 19、21 页。

和“名望家”的关系很牢固，其地盘便可视为候选人的私有财产。战后初期，出现过被整肃的政治家将其地盘“借给”其他政治家的情况，就反映了地盘“私有化”这一事实。

战后初期，通过农地改革，日本农村发生了很大变化。地主阶级被消灭，传统的“名望家”也不复存在。但是，农村作为共同体而采取一致行动的传统习惯并没有消失。这时，昔日的“名望家”被新的地方首长和地方议员等地方官取而代之。战前，这些地方官一般由传统的“名望家”半义务式的兼任，战后，担任这些职务的人，自然也就成了新的“名望家”。这样，地方的传统秩序便通过这些“官位名望家”而得以维持，形成了国会议员与“官位名望家”、“官位名望家”与地方传统秩序这样的双重结构。也就是说，在农村地区，国会议员还可以通过这种结构间接地控制选民和“地盘”。

但是，1955 年以后开始的经济高速增长，给这种“地盘”政治秩序以巨大冲击。这是因为：第一，随着经济的发展，农村地区在缩小，城市地区在扩大，也就是说，传统秩序存在和发挥作用的地区越来越小；第二，农村人口的大量外流削弱了农村的传统秩序，同时，人口流入城市以后，也冲击了城市原有的传统秩序；第三，留在农村的农民也大都成为兼业农民，这些人的生活和活动范围扩大到农村以外的地区，也起到削弱农村传统秩序的作用。总之，由于经济的高速增长，旧有的人际关系和社会秩序受到冲击，不可能再利用传统秩序来间接地控制选民。

另外，随着新宪法和新选举法的制定和实施，妇女有了参政权和选举权，选民年龄也由 25 岁下降到 20 岁，这样，选民人数大大增加。在 1946 年举行的战后首次大选中，选民达到 3 687 万人，占总人口的 48.6%。后来，随着人口寿命的延长，选民人数和比率更是逐年增长。1993 年大选时，选民人数达 9 447 万，占总人口的 76.2%。[①] 面对如此巨大的“选举工程”，基层组织异常薄弱的自民党，必须寻求一个直接组

① 北冈伸一：《自民党》，读卖新闻社，1995 年 11 月版，第 21、22 页。

织选民的新方式，于是出现了后援会，从而逐渐成为自民党组织机构中不可分割的一个组成部分。

在日本，后援会这一组织早在战后初期就出现过。当时有些刚刚步入政界的新人联合一些政治上志同道合的人组成后援会，依靠后援会的力量步入政界。1946 年，中曾根康弘在老家组织的“青云塾”，恐怕是作为选举组织的后援会的雏形。[①] 后来，不少国会议员看到后援会这种组织形式颇为有效，争相效仿，到 1950 年代议员们都纷纷组织起自己的后援会。

1950 年代中期以后，日本政治格局出现自民党和社会党相抗衡的“五五年体制”。自民党为了对抗社会党，曾采取一系列措施试图加强地方基层组织，但收效不大，自民党议员为了巩固各自的地盘，不得不另辟蹊径，着力发展个人后援会。

但是，自民党议员们组织个人后援会的目的，与其说是同社会党相抗衡，不如说是更着眼于同其他的自民党竞选者竞争。因为战后日本长期实行中选区制度。在全国 122 个选区中，选举 466 名议员，每个选区选 3—5 人，这样就出现在同一选区中自民党内部不同派别之间相互竞争的局面。各派为了在选举中取胜，竞相发起后援会。于是，从 1950 年代后期开始，自民党后援会开始了有组织有系统的活动，并因此而引起世人的关注。

1960 年代以后，社会党的议员候选人也开始组织后援会。1963 年地方选举时，各级地方议会候选人也“上行下效”，纷纷组织后援会。但是，当时后援会的活动主要集中在中小城市。因为在农村地区，竞选活动的主体虽然正在从“传统的名望家”向“官位名望家”转移之中，但传统秩序仍在起着主导作用，而在大城市，组织后援会的条件也还不太成熟。后来随着时间的推移，后援会逐渐遍及农村和大城市，成为自民党议员最有力的集票组织。

---

① 佐藤诚三郎、松崎哲久:《自民党政权》，中央公论社，1986 年版，第 115 页。

后援会的形成主要经历以下几个阶段：第一阶段，议员候选人与亲朋好友建立固定的联系，把有血缘、地缘、职业和同学关系的人串联在一起，这一步比较容易做到；第二阶段，寻求地方上有实力的支持者，包括地方上的行政首长以及对选举能产生影响的人；第三阶段，与上述支持者广泛接触，以他们为核心，分别组成后援会支部；第四阶段，在成立支部的基础上建立后援会总会。

国会议员在建立个人后援会的整个过程中都要花钱。这些钱基本上靠议员本人筹措、支付。日本著名政治学者北冈伸一对某国会议员做过一次调查，大致情况是：第一阶段花钱最少，只对亲朋好友送些点心之类的礼品即可；第二阶段则要对町、村长等地方实力人物赠送相当的谢礼；到第三阶段，成立后援会时，要分头对支部发起人给以数次酒食招待，还要给每人数万日元的交通费；第四阶段，为筹备成立后援会总会，要多次召开发起人会，最后召开成立大会。这样粗算起来，该国会议员平均每 20 天成立一个支部，一年中共成立了 51 个支部，每个支部平均花去 50 万日元，共计约 2 550 万日元。加上动员用的车费、宣传手册费、礼品费等，达 4 000 万日元之多。后援会成立后，作为活动经费，每年给每个支部 30 万日元，有的支部高达 80 万日元。光这笔开支，第一年度就达 2 400 万日元。另外，每年向后援会大小头目赠送各种名目的礼品，计 600 万日元。这样，该国会议员花在后援会上的钱，一年就达 7 000 万日元。①

(2) 后援会的作用

日本的后援会，分为两种类型：一种是以集票为目的，议员或议员候选人直接组织选民的团体；一种是政界以筹集资金为目的而成立的团体，习惯上也称“后援会”。这两种后援会都为数不少。为了加以区别，前者可称为“选举后援会”，后者可称为“资金后援会”。这里所述及的只是“选举后援会”。

① 神岛二郎：《现代日本的政治结构》，法律文化社 1985 年版，第 54、55 页。

作为自民党的集票组织，选举后援会的主要作用就是为候选人“集票”。但细分起来，这类后援会在性质和作用上也还有所不同。

1960年代以后，随着工业化和城市化的进展，日本农村人口急剧减少，农村中残存的传统社会关系受到冲击，出现所谓“大众社会化”，自民党的支持率有所下降。个人后援会作为巩固选举地盘的应急措施，实际上起到了维护传统社会关系的作用。从这一意义上说，有的后援会具有“强化”性质，即“强化”选举地盘，“强化”传统社会关系。所以日本有人将这类后援会称之为“强化型后援会”。

与此同时，经济高速发展时期，日本政府对边远地区实行扶植性“地区开发政策”。因此，远离城市的边远山区和农村，加快工业化步伐。自民党议员瞄准这一动向，纷纷利用手中的权力为本选区做好事：修建公共交通设施、引进大型工矿企业项目等，以此为筹码换取选民的支持，并设法把地盘内其他候选人挤掉。这种以“开发”为主要手段的后援会叫做“开发型后援会”，这种后援会促进了传统社会关系的解体。

从“强化型”和“开发型”的作用看，二者是相互矛盾的，前者是对传统社会关系的“补台”，后者则是“拆台”，但最终目的是一致的，都是为自己拉选票、巩固和扩大地盘。所以同一个后援会往往具有上述两方面的机能。

由于个人后援会是为议员个人服务的，所以后援会越活跃，自民党基层组织的作用就越显得薄弱，甚至成为有名无实的空架子。但是，自民党领导机构又无法限制越来越壮大的后援会活动，因此，曾设想过将后援会和党的基层组织合二为一，加强两者的合作关系。在自民党1961年1月制定的《组织活动方针》中曾指出：“现在加入后援会的会员全国据说已超过1 000万人，所以我们正在想法把这些潜在党员发展为注册党员。”[①]1963年10月，自民党组织调查会会长三木武夫在提交池田勇人首相的《咨询报告》中也指出：“个人后援会在目前情况下不可能废除，

---

①《朝日新闻》，1961年1月27日。

但它太注重个人方面的活动,也给党的活动带来了不少障碍。所以将来必须想法将其纳入党组织之内。作为过渡性措施,为确保两者的合作关系,应将后援会的主要成员,至少500名左右编入地方支部,要求其积极参加党的活动。"①但是,议员们用金钱和汗水苦心经营起来的后援会,怎么可能轻易交给地方组织呢?

所以,个人后援会的活动不但没有收敛,反而越来越活跃,组织也日臻完善。有些后援会在本选区内的市、郡一级设联络所,在町、村一级设支部,每个支部都设有干事长、总务会长和政务调查会长,这些官衔完全按照党中央的模式分封,由当地实权人物担任,有些会员人数不多的支部,几乎每个成员都能分到一个职务。这些后援会干部对会员情况了如指掌,随时增减后援会成员的名单,所以能准确地掌握选票数量。

单据《政治资金规正法》的规定:"以支持政治家为目的的组织即视为政治团体。"后援会显然应属政治团体之列。该法规定,"在政治团体建立之日或建立后7日之内,必须向当地选举管理委员会或自治大臣呈交书面报告",而且必须每年向自治省提交财务收支报告。

但实际上,几乎所有的后援会都不向上面提交任何报告。因为日本的后援会都以"文化团体"的名义出现,到选举时便摇身一变,成为政治家的集票组织。以文化团体的名义出现,主要有两方面的原因:一是日本法律规定文化团体不必提交财务报告;二是文化团体平时可以开展多种多样的文娱活动,淡化政治色彩,便于吸收会员,会员可以在不知不觉中成为某个政治家的支持者。

后援会对政治家和会员两方面之所以都具有吸引力,是因为它在利益交换方面具有"双向性"特点。政治家离不开后援会,道理自不待言,会员从中得到诸多好处,也是人所共知的事实。后援会的活动很广泛,会员的婚丧嫁娶、养儿育女、子女的升学就业、人际纠纷的调解,后援会几乎无所不管。久而久之,政治家和后援会之间形成一种无形的感情纽

① 升味准之辅:《现代政治》下卷,东京大学出版会1987年版,第386页。

带和“一体化”意识，甚至形成谁也离不开谁的局面。调查资料表明，后援会在自民党议员选举中的作用越来越大。在 1967 年大选时，在给自民党投票的人中，加入后援会的占 8%，以后，这一比例与年俱增，1969 年为 12%，1972 年为 13%，1976 年增至 20%。①

除了选举之外，后援会在以下方面还可以发挥一定的作用：第一，促进自民党议员的新陈代谢，通过后援会，将民意反映到国家政策方面。因为后援会是支持某一个人的组织形式，所以后援会的基础稳固，就可以在相当长的时期内保证某议员连续当选，即使因故不能连任，也可以作为“遗产”传给下一代，这种后援会“世袭”的现象并不少见。但是，如果后援会成员不注意随时更新，年龄会越来越老化。这样，将后援会“世袭”过来的第二代议员如果不通过自己的努力发展新成员，就不可能长期保证连续当选。反之，同一个后援会，由于成员不断更新，也会不断推出新的议员。第二，在基层组织薄弱的情况下，国会议员可利用自己的后援会，将选民的要求及时反映到国会，这些要求可能是片面的，但汇总起来，就可以代表一部分国民的意向。而这部分国民，往往是自民党的核心力量，他们的意见，容易被自民党所采纳。

总之，以中选区为前提的“选举后援会”这种组织方式，事实上弥补了自民党基层组织和群众基础薄弱这一缺陷，为自民党增添了不少活力。“只有 30 万党员的自民党，在大选时却能获得 2 200 万张选票”，②其原因之一，不能不说后援会组织发挥了一定的作用。日本自民党众议院议员白川胜彦 1970 年代末靠自己的努力组织起后援会，在 34 岁时一举当选为议员，他深有体会地说：“后援会组织才是（自民党）最本质、最具活力的组织，是自民党最能持续活动的原基组织。”③自民党议员在繁

① 升味准之辅：《现代政治》下卷，东京大学出版会 1987 年版，第 387 页。

② （美）杰拉尔德·克迪斯：《日本型政治的本质》，山冈清二译，梯比艾斯布利塔尼卡出版社 1987 年版，第 179 页。

③ 北冈伸一：《自民党政权》，读卖新闻社，1995 年 11 月版，第 117 页。

忙的"金归火来"[①]的日程安排中，一方面，忙于在选区培养发展自己的后援会组织，一方面为筹集后援会组织所需资金而奔波于各个利益集团(资金后援会)之间。这种遍布全国的后援会以及每个议员忙于筹集政治资金的活动，成为自民党及其议员日常工作中与"民意"沟通的主要内容。

当然，如前所述，由于后援会的存在及其细致入微的活动，使自民党本来就薄弱的基层组织更加有名无实，而且，后援会在本质上是国会议员的私有物，而自民党的国会议员又绝大部分隶属于各个派阀，因此，后援会又成为自民党派阀之争的工具。而派阀之争靠实力，实力靠选票，选票靠金钱。于是，自民党就形成靠金钱发展后援会，靠后援会拉选票的"金权政治"。后援会成为自民党金权政治中的重要一环。这些无疑都是后援会这一组织形式的负面作用。

(3) 对后援会的几点分析

第一，关于后援会的性质。

后援会组织究竟始于何时？日本学者说法不一。[②] 但比较有说服力的说法应是在战后经济高速增长之后建立、健全起来的，此前的后援会，充其量是由个别人组织起来的后援会雏形。因为我们现在所说的后援会，实际上已经形成日本选举政治中的一大特色，它对所有级别的议员及行政首长来说，都是为在选举中取胜的不可缺少的手段。后援会对从政者来说是以当选为目的以选区为中心而建立起来的组织，而对一般后援会成员来说，则是为了将自己的利益有效地反映到决策部门而选出特定人物作为其代言人。一般地说，政治团体的组织原则应是政治主张上的一致为基本前提，但现在的日本后援会，多数不具备政治上"志同道

① "金归火来"指国会议员每星期五(金耀日)回到自己选区的后援会活动，星期二(火耀日)返回东京从事议员工作。

② 上山和雄著《普通议员研究》(日本经济评论社 1985 年版)认为，个人后援会始于大正后期(1920 年代中期)。佐藤诚三郎等著《自民党政权》(中央公论社 1986 年版)则认为是 1946 年。

合”的性质，而是一种利益交换式的组织。所以，后援会与其说是政治性团体，不如说它具有“拟似共同体”性质。会员更看重的是后援会给自己带来的实际利益，而并非意味着与被支持者政治上的一致。

具体来说，选民加入后援会的理由是什么呢？“明正选举推进协会（简称‘明推协’）众议院选举调查”中，就这一问题从 1976 年至 1990 年期间作了跟踪调查，调查列举 4 条理由：喜欢候选人的人品和主张、基于各种人情和亲情关系、出于事业和职业上的关系，其他理由。其中人品主张、亲缘关系和职业上的理由大约各占 30%左右，不同年份这三者所占比率略有不同，上下有所浮动，但“三分天下”的局面没有太大的变化（图 1）。显然，在这些理由中，感情因素占有十分重要的地位。

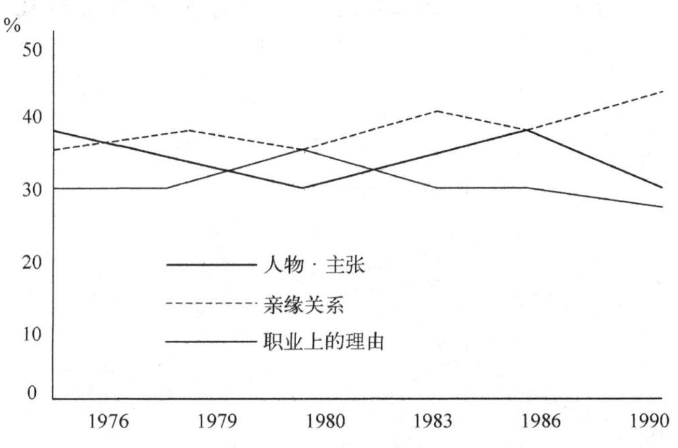

图 4.1　加入后援会的理由①

政治家抓住后援会成员的这一心理，千方百计施以小恩小惠收买人心。日本前首相田中角荣和他的后援会“越山会”的关系可以说是在“感情投资”方面最典型的例子。

田中的选举地盘是远离城市的新潟县山区，精通土木建筑业的田中，利用他手中的权力在选区大搞筑路架桥等公共土木建筑工程，博得了当地选民的拥护，在此基础上成立了“越山会”，扩大了自己的选举地盘，并把其

① 蒲岛郁夫、山田真裕：《后援会与日本政治》，日本政治学会编 1994 年年报，第 219 页。

他候选人排挤出去。到 1983 年,越山会发展到 317 个支部,拥有会员 95 000人。① 为了巩固越山会,田中十分注意与会员联络感情。每当会员有婚丧嫁娶等大事,越山会干部必以田中名义前去祝贺、吊唁或送去礼品。越山会经常组织会员前去东京田中的住所朝拜、参观,会员乘火车从新泻到东京,夕发朝至,田中每每以茶点招待,会员在两夜三天的日程中,游览东京的名胜古迹。因此,越山会成为田中的“钢杆”票田。

第二,关于后援会的成员状况。

首先看一看选民中究竟有多少人加入后援会。据“明推协”1972 年至 1990 年的调查,加入后援会的选民(后援会加入率)1972 年不足 10%,1990 年达到将近 20%,呈逐步扩大之势。曾被动员过加入后援会的选民(被劝诱率)1972 年约 20%,1979 年以后一直维持在 30%左右(图 2)。

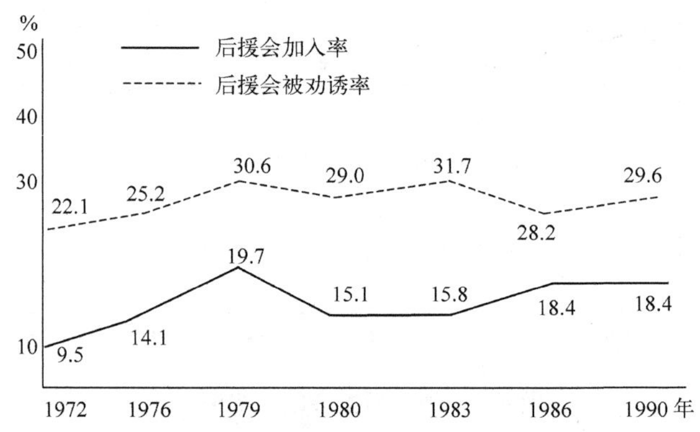

图 4.2 后援会加入率和被劝诱率①

另外,后援会加入率又因地区不同而不一样。一般地说,城市规模大小与后援会加入率成反比,城市规模越大,加入率越低,尤其是东京都各区最低。1990 年农村地区加入率约为 20%,东京都只有 14%。③ 同

① 升味准之辅:《现代政治》下卷,东京大学出版会 1987 年版,第 394 页。

② 蒲岛郁夫、山田真裕:《后援会与日本政治》,日本政治学会编 1994 年年报,第 216 页。

③ 出处同上。

时，调查表明，参加众议院议员选举的后援会，比参加参议院议员选举的后援会多，也就是说，众议院议员选举时的组织化率比其他选举更高。这说明，后援会在众议院选举时占有更重要的地位，也反映了日本的众议院权力大于参议院，因而选民更重视众议院这一事实。

第三，后援会的组织状况。

如前所述，后援会的维持经费主要来自后援会组织者，后援会会员只是象征性地交纳一定的会费。据"明推协"调查，缴纳会费的会员(会费交纳率)约为20%—30%，也就是说，60%—70%的会员根本不缴纳会费。在缴纳会费的会员中，以1990年度为例，缴纳1 000日元以内者占32%，缴纳1 000—3 000日元者占19%，缴纳3 000—5 000日元者约为23%，缴纳5 000日元以上者只有10%左右，这说明，后援会主要依靠政治家出钱来维持。① "实现政治改革年轻议员会"1992年提交的《政治活动资金调查报告》承认，每年用于后援会的经费(包括后援会会报印制费、会议费、会员旅行补助、选举补贴、秘书工资、交通费、通信费、事务所费等)约为1亿日元左右。② 这些费用全部由议员方面负担。

从后援会成员的社会经济地位来看，调查资料表明，自营业者加入率较高。据1990年的调查，农林渔业、工商服务业和自由职业都超过30%(前者为33.9%，后者为33.2%)。而且这些职业的后援会加入率都呈与年俱增的倾向。另外，从年龄、性别、教育程度、收入等方面看，年龄大的比年龄小的多，男性多于女性，学历低的比学历高的多，收入高的多于收入低的。

第四，关于后援会成员的政治倾向。

日本学者山田真裕在1983、1986、1990年曾对后援会成员做过"你的政治倾向如何"的抽样调查。其中1983、1986两年划分为"保守""中间""革新"三个尺度，调查结果表明，后援会成员与没有参加后援会的人

① 蒲岛郁夫、山田真裕：《后援会与日本政治》，日本政治学会编1994年年报，第217页。
② 曾根泰教、金指正雄：《视听讲座·日本的政治》，日本经济新闻社1989年，第126—130页。

相比，政治上倾向于保守。① 在同类调查中，后援会成员中支持政党的人比没有参加后援会的人要多，也就是说，后援会成员在政党支持程度和关心政治的程度方面比没有参加后援会的人要强烈。因此，在参加投票、演讲会和报告会等政治活动方面，后援会成员比其他选民更积极。而且，调查表明，后援会成员在生活满意程度和对日本现行政治满意程度方面都高于非后援会成员。

综上所述，后援会成员的基本情况是：男性多于女性，年龄偏高，农林渔业、工商服务业和自由职业者较多，政治态度倾向于保守，收入较高，满足于现状，积极支持政党活动等。就是说，对加入后援会能产生影响的因素主要是职业、年龄、收入、政治倾向以及支持政党的态度等。

从职业上看，后援会的基本力量不是现代产业部门中的大垄断资本和产业工人，而是传统产业部门中包括农林水产业在内的自营业者，这反映了传统产业部门在日本政治中发挥着重要作用。这体现了日本政治体制的包容性，有助于日本政治的稳定。

但是，后援会的经费大都由政治家来负担，所以政治家的负担很重。如前所述，每个议员每年用于后援会的经费达 1 亿日元左右，虽然分摊在每个后援会成员身上只不过数千日元，但积少成多，每个议员的绝对负担金额却是一个庞大的数字。议员为了确保自己当选，就必须采取各种手段去筹集这一大笔资金，于是形成竞选＝竞钱这一恶性循环。这便是日本金权政治愈演愈烈、久治不愈的原因之一。而金权政治最终导致了日本自民党优位体制的崩溃。所以，后援会虽然在稳定自民党政权方面可以说是一个有力的组织基础，但政治家承担其庞大经费这一事实，却助长了自民党结构性的政治腐败，乃至最终招致自民党政权的衰落。通过这一历史事实，对自民党来说，后援会的功过是非可以说不言自明。

① 蒲岛郁夫、山田真裕：《后援会与日本政治》，日本政治学会编 1994 年年报，第 222 页。

二　自民党的派阀之争

田中内阁的两张王牌是：对外恢复日中邦交，对内推行“日本列岛改造计划”。列岛改造计划是与田中政权共存亡的一张王牌，可以说田中政权成于斯，败于斯。恢复中日邦交揭开了中日关系史的新篇章。

田中内阁下台的原因有两个：一是国内政策失误；二是“金权政治”败露。“金权政治”的曝光成为其下台的直接导火线，加速了田中政权的崩溃。

（一）“角福战争”与“日本列岛改造计划”

佐藤长期政权，是自民党政权的鼎盛期。正因为佐藤政权时间太长了，加之诸多问题积重难返，所以在国民中普遍产生一种厌恶感。

在后继总裁的问题上，佐藤的意中人一直是福田赳夫。佐藤早就为福田出任后继人作了安排，让他担任藏相、干事长等要职。周围的人也把福田视为接班人。

田中角荣曾为佐藤第三、第四次当选总裁奔走，但他心里明白，佐藤中意福田。同福田较量，就等于向佐藤挑战。因此，田中采取了通过支持佐藤而在佐藤派中扶植田中系的策略，当然这需要一定时间。

进入 1972 年，田中派的活动更加积极起来。1 月，田中、大平、中曾根三派进行秘密会谈，由此开始三派联合。“星期四研究会”（佐藤派）座长桥本登美三郎也转而支持田中。5 月 9 日，由木村武雄出面，集合 81 名佐藤派众参两院议员，举起支持田中的旗帜（当时的佐藤派共有 102 人）。

财界对佐藤内阁的经济政策越来越不满，开始寄希望于田中，于是也逐渐同田中接近。1972 年 2 月中旬，三菱集团的“星期五会”招待田中，随后，三井、住友等集团首脑也纷纷宴请田中。

官僚出身的福田，与岸信介、池田勇人、佐藤荣作一样，是一个官僚政治家的形象，在国民中声望欠佳，加之他与台湾地区关系颇深，在中日复交势在必行的情况下，作为当时的外相，仍紧随佐藤之后，在1971年秋天的联合国大会上，作为“逆重要事项指定方式”的提案国，支持台湾地区继续留在联合国，结果大败而归。佐藤内阁的这一重大外交“失策”，外相福田当然也难辞其咎。所以多数人认为，福田这类“佐藤亚流政权”是不合时宜的。

1972年5月15日，《冲绳归还协定》正式生效。6月15日，社会、公明、民社三党在众议院大会上联合对佐藤内阁提出不信任案，此案虽遭否决，但佐藤首相已感末日来临，于是在6月17日的自民党两院议员大会上正式表明辞意。当时争夺佐藤后继人位置的有福田赳夫、田中角荣、大平正芳、三木武夫、中曾根康弘等人，即所谓“三角大福中”之争。其中福田和田中实力最大，但与福田形象迥然不同的田中角荣势力迅速发展，很快超过了福田。

6月17日，佐藤首相正式表示辞职，总裁选举决定7月5日进行。表明引退的佐藤本人向福田和田中表示：“不管你们二人谁上台，没有上台的那位都要予以合作，实现举党一致。”①二人好像也同意了佐藤的意见。但是，田中派立即聚集大平、三木、中曾根、石井各派的大老，成立了反福田的联合组织“星期一会”。年轻一些的党员，在众议院里有“如月会”，在参议院中有“弥生会”。② 这时佐藤派已分裂为田中系（82人）和保利（茂）系（22人），保利系支持福田。

6月21日，田中正式成为候选人。同日，中曾根突然宣布退出总裁竞选，全力支持田中阵营（据说田中为此花了不少钱）。集于田中麾下的，还有佐藤派的40名众议员和45名参议员。参议院“清风俱乐部”的71名成员中也有40人支持田中。23日，在参议院成立了支持田中的联合组织。随后，7月2日，田中、大平、三木，甚至包括中曾根，在恢复日中

① 北冈伸一：《自民党》，读卖新闻社1995年版，第142页。

② 如月为阴历二月的别名，弥生为阴历三月的别名。

邦交和刷新政治等问题上达成共识，从而大大加强了田中的优势地位，事实上确立了四派联合的态势。7月5日，在日比谷公会堂召开党大会，大平、福田、三木、田中被推为总裁候选人。

据分析，如果中曾根不放弃竞选，投票结果福田将处于第一位，加上佐藤再积极做工作，福田在决选中取胜的可能性很大。但这样一来，在第一轮的投票中，田中获156票，福田150票，大平101票，三木69票，在决选投票中，由于得到大平和三木两派的支持，田中得282票，福田得190票，田中以压倒优势当选为自民党总裁。7月6日，佐藤内阁正式辞职，随后田中于当天在众参两院被指名推举为首相，第一届田中内阁(1972.7.7—1972.12.22)成立。54岁的田中角荣，是日本战后最年轻的首相，也是日本政治史上第五位年轻首相。①

支撑佐藤政权的两大支柱田中角荣与福田赳夫的总裁、首相之争，史称“角福战争”。总裁选举之后，“角福战争”仍持续了很久，成为自民党混乱的根源。围绕这次派阀之争，仍有不少未解之谜，如果把这次派阀之争加以简单化，大致可以理出以下线索：佐藤有希望让位于福田的想法，因为福田派是岸派的继承人→福田也期待着佐藤“禅让”，所以没有做主流派内的多数派工作→而田中方面早已进行了准备→田中为了赢得准备时间，极力主张佐藤第四次连选连任→田中通过资金等方面竭尽全力把佐藤派的大部分人马拉过来，使佐藤也没有了回天之力→佐藤派分裂为田中派(82人)和支持福田的保利茂系(22人)→继承旧池田派的大平正芳从池田内阁时代便是田中的“盟友”→尼克松冲击以来主张中日邦交正常化的三木疏远了“佐藤亚流”福田而投向田中→三木和大平虽也出马竞选总裁，但在第二轮投票时倒向田中→本来有可能支持福田的中曾根，在田中的大力动员下，最后也放弃竞选而支持田中→党内少壮派形成支持田中的气候→长期控制参议院并一向支持福田的议长

① 日本议会政治史上，年轻的首相计有：创立内阁制度并自任首相的伊藤博文44岁(1885年12月)、近卫文磨46岁(1937年6月)、黑田清隆48岁(1888年4月)、山县有朋51岁(1889年12月)。

重宗雄三在1971年6月参议院议长选举中被河野谦三取而代之，从而使福田失去了在参议院的坚强后盾。①

田中之所以取胜，除上述原因之外，还有重要一点，就是他的“庶民宰相”的形象得到社会舆论的一致支持。

在日本历届首相中，田中角荣是一个特殊人物，他既无学历又出身低微。1918年生于新潟县一个偏僻的山村，少年时因家境破败而辍学。小学毕业后，只身来到东京半工半读。1937年，19岁的田中创办“共荣建筑事业所”，1943年成立“田中土木建筑公司”，自任总经理，到1945年战败时，“田中土建”已成为日本50家大建筑公司之一。1947年4月，29岁的田中当选为民主党的众议院议员，从此步入政界。1948年30岁时出任吉田茂内阁法务省政务次官，1957年39岁时任邮政大臣，1962年出任池田勇人内阁的大藏大臣，1971年担任佐藤荣作内阁的通产大臣。在此期间，田中还1次出任自民党的政务调查会会长，4次担任自民党干事长，成为日本政界和自民党内一位举足轻重的人物。在长达7年零8个月的佐藤内阁时代，田中曾担任过4年零2个月的干事长，在此期间，田中充分利用其有利地位集结个人势力，筹集政治资金，不但巩固了他在佐藤派内的地位，而且在其他党派、官僚甚至舆论界都树立了广泛的影响。可以说，在他荣登首相宝座前的15年间，不但始终处于党政大权的中枢地位，而且作为一个政治家，显示了其蒸蒸日上的状态和高人一筹的独特能力。从1950年以后到他出任首相的22年间，田中主持提出并通过的议员立法就超过80件，这在日本这样一个议员立法大大少于政府立法的国度里，应该说是成果斐然的，说明田中在日本政治家中的确是一位出类拔萃的人物，被誉为少壮政治家。到出任首相时为止，田中已多次获得“最年轻的”头衔：最年轻的国会议员（29岁）、最年轻的邮政大臣（39岁）、最年轻的大藏大臣（44岁）、最年轻的首相（54岁）。由于田中的特殊经历，自然给人以“新鲜感”，尤其与佐藤荣作形成鲜明对照，

---

① 石川真澄：《战后政治史》，岩波书店1995年版，第125页。

被称为“庶民宰相”，一股“田中热”很快在全国掀起。

作为总裁的田中，在自民党的人事安排上，任命田中派的桥本登美三郎为干事长，大平派的铃木善幸为总务会长，中曾根派的樱内义雄为政调会长。内阁方面，三木任副首相级的无任所大臣、大平任外务大臣、中曾根任通产大臣，官房长官为田中心腹二阶堂进。从派别上来看，田中派 5 人，大平派 4 人，三木派、中曾根派、福田派各 2 人。最大派别福田派仅 2 人入阁，显然是田中要给竞争对手福田一个眼色看看。整个安排显然是出于论资排辈和论功行赏。

田中上台伊始就宣称：“政策由自民党制定，政府实行之，这是政党政治应有的姿态。但是，我们的现状是，（自民党）依赖庞大的官僚机构，甘愿跟在政府制定的法案和政策后面。这是官僚主导政治，是没有充分反映国民要求的政治。”①这的确是田中的目标，从这段话也可以反映出田中的自信。

田中一上台就打出两张王牌：对外恢复日中邦交，对内推行“日本列岛改造计划”。正如日本政治评论家伊藤昌哉所说：田中“是一手拎着《日本列岛改造论》，一手拎着‘承认中国’这两项积极政策，登上首相宝座的。正因为他是在无作为的政治家佐藤荣作下台之后登场的，所以他的舞台效果得了满分”。② 内阁成立之初，国民支持率高达 68%（《朝日新闻》），超过了对吉田内阁的支持率，创历史最高记录。

“日本列岛改造计划”是田中内阁国内政策的集大成之作，同时也是与田中政权共存亡的一张王牌，可以说田中政权成于斯，败于斯。

“改造计划”源于《日本列岛改造论》。该书是 1972 年 5 月田中问鼎首相宝座之前出版的，作为新首相的著作曾畅销一时，一再重印，创发行 88 万册的记录。早在 1967 年 3 月，自民党成立都市政策调查会，田中任会长，1968 年 5 月，完成了《都市政策大纲》。一年后，日本政府据此制

---

① 北冈伸一：《自民党》，读卖新闻社 1995 年版，第 147 页。

② 伊藤昌哉：《自民党战国史》，世界知识出版社 1984 年版，第 54 页。

定、公布了《新全国综合开发计划》。因此可以说，田中内阁的“改造计划”，实际上经历了《城市政策大纲》→《新全国综合开发计划》→《日本列岛改造论》→“日本列岛改造计划”的演变过程。“日本列岛改造计划”虽然并没有形成政府的正式计划文本，但因为它是首相的基本构想，所以实际上成为政府的基本方针。

《改造论》提出以下具体政策措施：第一，工业的重新布局。为解决日趋严重的空气污染、交通拥塞、住房紧张、城乡人口疏密不均等问题，重新焕发日本经济的发展活力，拟在全国各地建立一批 25 万人口规模的城市，为农村地区的工业化发挥核心作用；通过有关工业税收政策（所谓搬迁税）促使大城市的工厂向外地转移；严格控制在太平洋沿岸一带兴办新的企业，鼓励发展内陆工业基地和开发日本海沿岸工业区。第二，建设“新干线”等现代化交通网络。修建 7 000 公里铁路、10 000 公里公路，形成遍及全国的高速铁路公路网，将全国各地城乡连为一体；同时加速港口建设，尤其重点开发适于建设大型石油基地的港口，使 50 万吨级的油轮能够自由停泊。第三，保持经济继续高速增长，平均年增长率达到 10%，到 1985 年，日本的经济规模可达 304 万亿日元（约合 1 万亿美元），使日本成为一个消灭城乡差别和地区差别、环境幽雅、四通八达的美好社会。①

内阁成立后不久，田中首相就提出一个构想：为了研究与讨论“新全综”与“日本列岛改造计划”协调的问题，由相关省厅约 30 人组成日本列岛改造问题调查会。另外，与日本列岛改造有关的 9 省厅事务次官会议，也作为计划的推进与调整机关于 8 月 24 日成立。各省厅竞相抬起日本列岛改造这台轿子，提出五花八门的构想。通产省的《新 25 万人口都市构想》方案，计划建设 60—80 个 25 万人口的城市作为工业重新布置计划的诱导地区，以及数个内陆工业团地。自治省的《新都市圈整备》方案，则准备从全国 328 个广域市町村圈中选出 60—80 个各自形成人

① 正村公宏：《战后史》下，筑摩书房 1985 年版，第 403、404 页。

口 20—40 万的圈域。建设省的《地方中核都市》方案，要求对中核城市和周边农村的生活环境设施进行综合治理，按照地区的特点配置工业团地。①

10 月 20 日内阁会议公布了把全国分成如下 3 个地区的政令：1. 促进工业移动的地区（迫迁地区）；2. 以优惠措施招徕工厂的诱导地区；3. 工厂既非迫迁对象又非优惠对象的所谓白地地区。迫迁地区是首都圈、近畿圈、中部圈的过密地区，仅东京就有 23 个区和 14 个市。诱导地区有北海道、东北、北陆、甲信越（指山梨、长野、静冈 3 县）、山阴、四国、九州、冲绳等 27 个道县的 712 个市町村。白地地区约有 640 个市町村。迫迁地区占全国面积的 0.5%，诱导地区占 86.5%，白地地区占 13%。

应该说，“日本列岛改造计划”作为国家宏观计划，有其一定的合理性和远见性，同时它对某些大企业和某些后进地区都具有一定的诱惑力。在 1971 年出现“日元升值萧条”以后，国内流传着一种悲观情绪，看不到日本经济的前途。因此，“改造计划”在开始阶段还是受欢迎的。国内许多大企业为了在列岛改造方面先声夺人，竞相购买土地，“日本列岛改造热”名噪一时。

但是，“改造计划”实施不久，各种矛盾便接踵而来。首先是工厂迫迁税推行不下去。大企业、承包的中小企业和“钢铁劳联”都反对向地方迁移。在自民党内，对工厂迫迁持慎重态度的也占了上风。10 月末，决定停止征收工厂迫迁税，这就意味着列岛改造中以向地方分散工业来解决过密过疏问题的核心部分流产。随后，不但改造列岛的初衷经济大发展之梦未能实现，而且迅速导致“狂乱物价”，甚至出现抢购卫生纸的大恐慌局面。“改造计划”派生出来的“土地投机热”，更让普通百姓吃尽了苦头。物价和地价的暴涨引起日本国民的强烈不满，1973 年 11 月 11 日，“总评”、中立劳联等工会组织发起召开“生活防卫国民总决起大会”，

---

① 升味准之辅：《日本政治史》第四册，商务印书馆 1997 年版，第 1171 页。

全国114个地方相继举行了集会。① 面对这一局面，田中政权深受其影响，最后终因成为众矢之的而偃旗息鼓。

由于“日本列岛改造计划”的失败，田中不但被赶下台，而且几乎成为“万夫所指”的历史罪人，受到世人的普遍指责。在列岛改造问题上，田中的过失在于错误地估计了日本的经济形势，在经济高速增长大势已去的情况下，仍然推行以经济高速增长为前提的政策，结果事与愿违，最后以失败告终。

恢复中日邦交是田中内阁值得载入史册的一件大事。1972年9月田中访华，一举实现了同中国的邦交正常化，揭开了中日关系史的新篇章。

1972年2月，尼克松访华并签署《上海联合公报》。自民党内开始认识到，佐藤以后的新内阁不打开日中关系的新局面，就不能适应国内外形势。田中在当选自民党总裁的当天就在记者招待会上宣布：“恢复日中邦交的时机已经成熟，我愿负起责任，来研究以什么样的基本态度进行政府间谈判的问题。”田中内阁成立当天的7月7日，田中首相重申：在外交上，要加紧同中华人民共和国实现邦交正常化，在动荡的世界形势中，强有力地推进和平外交。②

随后，田中内阁通过古井喜实议员和公明党访华代表团与中方接触，中国迅速做出反应。周恩来总理在10日表示欢迎早日恢复邦交，并指定了谈判代表。访华归来的原社会党委员长佐佐木更三，在22日向田中转达了周总理欢迎田中访华的意向。

公明党委员长竹入义胜受田中首相之托，于7月25日访华，周总理提出了有毛泽东签字的《共同声明》的基本内容。8月4日，竹入将记录稿亲手交给田中和大平。在自民党内，为了给谈判做准备，设立了总裁直属的日中邦交正常化协议会，7月24日举行了有249人参加的首次全

① 田中浩：《战后日本政治史》，讲谈社1996年版，第223页。

② 石丸和人、松本博一、山本刚士：《战后日本外交史》第二卷，三省堂1983年版，第221页。

体会议。在8月9日的全体会议上做出以下两点决议：一、促成日中邦交正常化；二、田中首相为此访华。虽然岸信介、贺屋兴宣、石井光次郎、滩尾弘吉等亲台派议员强烈反对，但9月8日，正常化协议会还是通过了日中邦交正常化基本方针，随后作为党的决定自民党总务会也通过了这一方针。

田中请古井喜实、田川诚一两位现议员和松本俊一前议员访华。三人携带《共同声明》的日本方案前往北京，三位使者于9月23日回国。田中首相、大平外相和二阶堂官房长官，于9月25日上午乘日航专机直飞北京。在26日上午第一次两国外长会谈中，外务省条约局局长高岛益郎用了1个多小时的时间，叙述了日方对复交三原则所持的立场，他坚持主张日本与中国的战争已根据“日华条约”第一条宣布结束。在这天下午的第二次首脑会谈中，周总理说：“我不认为高岛局长的发言是田中、大平先生的本意……中日关系正常化是政治问题。用法律论来解决这个问题是错误的。”①

9月27日夜，大平在外长会谈时，提出了日方准备的第三个方案。周总理同意了日方的方案。29日上午，在人民大会堂双方签署了《共同声明》。随后，在发表《共同声明》的同时，大平外相发表了与台湾断绝外交关系的谈话。

田中内阁乘中美关系缓和之机，果断地率先实现了日中邦交正常化，的确是一项值得大书一笔的重大政绩。不过，客观地讲，从1949年中华人民共和国成立，到1972年中日复交，已经走过23个年头，随着国际形势的巨大变化和中国国际地位的提高，历届日本政府坚持敌视中国和“政经分离”的对华政策，已经走进死胡同。从总的潮流和中日关系的发展趋势看，已基本达到“水到渠成”的阶段。田中内阁恢复日中邦交，只是一种顺应时势和民心的历史选择，是对日本长期推行的“向美国一边倒”既往政策的修正，是田中标榜的“自主、多边外交”的具体实践。

---

① 升味准之辅：《日本政治史》第四册，商务印书馆1997年版，第1167页。

(二) 金权选举与田中内阁下台

田中上台不久,也就是1972年11月13日,解散众议院,12月10日举行大选。选举结果与预想的相反,自民党惨败,不但大大低于解散前的288席,而且少于"黑雾选举"时的277席,只得271席。自民党得票率只有46.9%,低于上次的47.6%和上上次的48.8%,[①]比上一届减少17席。共产党的势力大大增强,议席数由上届的14席增到38席。社会党由解散前的90席增至118席。公明党和民社党大大后退,公明党29席,民社党19席。这次选举失败,虽与田中乱立候选人、选举战术失策有关,但更主要地是自民党政治走下坡路倾向的反映。

选举虽然失败,但尚未动摇田中政权的基础,因为自民党主流四派的力量在党内占压倒优势,而且田中派通过选举反而增加了3人,减少的大部分议席属于福田派(由65人减为56人)。选举后,第二届田中内阁(1972.12.22—1974.12.9)成立。为了缓和派阀关系,福田赳夫被任命为行政管理厅长官,福田派的得力干将也被起用为政调会长。

为了巩固自民党政权,田中提出了修改选举法问题。自民党自1972年12月大选失败后,就感到必须恢复小选举区制,才能保证选举的胜利。在自民党选举调查会探讨如何修改《参议院选举法》时,多数人主张要同时修改《众议院选举法》,于是在3月28日做出决定,一并考虑众参两院的选举改革,在众议院同时采用小选举区制和比例代表制,在参议院对全国区采用比例代表制和对地方区的名额进行修改等。4月11日,选举调查会拟定了"国会议员选举制度改革的基本方针",24日得到政调审议会认可,27日又获得总务会同意。于是,在5月10日发表众议院选举区划委员会名单,12日召开第一次会议,进度异常之快。

为了与自民党对抗,社会、共产、公明、民社四党的书记(局)长于4月24日决定为阻止修改选举制度而共同斗争,在5月11日提出拒绝在

---

① 正村公宏:《战后史》下,筑摩书房1985年版,第410页。

国会审议的策略。社会、共产、公明三党还决定与“总评”等团体联合开展院外运动。新闻媒体也认为修改选举法是出于自民党的利益和党略。看到反对运动日益高涨，众参两院议长中村梅吉、河野谦三迫切希望田中首相中止向国会提出修改选举法的法案。自民党内也有人担心国会如果发生混乱，会影响其他法案的通过，大平、中曾根、三木等人也主张慎重行事。最后内阁会议决定不向国会提交有关公职选举法的法案。在野党的团结和自民党内的慎重论起了作用。

在使政局出现近两个月动荡的小选举区制问题之后，执政党和在野党又在佐藤内阁时期未通过的国铁运费上调法案、《健康保险法》修改案、两个防卫法案等问题上发生对立和多次纠纷。自民党单独表决使会期延长两次，但国会在此期间只是“空转”，议而不决。长达280天的空前长期国会于9月末闭幕时，经过执政党和在野党互相角逐而成立的法案，只有国铁法案、保健法案和两个防卫法案。有关列岛改造的一些法案，几乎都没有通过。

正当田中角荣时运不济的时候，石油危机又给了他当头一棒。1973年10月6日，第四次中东战争爆发后，阿拉伯石油输出国组织（OPEC）为了对战局施加影响，采取了削减石油产量、提高原油价格等一系列“石油战略”，目的是迫使以美国为首的发达国家改变其中东政策。

日本约90%的一次能源依赖进口，而其中的82.6%又是依赖于中东地区，中东石油的大幅度削减，给日本产业带来重大打击。田中内阁受其影响，支持率由4月的27%下降到11月的22%，不支持率由44%急升到60%，这就是日本第一次石油危机。

中东石油危机对日本经济产生的影响，一是引起急剧的通货膨胀，二是扩大了国际收支中的赤字，三是石油价格上涨迫使政府采取通货紧缩政策。内阁会议通过了《石油供求合理化法》和《稳定国民生活紧急措施法》。

1973年11月23日，田中的得力助手爱知揆一猝死，田中趁机改组内阁，任命福田赳夫为大藏大臣，从此，便将制定经济政策的重任交给福田。福田一直反对过头的经济高速增长，主张“稳定增长”。面对石油危机这一事态，新上任的福田赳夫立即提出，政府要压缩财政，企业要减少投资，家庭要压缩消费支出，并大大压缩了公共事业投资规模。

抑制通货膨胀政策虽然在抑制总需求方面起到一定的作用，但由于原料和燃料涨价引起的成本上升和生产的压缩，物价仍然居高不下。物价上涨引起工资上升。1974 年“春斗”中的工资上升率为 32.9%（上一年度为 24.1%）。物价、工资的轮番上涨造成通货膨胀的恶性循环。

石油冲击给日本带来巨大而深远的影响，经济出现战后以来前所未有的萧条，而且从低谷回升的速度也很缓慢。工矿企业生产（综合指数）直到 1978 年 2 月才恢复到 1973 年 10 月（石油危机前的高峰）的水平，使持续近 20 年的经济高速增长出现根本性转折，日本经济逐渐进入所谓“稳定增长时期”。

田中内阁成立以后，由于地价和物价的上涨，广大国民越来越感到不安和不满。加之石油危机后的“狂乱物价”，更把国民生活搅乱，人心惶惶，怨声载道。据舆论调查，田中内阁刚成立时，支持率高达 62%，为历史最高纪录，到石油危机后的 1973 年 11 月，支持率下降到 22%，不支持率却上升到 60%，及至 1974 年 3 月，支持率更降至 16.7%。①

国民对田中内阁的不满，也表现为群众运动的不断高涨。1973 年 11 月 11 日，日本工会举行“物价斗争日”活动，呼吁在石油危机和通货膨胀情况下保卫生活。1974 年 3 月 1 日，举行了有 55 万人参加的春季斗争统一罢工，致使日本主要交通干线陷于瘫痪。3 月 26 日，又有公共事业、民间企业以及公务员等各界数十个工会联合组织了有 265 万人参加的大罢工，中断交通半天。4 月 11 日，有 600 万人参加的交通大罢工几乎使国营铁路中断，私营铁路和航空公司也举行了 48 小时或 24 小时罢工。

田中角荣坚持的经济高速增长政策和日益恶化的国内经济形势，引

① 田中浩：《战后日本政治史》，讲谈社 1996 年版，第 227 页。

起自民党内部的反对，各在野党也对田中内阁持强烈不信任态度，纷纷提出严厉批判，寻求建立联合政权的可能性。但由于在野党之间存在力量分散、政见不一等弱点，尚难取自民党政权而代之。

1974 年 1 月 7 日至 17 日，正当石油危机导致通货膨胀之际，田中首相为寻求“分享和平与繁荣的好邻居”而访问了菲律宾、泰国、新加坡、马来西亚、印度尼西亚等东南亚国家。田中的东南亚之行，一是为了在石油危机的新形势下与这些国家建立经济合作关系，开展资源外交；二是试图解决日本企业打入东南亚各国之后与当地产生的各种摩擦。

但事与愿违，田中的访问，反而招致东南亚各国的一场反日运动。第一站菲律宾，还算圆满成功。到第二站泰国后，情况为之一变。5 000 名泰国学生包围了田中一行，高呼“田中滚回去”“反对经济侵略”等口号。到最后一站印度尼西亚，学生的反日运动发展成暴力行为，雅加达的日本大使馆国旗被扯下，200 辆日本制汽车被焚毁，丰田系统的企业也遭到火攻，日本餐馆遭到袭击等。军队向示威队伍开了枪，据说有 8 人死亡。预定的田中首相与学生之间的对话也被取消了。这次事件，给日本政府和企业以深刻冲击。

东南亚各国的反日浪潮，从根本上讲，不是针对田中内阁和田中本人的，而是由于这些国家在贸易方面出现不平衡和日本的投资过猛等原因，而导致的经济和文化方面的摩擦。田中的访问，只是发泄这种不满的一个契机。

就在日本政局动荡不安的情况下，1974 年 7 月 7 日举行了第 10 届参议院议员选举。这次参议院选举，有可能会出现执政党和在野党势力对比逆转的局面。自民党为避免在选举中失败，接受了财界的大量政治捐款，并向银行借来上百亿日元“选举资金”。田中以每架 200 万日元的价格包租了两架直升飞机，到全国各地游说，除枥木县外，其他 46 个都道府县都去过，在 147 个地方做了街头演讲，飞行达 4 万公里。为了拉票，还动员企业，自民党把它的 35 名全国区公认候选人分配给企业集团或大公司，由它们协助竞选。企业家也积极响应自民党“为保护自由社会”的号召。“经团联”副会长说:“只能叫自民党接着干,否则就要出问题。”东京商工会议所副会头说:“为选举这样的大事把全部企业都拉过来加以组织,企业的意识就会增强。”①

大企业千方百计动员本企业职工支持自民党,违反了作为国民基本权利的“投票自由”的原则,所以这次选举被称作是“金权选举”和“企业总动员选举”,引起社会舆论的广泛批判。

在这次选举中,田中虽然竭尽全力,但选举结果自民党议员数仍比选举前减少8名。在改选议席中未过半数,加上非改选议员和把无党派议员拉入自民党之后,才勉强维持住过半数议席,避免了“保革逆转”局面的出现。但自民党议席只比在野党多7席。这是自民党自1955年成立以来,第一次在参议院出现的“朝野伯仲”局面。

由于自民党议席的减少,自民党控制参议院的能力大大削弱,同时加剧了自民党的内讧和权力之争。选举结束后,1974年7月12日,田中内阁副首相兼环境厅长官三木武夫宣布辞职。7月16日,大藏大臣福田赳夫和行政管理厅长官保利茂也提出辞呈。甚至力保田中内阁的行政厅长官在说服福田留任失败后也先于福田辞职。这些自民党核心人物的辞职,使田中政权陷入空前危机,三木派和福田派联合起来对田中政权展开公开批判,这预示着田中政权的末日已经为期不远了。

参议院选举的失败,使田中政权处于四面楚歌的境地。一直支持田中的财界,也开始与田中离心离德,号称“日本财界总司令部”的“经团联”决定不再为自民党筹集政治资金。东京电力公司以及其他8个电力公司和东京、大阪、东部、广岛、西部的各煤气公司也决定中止向田中提供政治捐款。“日经联”会长樱田武说:“自民党单独执政的时代已经结束,即将进入联合政权时代。”②

正当田中角荣穷于应付动荡政局,试图挽回危机的时候,日本大型

① 升味准之辅:《日本政治史》第四册,商务印书馆1997年版,第1174、1175页。
② 升味准之辅:《现代日本政治》第四册,商务印书馆1997年版,第235页。

综合杂志《文艺春秋》11月号(提前发行)刊出了著名评论家立花隆的文章:《田中角荣研究——他的财源与人事关系》。这篇长篇纪实性报道,披露了田中家族的皮包公司经手抄卖土地和大搞黑钱的内幕。儿玉隆也的《越山会百无聊赖的女王》则介绍了田中后援会"越山会"女管家佐藤昭与田中的关系以及她在田中派内的权势和地位。关于田中的"聚财"本领和事实早就有所传闻,但如此详实、生动地收集"第一手资料"揭露田中"金权政治"的文章,这还是第一次。文章记述了田中如何运用巧妙、周密的方法,通过金钱获取政治权利,又通过政治权利进一步扩大财源。

上述两篇文章一发表,在日本国内外引起强烈反响,当期《文艺春秋》很快被抢购一空。自民党总务会专门开会讨论此事,各在野党也立即着手整理"田中问题"的材料,舆论界对田中的资金来源问题展开了广泛批判,扩大之势已不可收拾。内阁支持率下降到12%,不支持率升至69%。从此田中政权前途多舛,政治形势演变失常。

为度过政局难关,田中在照原计划历访了新西兰、澳大利亚和缅甸三国之后,于11月11日第三次改组内阁,党内"三巨头"也分别由田中、大平、中曾根主流三派担任,干事长是田中派的二阶堂进,总务会长是大平派的铃木善幸,政调会长是中曾根派的山中贞则。但这一举动被社会舆论抨击为"转移国民视线"的小动作,社共两党和"总评"等19团体于11月17日开展全国统一行动,举行了有355万人参加的秋季大罢工,要求田中内阁下台。各在野党采取联合行动,决定追究物价问题和田中丑闻,并提出对内阁不信任案。自民党内以福田赳夫为代表的反对派也扬言要掀起迫使田中下台的倒阁运动。

在这种形势下,田中下台已成定局。11月18日,作为美国总统战后首次访日的福特来到日本,20日发表了《日美共同声明》,26日,田中发布辞职声明。声明大意是:

我自执政以来,两年四个月有余,始终将决断和实行铭记在心,

> 为日本的和平和安全以及国民生活的安定和提高全力以赴。
>
> 但是，最近发生的政治混乱，发端于我个人的问题处不少，我作为国政的最高责任者，痛感负有政治的、道义的责任。
>
> 作为一个普通人，我自赤手空拳从乡间出来以后，没有休息过一天，只是一直勤勤恳恳地工作。回顾过去，聊有感慨。但是，由于我个人的问题而暂时遭到世人的误解，对于一个公职人员来说，实在是一件说不清道不明的有损道德的事情，使我感到有一种难以忍受的痛苦。我认为，将来总有一天真相大白，得到国民的谅解。①

田中的威望，在田中内阁成立后的数月内蒸蒸日上，但最后在资金来源事件上使他失去政治生命。导致田中内阁下台的原因一般认为有两个：一是国内政策失误，二是“金权政治”败露。

国内政策失误，即推行了与经济形势不相吻合的“日本列岛改造计划”，导致事与愿违的结果。至于“金权政治”，田中角荣的确是行家里手，这是世人所公认的。筹集政治资金，对一个资深政治家来说，并不是一件太难的事，不过，在资金问题上，如果公私不分，就难免失去国民的信赖。所以，田中“金权政治”的曝光成为其下台的直接导火线，加速了田中政权的崩溃。

不过，日本自民党政权与财界之间的权钱交易关系，田中角荣既非始作俑者，亦非最后一个，只不过他更明目张胆而已。一位日本政治记者不无讽刺地说：“田中政治是战后保守政治的污水处理厂。”②又有人打了一个不太文雅的比喻，说金钱这种“肥料”对任何一个政治家来说都是必要的，但历来的政治家都是在后门不显眼的地方建厕所“聚肥”，而田中却偏偏在大门口引人注目的地方堂而皇之地建厕所“聚肥”。此话倒也点中了田中的要害。

田中内阁的下台并不意味着田中型政治的终结。毋宁说，直至1990

① 中野士郎：《田中政权：八八六日》，行政问题研究所1982年版，第373页。

② 佐藤基夫等：《战后保守政治的轨迹》，岩波书店1982年版，第268页。

年代中期的桥本龙太郎内阁，田中派→竹下派→小渊派的势力长盛不衰，在长达 20 多年的时间里，田中派亡灵一直控制着日本政坛的命脉。这些将在后面的章节中谈到。

(三) 三木内阁与“洛克希德事件”

田中内阁表明辞意后，自民党内争夺总裁和首相之位的派系斗争迅速升温。曾有人提出“总裁首相分离方式”，田中继续但任总裁，副总裁椎名悦三郎出任“暂定首相”。但结果没有达成共识，于是田中决定辞职。

随后，有望出任总裁的福田赳夫、大平正芳和三木武夫三人之间展开较量。田中和大平两派主张通过选举产生总裁，因为公选可能会使受到田中派支持的大平处于有利地位。但由于田中形象欠佳，又会影响自民党的形象，在田中支持下建立大平政权，显然对自民党来说并非最佳选择。在福田方面，如果集结反田中势力，并取得中间派的合作，有可能在公开选举中取胜。但是，三木武夫不肯轻易让给福田，所以反田中势力难以统一。而且福田一向主张采取协商方式，他认为，激烈的选举有损于自民党的形象。福田甚至扬言，如果出现强行公选的情况，他将与其他反田中势力一起脱离自民党，另组新党。三木的主要战术是通过协商统一到三木方面来，因为三木通过公选取胜的可能性很小。三木在政策方面接近于公明、民社等在野党，所以也有可能采取脱离自民党等形式与在野党形成统一战线。总之，党内出现严重对立，面临分裂的危险。

11 月 22 日，自民党实力人物保利茂和椎名悦三郎通过会谈达成共识：认为在当时形势下，一是应避免公开选举，二是福田和大平都不宜掌握政权，否则将引起党内混乱，因此只能是建立“长老暂定”政权，并决定采取协商方式指定继任总裁。起初，有人提出由椎名出任“暂定总裁”，但有人认为，由调停人直接出马有失公正。

于是，大平、福田、椎名都被排除在外，最后只剩下三木。12 月 1 日，椎名副总裁指定三木武夫为继任总裁。

福田和大平都接受了这一方案。当时,正受到严厉的批判的田中虽然处境不妙,但田中派毕竟是一支不可忽视的力量,田中认为,三木比福田更容易驾驭,所以田中也支持三木上台。于是,最后决定三木为自民党总裁。事后来看,当时指名三木为总裁,从对自民党危害最小这一意义上考虑,的确是一个最佳选择。

三木武夫是老资格政治家,自 1930 年代以来一直任众议院议员。战后初期加入协同民主党,后任国民协同党和国民民主党领导人之一,一直走的是一条"保守旁流"的道路。加入自民党后,历任自民党干事长、政务调查会长和历届内阁大臣等要职,是自民党元老之一,但也一直处于少数派地位,势单力薄,几次竞选总裁而未获成功。这次被指定为总裁,不但是略知自民党"派系力学"的人感到意外,就连他自己也说是"晴天霹雳"。

12 月 4 日,三木在自民党两院议员总会上当选为总裁。9 日,三木内阁(1974.12.9—1976.12.22)成立。由于三木派在自民党内是一个小派系,必须得到其他派系的支持才能维持政权。为此,内阁成员中,大平派、田中派各 4 人,福田派 3 人,三木派、石井派各 2 人,中曾根派、水田派、船田派、椎名派各 1 人。[①] 三木任命福田赳夫为副首相兼经济企划厅长官,大平正芳留任大藏大臣,宫泽喜一为外务大臣。在自民党方面,椎名悦三郎留任副总裁,中曾根康弘任自民党干事长,无派系人士滩尾弘吉任总务会长,福田派的松野赖三任政调会长。可谓是一个典型的派阀均衡的"举党体制"内阁。

三木内阁的历史使命是改变自民党"金权政治"和"派阀政治"的形象,避免派系之争引起的党内分裂。所以三木上台后强调实行"廉洁与诚实的政治",提出"对话与协调",在党内"实行革新"。这些主张给人以挽救政治危机的"新鲜感",受到一定的好评。成立之初,内阁支持率达 45%,虽然远低于田中内阁成立时的 62%,但与田中内阁后期 12%的支

---

① 田中浩:《战后日本政治史》,讲谈社 1996 年版,第 239 页。

持率相比还是比较高的。

三木上台不久，提出了内政“三大法案”，这就是有关总裁选举和议员选举的《政治资金规正法修正案》《总裁公选制度修正案》以及《禁止垄断法修正案》。《政治资金规正法修正案》的主要内容是：限制政治资金的捐赠数量和来源，实行政治资金公开化，政党的党费和会费也必须及时报告，鼓励个人捐赠政治资金，以防止企业与政治的粘合，明确政党与非政党之政治团体的区别等。另外，《公职选举法修正案》规定：扩大选举的“公营”成分，以减少选举费用，对公职候选人员在选举过程中的宣传活动要加强管理，并通过“连坐制”等措施，严格取缔违法选举行为。

上述两个法律一般称为“选举二法”。这些法律的修改是三木在推行自民党现代化方面的主要改革措施。上述法案的提出，体现了三木的保守党内的左派立场。三木认为，现行的总裁选举方式，只由党的全国及地方议员选举产生，这是“金权政治”乃至“万恶”之源。他主张由10名以上国会议员推出候选人，再经地方全体党员投票复选并根据投票多少确定前两名，最后由党的国会议员选出其中一人为总裁。但是，这一旨在改革自民党选举制度的“总裁公选案”因遭到田中派和大平派的反对而搁浅，上述“选举二法”修正案也因触犯了自民党的根本利益，同时也受到部分在野党的反对，几经周折才在国会得以通过。在参议院表决时，出现赞否参半的局面，最后由河野谦三议长裁决才得以通过。

三木致力于上述立法，目的是为了“净化政治”，这是毫无疑问的。但问题是，他这样做，能否真的把“金权政治”一扫而光。三木曾扬言，“三年以内全面废除企业捐款”。[①] 结果，企业捐款不但没有废除，反而招来一片责难声，这是因为，自民党如果没有财界的巨额资金支持，便不能开展政治活动和维持政权。三木并没有找到解决政治资金的办法，只一味强调废除企业捐款，这犹如缘木求鱼。所以，新的《政治资金规正法》公布以后，企业捐款虽然减少，但筹集政治资金的其他花样应运而生，只

---

① 北冈伸一：《自民党》，读卖新闻社 1995 年版，第 164 页。

是改变了方式而已。而且，三木内阁成立不久，自民党干事长中曾根康弘便向财界提出"重开企业捐款"的要求，"金权政治"反而更变本加厉。

三木内阁提出的经济政策《禁止垄断法修正案》也收到适得其反的效果。

1947年制定的《禁止垄断法》曾几经修改，但这些修改都是放宽对垄断的限制，三木内阁的这次修改则是加强对垄断企业的限制。三木上台伊始，曾许诺要建立"重视舆论的政治""打破社会的不公平""自民党要向也能取得工人支持的真正的国民政党转变"。三木坚持修改《禁止垄断法》，正是企图给国民大众留下一个自民党向"国民政党转变"的印象。这虽然不是限制私有权本身，但却是通过限制收益权来探索新的保守主义的道路。从这一意义上说，修改《禁止垄断法》应该说是体现了"革新保守路线"的实质。

但是，财界和自民党的保守主流派坚决反对修改《禁止垄断法》。"经团联"首先开展了反对修改的运动。在自民党内部，以椎名副总裁为首也提出了强烈的反对意见。反对的理由是：石油危机后的日本经济，陷入了第二次世界大战后首次出现负增长这样的严重萧条，在这种情况下修改《禁止垄断法》，会有削弱企业活力和减弱国际竞争力的危险。他们认为，三木政权作为"拯救保守政权危机"的"暂定政权"，不应提出如此重大的法案，因为这是对保守党自身立场的挑战。后来，尽管对《禁止垄断法修正案》作了大幅度修改，众议院也审议通过，但在参议院因"审议未了"而成为"废案"。

修改《禁止垄断法》受挫以后，《烟酒提价法案》等也相继流产。三木连连受挫之后，开始改变某些政策，以求与主流派妥协。一是重开日台航线，部分接受亲台派的要求；二是于1975年8月15日"终战纪念日"以私人身份参拜靖国神社，这是日本战后以来首相第一次参拜靖国神社。另外，1974年末，同意国铁等公共企业拥有罢工权的提案也因党内反对而流产。有关工会为此举行罢工以示抗议。三木对公共企业工会罢工采取了强硬态度，这也是对党内主流派的一种妥协。1975年下半年以来的这一系列妥协，目的是为1976年大选以后再次连任做准备。

但是，进入1976年以后不久，日本发生了震惊中外的“洛克希德事件”。“洛克希德事件”引起的连锁性反应，使三木政权陷入绝境。

1976年2月4日，有人在美国参议院外交委员会跨国公司小委员会上揭发：美国最大的飞机制造公司洛克希德公司，为向外国推销飞机，以巨额回扣、政治捐款和津贴等名义，买通外国高官，使他们做出有利于洛克希德公司的决定或向有关方面施加影响，以购买这家公司生产的各种飞机。2月6日，洛克希德公司副总经理柯钦在该小委员会上作证说，该公司为向日本的“全日本航空公司”推销三星式客机，曾通过日本政界的幕后人物儿玉誉士夫和丸红、国际兴业等公司，交给日本政府高官200万美元(30多亿日元)的“活动费”。于是，“政府高官接受外国企业贿赂”的证言立刻引起日本舆论界的关注，并给日本政界以很大冲击。

由于全日本航空公司决定引进三星客机的时间，正好是在1972年田中、尼克松会谈之后不久，柯钦证言中提到的日本国际兴业公司老板小佐野贤治等人与田中角荣又是“刎颈之交”，所以舆论界很快便把焦点集中到以田中为首的政界要人身上。

三木下令彻底调查，并要求美方提供有关资料。经过三四个月的侦查，事件有了重大突破。从6月底开始，东京地方检察厅相继逮捕了一批涉嫌人犯。7月27日，以违反《外汇法》嫌疑，逮捕了前首相田中角荣，8月16日，以受托受贿罪和违反《外汇法》被起诉(8月17日以2亿日元保释金保释)。8月20日，东京地方检察厅以受托受贿罪逮捕原运输政务次官、中曾根派的佐藤孝行，翌日又逮捕原运输大臣、田中派的桥本登美三郎。此外，田中派的二阶堂进、安倍派的加藤六月等4人被认定为“灰色高官”。

如果说财源问题是导致田中内阁下台的导火线，使田中的政治生涯和个人名誉开始受挫，那么，“洛克希德事件”则是从根本上断送田中政治生命并最终迫使其退出政治舞台的沉重一击。田中离开首相职位以后，作为田中派的领袖仍然从事政治活动。田中派是当时自民党的最大派系,人多势众,号称“田中军团”。当时的田中跃跃欲试,准备东山再起。但是,旷日持久的“洛克希德案件”把他拖得疲惫不堪,身败名裂,在他个人历史上涂上了一层浓重的“悲剧”色彩。从此,“洛案”、田中角荣、“金权政治”,几乎成了日本妇孺皆知的同义语。

三木本以为逮捕田中可使局面改变,党内的反三木运动也应当因此而销声匿迹。但事实恰恰相反。逮捕田中引起田中势力的强烈不满,党内“倒三木”运动加剧,三木政权摇摇欲坠。曾亲自把三木扶上台的前副总裁椎名悦三郎与三木分道扬镳,为逼三木引退四处活动,公开指责“三木闹得太过分了,没有恻隐之心”。福田派和大平派形成“大福联合”的态势向三木展开攻势。8 月 4 日,田中派召开总会,通过要求三木下台的决议。大平和福田也随声附和。于是出现田中、大平、福田三派联合的态势,开始了第二次“逼三木下台”的活动。

田中 8 月 17 日被保释出狱后,逼三木下台的活动愈加活跃。19 日,田中、大平、福田三派和椎名、水田三喜郎、船田中三个中间派的国会议员成立“举党体制确立协议会”(简称“举党协”,船田中为代表主持人),掀起了一个“立即召开两院议员大会以确立举党体制”的签名运动,在 393 名众参两院议员中,有 277 人签了名,占 70%。在 20 名内阁成员中也有 15 人加入其中。① “举党协”在 24 日下午自行召开议员总会,出席会议的议员有 271 人,超过了自民党两院议员总数的三分之二。但是,三木立即通过电视向全国人民表示:“绝对不答应强制引退,不能服从在临时国会召开前引退,不作放弃原则的妥协。”②

在 9 月 10 日的内阁会议上,三木决定要召开临时国会。临时国会召开之前,党和内阁进行了人事变动。受到“举党协”强烈批判的中曾根干事长被换掉,由大平派的内田常雄出任新干事长。在 9 月 15 日的内阁改组中,除福田副首相和大平藏相留任外,其余 13 名反三木派阁僚全

① 北冈伸一:《自民党》,读卖新闻社 1995 年版,第 169 页。

② 升味准之辅:《日本政治史》第四册,商务印书馆 1997 年版,第 1197 页。

被更换，一律换上非“举党协”所属的人，但并没有形成三木所希望的阵容。

“洛案”从一开始就不是一个单纯的收受贿案件，而是与自民党派阀斗争相关联的政治事件。田中角荣1974年下台后一直伺机东山再起，曾扬言：“我若不同意，党便一事无成。”事实上，自从三木打出“净化政治”的旗号以后，田中便暗中开展了“倒三木”运动。在“洛克希德事件”出现以前，自民党内已经形成以椎名悦三郎为首的“倒三木”势力。

“洛克希德事件”对已被人们视为“野殍”的三木首相来说，本来是起死回生的天赐良机。从事件涉及的人事关系和时间来看，是和搞“金权政治”的田中内阁密不可分的，而“净化政治”、揭露政治与财界间的暧昧关系是三木多年来的主张。同时，对此事件进行彻底追查，对“倒三木”后台人物田中角荣也是一个沉重打击，借以巩固三木政权，收到一举两得的效果。三木盘算，只要“洛案”上马，不论最终田中是否有罪，一上法庭就等于葬送了田中的政治生涯，不仅可以遏制田中东山再起，同时也就削弱了其他政敌及政敌的朋友。

所以，三木摆出一副穷追不舍的态势，表示一定要查个水落石出。但是，事态发展却与三木的预想相反，“洛克希德事件”也给他自己的政治生命带来了灾难，使三木内阁陷入困境。这是因为，他执拗地暴露自民党权力中枢的黑暗面，打击的不仅是田中本人而是整个自民党的政治结构，因而必然引起自民党群起而攻之，不但使他的改革措施连连受挫，而且在要求改革的国民中也对三木内阁产生失望感。这样一来，三木内阁既孤立于自民党主流派之外，又被改革派所疏远，陷于孤军作战的境地。

三木内阁面对反对派的威胁和攻击，表现出退缩和守势，而另一些人对他的妥协和后退则表示不满，使他处于两面夹击的境地，自民党也出现分裂局面。1975年9月25日，河野洋平、田川诚一等6名众议员和参议员声明“与腐败诀别”，宣布退出自民党，成立“新自由俱乐部”。

反三木派要三木下台，必须解决由谁接任总裁的问题，也就是说，反三木派要向三木发动决战，就得使对抗马“一匹化”。那么，这匹对抗马是福田还是大平呢？必须进行内部协调。到 1976 年 10 月中旬，大平派和福田派达成共识，大平派支持福田上台。10 月 27 日，大平派和福田派签署了“合作文书”，内容为：

1. 大平正芳推举福田赳夫取代三木出任新总裁和提名为首相候选人；

2. 首相和总裁虽是不可分离的二位一体，但福田赳夫将党务主要委托给大平正芳处理；

3. 在昭和五十二年 1 月的定期党大会上修改党章，总裁的任期由 3 年改为 2 年。

对以上各点，福田和大平约定互相信守。①

文书上有福田、大平、园田（直）和铃木（善幸）的签字。这里有两点值得注意：其一，“把总裁的任期由 3 年改为 2 年”，其意思就是 2 年后把政权让给大平。也许正因为有此约定，一直主张公选的大平才转而支持福田上台。其二，“将党务主要委托给大平正芳处理”，已接近于“首相（内阁总理大臣）总裁分离论”。而“总总分离”往往是自民党内对立闹得不可开交时提出的论调，是对立双方试图分享权力、妥协与共存的产物。但是这一主张从来也没有实现过。作为最高权力的总裁和首相应为一体，是自民党成立以来一直坚持的政党政治原则。所以这次出现了近似“总总分离”的论调。

10 月 21 日，“举党协”推举福田为下届首相。11 月 5 日，福田辞去副首相兼经济企划厅长官的职务，为建立新政权做准备，其他内阁成员也大都倒向反三木一边。这时的日本政局，“如同一辆失控的汽车，整天在那里兜圈子”，而腹背受敌的三木“仍像一只受伤的狮子”，挣扎着拒绝交出政权。

① 川内一诚：《大平政权：五五四日》，行政问题研究所 1982 年版，第 45—46 页。

在“倒三木浪潮”中，三木试图通过大选挽回败局，但是，12 月 5 日，自民党在众议院选举中失败，只获得 249 个议席，得票率也只有 41.8%，追认 8 名无党派人士为自民党议员之后，才勉强保住议会多数。6 月份脱离自民党成立的新自由俱乐部一举获得 17 个议席；社会党增加 5 个议席，总数达到 123 席；公明党增加 27 席，总数达到 55 席；民社党也增加了 9 个议席，达到 29 席；共产党减少了一半议席，只剩下 17 席。①

三木不得不承担大选失败的责任，于 12 月 17 日发表了相当于“引退声明”的《我之所信》，12 月 22 日，三木内阁总辞职。

“倒三木”闹剧的背后，固然有自民党各派系之间长期积怨而导致的内部纷争，“倒三木”只不过是其中的一幕罢了。不过，由洛克希德事件引发的党内斗争的结局，竟是“廉洁的三木”被迫下台，这说明“金权政治”在自民党内有着多么雄厚的根基和不可触犯的地位。

三　频繁更迭的自民党政权

福田内阁的主要业绩是在外交方面。福田在“大福之争”中败给大平。大平政权面临自民党几近分裂的局面，党内经历了一次有名的“四十天抗争”。

各在野党在“保革伯仲”的形势下试图成立联合政权，但终因意见不一，各行其是，反而帮助自民党得以维持政权，并将“革新自治体”推向解体。

铃木内阁具有“过渡内阁”的性质，其推行的行政和财政改革，大多停留于纸上谈兵，给人以虎头蛇尾的印象。

(一) 短命的福田内阁

1976 年 12 月 23 日，在没有竞争对手的情况下，自民党选举福田赳

① 白鸟令编：《日本的内阁》第三卷，新评论 1986 年版，第 165 页。

夫为总裁。12 月 24 日，福田赳夫内阁(1976.12.24—1978.12.7)成立，众参两院都是以一票之差的刚过半数通过的。由此可见，福田内阁一上台，无论与在野党的关系还是执政党内部，都面临着严峻的局面。

福田赳夫是一位长于经济的老资格政治家，曾任历届内阁大臣和自民党要职，一向主张稳定增长政策，从政治经验和能力上看，早就被视为首相候选人。但是，此次组阁是在自民党派系斗争激化、濒于分裂的情况下产生的。在人事安排上，党内"三巨头"分别为：干事长是大平正芳，总务会长是田中派的江崎真澄，政调会长是三木派的河本敏夫，在党内人事上反福田色彩比较浓厚；在内阁方面，大平派 4 人，福田派、田中派、中曾根派各 3 人，三木派 2 人，吸收了 7 位新人入阁。内阁的威望并不高，支持率徘徊在 20%—29%之间，但"大福合作"的格局使当时的局势稳定下来。

面对自民党日趋衰退的状况，福田决心承袭三木内阁提出的改革方针，以以下三点为核心改革自民党：一、消除金权体质和派阀抗争；二、改善长老政治的体质；三、实行由全体党员参加的总裁公选制度。①

在消除派系、实现自民党"现代化"方面，1977 年春自民党成立了"党改革实施本部"，福田自任本部长。在 1977 年 4 月 25 日举行的临时党大会上，决定建立由全体党员参加的总裁预选制度，为解散派阀做好了准备。随后，自民党决定"断然解散派阀"。福田首先带头解散了"八日会"，接着大平派的"宏池会"和田中派的"七日会"也相继宣布解散。但后来的事实证明，这一举措并未产生任何实效，派阀仍名亡实存。解散不到一年，旧田中派成立了"政治同友会"，派阀在党内又公开恢复活动。在以权力斗争为己任的政界，"解散派阀"的主张不过是画饼充饥而已。

福田上台后，当务之急是要通过 1977 年度的财政预算。福田一向主张财政紧缩政策，在田中内阁时期，福田成功地解决了通货膨胀问题。他上台之后打算继续推行紧缩政策。但是，他的这一政策在预算委员会

---

① 石川真澄：《战后政治史》，岩波书店 1995 年版，第 140 页。

受到抵制，最后不得不做出修正。政府提出的预算案在国会做出修正，这还是日本战后以来的第一次。

福田内阁是在“大福合作”的前提下产生的。福田内阁初期，在1977年7月参议院议员选举中，“大福合作”以微弱多数避免了“保革逆转”局面的出现，达到了维护保守政权的目的，暂时缓和了自民党的内部矛盾。福田本想强调“协调与团结”的精神，致力于他所擅长的经济领域，但由于他参与了“倒三木”活动，而三木积极主张查明“洛克希德事件”真相，所以一般人认为，福田有企图隐瞒“洛克希德事件”真相之嫌，对他的印象并不好。

1977年11月，福田通过内阁改组建立起自己得力的内阁，为了进一步巩固政权基础，福田必须解散众议院，举行大选。因为，如果福田能在大选中获胜，那么，在其后的总裁选举中也就有可能取胜。正因为如此，大平派和其他派阀都极力反对解散众议院，纷纷指责福田解散众议院毫无道理，大福之间展开公开较量，1978年夏，“大福之争”达到顶峰。在自民党的254名议员中，除福田派以外，田中、大平、三木等派据说有160人签名反对解散众议院。福田迫于形势，曾明确表示“不解散”国会，“也不作(总裁选举)的候选人”。但不久又表示“想解散众议院”。福田出尔反尔的举动，“既表示出他本人和福田派的保持政权的欲望，又反映出受到规定任期为二年的‘大福密约’的重压；既说明他想把现世的活佛当下去，又说明他想成为转世的灵童”。①

自参议院选举之后，大福关系出现裂痕，合作关系不复存在，尔后围绕众议院解散问题大福矛盾公开化，进而发展到为争夺下一届总裁而互相拆台。后来福田为了竞选下届总裁而自食其言，背弃了两年后将政权禅让大平的许诺，大平派也加紧了竞选下届总裁的活动。在党内各派的反对下，福田未能解散国会。到1978年7月中旬，实际上已有4人(福田、大平、河本敏夫和中曾根康弘)决定竞选总裁。1978年10月31日，

---

① 伊藤昌哉：《自民党战国史》，朝日新闻社1982年版，第388页。

自民党举行了首次总裁预备选举，预选结果，大平获55万张票而遥遥领先，福田只获47万余张票屈居第二。在国内舆论的压力下，本来满怀信心的福田，怀着“人心莫测”“军之将无以谈兵”的心境宣布退出正式选举。这样，大平正芳在1978年12月1日举行的自民党大会上未经投票便被推举为总裁，随后成立了第一届大平内阁(1978.12.7—1979.11.9)。

福田在选举中失败，原因固然是多方面的，但其中重要原因应归咎于福田自身“解散派阀”的主张。如前所述，福田一向对派阀活动持批判态度，并力主解散派阀，这无疑起到削弱本派的作用。在这种情况下，对方却充分发挥了派阀的力量，争取到更多的选票，这一事实也说明派阀的重要性。如果说“廉洁的三木”失败在于触动了自民党的“金权政治”，那么福田的失败则在于触犯了自民党的另一个要害“派阀”。由此可见，“金权”与“派阀”在自民党政权中占有神圣不可侵犯的地位。

福田内阁的主要业绩是在外交方面。1977年8月，福田出访东南亚，出席了东盟扩大首脑会议，在马尼拉发表了题为《我国的东南亚政策》的演讲，其核心有以下三点：一、日本决心不做军事大国，从这一立场出发，为东南亚及世界和平与繁荣做贡献；二、日本要在政治、经济、社会、文化等各个领域，成为东南亚各国的真正朋友，建立起心心相印的相互信赖关系；三、日本站在“对等合作者”的立场，努力加强与东盟各国的团结，在实现东盟各国的自主性方面积极予以配合。同时，与印支之间建立相互理解的关系，为促进整个东南亚地区的和平与繁荣而做出贡献。[①] 这就是有名的“福田主义”。

“福田主义”(又叫“马尼拉主义”)是战后日本第一次阐明了日本对东南亚外交政策的基本原则，是1970年代以后日本东南亚政策的核心。虽然早在1970年佐藤首相就作了“日本不做军事大国”的承诺，但福田在这次演说中对此作了更加明确和详细的表述。同时表示日本不但在经济方面，而且在政治、文化、社会等各个领域，与东南亚各国建立“心心

---

① 山田浩、北西允等：《战后政治的步伐》，法律文化社1993年版，第201页。

相印”的关系，站在“对等合作者”的立场，与东南亚各国展开全面的国际交流，而不仅仅是“钱包与钱包的关系”。

福田首相为了表示“心心相印”的诚意，在与东盟各国首脑会谈时提出日本拿出100亿日元建立“文化交流基金”的设想。同时对东盟提出的“共同工业化项目”表示予以合作，商定合作金额大约1 000亿日元。福田主义意味着日本在越南战争结束以后代替美国积极插手亚洲事务的态势。对此，日本舆论界都做出了积极评价。《朝日新闻》指出：福田“外交三原则，可以说展示了目前日本别无选择余地的方向。它一方面是从日本本国考虑，将东南亚作为日本的市场，同时也是改变了过去一贯追随美国反共战略的方针。是在过去外交走投无路之后重新确立新型相互关系的困难事业”。①

签订《中日和平友好条约》是福田内阁的又一外交业绩。

自从1972年中日邦交正常化以来，中日之间的友好往来和经贸关系，基本上得到顺利的发展，相继签订了《中日贸易协定》《中日航空协定》和《中日渔业协定》。《中日联合声明》中也规定，两国政府“为了巩固和发展两国间的和平友好关系，同意进行以缔结和平友好条约为目的的谈判”。但是由于种种原因，和平友好条约的谈判进展迟缓。

1977年9月10日，中共中央副主席邓小平接见日中友好议员联盟访华团时表示，如果福田首相有决心，条约问题会很快解决。从此，缔结《中日和平友好条约》的速度加快。中国在1978年3月召开的第五届全国人民代表大会上所作的《政府工作报告》中指出：“早日缔结《中日和平友好条约》符合两国人民的根本利益。”对有争议的钓鱼岛问题，②双方达成“搁置起来”的共识，从而为缔结条约扫除了一个现实的障碍。1978年

① 山本刚士等：《战后日本外交史》第六卷《南北问题与日本》，三省堂1984年版，第344页。

② 钓鱼岛，日本称“尖阁列岛”，位于冲绳以南，台湾以北，是中国大陆架的一部分，属于中国领土。因其附近海底有石油资源，1970年以后日本政府宣布其为日本领土，从此引起中日两国间对钓鱼岛领有权的争议。1971年12月，中国外交部发表声明，重申中华人民共和国对钓鱼岛等岛屿的领土主权。中日两国政府1978年缔结《和平友好条约》时，从两国关系大局出发，一致同意将钓鱼岛问题留待以后解决。

7月21日，重开中断了2年零7个月的谈判。8月12日，《中日和平友好条约》在北京签字。10月23日，邓小平副总理应邀访日，举行条约互换仪式，至此，条约正式生效。

《中日和平友好条约》的签订，具有重大的现实意义和深远的历史意义。它是1972年《中日联合声明》的继续和发展，标志着两国睦邻友好关系发展到一个新阶段。从此，两国在政治、经济、文化、科技等领域的交流更加广泛地展开。同时条约的缔结，对维护亚太地区的和平与安全产生了积极的影响。

在国内政策方面，福田内阁在抑制田中内阁时代的“狂乱物价”方面很有成效，将物价上升率由1975年的11.8%降到1978年的3.8%，可以说功不可没。

一般认为，在政治态度和国内政策方面，福田属于“鹰派”。福田在“有事立法”问题上的表现便可见一斑。1978年7月19日，统合幕僚会议议长栗栖弘臣在接见记者时表示“紧急时自卫队也可以有超出法规的行动”，①引起社会舆论大哗。7月28日，防卫厅长官金丸信将栗栖撤职，但这一事件却在自卫队内部引起文职人员和军人之间的对立公开化。其实，撤掉栗栖只不过是为了掩人耳目，因为在撤掉栗栖的前一天福田曾指示要促进“有事立法”和“有事防卫”的研究。在11月27日召开的第17次日美安保协议委员会上，福田内阁又决定了“日美防卫合作”的指针，表示“有事时自卫队和美军可采取共同应对行动”。另外，在福田内阁后期的1978年6月14日，召开了由411名众参议员参加的“元号法制化促进国会议员联盟成立大会”，8月15日，福田以首相的名义参拜了靖国神社。这一切都可以说是福田内阁的“鹰派”行动。

(二) 大平内阁与自民党的派阀之争

大平正芳在内阁成立时发表的演说中表示：“政治能做什么不能做

---

① 田中浩：《战后日本政治史》，讲谈社1996年版，第252页。

什么，政治该做什么不该做什么，我都要把这些如实地告诉国民，一方面最大限度地尊重国民的自由创造精神和活力，一方面在面向 21 世纪的重大转折时期决心勇往直前。”①在施政演说中又表示：“我遵从民主的原则，以谦虚和灵活的姿态坦诚相见，将当前的困难公之于众。站在取信于民的立场上，对严峻现实采取有效对策，形成集思广益的政治局面。必须改变政治对国民生活的过分介入和国民对政治的过分期待。”②大平的这一思想可以说是灵活的现实主义和“信赖与协商的政治”。他一向主张，政治的作用是有限度的，“政治能达到 60 分就可以了”。大平的政治思想决定了他是一个谦虚、务实的人，具有首尾一贯的作风。

但是，福田与大平形成鲜明的对照。福田认为，“政治是最高的道德”，主张政治应该发挥更大的作用。但实际上他又做不到，只是把理想和目标挂在口头上，这种缺乏现实性的过高的理想就往往变成机会主义，实际行动却又毫无原则。

在派阀问题上，二人的想法也正好相反。大平认为派阀有一定的积极作用，派阀是基于人的本性的一种表现，既然人的价值观和认识是多种多样的，那么派阀就是没法否定的，甚至可以说派阀竞争能带来一定的活力；而福田则几乎是对派阀持否定态度，他认为，派阀是“万恶之源”，不认为价值观多样性有什么积极意义。总之，大平和福田之间的分歧，权力斗争方面的利害冲突固然是主要的，但思想意识方面的差异也是相当大的。

大平政权是自民党历史上第一个在打倒前任政权的基础上建立起来的政权。这种通过全体党员选举，并由击败前任总裁的人出任新总裁，自民党成立以来还从来没有过。正因为如此，在自民党内留下了一个很难化解的“总裁选举后遗症”。不但福田本人耿耿于怀，福田派和其他派之间也留下了很深的隔阂。这样，大平政权上台伊始，就要面对党

① 北冈伸一：《自民党》，读卖新闻社 1995 年版，第 183 页。
② 白鸟令：《日本的内阁》第三卷，新评论社 1986 年版，第 227 页。

内这样一个一分为二的局面。

矛盾首先表现在党内人事安排上。大平准备起用本派的铃木善幸出任干事长，但遭到反主流派的强烈反对，理由是三木内阁成立时有约定，总裁和干事长不得同属一派，福田内阁时也是由大平担任干事长的。而大平则认为，自己是通过公开选举当选总裁的，不应受上述约定的约束，但反主流派不同意这一说法，于是改由斋藤邦吉出任。斋藤虽然也属于大平派，但派性比铃木小，福田派勉强同意。另外，总务会长是福田派的仓石忠雄，政调会长是三木派的河本敏夫。内阁方面，大平、福田、田中派各 4 人，中曾根派 3 人，三木派 2 人入阁，基本上是一个派阀均衡型内阁。

在组阁后的半年期间，大平政权相对比较平稳。在地方统一选举中，出现保守势力东山再起的势头，自民党联合公明党和民社党推选铃木俊一出任东京都知事，取代了长达 12 年的美浓部亮吉都政。民意测验也显示出因“洛克希德事件”而锐减的自民党支持率在回升，由 1977 年 2 月的 37%上升到 1979 年 8 月的 52%。① 1979 年 6 月，在东京成功地举行了西方七国首脑会议，然后便着手准备解散议会和举行大选。

9 月 3 日，大平首相在众参两院正式会议上发表了等于宣布解散众议院的表示信念的演说。7 日，社会、公明、民社三党提出对政府的不信任案，政府宣布解散众议院。大选前，大平内阁保守预计自民党可以确保获得 260 个议席，财界也预测可以有 278 人当选。福田、三木、中曾根三派虽反对解散众议院，但都不怀疑自民党获胜。然而，10 月 7 日大选的结果，却与预料的相反，自民党只获得 248 席，远远不够过半数，创历史最低记录，加上无党派的 14 席，才勉强过半数。失败的原因主要有二：一是因为乱立候选人而连续出现两败俱伤的情况；二是大平首相作为竞选保证提出的“重建财政”（实施一般消费税）遭到

① 升味准之辅：《日本政治史》第四册，商务印书馆 1997 年版，第 1203 页。

在野党的反对而搁浅。加之以日本铁道建设公团为首的中央省厅、公社、公团的非法经营，因内部检举而连续曝光，对反对“重建财政”起到火上浇油的作用。

以此为契机，自民党内派系斗争又趋激化，福田、三木、中曾根三派要求大平下台，因为福田和三木都是在总裁预选或大选失败后下台的。大平自信在党议员总会上投票他能取胜，所以经过多次大福会谈和讨价还价，大平仍表示不引退。田中派力主大平留任，还暗地里在中曾根派和中间派里培植大平的支持者。为了与大平对抗，反主流三派和中川集团成立了“自民党改进会”，准备对主流派进行瓦解工作。11 月 1 日，反主流派召开“自民党改进会”总会，共有 151 人参加，其中众议院 115 人，参议院 36 人，他们共同推举福田为首相候选人。另一方面，主流派这一天也由党执行部召开了议员总会，但会场被反主流派占据，他们的少壮议员和秘书团在会场的入口处用桌椅搭起了壁垒，主流派的人把这些壁垒拆散踢倒，进行了一场名副其实的武斗表演，全国的电视观众都看到了这一精彩场面。出席主流派总会的共有 197 人，其中众议院 120 人，参议院 75 人，会上决定大平为首相候选人。自民党推出两名首相候选人，这在自民党的历史上还是首次。

经过多次协商，双方未达成一致意见，在 11 月 6 日的众议院总会上，已经撕破脸的主流派和非主流派，彼此怒目而视地鱼贯进入会场。投票结果是：大平得 135 票，福田得 125 票。在野党各自投了本党首脑的票。进行第二轮决选投票，大平得 138 票，福田得 121 票，新自由俱乐部投了大平的票，在野党弃权，如果民社党投福田的票，福田就很可能当选，可见田中、大平派在在野党中影响较大。在参议院进行决选投票时，大平得 97 票，飞鸟田一雄（社会党委员长）得 52 票。

1979 年 11 月 9 日，第二次大平内阁（1979. 11. 9—1980. 6. 12）成立。中曾根派的樱内义雄出任干事长，铃木善幸任总务会长，福田派的安倍晋太郎任政调会长。新内阁中，大平派（大平本人除外）、田中派、福田派各 4 人，中曾根派 3 人，三木派 2 人，无派阀 1 人，由不是议员的大来佐武郎出任外相。这次改组，仍然是一种派阀均衡的人事安排，这样，大平算是渡过了危机，但国民对新内阁的评价并不高。据 12 月 11 日《朝日新闻》的民意测验，内阁支持率为 18%，不支持率为 38%，这都是表示内阁接近崩溃的数字。

从 11 月初党内斗争激化到 12 月初新内阁组成，自民党经历了一次有名的“四十天抗争”。历时一个多月的党内抗争，自民党虽已遍体鳞伤，但总算没有分裂。

“四十天抗争”的积怨成为日后解散国会的导火线。进入 1980 年，自民党内的抗争仍在继续，福田、三木等非主流派组成“自民党刷新联盟”(简称“刷新联”)，与大平政权针锋相对。

另一方面，公明、民社两党曾就“中道联合政权”达成协议，社会党也提出“社公(社会党、公明党)联合政权”的构想。本来，社会党和民社党之间的鸿沟很深，在公明党的撮合下三党还是在不断倾轧之中走到一起来了。在每年一度的通常国会期间，社、公、民三党频频进行国会对策委员长会谈，同意在审议重要法案时采取同一步调。

5 月 16 日，社会党提出对内阁不信任案。本来社会党是为了在参议院选举时给自己制造点声势，并没有想到这个提案会通过。但该提案得到了公明、共产、民社三党的支持，而自民党的福田、三木等派的 70 多人在投票时缺席，“显然有意”缺席的自民党议员为 69 人，其中福田派 35 人，三木派 25 人，结果竟使该不信任案以 243 票赞成和 187 票反对的悬殊表决结果通过。① 内阁不信任案的通过，是自民党建党以来的第一次，是自民党政权日趋衰败的一次总爆发，表明自民党一党统治已经出现“末期症状”。

大平立即召开内阁会议，决定解散众议院，并于 6 月 22 日同时举行第 36 届众议院大选和第 12 届参议院通常选举。这是日本历史上第一次众议院和参议院在同一天举行选举。

① 田中浩:《战后日本政治史》，讲谈社 1996 年版，第 259 页。

但是，自民党内部就自民党议员缺席一事产生严重对立。中曾根本人对缺席一事持强烈批判态度，宣布退出反主流派，“刷新联”原计划成立新党，后因资金没有准备好，又不知新党能否在选举中获胜，所以未敢轻举妄动，5 月 20 日成立了以“刷新联”为核心的“党再生协议会”（简称“再生协”）。另一方面，党执行部（主流派）起初主张一定要开除缺席者的强硬方针，但后来也采取了承认既成事实的态度。这样，主流派和反主流派经过协商，双方同意在选举时停战。而“停战”的真正原因是，一方面，“再生协”议员担心再闹下去会在选举中落选，另一方面，财界害怕自民党分裂和政局混乱，表示必须以党的团结为前提才会提供政治资金。

大平正芳受“五・一六”事件的打击，面对自民党濒于分裂和政局动荡的局面，已经心力交瘁。在 5 月 30 日公布参议院选举的这一天，大平首相在东京新宿开始首相演说。演说时虽然热情很高，声音很大，但使人感到他有些过于疲劳。演说完后便因患狭心症住院，12 日凌晨病情急剧恶化，6 时许逝世，享年 70 岁。他是战后日本第一个在任期间去世的首相。

大平之死，唤起了国民的敬仰和同情，1980 年 6 月 22 日，众参两院同时选举，选举结果，自民党取得了出乎预料的胜利，达到稳定的过半数议席，有人认为，这是大平正芳用生命换来的胜利果实。众议院议员选举的投票率，由上次的 68％上升到此次的 74.6％，大约增加了 500 万张票。自民党的绝对得票率由 30％增加到 34.9％，比上次增加了 420 万张票。在众议院，自民党的议席比上次增加 36 席，总数达到 284 席，如果连新自由俱乐部算在内，总保守派议员达到 305 个议席[①]，社会党与上次持平，仍为 107 席，公明党、民社党和共产党都有较大幅度的减少，新自由俱乐部由 4 席增加到 12 席。在参议院，自民党的议席增加 11 个，达到 135 席（改选前为 124 席），得票率在全国选区

① 田中浩：《战后日本政治史》，讲谈社 1996 年版，第 260 页。

增加 6.7 个百分点，在地方选区增加 3.8 个百分点，民社党持平，社会党和公明党都有所减少。[①] 这次同日选举，一举改变了国会的“保革伯仲”局面（改选之前，包括共产党在内，在野党为 244 席，自民党为 258 席，几近“保革伯仲”）。[②]

尽管如此，自 1972 年大选以来，由于田中、大平的激烈对抗，自民党的支持率持续下降，自民党政权内部也相互掣肘，无所作为。应该说，福田和大平都是出色的政治家，然而，在激烈的竞争中，双方都在毫无建树的情况下，一人悄然退出政坛，一人猝死在任上。

这期间，自民党的主要派阀也发生了较大变化，最明显的事实是福田派的衰落，这一方面是因为福田派议员年龄偏高，按照自然规律逐渐退出历史舞台；另一方面，福田解散派阀的思想对本派也产生了消极的影响。三木派也出现衰退的倾向。另一个显著特点是，总裁派阀和干事长派阀势力增强。除 1976 年事实上的分裂大选之外，总裁派阀和干事长派阀一直保持着优势地位。这期间，由于船田、水田、椎名、滩尾等长老政治家先后去世，中小派阀也被卷入大派阀的激烈竞争之中，自身则逐渐消失了。

1970 年代以来，自民党在国会中呈现颓势，原因之一是选民结构发生了变化。自民党的选票一向主要来自农村，自民党多年来实行的保护农业和农民利益的政策赢得了大多数农民的支持。但随着经济的发展，农村人口大量流入城市，在一定程度上削弱了自民党的选举地盘。但是，自民党势力下降的根本原因还是它的政策失误和政治腐败。田中角荣的“列岛改造计划”的失败和“金权政治”是最明显的例证。自民党这一政治结构上的滞后现象，成为自民党政权危机频出乃至到 1990 年代自我崩溃的根本原因。

---

① 山田浩、北西允等：《战后政治的步伐》，法律文化社 1993 年版，第 211 页。

② 田中浩：《战后日本政治史》，讲谈社 1996 年版，第 261 页。

表 4.1　1970 年代自民党主要派阀概况①

	72 年总裁选后	72 年大选	76 年大选	79 年大选	80 年大选
总　裁 干事长	田　中 桥　本	田　中 桥　本	三　木 内　田	大　平 斋　藤	大　平 樱　内
福田派	65 (28)	55 (29)	53 (23)	49 (25)	45 (29)
田中派	42 (37)	49 (39)	43 (41)	48 (33)	53 (31)
大平派	43 (19)	45 (20)	39 (20)	52 (20)	54 (21)
三木派	39 (11)	36 (11)	32 (10)	30 (11)	31 (11)
中曾根派	33 (0)	38 (0)	39 (6)	41 (8)	43 (6)

注:(　)内为参议院的议席数。

自从 1976 年 12 月自民党在大选中失败以后,在国会中议席几近半数的各在野党在众议院 16 个常任委员会中占去 7 个,大大增强了政治发言权。在“保革伯仲”的有利形势下,各在野党开始探讨成立联合政权的可能性。但围绕自民党后的政权构想,各在野党之间难以达成一致意见。社会党提出“所有在野党国民联合政权”的口号,公明党提出“共产党除外的中道革新联合政权”,民社党也提出“革新联合国民政权”,共产党则提出“以社共为核心的民主联合政权”,在联合方针上出现对立。尤其是第一大在野党社会党内部左右两派分裂加剧,副委员长江田三郎于 1977 年 3 月脱离社会党,成立“社会市民联合”,不久江田病逝。在 1977 年参议院选举中,社会党大败,委员长成田知巳和书记长石桥政嗣引咎辞职。1978 年 3 月,“社会市民联合”与前不久脱离社会党的田英夫等人组成右派中道路线的“社会民主联合”(社民联),这样,社会党力量更趋

① 北冈伸一:《自民党》,读卖新闻社 1995 年版,第 194 页。

削弱。

在野党的各行其是，不但帮助议席不断减少的自民党得以维持政权，而且也将原来共同努力建立起来的“革新自治体”推向解体。在1978年京都府知事选举中，革新阵营分裂，使自民党推荐的候选人趁机上台，连续29年之久的革新政权就此终结。随后，东京都及其他地方政府也接连被保守派所取代。

1979年10月大选之后，在执政党和在野党的力量对比不相上下的背景下，各在野党趁自民党失败和党内混乱之机，再次提出建立联合政权的构想。首先，社会党改变过去所主张的“全体在野党共同斗争”路线，提出了以社、公为核心建立联合政权的主张。这是因为，1979年大选以后，虽然自民党遭到重创，社会党也同样减少了议席，呈现长期低落的倾向，于是，社会党开始试探同处于上升趋势的公明党接近。10月16日，社会党和“总评”商定，在1980年的参议院选举中，将采取社、公联合的选举方针，同时与共产党划清界限。但公明党方面对社会党的动向一时持怀疑态度，经双方会谈后才决定设立“政权协议委员会”。

这一时期的另一个显著特点是，在野党为了向夺取政权的目标靠近，都采取了“更加现实的”政策，这一点充分表现在对《日美安保条约》的态度上。在此之前，社会党一贯主张，一旦国民联合政府成立，便将通知美方废除《日美安保条约》。但1979年10月，社会党委员长飞鸟田一雄首次访美时改为“在日美之间协商的基础上予以废除”的新方针，认为采取单方面通知的形式“只会招致混乱”。公明党在当时召开的党代表大会上，原则上同意“通过日美两国间谈判协商废除”的方针，但又认为必须有与之相适应的国际条件。在这些条件尚不具备之前，《日美安保条约》还可以继续存在下去。与此同时，在社会党内部，左右两派围绕“日本的社会主义道路”问题又展开了论争。①

---

①《日本的社会主义道路》是1966年社会党第二十七次大会上确定的社会党纲领性文件。其中第二部第一章“日本社会主义与社会党的任务”中，强调了“社会主义革命的必要性”和革命斗争、阶级斗争等内容。

按照各在野党与自民党的距离，可把它们排列为新自由俱乐部、民社、公明、社民联、社会、共产这样的次序。全体在野党的联合是不可能的，尤其困难的是民社党与共产党的联合。公、民两党在政策上比较接近，关系也密切，所以，1979 年 12 月，首先民社党和公明党就中道联合政权构想问题达成协定，并且着手开展以公明党为中介的社、公、民联合工作。

但是，在众参两院同日选举中自民党的大胜和在野党的大败，再次打乱了在野党的阵脚，各党又不得不重新修改刚刚开始摸索的联合政权构想。其中公明党在 1980 年 12 月的党大会上，采取了"当前认可"《日美安保条约》和自卫队的方针，表明了比民社党更右的姿态。这时，社会党左派虽然要求终止社、公联合，但最终还是没有放弃这一构想。对社会党的这一动向，共产党持强烈批判态度，从而更加拉大了两党的距离。

总之，1970 年代以后，越来越分化的各在野党始终未能实现联合政权。其原因是多方面的：一是由于各在野党政见不一，甚至相去甚远，没有形成统一的抗衡力量；二是经济高速增长以后，由于物质生活的改善，多数国民"中流意识"增强，阶级对立意识淡化。同时，社会结构的复杂化使国民所关心的热点更加分散。不同的群体之间再没有同一的利害纽带来维系。对大多数国民来说，即使感到自民党不尽如人意，但也不希望根本改变日本现状；三是在野党的党内斗争和不断分化削弱了自身的力量。

(三) 铃木内阁与"和的政治"

大平在选举战中去世以后，能够继任总裁的人物一般认为是中曾根康弘、河本敏夫、宫泽喜一或伊东正义。中曾根在佐藤之后"三角大福中"的总裁候选人中，是唯一一位还没有就任总裁的人物。河本是三木派的继承人，在这次总裁预选中也跃跃欲试。宫泽已被公认为是宏池会(大平派)的新秀。至于伊东，早在战前就是大平的盟友，曾任大平内阁的官房长官，大平猝死后任首相临时代理，所以暂定下任总裁的可能性最大。

但是,中曾根遭到福田的反对,宫泽被田中所排斥。大平派接班人铃木善幸本来想推举宫泽为总裁,但派内的反宫泽势力与田中派勾结,拥立与田中亲近的铃木,福田派也予以支持。于是,田中、铃木、福田三派再次联合,在7月15日自民党两院议院总会上,以西村英一副总裁裁定的形式,全场一致推举铃木善幸为总裁。

铃木内阁(1980.7.17—1982.11.27)于1980年7月17日成立。标榜"和的政治"的铃木内阁实际上是自民党为了回避难以摆脱的政治危机而"共同撮合"的产物,连铃木本人也承认"我充分感到缺乏担任总裁的能力","没花一分钱就当上总裁的,我还是头一个吧"。[①] 铃木就任首相时对记者团发表谈话说:"我不是为了将来当总裁和首相而进入政界的。因此,也不曾像历届首相那样提出自己的政策而争当总裁。……自由民主党的政策即是作为党总裁的我的政策。"[②]可以说,铃木内阁从一开始就具有"过渡内阁"的性质。有人称他是"日本株式会社"的主持人,是调和派系斗争的最佳人选。

日本财界对自民党这种"自毁门庭"式的分裂状况极为不满,要求自民党以大局为重,继续维持政权。1980年5月20日,经济四团体首脑与自民党总务会长铃木善幸等人会谈。在这次会谈中,自民党要求追加50亿日元的政治资金应付大选,以此作为避免自民党分裂的条件。财界答应了这一条件,随后自民党在众参两院同日选举中因大平之死而戏剧性地大获全胜。铃木善幸便以此胜利为背景,被推举为大平首相的继承人。由此可见,财界在推举大平继承人的过程中也扮演了重要角色。

铃木就任总裁有几个独特之处。首先,第一次由非派阀领袖人物出任总裁。过去,一向是为将来当总裁的人物率领派阀,或者说,派阀是以追求总裁权力为目的的组织。铃木虽然在大平死后不久就任宏池会代

① 升味准之辅:《日本政治史》第四册,商务印书馆1997年版,第1224页。

② 同上书,第1225页。

表，但那毕竟具有临时性质，并非宏池会会长。铃木就任会长，大平派成为铃木派，是在铃木就任总裁之后。这和过去的惯例正好相反。第二个独特之处是，铃木打出“和的政治”的口号。用铃木自己的话说，所谓“和的政治”，即“对话的政治，追求公正的政治”，“不患不足而患不等的政治”。[①] 自从1972年田中和福田发生冲突以来，自民党内部的对立异常激烈。一方面招致国民的不满，同时也使三木政权、福田政权、大平政权陷于派阀抗争之中而显得无所作为。

但是，从另一个角度讲，过去的派阀领袖们在追求总裁权力的过程中，都清楚地阐明将实施怎样的政策。而且，为了取得政权，都将这些政策公之于世。但是，铃木在这些方面都是一个未知数。铃木一向以党内协调人著称，曾8次出任总务会长，这些经历说明他的确是一个少见的党内协调人角色。

另外，铃木是以社会党议员的身份开始走上政治舞台的，正因为如此，在气质上他应属于自民党的鸽派。在执行政策方面，不论任何事情，似乎都没有一个固定的主张，这也是他总是扮演协调人角色的原因之所在。

乘自民党大选胜利的东风，铃木政权顺利启航。在党内人事方面，中曾根派的樱内义雄出任干事长，岸信介的女婿、福田派接班人安倍晋太郎留任政调会长，同时起用田中派的二阶堂进为总务会长。在内阁方面，起用中曾根为行政管理厅长官，河本为经济企划厅长官，宫泽喜一为官房长官，因支持大平而脱离中曾根派的渡边美智雄任大藏大臣，中川派的中川一郎任科学技术厅长官。按派别划分，内阁成员中，铃木派5人，田中派、福田派各4人，中曾根派、河本派各2人，是一个典型的派阀均衡内阁。福田派受到了特殊关照，显然是一种回报，因为如果没有福田派的支持，铃木内阁是成立不起来的。

铃木上任后提出的最大许诺是进行行政和财政的改革。铃木内阁

① 升味准之辅：《日本政治史》第四册，商务印书馆1997年版，第1225页。

决心进行行政与财政改革，是有其社会背景的。在经济高速增长时期，随着事业的发展，日本政府的财政预算规模逐年扩大，行政机构和人员也不断膨胀。池田内阁时期曾成立了临时行政调查会，进行行政改革（第一次“临调”）。但第一次“临调”答询中提出的40项改革建议，只有11项得到完全实施。田中内阁为了推行“列岛改造”计划，曾发行大量的建设公债。第一次石油危机之后，经济转入低速增长，人口老龄化和财政危机等问题更加突出，主要靠税收支撑的政府预算出现巨额赤字。为了弥补税收不足，政府从1975年起开始发行“赤字国债”，国债发行额与年俱增，到1980年，国家预算收入依靠公债的比例高达32.6%。与此同时，经济滞胀和税收大幅度下降，财政危机日益严重，进而影响到经济的发展和政局的稳定，财政危机已成为重大的政治问题。

大平内阁成立后，面对庞大的财政赤字，提出“维持景气”和“重建财政”的紧急课题，并把1980年作为“行政改革元年”，着手进行行政改革。但由于一方面忙于调整党内矛盾，一方面提出了“通过增加税收重建财政”的口号，触及了国民十分敏感的“增税”问题，因此不但改革未成，反而招致大选失败和政局混乱，乃至危及政权的存废。

铃木内阁成立时，公债总额高达82万亿日元，到期还本付息的公债每年以25%的速度增加。另外还有40万亿日元的地方债。鉴于大平内阁因提出增加一般消费税而引起群众强烈不满的教训，铃木提出“在不增税情况下重建财政”的基本方针。为了推动行政改革，采纳行政管理厅长官中曾根的提案，内阁会议决定设立“第二次临时行政调查会”（简称第二次“临调”），作为首相咨询机构，并于11月通过了《设置法》。1981年3月，任命“临调”委员9人（其中财界3人，劳工界2人，中央官界、地方官界、言论界、学术界各1人），顾问6人，专门委员21人，参与58人，从中央各省厅抽调一批年轻官员任调查员，其中经验丰富的官僚占三分之一，“经团联”名誉会长土光敏夫出任会长，整个班子多达近200人，有“小官厅”和“有组织的智囊集团”之称。自民党内甚至称其为“另一个政府”。

早在第二次“临调”正式成立之前，土光敏夫就向铃木首相提出了如下个人的“建议事项”，铃木首相对此表示完全赞成，并答应实行。

1. 行政改革的坚决实行，全在首相的决心。我既然要出任临时行政调查会会长，就得付出最大的努力，做到详尽审议和提出使人满意的报告，但也希望首相明确表示必定实行这一报告所采取措施的决心。尤其是希望首相不仅要对各省厅，而且要在自民党内发挥强有力的领导作用。

2. 国民对行政改革抱有极大的期望。不必学习美国的里根政权，而要设法使行政彻底合理化，致力建立“小政府”，不依靠增税来实现财政再建，乃是临时行政调查会的重大使命之一。作为首相，请明白这一点。

3. 我认为，行政改革不能单以中央政府为对象，也要包括各地方自治体的问题，以对日本全国的行政彻底进行合理化和精简化。关于这一点，也请首相在思想上有明确认识。

4. 这时，极力设法消除 3K 赤字①，整顿特殊法人和使其转为民营，实施排除官业对民业的压迫等最大限度地调动民间活力的方案，也是极为重要的。关于这一点，也请首相在思想上有明确认识。②

铃木善幸吸取大平内阁的教训，提出了“不增税的重建财政”的方针，但在行政和财政改革方面决心很大，再三发誓“不惜豁出政治生命”加以实行。1981 年 7 月，内阁会议根据第二次“临调”第一次报告拟定了“关于行政、财政改革的当前基本方针”(《行政改革大纲》)，其要点是：一、除生活保护费外，各省一律将补助金削减一成；二、作为从 1982 年度开始的三年间财政再建期间的临时特别措施，向国会提出一项将有关

---

① K 为数字“千”的代号，数学符号为 10 的立方。3K 赤字，指预算赤字在 3 000 亿日元以上。

② 神原胜：《转换期的政治过程：临调的轨迹及其机能》，综合劳动研究所 1986 年版，第 20—21 页。

法律囊括在内的行政改革法案;三、在对1981年度国家公务员薪俸采取适当抑制措施的同时,从1982年度开始实行在5年内将国家公务员人数减少5%的缩编计划。

但是,有关行政改革的特别法案遭到既得利益集团的顽强抵制,结果比当初计划大大后退。铃木首相为使这个一揽子法案成立,作了大幅度让步。在临时国会将要闭会时,希望法案早日成立的政府,与要求完全实施人事院建议(不定期增薪,一次增薪5.23%)的在野党发生对立,以致中断审议。政府不得不再次让步,法案终于在11月末成立。

"行革法"的岁出削减效果,还不到《财政中期展望》要求的调整额27 700亿日元的十分之一。加上经济不景气,自然增收的预想可能落空,以致普遍担心1981年度的税收将减少约3万亿日元,从而岁入将大大减少。

在这种条件下,除了增税而别无办法。在1981年11月末改组内阁后的第一次内阁会议上,铃木首相表示要采取增税措施。在"临调"内,增税主张也开始占据上风。最后在12月,政府与财界达成妥协:决定增收3 500亿日元的税款和同额的税外收入。但是,由于政府修改公务员薪俸制度,强化对企业课税,增发赤字公债,铃木内阁的威信急剧下降。

"临调"的第三次报告(《基本报告》)于1982年7月提交政府。财界继续要求政府大量削减岁出,但"临调"认为,在财政局势恶化的情况下难以在1984年停止发行赤字公债,如不在增税方面采取弹性措施就不能使财政正常运行。于是,"临调"事实上同意在增税方面采取"税制上的新措施"。

1982年7月,内阁会议同意把概算要求额比上一年度的预算减少5%,作为1983年度预算的编制方针。大藏省里出现了增税论和增发公债论,政府迫于自民党的要求决定提高生产者米价1.1%,土光会长对此提出抗议并表示辞职之意。另外,对人事院关于提高国家公务员薪俸4.58%的建议,中曾根行政管理厅长官、渡边藏相等提出冻结抑制论,而初村泷一郎劳动相等则主张完全实施论,表明内阁内意见有分歧。

财界发表非常事态宣言，提出应将公务员薪俸上调一成等议案暂时搁置起来的建议。9月16日，铃木首相发表财政非常事态宣言，要求国民协助再建财政，暗示要彻底削减岁出，强化国民对福利教育等的负担，冻结人事院建议，增发赤字公债等。9月24日的内阁会议根据“临调”第三次报告，决定了“今后行政改革的具体化方策”(《行政改革大纲》)。其中提出要求国铁定出五年以内事业再建的总构想，并拟向下届通常国会提出为实现这一构想而设置国铁监理委员会的法案，以及关于日本电信电话公社和专卖公社的必要法案；而对人事院建议的上调薪俸一事，则准备搁置起来，等等。

铃木内阁的财政改革出师不利。结果，铃木内阁两年任职期间，国债反而比大平内阁期间还多发了2万亿日元。行政改革也未能顺利进行。总之，铃木内阁的行政财政改革大多停留在纸上谈兵，给人以虎头蛇尾的印象。

从日本战后历次行政、财政改革的情况来看，除战后初期美国占领下的改革外，凡涉及政府机构本身的改革，都会遇到顽强抵抗，甚至根本无法进行。这说明，日本虽属“法制”国家，但其行政机构已基本定型化，各省厅都有一定的独立性和本位主义，往往出现“上有政策，下有对策”的情况，对行政机构来说，要改革等于是从自己身上割肉，并非易事。例如，佐藤内阁实行的“一省减一局”的硬性规定，一时得以贯彻也是由于佐藤政权还算巩固。但是不过几年，佐藤下台后，又以新的形式逐渐恢复原状。

正因为如此，发誓“豁出政治生命”推进行政改革的铃木首相，面对重重阻力也感到束手无策，财政状况日益恶化，最后不得不于1982年11月自民党总裁改选前夕，主动宣布放弃连选连任，自认失败。

在政治态度方面，铃木内阁上台伊始便呈现右倾化倾向。1980年8月18日，内阁几乎所有阁僚一起参拜了靖国神社，从而引起在野党和宗教界的警惕和抗议。与此同时，铃木内阁的法务大臣、改宪论者奥野诚亮也在众议院提出要修改美国占领军“强加给日本的宪法”，要求制定日本自己的宪法。铃木担心在野党追究奥野的发言，赶紧声明内阁无意修改宪法，但内阁轻视现行宪法的态度已昭示于国民面前。

另外，铃木内阁在外交和防卫政策方面，也表现出“积极化”倾向。大平内阁时代曾提出“综合安全保障”的基本思路。1979 年 3 月，大平首相在防卫大学举行的毕业典礼上说：“确保我国的安全，在建设防卫力量的同时，还要综合地运用经济力量、外交力量、文化力量等我国拥有的一切力量，方能做到。”这是日本政府第一次完整地阐述“综合安全保障”的设想。铃木内阁继承了大平的这一路线，决心把综合安全保障战略置于日本内外政策的优先地位加以贯彻。1981 年度的预算，在总体上紧缩的情况下，防卫费增加了 7.6％，1982 年度又增加了 7.8％，这都是继承大平路线的具体表现。

与此同时，铃木内阁也继承了大平内阁的“苏联威胁论”，强调日本要“为了亚洲的稳定，尽美国同盟者的责任”。1980 年 11 月，里根当选为美国总统，里根属于对苏强硬派，强烈要求日本增强防卫力量。在 1981 年 5 月铃木和里根进行会谈后发表的《共同声明》中双方确认了日美间的“同盟关系”。声明指出“首相和总统认为，日美两国的同盟关系，是建筑在民主与自由这一两国共同价值之上的，再次确认两国间的团结、友好和相互信赖关系”，“按照本国宪法及基本防卫政策，改善日本领域及周边海、空域防卫力量”。①

如所周知，所谓“同盟关系”的规定，在国际关系上是有军事方面的含义的。《日美安保条约》就是同盟条约，是以军事方面的内容为核心而制定的。但是，历届自民党政府为了避免在国内引起风波，从来不使用军事或同盟之类的用语。因此，这一声明在日本国内立即引起轩然大波。铃木回国后一方面极力否认其军事含义，一方面批评外务省措词不周。铃木表示，外务省在起草《共同声明》的过程中，没有充分反映铃木在首脑会谈时所表述的内容（指日本不做军事大国、要充分考虑到亚洲

① 山田浩、北西允等：《战后政治的步伐》，法律文化社 1993 年版，第 219 页；

各国的反应、财政状况严峻、增加防卫费有困难等)。但外相伊东正义认为,军事问题当然应该包括在“同盟关系”之内,为此,伊东辞去外相职务,使铃木外交受挫。此次事件被称作“日美同盟”事件。

1981 年 11 月,铃木内阁改组。在党的方面,二阶堂进任干事长,福田派的田中龙夫任总务会长,铃木派的田中六助任政调会长。二阶堂任干事长,意味田中派势力的扩大,因为这时田中派已发展为自民党大派阀之一,多达 62 人。在内阁方面,田中派和福田派各 4 人,铃木派、中曾根派和河本派各 3 人入阁,仍是一个派阀均衡内阁。

就铃木内阁而言,既没有太大的反对势力,也没有太强的继续执政的能力。进入 1982 年,重建财政的改革已经越来越感到力不从心。但是,铃木的党内基础还比较巩固,一般认为,铃木在 1982 年秋的总裁选举中连选连任当没有问题。按 10 月 12 日的情况估计,在 421 名自民党议员中,支持铃木再次当选的主流派共计 244 人,其中铃木派 87 人,田中派 107 人,中曾根派 50 人。阻止铃木再次当选的非主流派共计 131 人,其中福田派 76 人,河本派 43 人,中川派 12 人。如果把中间派和无派系的 46 人一分为二,加在双方,则主流派为 267 人,非主流派为 154 人。①

根据规定,如果有 4 名候选人同时出马竞选,就要举行总裁预选,而要取得候选人资格必须有 50 名国会议员推荐。也就是说,除铃木外,还要有 3 名候选人才会举行总裁选举,而这 3 名候选人需要有 150 名国会议员推荐,这在当时是很难做到的。

但是,党内真的出现了阻止铃木连任的动向。8 月 31 日,中川一郎表明要出马竞选总裁,中川派虽是一个小派,但得到福田派的支持。随后河本敏夫也表示要出马,如果再有一人杀出来,就有可能要举行总裁预选。结果,铃木突然宣布放弃竞选。放弃的原因至今不得而知。但据推测有以下几点原因:第一,国内经济政策受挫。铃木内阁成立之初许

① 升味准之辅:《日本政治史》第四册,商务印书馆 1997 年版,第 1231 页。

诺的实现“不增税的重建财政”计划没有兑现，而1984年以前建立“不依靠国债的财政体制”的承诺也有可能成为泡影。如果铃木出马参加竞选，铃木的政绩将会成为党内批判的焦点，这是铃木所不愿看到的，同时这种局面的出现也违背了他所倡导的“和的政治”的本意；第二，“日美同盟”事件导致伊东正义外相辞职，对此，铃木首相早就感到有一定责任；第三，由于“洛克希德事件”的进展，1982年6月8日，前运输大臣桥本登美三郎等被法院判刑，自民党某些“灰色高官”也被法院认定有受贿行为。这一事件也引起日本政局动荡，铃木内阁穷于应付；第四，铃木对党内田中派和反田中派的恩怨纠葛已表示厌烦。他在声明不再出马竞选总裁后第二天会见记者时表示“自己在敬业于总裁之职期间，曾不断力劝党内应当融洽，但终因没有说服力，便在这时声明引退，以期人心一新，在新总裁的领导下谋求党风的刷新，创造出真正的举党一致体制”；①第五，另外，铃木本人一直就认为自己并非宰相之器，对权力看的不重，心态淡泊。综合上述几点，大概比较接近事实真相。

从某种意义上说，铃木时代与福田、大平时代正好相反。福田和大平都是具有优秀资质的政治领导人，但由于党内基础薄弱以及与在野党的关系紧张而显得无所作为；铃木恰恰相反，党内基础虽然较强，但从主观上又不想干什么大事。

在铃木内阁时代，在野党阵营呈现三极分化的态势。

社会党一方面谨慎地修正1966年制定的《日本通往社会主义的道路》纲领中偏左的方针路线，一方面对公明党的右倾化持强烈批判态度，持上述立场的飞鸟田一雄委员长在1981年11月举行的党大会上连选连任，说明左派势力在党内依然占主导地位。不过，社会党中央执行委员会在党内提出的《80年代国内外形势的展望与社会主义路线》，阐明了实现社会主义政权需要一个长期的演变过程，并非短期内很快能实现的见解。党内左右两派围绕党的重建问题仍在展开论争。社会党围绕路

① 升味准之辅:《日本政治史》第四册，商务印书馆1997年版，第1231页。

线斗争的党内对立，随着1982年2月由左派和中间派组成的执行部的成立而告一段落，但是右派的反抗并没有停止，混乱一直持续到1982年末“举党态势”的新执行部成立。

众参两院同日选举之后，共产党希望社会党回到过去的“全体在野党共同斗争路线”上来。但是，社会党对共产党的要求不予理会，使共产党进一步孤立，1981年8月，日共成立了“促进和平、民主、革新统一全国恳谈会”，独立自主地开展活动。

公明、民社中道势力本来打算与新自由俱乐部和社民联组成国会内四党统一会派，但1981年9月，后两党率先在众议院成立统一会派“新自由俱乐部·民主联合”。在这一动向中，公明党内部出现要求重新修正社、公关系的呼声，1981年12月的党大会一致认为，在社、公、民总体关系继续维持的前提下，将来也有可能与保守党联合。公明党在这次大会上承认了自卫队的存在，所以与主张“非武装中立”的社会党进一步拉开了距离。

在野党的这种三极分化状态一直持续到1982年，使本来就走下坡路的在野党阵营更加分裂，整体力量更加削弱。

第五章　自民党政权的中兴与崩溃

一　自民党政权的中兴

（一）中曾根政权的诞生

1982年10月12日，执政两年多的铃木善幸突然宣布不竞选下届总裁。这样，“意外”诞生的铃木政权，又“意外”地从政治舞台上退下来。铃木内阁表明辞意后，自民党内各派势力围绕总裁和首相候选人问题又展开了明争暗斗。

早在铃木宣布退出竞选之前，田中、铃木和中曾根之间已就“下面由中曾根接任”一事取得共识。于是，正当中曾根、河本、安倍、中川四人准备开始竞选时，有人又提出了通过协商产生总裁的主张，并且将预选日期向后推迟一个星期，以便留出充分协商的余地。这是自民党一贯的临机应变的做法。

协商在福田前首相、铃木首相、二阶堂干事长三人组成的调整委员会内进行，有人提出由中曾根任首相，河本任总裁的所谓“总总分离论”，但未取得一致意见。协商继续进行至最后一天即10月22日，仍没有结果，在会谈即将结束的时候，田中派的田村元突然闯进会场，要求协商继续进行，并提出中曾根任首相、福田任总裁的主张。铃木、河本、安倍、中川都接受了这一方案，福田也只好接受。但就要落实此方案时，没有想到田中为了报复福田而指示中曾根拒绝接受此案，致使中曾根首相、福田总裁案流产。

10月23日开始的总裁预选持续了一个月，11月24日开票。投票总人数为974 150人（投票率为93.1%），中曾根得559 673张票（占57.6%），占绝对优势，这是田中、铃木、中曾根联合的结果，河本、安倍、中川分别得265 078张（占27.3%）、80 443张（占8.3%）和66 041张（占6.8%）。[①] 反主流派本想在这次选举中建立反中曾根联合战线，但鉴于选票悬殊，河本、安倍退出第二轮决选，于是没有召开党大会就确定中曾根为总裁。中曾根的顺利当选，显然应归功于田中派的大力支持，而田中之所以支持中曾根，是他本人准备复出政界和等待"洛克希德事件"的判决，以图扩大田中派势力。

1982年11月25日，中曾根在自民党大会上就任总裁之职。27日，第一届中曾根内阁（1982.11.27—1983.12.27）成立。田中派6人参加内阁，加上接近田中派的无派阀2人，实际上田中派共有8人进入内阁，尤其是作为内阁关键职位的内阁官房长官，打破由本派出任的惯例，起用了田中派的后藤田正晴，所以中曾根内阁一度被舆论界称之为"角营内阁"（在日语中，"营"和"荣"同音），又有人戏称为"田中曾根内阁"。

中曾根的这一人事安排，显然是对田中的回报，因为他知道，如果没有田中的支持，他既当不了首相，政权也无法维持下去。当时舆论界普遍认为，新内阁将无疑由田中控制，是"田中内阁的翻版"，中曾根只不过是块招牌而已。因此它将是一个空前不稳定的内阁，最长只能维持两年。但是历史事实却与人们的预料相反，中曾根内阁执政长达5年之久，在自民党的历史上仅次于佐藤政权的7年8个月，超过了池田政权的4年零4个月和岸政权的3年零5个月，即使在自民党成立之前，也只

① 升味准之辅：《日本政治史》第四册，商务印书馆1997年版，第1232页。

有吉田茂内阁超过了中曾根内阁。中曾根内阁不仅成为佐藤之后执政时间最长的内阁,而且还成为大力推动日本政治转折的重要内阁。

在自民党长期政权期间的15位总裁中,连选连任总裁的只有岸、池田、佐藤、中曾根四人,其中岸、池田、佐藤是在自民党政权的前期,1972年佐藤下台之后只有中曾根一人。中曾根在任期间,不但没有像岸信介那样"坎坎坷坷",而且在4年届满之后又延长一年任期,并顺利地完成了交接工作,这是自民党的任何一个总裁都没有享受的殊荣。

中曾根得以维持长期政权,原因是多方面的,有中曾根个人资质方面的条件,客观上也有与此正好相吻合的外部环境。首先从中曾根的从政道路上来分析一下中曾根的个人资质。

中曾根1918年出生于群马县高崎市一个木材商家庭。1941年毕业于东京帝国大学法律系,曾就职于内务省,一度应召入伍,日本投降后又回内务省工作。1947年首次参加竞选,当选为国会议员,从此进入政界。中曾根的政途比较曲折,最初参加民主党,随后加入改进党,保守党合并后转入自民党,属于河野派。河野一郎去世后,时年不到50岁的中曾根成为本派领袖。

中曾根的行为准则属于"风派"人物,但其思想深处是一位资产阶级民族主义者。早在日本被占领时期,便经常系一黑色领带,以示"为被占领的日本戴孝守节"。因此,曾对吉田内阁的追随美国和经济主义政策持批判态度。日本独立后,中曾根一贯鼓吹修改宪法,1956年他写过一首《修改宪法之歌》,在剧场演唱。修改宪法的目的当然是扩充军备。1970年他担任佐藤内阁防卫厅长官后,曾向国会建议设立了防卫委员会,并亲自修改制定了第四次《防卫力量整备计划》,首次提出了"自主防卫五原则"。

1955年自民党成立后,中曾根历任党内和内阁要职,岸内阁时曾任科技厅长官,佐藤时代任运输大臣、防卫厅长官和自民党总务会长,田中内阁时连续出任通产大臣,福田时代任自民党总务会长,铃木内阁时任行政管理厅长官。从佐藤时代开始,以河野派为基础形成中曾根派,

1970年代以后成为党内五大派阀之一，开始与其他派系争夺总裁宝座。中曾根从年轻时起就怀有当首相的野心，但终因势单力薄，久久未能如愿。

在自民党激烈的权力斗争中，中曾根一向被认为是一个见风使舵的人，但从另一个角度讲，也可以说他具有把握权力关系平衡的能力。1980年大平死后，中曾根失去了一次当首相的机会，固然有些遗憾，但在铃木内阁时代，他研究了大平时代的各项政策，并作为行政管理厅长官，推行了行政改革，这可以说是为他上台做好了接班的准备。

当然，中曾根长期政权得以维持，仅靠其个人资质是不够的，还要有适当的客观条件。所谓客观条件，就是使中曾根作为民族主义者的能力充分发挥的国际环境，以及在国内推行行政改革的经济条件。另外，更为重要的是，他得到了自民党最大派阀田中派的有力支持。可谓天时、地利、人和均已齐备。

田中派在铃木内阁时已扩大到108人（众议院65人，参议院43人），加上中曾根派，已占自民党的40%，如果再把铃木派拉过来，则完全可以控制自民党。田中派为什么支持中曾根？因为当时党内反主流派主张与深受"洛案"牵连的田中派划清界线，正在"吃官司"的田中派需要有一个能够保护田中的领袖人物，相信与中曾根联合会对自己有好处。中曾根正是抓住了田中派这一弱点，才和田中派联合在一起的。

1983年10月12日，东京地方法院在"洛案"一审判决中以"受托受贿罪"判处田中4年徒刑和罚款5亿日元。为此，在野党在国会提出了《对田中的议员辞职劝告决议案》，并要求解散众议院，国会围绕田中问题发生大乱。《朝日新闻社》的民意测验表明，要求田中"退出政界"的占45%，要求"首先辞去议员职务"的占35%，两者加起来达80%。但田中毫无辞职之意，最后在众参两院议长的斡旋下中曾根决定解散众议院。

众议院于11月28日解散，12月18日举行了大选。在这次大选中，自民党正如预料的那样大败，只获得250席，比上次的284席有大幅度减少，后退到1979年（248席）和1976年（249席）的水平。自民党立即追加公认无党派当选者 9 人为本派候选人，这才勉强维持了过半数(50.7%)。第二届中曾根内阁(1983.12.27—1986.7.22)成立。不过，颇有讽刺意味的是，在这次失败的选举中，与解散时相比，铃木派减少 12 名，福田派减少 6 名，中曾根派减少 6 名，而田中派却只减少 2 名，还占有 63 席，带罪竞选的田中本人仍以绝对优势当选为众议员。

面对"洛案"的判决和田中派的强大，中曾根处于两难境地。一方面，中曾根不得不做出"脱离田中"的姿态，表示要"完全排除田中的政治影响力"。在 12 月 24 日的总务会上发表总裁声明时说："我认为，失败的最大原因是对所谓田中问题的认识不明确，以及在政治伦理方面所作的追究使国民产生了不满。因此，为了一、彻底清除田中的政治影响；二、高扬政治伦理，致力于党素质的根本刷新，确立清廉的党风；三、确立举党一致的体制，必须实行公正的人事和党务工作。"①另一方面，对"高位当选"的田中及其百余人之众的"田中军团"又不能不高看一眼，田中派在新内阁中仍然有 6 人。直至田中病倒之前，中曾根始终借助"田中军团"的力量来维持自己的政权。可以说，在对待田中派上，充分表现了中曾根的看风使舵的特点。

12 月 26 日，政调会长田中六助和新自由俱乐部干事长山口敏夫就确立"政治伦理"等四项政策协定达成协议，随即成立了统一会派"自民党—新自由国民联合"。于是，统一会派在众议院占了 267 席，阻止了执政党和在野党在预算委员会中力量对比的逆转。

(二) 中曾根内阁与"战后政治总决算"

中曾根康弘是自民党成立以来的第 11 位首相，也是继佐藤政权之后所谓"三角大福中"之争中最后登上首相宝座的一个。中曾根虽然是在田中派支持下上台的，但从自民党的派系沿革来看，中曾根和田中不是一根藤上的瓜。所以当田中在"洛案"中被判刑后，善于顺应形势变化

---

① 升味准之辅：《日本政治史》第四册，商务印书馆 1997 年版，第 1234 页。

的中曾根，一方面维系与田中派的关系，一方面逐渐采取“脱离田中”的行动，树立自己“独立自主”的形象，先后提出修改宪法、扩充军备、增强防务、建立“国际国家”日本、实行“战后政治总决算”等口号。

中曾根担任首相后，他的国家主义思想主张得以贯彻、发展。1978年，中曾根曾出版一本名叫《新的保守理论》的书，集中地反映了他的政治思想。他在该书中谈到，“在国家主义的时代，国家与个人之间并不存在什么对立，国家就是最终的价值”，但是，“当今的日本是国家观念最为衰退的时代。现在对日本人来说，如果极而言之，国家观念已经淡薄到等于国家根本不存在的程度”。他呼吁必须为“确立国家和国民之间正常关系”“进行艰苦的努力”。① 因此，中曾根上台伊始，便提出“政治大国”的口号，并成为其在任期间为之奋斗的目标。

中曾根首相以“实干内阁”为标榜，志在“三项改革”：行政改革、财政改革、教育改革。他推行了“临调报告”所建议的三公社民营化，编制了一年比一年缩减的紧缩预算。同时，对各项问题分别设立了数量众多的官方的和民间的审议会或恳谈会，并根据它们提出的报告和建议制定法案并予以实施。根据1983年成立的“文化教育恳谈会”的最终报告书，于1984年设立了“临时教育审议会”。“和平问题研究会”提出了建议重新审查防卫费，使其不超过国民生产总值1%的报告书。1984年，还相继成立了“高度信息社会恳谈会”“中曾根首相经济政策恳谈会”“关于阁僚参拜靖国神社问题恳谈会”，等等。在党内外设置官方和民间的咨询机构，聘请专家为委员，以咨询报告的形式引起舆论界注意，从而形成政策。这种审议会方式，是中曾根首相独特的领导方法，但中曾根的这一领导方式与自民党的事先研究为主的惯用方式不相吻合，所以遭到党内和在野党的强烈抵制。尽管如此，中曾根内阁还是得以维持下来。其原因有二：第一，自民党的新秀们打算在中曾根之后上台，对他给予了支持；第二，保持着稳定的高支持率，首相颇有声望。

① 中曾根康弘：《新保守理论》，世界知识出版社1984年版，第16、17页。

中曾根首相善于利用大众传媒来影响舆论。外交是他提高声望的最大资本。

组阁后不久，他便于1983年1月飞往韩国，使恶化了的日韩关系得到修复。1981年，韩国要求日本人提供60亿美元的经济援助，日本予以拒绝，从此关系恶化。这次中曾根以日本首相的身分访韩，答应给40亿美元的援助，并表示"维持朝鲜半岛的和平与稳定，对包括日本在内的东亚和平与稳定至关重要"。这实际上就是谋求加强日韩之间的军事关系。

继访问韩国之后，中曾根立即访美，与美国总统里根举行会谈，双方重新确认"同盟关系"，推进两国间的合作。会谈中，中曾根明确表示"两国是命运共同体"。里根总统要求日本在"防卫"问题上做出更大的努力，中曾根首相则表示，"将根据日本国情和他本人的判断，负起比以往更大的责任"。并毫不掩饰地对美国报界说："整个日本列岛或日本本土要像不沉航空母舰一样，形成对抗（苏联）反转式轰炸机入侵的巨大防卫要塞。"①

中曾根的"日美命运共同体""不沉航空母舰""封锁三个海峡"等鹰派言论以及参拜靖国神社和鼓励人们议论宪法等活动，使国内外舆论哗然，内阁支持率开始下降。日本政府过去的防卫基本方针是采取"专守防卫"的立场，不进行进攻性的军备。中曾根的这些言论大大改变了日本政府的一贯立场，因此受到舆论的广泛关注。他在这方面的言行，还引起了担心日本复活军国主义的亚洲各国的担心和反对。但由于他的"国际国家""战后政治总决算"等论调迎合了日本人的大国意识的增长，所以内阁支持率得以维持在40%以上的水平。

观察一下在野党的动态，可以发现它们要与自民党联合的动向比以前更加明显了。民社党在1985年4月的党大会上，通过了明确表示"不排除同自民党联合"的运动方针。12月，公明党大会的活动方针规定，在

① 日本《读卖新闻》，1983年1月20日。

联合的问题上，应“迅速做出反应，与大会响应”。

被公、民两党置于运动之外的社会党，也在石桥政嗣委员长的领导下，打出“新社会党”的旗号，开始了由“抵抗政党”向“政权政党”转变的脱胎换骨活动。这实际上就是江田的结构改革路线。随着电信电话公社的民营化和国铁的分批民营化而发生的全电通工会和国铁工会的改组，“总评”的力量削弱了，在这种情况下，社会党也不得不转而采取现实主义路线。1985 年 1 月的社会党大会通过了把党的基本理念转变为西欧型的社会民主主义的运动方针，决定拟出作为新纲领的《新宣言》。这一《新宣言》，总结了建党以来关于党是阶级政党还是国民政党的争论，把党定义为“向所有人敞开大门的国民的党”，声称只要政策一致，就不排除同保守党联合。这一《新宣言》在 1986 年 1 月召开的党大会上全体一致表决通过。①

中曾根内阁时期是战后日本政治的重大转折时期，这一转折的重要标志是中曾根提出“战后政治总决算”的口号和日本要成为“政治大国”的国家发展目标。

1982 年 12 月 21 日，上任不久的中曾根康弘在自民党选举对策本部讲话时，首先提出“战后政治总决算”的口号。他说：“我觉得战后 37 年，终于迎来了总决算的一年……明年将严肃决定国家的方向。”1983 年 1 月 24 日中曾根在国会发表施政演说时，又作了一次引人注目的发言。他说：“我深深地感到，日本正处于战后史的重大转折点上。”因此，“对过去的基本规定和结构，应该毫无禁忌地重新认识”。② 这就是中曾根所倡导的“战后政治总决算”论。

“战后政治总决算”的目的就是决定国家的方向，而这个方向就是政治大国。因此可以说，“战后政治总决算”就是为日本成为政治大国扫清道路和创造条件。

---

① 朝日年鉴编辑部编：《朝日年鉴》，朝日新闻社 1986 年版，第 73—74 页。

② 藤原彰：《日本军事史》下卷战后篇，日本评论社 1987 年版，第 186 页。

“战后政治总决算”的对象范围很广，包括政治、经济、文化、外交和军事。大体可概括为两个方面：一是进行国内改革；二是向战后“禁区”挑战。国内改革即指以行政、财政、教育三大改革为主要内容的“第三次大规模改革运动”①；所谓向“禁区”挑战，就是改变日本“纯”经济大国的形象，增加防卫经费，修改宪法，实现在国际政治舞台上占有一席之地的“政治大国”的战略目标。“总决算”路线的这两个方面，前者是手段，后者是目的。

“战后政治总决算”实际上就是政治的右倾化。1982 年以来“保卫日本国民会议”等团体编写的历史教科书，肆意歪曲历史事实，公开为过去的侵略战争粉饰、翻案，并得到文部省的审查通过。为此，引起亚洲各国人民的高度警惕和批判。1983 年 4 月 12 日和 8 月 15 日，中曾根以“首相”的身份参拜供有战犯灵牌的靖国神社，自民党内设置的“靖国问题小委员会”还于 1983 年 11 月发表了“首相和阁僚参拜（靖国神社）合宪”的见解。早在 1975 年，三木首相为了迎合党内右派，曾以私人身份参拜过靖国神社。1982 年，铃木首相也参拜过，但身份“是公职还是私人未置可否”。因此，中曾根以“首相”身份的参拜，显然又向前迈出一大步，是对“战后重新评价”的重要一环。

中曾根上任后不久，便公然申明自己是“改宪论者”。因此，修改宪法显然是“战后政治总决算”的一大目标之一。关于改宪，他公然声称：“民主政治下无禁忌。正确的态度是，一切规定均可研究和重新评价，宪法也不例外。国民和政党讨论宪法，从民主角度讲应予奖励。”

中曾根上台伊始，在国际、国内两方面提出两大目标。第一个目标是肩负起以“维护紧密的日美关系”为中心的“自由世界一员”的责任；第二个目标是建设“强有力的文化和福利国家”。更具体地讲，前者是日本作为“自由世界的一员”，要负起维持其秩序的责任，成为与日本经济实力相称的政治大国。为此就要增强防卫力量，扩大对外援助；后者则是

① 第三次大规模改革，意即明治维新和战后民主改革之后的第三次大改革。

通过“行政改革”，在对外援助和交流方面增加必要的预算，“以便对国际社会做出更加积极的贡献”。正如中曾根在1983年9月9日国会演说中所说：如果我们“只停留在经济国际化，而不在文化、政治方面为世界做出贡献，就不可能成为真正的国际国家”。

中曾根内阁为了实现“国际国家”的目标，在各方面都做了切实的努力。在经济方面，为了缓和日益激化的对外经济贸易摩擦，中曾根内阁把“外需主导型”经济政策改为“内需主导型”（又叫“国际协调型”）经济政策，并进一步采取经济自由化路线，降低关税、改善进口制度，开放国内市场。在防卫、外交和文化方面，则摆出主动出击的态势。“防卫费”突破国民生产总值1%的限制，发展日美军事同盟关系，开展“首脑外交”，树立日本的“大国”形象，主张向世界各国输出日本文化，推动日本文化的国际化，等等。

中曾根提出的“战后政治总决算”和日本“政治大国化”等主张，代表了上层垄断资本的阶级利益，也反映了下层民众不断滋长的“大国意识”。

日本经济实力的增强，使它在世界经济中的地位不断提高。到1980年，在整个世界国民生产总值中，美国约占二成，欧共体占二成，日本占一成。这意味着日本已成为资本主义世界美欧日三大经济中心之一。

经济大国地位的确立，使日本失去了追赶的目标而成为被追赶的对象。1970年代日本政局的动荡，从某种意义上说，也可视为日本摸索新的国家方向的政治过程。大平内阁时期开始对国家发展战略进行研究，并提出了关于国家安全、对外经济发展、科技立国、文化立国等的战略设想。这是日本政府对国家发展战略的一次有组织的探索，但未及实施大平便离开人世，这一历史使命便落在了中曾根身上。

日本经济的发展对国民意识的变化产生了巨大的影响。1976年以来，日本首相府逐年对国民生活意识进行调查。调查结果表明，被调查者认为自己生活属于中等水平者占80%—90%。所谓中等水平，并非根据具体数据得出的结论，而是一种自我感觉和自我意识，这种意识便是通常所说的“中流意识”。中流意识一般表现为对经济生活的满足感和政治上的“求稳怕乱”心理。这种国民意识的保守化，成为自民党政权的重要社会基础，同时也是滋长“大国意识”的社会基础。

据日本广播协会 1983 年的舆论调查，认为“日本是一流国家”的人，由 1973 年的 41%上升到 1983 年的 57%；认为“日本民族比其他民族优秀”的人，由 1973 年的 60%上升到 1983 年的 71%；96%的人认为“生活在日本比生活在其他国家好”。日本国民的这种大国意识和优越感，使倡导政治大国的中曾根内阁一直维持了高支持率，这在战后历届内阁中是绝无仅有的。

(三) 中曾根内阁的各项改革

在国内政策方面，中曾根内阁除继续推行铃木内阁的未竟事业——行政改革和财政改革外，还提出了教育改革的方针。这三大改革既是“战后政治总决算”的重要内容，又是解决当时所面临困难的重要政策措施。

铃木内阁时期，中曾根出任平时不被人重视的行政管理厅长官，以敢做敢为、雷厉风行的作风推动行政改革。他上台两个月后，便成立了第二次“临调”。但是，行政改革的帷幕刚刚拉开，铃木内阁便宣告结束。因此，真正的改革是在中曾根内阁时期展开的。可以说，中曾根始终是这项改革的设计者、推动者和实施者。

自 1960 年代以来，日本历届内阁都主张进行行政改革。日本为什么要进行行政改革？一般认为其目的可分为近期目标和远期目标：近期目标是解决财政巨额赤字和政府机构臃肿问题；远期目标则是扩大行政权力，以加强资产阶级的政治统治。中曾根本人更多地强调政治方面的原因。他认为，战后以来为了追赶欧美而建立起来的一套行政政治制度，如中央集权、纵式领导、条块分割、各自为政的“公团”“公社”等正在阻碍日本国家的继续发展，因而必须进行改革。中曾根的这一思想，显然是试图通过改革，建立起一套与政治大国发展相适应的政治体制。

根据战后日本制定的《日本国宪法》和有关法律，日本首相的权力比战前有了很大增强，但仍不像西欧和美国的总统或首相的权力那样大。1983 年 7 月，中曾根内阁通过国会批准了《国家行政组织法》第八条，把原来需根据法律设置各种审议会和各省厅的机构，改为由内阁政令设置。这样，有 200 多项与各省厅有关的法令，不经国会审议批准，便可由内阁政令加以变更；各种名目繁多的审议会纷纷成立，而中曾根的个人咨询机构，如和平问题审议会、文化教育恳谈会等也陆续成立。这种“审议会政治”，一方面加强了内阁首相的权力和影响，一方面削弱了国会的立法权和监督职能。

1986 年 6 月，内阁会议修改《内阁官房组织令》和《首相府本府及安全保障会议设置法施行令》，决定撤销国防会议，新设安全保障会议；将内阁审议室分为内阁外政审议室和内阁内政审议室。这样做的目的，显然是为了把外交、内政、防卫等方面的情报集中于内阁官房，加强内阁的权力和职能。

中曾根内阁从 1983 年起连续 4 年实行财政紧缩政策，一般岁出持续下降，日本财政对国债的依存率从 1980 年代初期的 30％以上迅速降至 1986 年度的 20.2％。同时，为了节省政府开支，中曾根内阁编制了紧缩型预算，精简机构、裁减国家公务员，并减少其退休金。据统计，1980—1986 年，中央政府的公务员人数从 200.28 万人减少到 148.3 万人。

战后以来，日本共进行过三次行政改革，第一次和第二次分别在 1950 年代初和 1960 年代初。这两次行政改革都只限于控制公务员膨胀与机构的臃肿。而 1980 年代以来进行的这次行政改革则有很大的不同，不但第一次触及了社会福利制度中随意施舍的问题，还着手进行日本国铁和日本电信电话公社两家国营企业的民营化。

日本国有铁路（国铁）对战后日本经济的恢复和高速发展发挥了重要作用。但 1960 年代以后，国铁在官办官营、忽视竞争方面的弊端越来越明显，加之公路运输迅速扩大，铁路运输的地位有所下降，导致国铁经营危机。国铁在全国客运和货运总量中的比例，从1960年的51%和39%分别下降到32%和8%，国铁自1964年出现亏损，到1985年3月，长期债务余额高达22万亿日元之多，相当于其年经营额的7倍，仅利息一项就占营业额的一半。[①] 造成这一局面的主要原因，一是政府干预过多，国铁难以实现自主灵活的经营；二是官办官营，缺乏竞争意识，经营效率只相当于私营铁路的三分之二；三是国铁未能采取合理的劳务政策。

为解决国铁经营危机，日本政府自1960年代末以来，多次制定"国铁重建"计划，但收效甚微。进入1980年代以后，日本政府和自民党决心实行国铁民营化政策。1982年初，国铁分割和民营化的构想基本形成。1982年7月30日，第二次"临调"向首相提出了"国铁分割民营化"的答询，随后成立首相直属的特别机构"国铁重建监理委员会"。1985年7月26日，国铁重建监理委员会排除种种阻力，向中曾根内阁正式提出"国铁分割民营化"意见书。10月，内阁会议正式通过了《国铁改革基本方针》。1986年11月28日，国会通过了国铁改革法案，决定从1987年4月1日起，国铁正式实行分割民营化。

所谓"分割、民营化"，是将日本的国铁按地区分割成6个民营公司，[②]另外成立一个全国性货运公司。在分割、民营化过程中，逐步解决了遗留债务问题，职工超编问题、国铁互助年金问题等。从几年来的运营情况看，国铁的分割、民营化这一复杂而巨大的改革工程，基本上是顺利而成功的。上述七个公司的经济效益都有明显增长，尤其是本州的3个公司，收益增长之快超过人们的预料。特别值得一提的是，国铁民营化的最大变化是职工意识上的变化。"窗口"服务态度明显好转，公司职员的工作效率明显提高。

国铁改革的最初目的是为了解决国家的财政危机问题，但是分割、

① 日本《经济学家》杂志1985年4月8日，第110页。

② 这6个公司是：本州分为东日本、西日本、东海三个公司，北海道、四国、九州各一个公司。

民营化这一体制改革已远远超出了财政问题本身，它同时也是地方分权的一个范例。在三大公社改革中，①国铁改革是最成功和最彻底的一项改革。

1985 年 4 月 1 日，日本电信电话公社（简称电电公社）改为日本电信电话株式会社（简称 NTT）。日本电信电话事业自明治二年（1869 年）创业以来，到 1985 年 3 月，一直是作为垄断事业来经营的，1952 年以前为国营，以后改为公社形态。

日本电信电话株式会社的诞生，宣告日本民间企业开始进入通信业，意味着通信自由化时代的到来。1984 年，美国电信电话公司（ATT）分解为 22 家地方电话公司，英国电信电话公司（BTT）也从国营改为股份公司，日本 NTT 就是为了适应国际上通信业自由化趋势，为了积极参与激烈的国际竞争而成立的。

日本电信电话公社民营化与通信自由化的基本方针，是“应使电电公社成为当事人有自主能力、彻底实施合理化的经营实体”。为此，要“建立竞争的机制，铲除垄断的弊端”，使整个日本通信产业增强活力以适应高度信息化社会的需要。②

日本电信电话民营化所取得的成果与国铁民营化相比稍逊一筹，但与改革前相比也有很大改善。首先在经营意识方面有所改变，改变了消极等待上级指示的传统作风，逐步树立起真正的“企业意识”，比如把“用户”改为“顾客”；在经营业务方面，积极推销电话磁卡，推出各种新的服务内容，促进电话的利用率。并且电话费用有了较大幅度的降低。例如，东京—大阪之间通话一次（3 分钟，白天），由 1985 年的 400 日元降到 1990 年的 240 日元。NTT1989 年度的经常利润达到 5 105 亿日元，仅次于丰田汽车公司的 5 217 亿日元，居日本第二位。同时，在通信设备现代化方面也有了长足的进步。

---

① 三大公社即国铁公社、电信电话公社和专卖公社。

② 日本经济新闻社编：《昭和经济历程》第三卷《日本的企业》，东方出版社 1992 年版，第 198 页。

1986年对中曾根来说是关键的一年。根据规定,自民党总裁任期为每届2年,可连任2届,也就是说,禁止第3次连任。中曾根的任期到1986年秋天届满,但当时中曾根的人气还很高,中曾根本人也强烈希望自己来挽回上次选举的失败。而且,从舆论上讲,如果在这次大选中获胜,就有了打破原来规定,争取第3次连任的可能。所以,早就有人预测,很可能解散众议院,实行众参两院同日选举。

中曾根开始为大选做准备,并毅然排除铃木派等的反对,于6月2日召开临时国会,即日解散众议院。7月6日,举行众参两院同日选举。选举结果,自民党大获全胜,在众议院,自民党议员从上届的250席增至300席(包括追加公认为304席),投票率为71.4%,得票率达49.4%,为1963年(54.7%)以来的最高得票率。① 在参议院,自民党的议席由131个增加到140个。②

众参两院同日选举大获全胜之后,自民党内出现了中曾根应第3次连任或延长任期的呼声。在派阀领袖中态度最积极的是竹下登,持反对意见的是安倍晋太郎(1986年7月,福田派正式演变为安倍派),他认为选举获胜与任期问题没有关系,持中间立场的是宫泽喜一。这些大派阀领袖竹下、安倍和宫泽三人于7月17日会谈商定:"当前要解决亟待解决的悬案。在处理悬案的过程中总裁的任期届满时,请总裁留任到处理完悬案为止。"③所谓悬案,是指国铁民营化等法案的解决。至于在短期内解决,还是要一年左右,这就视情况而定了。

于是,第三届中曾根内阁(1986.7.22—1987.11.6)于1986年7月22日成立,党内"三巨头"分别是:竹下登任干事长,安倍晋太郎任总务会长,铃木派的伊东正义任政调会长。内阁成员从派别划分看,中曾根派4人,田中派8人,铃木派、安倍派各3人。金丸信出任副总理,后藤田正晴任官房长官,田中派在内阁中占压倒优势,显然,这是一个中曾根派和

① 北冈伸一:《自民党》,读卖新闻社1995年版,第225页。

② 升味准之辅:《日本政治史》第四册,商务印书馆1997年版,第1241页。

③ 出处同上。

田中派的内阁。

8月末，自民党各派代表举行会议，同意将总裁的任期延长1年。9月11日，在自民党两院议员总会上，就中曾根延长任期1年一事做出正式决定。在其后的国会上，国铁有关法案通过，国铁实现了分割、民营化。随后，中曾根准备孤注一掷，进行税制改革。1986年9月22日，中曾根首相在临时国会上发表信念演讲时说："根本的税制改革是关系国计民生的重要问题。"但"经团联""关经联"（关西经济联合会）完全反对这一改革，各方面开始了大规模请愿活动。

12月5日，自民党税制调查会制定出"税制改革基本方针"。其基本内容是：与所得税、居民税、法人税的减税措施配套，从1988年1月开征销售税；废除全免优待（对小额储蓄不课税制度），等等。开征销售税受到流通业、零售业、自营业的抵制。日本商工会议所所属的百货店协会、零售业协会、连锁商店协会等流通业成立了"反对大型间接税中央联络会议"，要求政府收回成命。全国大型百货商场挂起反对大型间接税的长条巨幅垂幕并在店内进行广播，一般小商店则张贴宣传标语。翌年1月22日，东京都市区35个批发业团体组成号称有1万家企业参加的"反对销售税商工联合会"，对448名自民党众参两院议员进行了是否赞成销售税的问卷调查。自民党本部事先对议员下达了"按党的决议回答问卷"的命令，但在作了回答的17人当中，有6人反对，5人赞成，其余主张缓办。26日，流通业的中央联络会同社会、公明、民社、社民联举行恳谈会，使反对的声势更加强大。安倍政调会长在27日同经济团体举行的恳谈会上大发雷霆，警告说："不要过分欺负自民党，踩了老虎的尾巴是不得了的。"与会者则回答说："既然你们说自己是老虎，那么，我们也要当老虎。"①会后纷纷集体退党。"反对销售税商工联合会"也做出集体退党的决定。各经济团体拒绝向自民党提供政治捐款。

中曾根内阁在1987年1月16日制订出《税制修改纲要》。2月10

① 升味准之辅：《日本政治史》第四册，商务印书馆1997年版，第1246页。

日，中曾根首相在自民党税制改革推进会议上表示决心说："即使火中取栗，也要改革税制。"党的首脑们也依然持强硬态度，于是开始研究强行表决的办法。但是，党内出现反对销售税的动向，慎重论和修正论日益得势。正在这时，传来了岩手选区在参议院补缺选举中大败的消息，于是，自民党首脑部主张修改税制改革的意见开始占上风。自民党的地方组织也受到很大冲击。自民党岩手县议团在补缺选举中对开征销售税本来是持赞成态度的，但补选后改变了态度，通过了反对销售税的决议，县知事也表示反对。

党首脑对请愿应接不暇，而地方的造反活动则一直在扩大。东京都知事也表示了反对的意向。截至3月20日，在47个都道府县议会中，已有16个议会要求废止或反对销售税（在岩手县补选前，只有京都府、兵库县、福冈县三处的议会），20个议会表示持慎重论（据共同通信社调查）。据朝日新闻社调查，内阁支持率由前一年12月的39%下降到3月24日的24%，不支持率由33%急升到56%。自民党的支持率在这一期间由55%下降到48%，社会党的支持率由19%上升到24%。

在4月的统一地方选举中，自民党在被它视为决定胜负的关键地区的北海道和福冈败北。特别是在自、公、民与社、共决战的福冈的败绩，使自民党失去了以自公民为核心来操纵国会的希望。在4月下旬的道府县议员选举中，自民党的当选人数也是建党以来的最低水平。

即使如此，自民党为了要在4月29日首相访美前使扩大内需的预算成立，依然在13日晚确定了要使预算不加修改地早日成立、决不撤回销售税法案等方针，并在16日于众议院预算委员会上单独强行表决，国会审议全面停止。21日晚，在强行召开的众议院会议上，在野党以"把距离拉开在7米以上，1分钟走1米"的所谓"牛步战术"，进行抵抗。这种通宵达旦的国会在日本政坛上已经10年不见了。最后，由于党内外的反对，该销售税法案终于成为废案。

尽管如此，中曾根在自民党内还是维持着比较稳固的地位，销售税法案废止之后，内阁支持率又有所恢复。因此，中曾根以其特有的优越地位，一面指定自己的接班人，一面“光荣引退”，这一结局，在自民党历届首相中可以说是独一无二的。

二　自民党长期政权的崩溃

(一) 竹下内阁与“利库路特事件”

在中曾根内阁任期届满行将卸任之前，自民党各派分别推出竹下登、宫泽喜一和安倍晋太郎 3 人作为自民党总裁候选人。为了避免自民党分裂，在正式选举前党内曾经做过多次“调整”，试图通过协商确定一个总裁候选人。但由于各不相让，“调整”失败，最后三方一致同意，由即将卸任的中曾根康弘“指定”后继总裁，3 人中没有被指定者，保证全力支持新总裁的工作。

1987 年 10 月 20 日午夜 0 时 30 分，自民党政调会长伊东正义将 3 名总裁候选人召集到一起，当场打开中曾根首相交给他的一个密闭信封，宣布道：“我经过深思熟虑之后，决定由竹下登作为总裁候选人。”①于是，竹下登就在这一瞬间成为自民党的第十二任总裁(日后的选举只是形式上的认定)。随后伊东正义又补充说：中曾根总裁“希望没有被指定的安倍和宫泽分别担任干事长和副首相”。中曾根为什么指定竹下为总裁，至今没有确切的解释，不过，可以肯定的是，在竹下、安倍和宫泽 3 名候选人中，竹下势力最大，指名竹下最保险，其他 2 人也可以合作。另外，如果指名安倍或宫泽，竹下本人和竹下派都会不满，这对中曾根也是不利的。在这种情况下，如果其他条件都差不多，选择势力最大者，当在情理之中。

竹下内阁(1987. 11. 6—1989. 6. 2)的成立，意味着自民党“总主流派”体制的确立，换言之，也就是意味着田中派正式走上前台进行统治的形成和确立。但是，具有讽刺意义的是，这一“总主流派”体制的成立，却

---

① 菊池久：《首相竹下登》，皮普尔社 1987 年版，第 24 页。

导致自民党的内部分裂，实际上是带来了竹下派内部的权力斗争，形成自民党一党统治的终结和细川护熙联合政权的出现。这是后话。

竹下早年毕业于早稻田大学商学部，曾任中学教员、县议会议员。1958年后16次当选众议员，最初属佐藤派，曾任佐藤内阁和田中内阁官房长官，三木内阁建设大臣、大平内阁和中曾根内阁的大藏大臣。是田中派骨干人物，1985年2月成立“创政会”，不久被田中强行解散。随后田中病倒，事态向有利于竹下方向发展，1986年终于当上自民党干事长要职，这是一个距自民党总裁和首相最接近的职务。1987年7月，竹下与二阶堂系分道扬镳，拉出田中派大部分人马（众议院议员69人、参议院议员44人，共113人）成立竹下派，取名“经世会”，成为自民党内最大的派阀。

竹下以做事认真和善于处理人际关系而著称，与自民党各派、各在野党以及政府部门的官僚都有很深的交往，是一个在各方面都树敌不多的人。在政治资金方面也很充足。虽说谋略不深，但可以说是一个善于协调的政治家。竹下对中曾根言听计从，中曾根也认为他是一个能继承自己路线的人。

竹下登内阁为建立“举党体制”，遵照中曾根的提议，竹下提名宫泽喜一为副首相兼大藏大臣，安倍晋太郎为自民党干事长。铃木派的伊东正义出任总务会长，政调会长则起用了中曾根派的渡边美智雄。在20名内阁成员中，竹下派5人，中曾根、安倍、宫泽派各4人，可以说是一个具有竹下特色的典型的“派阀均衡”内阁。

竹下上台之后，不负中曾根的厚望，继续推行中曾根内阁路线，拟完成其未竟的事业。内政方面表示继续推行行政、财政和教育三大改革，外交方面则启用中曾根派的宇野宗佑担任外相，继续推行中曾根外交路线。加之适逢日本经济渡过日元升值难关后正顺风满帆，一时颇得社会好评。当时，日本政治评论家预言，鉴于自民党第一大派掌权，又确立了“举党体制”，而且竹下一向擅长内政，与在野党联系广泛，素以忍耐著称，竹下内阁将是一个长期政权。

竹下内阁成立伊始,竹下首相便在临时国会上发表施政演说时提出了"引进消费税"(新型间接税)的构想。

引进消费税的真正目的,是力图减少日益膨胀、已达天文数字的财政赤字,健全财政,为建设福利国家和福利社会打下坚实的财政基础。但是,引进消费税显然会增加一般国民的负担,在日本国民看来,造成庞大财政赤字的责任在执政的自民党,自民党屡屡败露的"金权政治"、政官财勾结以及腐败渎职行为早已引起广大国民的不满和愤怒,因此,对直接加重国民负担的消费税,理所当然地采取了坚决抵制的态度。

但是,要健全国家财政,重建日本经济,进而将来向福利国家迈进,引进消费税将是必然之势。诚然,使日本经济陷入困境,导致国民生活不安的主要责任在自民党,但如果日本经济乃至国家安全由于财政破产而陷入危机,那么,自民党和日本国民都将同归于尽。因此,总得有人要充当"恶人",解决"消费税"问题。竹下内阁充当了这一角色。

1988 年 6 月 14 日,自民党税制调查会提出了一个《税制改革大纲(要点)》。7 月下旬,众参两院大会分别通过了 1988 年度的《所得税临时特别法案》,朝野各政党一致确认第二年以后继续减税。政府向国会提交了所得税・居民税减税、法人税减税、继承税减税、既存间接税减税、通过引进消费税增税等内容的《税制改革相关六法案》。"六法案"提交国会 3 个月后的 11 月,虽然遭到在野党的强烈反对,但最终还是在众议院和参议院强行通过。

这次"六法案"的通过,已是大平正芳首相表示引进消费税以来的第九个年头,而且,也是所有在野党统一步调在国会内外采取一致反对行动的最后一次。所以,这次引进"消费税"的政治过程,在日本战后政治史上具有重要意义,它标志着一个新时代的到来,这一新时代的主要特点就是自民党开始走向"半永久性政权"。

竹下上台以后,踌躇满志,准备大干一场,引进消费税法案的强行通过,遂了竹下内阁的心愿,但是,"利库路特事件"却把他搞得焦头烂额,乃至最终导致下台,这是竹下所没有预料到的。

利库路特公司是日本一家新兴信息产业公司，由1960年代初只有3个人的广告代理店迅速发展成为涉足广告、信息、不动产和旅游等多种行业的企业集团，年营业额达5 000亿日元。创始人江副浩正1960年从东京大学毕业后，创办"大学新闻广告社"，半年后改名为"大学广告公司"，1963年改称"利库路特中心"。"利库路特"是日语外来语，即英语的recruit，有征募、招聘、发掘人才之意。1970年代以后，公司得到迅速发展，开始插手环境开发事业，成立利库路特宇宙不动产公司。1980年，成为营业额达500亿日元的大企业，随后又向5 000亿日元的目标迈进。

利库路特公司发迹的最大奥秘是向财界和政界高层人士行贿，行贿的主要手段是利用股票和现金。该公司在中曾根内阁时代，一方面向政界人士提供违反《政治资金规正法》所规定的超额"政治捐款"；一方面向政官财各界人士提供该宇宙不动产公司的未上市股票作"内线交易"，使该股票上市后，内线交易者获取暴利。

江副浩正通过行贿政要，很快取得名利双收的效果，先后挤进内阁税制调查特别委员会、土地临时调查审议会、教育课程审议会和大学审议会，成为日本财界的名人，并利用在这些机构中谋得的头衔，为利库路特公司谋取了巨额利益。到1980年代后期，利库路特公司发展成为拥有23个子公司和近万名职工的综合信息公司集团。

利库路特股票丑闻初步披露之后，江副浩正于7月6日引咎辞职。7月23日，江副浩正接受《朝日新闻》记者采访时承认，1984年12月，其下属的宇宙公司曾向76名政界要人"转让"过股票，并指示其下属金融公司向上述购买股票的人提供贷款。转让的这批股票共达125.6万股，平均每人1.6万股，转让价格每股1 200日元。到1986年10月公开出售时，每股5 270日元，是原价的4.4倍。每人平均获得纯利6 700万日元。

此后，"利案"作为一大政治问题，成为全国上下朝野人士议论和关注的焦点。各在野党相继成立专门机构，着手调查案情，并要求国会查明此案。东京地方检察当局经过近9个月的调查和社会上的广泛揭发，于 1989 年 5 月 29 日宣布案情调查工作大体告一段落。其间，从事调查的检查官 52 人，参与调查的工作人员 159 人，证人达 3 800 人，调查场所 80 处，没收证据物品约 9 000 件，起诉 17 人，先后逮捕 14 人。[①] 涉及“利案”的政界、财界要人数十人，其中多为自民党议员。

“利案”从 1988 年 6 月 18 日首次曝光，到 1989 年 6 月 12 日法务省提出“最终报告”，历时整整一年，此后转入法庭审理阶段。从揭露出来的事实来看，这无疑又是一次“金权政治”的大暴露。不过，此次与以往其他渎职受贿案件相比，有以下几个特点：第一，贿赂手段不同。以前的重大受贿案件，大多是行贿者直接把现金交给受贿者，这次主要是以股票形式进行权钱交易。从法律上讲，公司转让股票属于合法的交易行为，在一般情况下，股票价格可升可降。所以，如果找不到转让股票者的特定目的，则很难定为贿赂行为。第二，这次行贿一般没有特定或直接的行贿目的。这次行贿案中，行贿者除对个别人提出过具体要求外，在转让股票和提供政治捐款时，一般都未提出明确要求，这与过去的行贿案有所不同。第三，行贿对象多为政界新领袖和财界新实力人物以及舆论界和学术界的“新秀”。行贿者瞄准这些人物的目的，一是“放长线，钓大鱼”，即使得不到近期“效益”，将来也有可能是用得着的人；二是从经济上扶植这些人，使他们更具经济实力，以便在未来的政治角逐中立于不败之地。这说明行贿者更具远见性和战略性。第四，这是日本战后最大的一次结构性贿赂案。“利案”不仅贿赂数额空前之大，数倍于洛克希德案，而且牵涉范围也广，上至首相，下至次官（副部长），涉嫌国会议员 44 人，高级官僚 16 人。除执政的自民党外，还有在野党领导人。甚至以揭露丑闻为己任的舆论界负责人也被卷入其中。在同一贿赂案中卷入人数如此之多，涉及领域如此之广，都是前所未有的。

利库路特股票事件披露之初，并未引起政界的重视。但是，事件很快波及权力中枢。在东京地方检察院锲而不舍的追查下，日本政界、财

① 《朝日新闻》1989 年 5 月 29 日，第 14 版。

界和新闻界的许多头面人物都因牵连此案而接连下台。前首相中曾根康弘、自民党干事长安倍晋太郎和大藏大臣宫泽喜一等人都以各种名目购买过股票,从中谋利数千万日元,甚至竹下登本人都涉嫌其中。

1988年10月下旬,东京地方检察当局开始对"利案"有关人员进行搜查。进入11月,案情有了较大进展,国会围绕"利案"的议论进入白热化阶段,到11月中旬,国会的审议工作难以正常进行,处于"空转"状态。为了打破这一僵局,自民、公明、民社三党于11月15日商定在众议院成立"利库路特问题调查特别委员会"。12月9日,副首相兼大藏大臣宫泽喜一因涉嫌"利案"而辞职。宫泽在"举党体制"下的竹下内阁中处于举足轻重的地位。当时国会正审议以引进消费税为主要内容的税制改革,主管税务的副首相兼大藏大臣辞职,对竹下内阁无疑是一大打击。

随着"利案"的深入发展,竹下内阁的威信急剧下降。据《朝日新闻》社调查,内阁支持率由成立之初的48%,降至1988年12月的29%,不支持率则由22%上升为31%。为改变内阁的不良形象,竹下于12月27日改组内阁,除竹下本人外,凡与"利案"有牵连的人一概未予启用。但两天之后的12月29日,新入阁的官房长官小渊惠三和法务大臣长谷川峻都被迫供认曾接受过利库路特公司的政治捐款。政治家接受限额以内的捐款,在日本本来是无可非议的。但问题是,他们在入阁时都信誓旦旦地表白自己与利库路特公司毫无瓜葛,上任伊始却被揭露出来,这等于是自己打自己的嘴巴,尤其是对于司法部门最高行政长官的法务大臣来说,这是很难自圆其说的。为此,在野党决定在国会追究其责任,舆论界也为之哗然。

身为法务大臣的长谷川峻因自食其言而处境尴尬、无地自容,虽然仍辩解说"由于自己事先不知,导致了说谎"的结果,但是很难恢复国民的信任。所以上台后的第四天,即12月30日,长谷川不得不在舆论压力下辞职。竹下首相和自民党为了减少"利案"带来的种种麻烦,也只好"挥泪斩马谡",同意长谷川辞职。战后日本历届内阁中任内辞职的国务大臣共57人,但就职仅3天即卸任的尚无先例。

进入 1989 年以后，涉嫌“利案”的政界要人仍在不断被抛了出来。经济企划厅长官原田宪 1 月 24 日承认，在利库路特宇宙公司转让未上市股票问题暴露之后的 1988 年夏天，他仍接受了该公司的政治捐款，为此提出引咎辞职。这是竹下内阁成立一年多来因涉嫌“利案”而辞职的第三个内阁成员。

正当“利案”闹得沸沸扬扬、竹下内阁穷于应付的时候，昭和天皇裕仁于 1989 年 1 月 7 日“驾崩”，因此，全体国民和舆论界的注意力便由利案转到天皇问题身上。内阁和国会更是全力以赴安排天皇后事，所以 1 月份竹下内阁就在这“有惊无险”中度过去了。

进入 2 月，“利案”有了重大突破，日本政局也随之出现大动荡。2 月 13 日，日本检察机构和法务省举行联席会议，一致认定江副浩正转让未公开股票是一种行贿行为。翌日，利库路特公司前董事长江副浩正等 4 人被捕，“利案”进入强行搜查阶段。3、4 月间，有关政、官、财界人士也相继被捕。自民党和在野党在“国会是否传唤前首相中曾根”的问题上意见相左，使国会审议该年度预算陷入僵局，加之竹下本人在接受利库路特政治资金方面又被发现有新的瓜葛，这一切，不但招致国民的不信任，也引起自民党下层的不满，不少地方议会和自民党地方组织要求竹下内阁辞职，并要求自民党领导人向党内做出像样的解释和交代。3 月 23 日，一百多名国会议员组成超党派的“政治净化联盟”，试图改善日本政治过分依赖金钱的状况。

一向以忍耐著称的竹下登，起初并无辞职之意，准备硬着头皮顶过去，他曾表示：“我的特点就是善于忍耐，我想竭尽全力度过难关。”4 月 1 日，消费税正式启动，然而，力主实施消费税的竹下首相于当月 11 日承认，他本人及其秘书曾接受利库路特公司捐款 1.51 亿日元的事实。这样，时至 4 月 24 日，竹下还矢口否认内阁辞职之事，但到第二天即 4 月 25 日上午，竹下登突然宣布辞职。他说：“以利库路特事件为发端，招致国民对政治的不信任仍在扩展。作为政府最高负责人和自民党总裁，对此痛感负有责任，向国民深表歉意，为恢复国民对政治的信赖，我决意引退。”

竹下放弃政权实出无奈，3月以后，竹下内阁的支持率直线下降。3月12日为13%，3月29日为9%，4月14日为3.9%，创日本历史上最低记录。一个政权到如此地步，也只有辞职这一条路可走。

但是，事态并没有因为竹下辞职而平息。4月26日，也就是竹下表明引退的第二天，曾任竹下秘书的青木伊平自杀身亡。青木在任竹下秘书期间，实际上是竹下的财务大管家，“利案”中涉及竹下的未上市股票和政治资金，都由青木一手操办，为此，检察当局对他进行过多次调查。青木的自杀为“利案”平添了一层迷雾，对日本政界也是一次新的冲击。

在“利库路特事件”中，中曾根康弘一直是核心人物之一。这是因为：第一，该事件发生在他的任期内，作为首相，他有不可推卸的责任；第二，中曾根本人在这一事件中也陷得很深，因此，在野党一直要求他到国会作证。起初，自民党和中曾根本人拒不答应这一要求，后在在野党的坚持下，中曾根被迫于5月25日到众议院预算委员会作证。在历时2小时40分钟的传问中，中曾根一方面原则上承认丑闻发生在自己任内，负有政治和道义上的责任，一方面否认自己与“利案”有牵连，并表示无意辞去议员职务。但在舆论的强大压力下，中曾根表示辞去自民党中曾根派会的会长职务，并提出脱离自民党。5月31日，在他正式宣布退出自民党后对记者说：“过去有喜剧也有悲剧，因为(人生)就是在演戏。我是上天堂下地狱，忽上忽下型的人物，挺有意思。今后还会出什么事，不得而知。”

利库路特案件是继洛克希德案件之后，日本战后又一次“金权政治”的大暴露。在自民党五大派系中，有四个派的领袖都被卷进来。一个政党如此大规模地被卷入一个受贿丑闻事件，这在日本政治史和世界政治史上都是罕见的。执政不到一年半的竹下内阁因此被迫下台。从“党内力学”的角度看，竹下内阁可以说是一个无隙可击的内阁，但从国民支持的角度讲，却创下历届最低水平。竹下内阁倒台的原因是多方面的，主要原因还是“利案”的曝光、增设消费税和竹下本人涉嫌利案丑闻。

(二)“平成”伊始的政治危机

1989年是国际社会剧烈动荡的一年,同时也是日本历史上一个重要的年份。新年伊始的1月7日,在位64年之久、享年87岁的昭和天皇裕仁“驾崩”,皇太子明仁就任皇位,称“明仁天皇”。从此,日本的年号由昭和改为“平成”。

然而,“平成”之年不太平,平成元年自民党政权更是动荡不安。正如中曾根所说,日本的政局的确就像演戏一样,连续出现了几件颇带戏剧性的事件。

首先是继任总裁的人选问题。

“利案”把自民党搞得晕头转向,遍体鳞伤,使自民党政权陷入空前的政治危机之中。如何摆脱这场愈演愈烈的政治危机,刹住自民党威信江河日下的颓势,成为该党领导集团最为头疼的难题。他们相继提出诸如政治改革、修改选举法、限制筹集政治资金、公开政治家财产、党的领导人脱离派阀等等“良方妙药”,但是,竹下首相被迫辞职以后,最要紧、最迫切的还是要选出一位在国民眼里尚属为政清廉的领导人。

当年与竹下竞争总裁的宫泽喜一和安倍晋太郎因涉嫌“利案”而被排除在外,一度被视为接班人的政务调查会长渡边美智雄也不干净,这样,自民党四巨头中只剩下总务会长伊东正义。伊东资历颇深,为人刚直,主张廉政,有“硬骨汉”之称,所以自民党首脑一致请他出山,收拾残局。舆论界也一致认为,总裁非他莫属。

但是,伊东提出他出山的条件是:一、自民党领导和内阁成员要大换班,起用新人;二、解散自民党内的派阀;三、凡涉嫌“利库路特事件”的自民党议员一律辞职。自民党首脑当然不肯答应他的这些要求,所以伊东以年老体弱、健康欠佳为由,坚辞不受,用伊东自己的话说,“只换书皮,不改变书的内容我不干”。①

① 王振锁:《自民党的兴衰—日本“金权政治”研究》,天津人民出版社1996年版,第183页。

通常,正如“没有不想当元帅的士兵”一样,在自民党内,可以说“没有不想当总裁和首相的议员”。每当更换总裁之际,自民党内便出现你死我活的角逐,然而今天,伊东正义面对唾手可得的宝座却不肯就位,自有其中的苦衷。他说:“如果我当了总裁,就说明我是在竹下、中曾根、安倍、宫泽等与“利库路特事件”有牵连的人的支持下取得政权的,国民会说:伊东也是一丘之貉!”这话的确有道理。应该说,伊东固辞不受是明智之举。历史的经验值得吸取,当年“廉洁的三木”在处理“洛克希德事件”中导致可悲下场,倘若伊东步三木的后尘,后果绝不会比三木更好!

遭伊东拒绝后,自民党领导班子继续物色新的接班人,一度被提名的有竹下派后台金丸信、前首相福田赳夫、前众议院议长坂田道太和前内阁官房长官后藤田正晴等老资格政治家以及桥本龙太郎、河野洋平等新人,但这些人均以种种理由拒绝受命。安倍、宫泽等人也因接受了利库路特公司股票而不敢出马,实际上是面对一个烂摊子,个个都噤若寒蝉,不敢问津。经过 1 个月的精心筛选,最后只剩下外务大臣宇野宗佑(中曾根派)和大藏大臣村山达雄,而村山作为大藏大臣,正处在消费税问题的风口浪尖上,把他推出来恐怕在 3 个月以后的参议院选举中通不过,于是,通过“筛选法”,最后只剩下宇野一人。理由是:宇野担任过通产相和外相,具有一定的内政外交经验,美中不足的是,作为中曾根派的一员,与名声不好的中曾根关系较深,一旦掌权,难免不受中曾根的影响和控制,而且在追究中曾根方面会起到“牵制”作用。

但是,“矮子里拔将军”,宇野终于在竹下派的大力支持下被选中。5 月底,当得知被内定为继任自民党总裁的消息时,宇野正在巴黎出席经济合作与发展组织年会,他表示让他出掌政权不啻“晴天霹雳”,“天上掉馅饼”,自当喜出望外,于是风尘仆仆回国上任。6 月 2 日,竹下登宣布正式辞去自民党总裁和内阁首相,宇野接任总裁和新首相,宇野内阁(1989.6.3—1989.7.24)成立。由非派阀领袖人物出任总裁,这在自民党的历史上尚属首次。当晚,新内阁坐席被自民党各派瓜分,一天之内,所有程序进行完毕。随后,宇野发表施政演说,指出“恢复国民对政治的信任是巩固国家和平与繁荣的基础”,“民主的根本就在于不辜负国民的信任和委托,推行诚实而透明的政治”,表示出推进政治改革的决心,声称“为推行政治改革不惜牺牲自己的一切!”

从4月25日竹下表明辞意到最后确定下任总裁,用去长达1个多月的时间,足见其难产程度。显然,受命于危难之中的宇野内阁,面临的是艰难的历史使命。

宇野宗佑的从政之路与竹下登有惊人的相似之处。在竹下当选为岛根县议会议员的1951年,宇野也当选为滋贺县议会议员,宇野和竹下一样,都是1958年的大选中出马竞选国会议员,所不同的是,竹下当选而宇野落选,到1960年的大选,宇野才首次当选为国会议员。

宇野宗佑何许人也,当时日本国民大都不甚了解。在第二届田中内阁时,他当过不到一个月的防卫厅长官,福田内阁时期曾任科学技术厅长官,第二届大平内阁时期任行政管理厅长官,在第一届中曾根内阁时,出任过半年左右的通产大臣。宇野虽然多次出任内阁阁僚,但并没有给人留下太深的印象,在政界尚属平庸之辈,不过由于人缘不错,运气好,这次才轻而易举地被推上首相宝座。

宇野内阁的首要任务是如何从政治上与“利案”划清界限,推行政治改革,重新取信于民。为此,首先在人事安排上要求新内阁成员中尽量减少与“利案”的瓜葛,对入阁成员事先逐一进行了审查。例如,原定堀内光雄为法务大臣,但堀内表示,他在1986年选举时,曾接受过利库路特公司100万日元的资助,为避免竹下内阁法务大臣长谷川上任四天便因涉嫌“利案”而辞职的旧剧重演,宇野临时将堀内与内定为劳动大臣的谷川和穗互换,谷川任法务大臣,堀内任劳动大臣。这真可谓“一朝遭蛇咬,十年怕井绳”。

但是,由于自民党上层人士大都被利库路特丑闻“严重污染”,要真正划清界限也不容易。即便是宇野本人,也很难说与“利案”毫无关系。另外,宇野作为涉嫌很深的中曾根前首相的心腹,也受到在野党和部分自民党议员的非议。据《朝日新闻》社的全国舆论调查,对刚成立的宇野内阁，支持率只有28%，不支持率高达44%，创刚成立内阁支持率最低记录，预示着宇野内阁前途不妙。

果然，桃色丑闻对本来名声不佳的宇野内阁起到雪上加霜的作用。

宇野内阁成立4天之后，也就是6月6日出版的《每日周刊》上，刊登了宇野首相曾与一陪酒艺妓“交从甚密”的报道。6月9日，社会党参议员久保田真苗就此事在参议院大会上做了进一步的追究。从此，宇野的这一桃色丑闻迅速传遍全国。

原来，1985年11月，宇野在新宿区某娱乐场所认识了一位艺妓。据该艺妓透露，宇野曾两次给她300万日元，二人多次在饭店或旅馆见面。后来该女人因厌倦艺妓生涯而改行到一家搞设计的公司就职，她得知宇野当首相后，认为像他这样玩弄轻佻女人的人不宜担当首相大任，所以就告发了。

桃色丑闻犹如一颗定时炸弹，把本来根基不稳的宇野内阁搞得无所适从。美英等国的报刊对此事大加报道，在野党穷追不舍，社会各界议论纷纷，尤其妇女界反映强烈，日本各妇女团体相继向宇野首相提出抗议。而且事态很快发展为关系妇女的人权问题。日本妇女一向地位比较低下，据美国“人口危机委员会”1988年调查，在世界99个国家中，经济大国日本的妇女地位居第34位。① 虽然日本50年代便制定了《防止卖春法》，但“性产业”仍然比比皆是。男人“买春”、女人“卖春”实际上是一个男女社会不平等的问题，所以这一事件引起妇女界的愤懑和抗议。

随着妇女经济地位的提高和自立意识的增强，日本妇女要求提高社会地位、主张男女平等的呼声日益高涨。政府为改善妇女地位，也成立了“妇女问题企划推进本部”，本部长正是由首相担任。不无讽刺的是，身为本部长的首相，恰恰发生了“用金钱买女人”的事件，由此而引起妇女界的愤懑和抗议便是可想而知的了。

在强大的舆论压力下，宇野首相有些招架不住，一度想辞职，后在左

① 王振锁：《日本战后五十年》，世界知识出版社1996年版，第365页。

右的劝说下打消了辞职念头。但是，一波未平，一波又起，在7月的参议院选举中自民党又遭惨败。

参议院从1983年开始采取选举区和比例代表区两种选举方式。前者是以各都道府县为选区，按人口比例分配席位，后者是以全国为选区，按各政党获得选票的多少来决定其席位数。参议员任期6年，每3年改选半数，称为参议院通常选举。

7月23日举行的选举是第15届通常选举。在改选的126个席位中，选举区占76席，比例代表区占50席。自民党在这次选举中，选举区得21席，比例代表区得15席，共36席，远远低于选举前的72席。加上非改选的73席，共有109席（改选前为142席），大大低于半数的126席和在野党的143席。① 因此，此次选举结果导致参议院"朝野逆转"的局面。

在这次参议院选举中，社会党大获全胜，有52人当选，加上社会党系统工会组织"联合"的当选者，共有63席，得到改选议席的半数。尤其值得一提的是当选者中有22人是女性。这是因为，1986年大选后，土井多贺子取代石桥政嗣出任社会党委员长，成为社会党历史上首任女性党首，在人气颇旺的女党首影响下，社会党一举当选22名女参议员。

自民党惨遭失败的根本原因在于其腐败的"金权政治"导致广大国民对自民党的不信任。利库路特案件对政界的大面积污染，是这种"金权政治"的又一次突出表现。选举结果表明，不仅与"利案"有关的自民党候选人未能当选，连竹下、中曾根等与"利案"有牵连的议员所推荐的候选人也都落选。

此次失败的另一个原因是，宇野首相桃色丑闻引起日本社会各界、特别是妇女界的愤怒。另外，竹下内阁时期强行通过的消费税（购物时再额外交3%的税）既增加购物者的"重税感"，也造成很大不便，引起消费者尤其是家庭主妇的不满，所以天天购物的主妇们反对消费税的呼声

① 北冈伸一：《自民党》，读卖新闻社1995年版，第237页。

最为强烈。正当这一不满情绪尚未消除之际,又出现"桃色事件","新仇旧恨"交织在一起,使一向以弃权来表示自己对政治不感兴趣的主妇们纷纷走出家门,以自己拥有的"一票之权"表达了自己的政治选择。

另外,自民党政府迫于美国的压力,实行农产品进口自由化政策,开放农产品市场,损害了农民的利益,激起了农民的不满,从而使自民党长期以来在农村稳固的"票田"开始瓦解,丧失了农民的支持,也是这次失败的原因之一。

总之,自民党在这次参议院选举中的失败决非偶然,选举结果可以说是一次历史性的突破。自 1955 年保守党合并以来,自民党一直在众参两院中占据多数席位,处于独揽天下的地位。这次参议院朝野逆转,意味着这一局面已被打破,自民党失去了"半边天下",无疑是一次重大挫折。虽然日本参议院的权限远不如众议院大,仅在参议院失去多数席位尚不至影响自民党的执政地位,但自民党在参议院的活动受到前所未有的制约和限制。参议院的力量对比格局,从 142∶110 的自民党优势被 109∶143 的在野党优势所取代。这样,在众议院通过的重要法案,提到参议院时如果遇到在野党的一致反对就不可能通过,使自民党再也不能像过去那样在参议院畅通无阻地为所欲为。

桃色丑闻已把宇野首相搞得焦头烂额,参议院选举惨败更把他推向绝境。在万般无奈的情况下,宇野首相于 7 月 24 日宣布引咎辞职。宇野内阁从 6 月 2 日上台到 7 月 24 日宣布辞职,历时不足两个月,可谓"超短命内阁"。

竹下内阁辞职,是因为他一方面继承了中曾根内阁的"遗产"("利库路特事件"发生在中曾根内阁时代),一方面也由于他自身的原因(涉嫌"利案"),二者兼而有之;宇野内阁亦步亦趋,紧步竹下后尘,辞职原因同样是两个:上届内阁留下的"遗产"(因"利案"和消费税而招致国民的广泛不满)和他自身的"失误"(用金钱买女人)。竹下、宇野可谓同病相怜,宇野内阁的崩溃实际上就是竹下内阁的崩溃。所不同的是,宇野内阁的寿命更短,只是竹下的十分之一。

（三）自民党政权的崩溃

宇野内阁辞职后，与竹下内阁一样，又出现“后继无人”的局面。鉴于后继总裁的先决条件是不涉嫌“利案”丑闻，要给人以廉洁、正派的形象，所以在自民党五大派中，与“利案”有瓜葛的竹下、安倍、宫泽和渡边等派都宣布不推荐本派候选人。这样，58 岁的海部俊树被推举为自民党总裁候选人。由于海部得到竹下、安倍和旧中曾根派中大多数人的支持，投票结果以 279 票的压倒优势当选，随后组成第一届海部内阁(1989.8.10—1990.2.28)。这样，在金钱和女人方面都还算干净的“低年级政治家”海部俊树粉墨登场，这也是一年之内更换的第三任内阁。海部的任期，形式上是到当年 10 月，但由于没有竞争者，在 10 月 31 日的党大会上再次当选为总裁，任期到 1992 年 10 月。

海部俊树早年毕业于早稻田大学法学部，1960 年以后连续 10 届当选为众议院议员，曾任自民党副干事长、内阁官房副长官和文部大臣等职，能言善辩，号称“日本政坛一流的雄辩家”。海部自称与数字“29”有很深的缘分，一生中有不少与“29”相巧合的事情：他于昭和二十九年(1954 年)大学毕业，29 岁时在第 29 届众议院选举中当选为议员，在人生历程中第二个 29 年(58 岁)出任首相。29 年前，他在母校早稻田大学发表演说时曾说，“29”总给他带来好运气，他要争取在 29 年后当选为日本首相，如今此话果然兑现。①

政治改革是海部内阁成立后首先打出的一张王牌。

为了应付社会舆论对“利库路特事件”的批评，在竹下政权末期便成立了以后藤田正晴为会长的政治改革委员会，开始正式研究政治改革问题。该委员会在竹下内阁辞职后、宇野内阁成立前的 1989 年 5 月 22 日，公布了《政治改革大纲》。

宇野内阁成立后，立即成立了以小林与三次为会长的第 8 次选举制

① 蒋豫浙：《过渡性首相海部俊树》，见《半月谈》1989 年第 17 期，第 50、51 页。

度审议会，审议会成员中，包括舆论界头面人物多人。因为在鸠山、田中内阁引进小选区制时的失败，舆论界群起而攻之是其中最主要的原因，所以这次先把舆论界拉过来。该审议会于1990年4月26日向海部内阁提交了引进小选举区比例代表并立制的提案《咨询报告》，报告的核心内容是选举制度的改革。所以可以说，海部内阁时政治改革的举动，是以上述政治改革大纲和该审议会的《咨询报告》为依据而展开的。

海部内阁成立约半年后的1990年2月28日举行大选，由于在上次的参议院选举中自民党大败，所以对这次选举仍忧心忡忡。但结果获得275票，总算还说得过去。大选之后，第二届海部内阁(1990.2.28—1991.11.5)成立，并乘大选胜利的余威，在干事长小泽一郎的推动下，开始推行政治改革。但随后海湾危机爆发，海部内阁只好一面应付海湾战争，一面处理政治改革问题。

6月29日，自民党总务会决定向众议院提出以《小选区比例代表并立制》(小选区选出300人，比例代表选出171人，共计471人，投票采取两票制)为主要内容的"政治改革三法案"(《公职选举法修正案》《政治资金规定法修正案》《政党资助法》)。

对上述三法案，各在野党理所当然地予以反对，就是在自民党内，也有很强烈的反对意见。尤其是《小选区比例代表并立制》法案，早在鸠山内阁和田中内阁时就提出过，在野党一直坚决反对，因为如果采用小选区制，对第一大党自民党绝对有利，而对在野党则十分不利。自民党的有些人之所以反对，是因为在某些选区，对某些派阀也会带来不利影响。

但是，由于小泽一郎的极力坚持，海部还是采取了推行政治改革的行动。7月10日，内阁会议通过了自民党总务会方案，并在8月的临时国会上，向众议院提交了相关法案。

但是，9月30日，众议院政治改革特别委员会，慑于在野党的强大压力，以审议时间不充分为由，否决了上述法案，从而以"审议未了"的形式成为废案。"诚实"的海部看到这一结果，声称"决心要打破僵局"，暗示要解散众议院，举行大选。但是，海部的举动遭到自民党各派的反对，宫泽、三塚和渡边三派联手反对海部连任,甚至一向支持海部的竹下派也准备“抛弃海部”。于是,海部放弃连任首相的打算,于 10 月 5 日决意辞职,宣布不参加下届的自民党总裁选举。

海部宣布退出竞选之后,竹下派曾一度想推出前干事长小泽一郎竞选总裁,小泽一郎如果接受出马请求,再有另外一两个派阀支持,小泽有可能当选总裁,但小泽以身体健康欠佳等为由予以推辞。于是,竹下派最后决定支持宫泽出马。1991 年 10 月 27 日,自民党举行总裁选举。宫泽以压倒优势当选总裁。① 随后宫泽内阁(1991.11.5—1993.8.5)成立。

宫泽喜一毕业于东京大学法学部,毕业后考入大藏省,在东久迩宫内阁和吉田内阁时曾任大藏大臣的秘书,33 岁辞去大藏省职务进入政界,任参议院议员。1962 年 43 岁时担任池田内阁经济企划厅长官。1967 年开始当选众议院议员,以后在数届内阁中历任大藏、通商产业、外务等重要大臣及副首相要职,有丰富的从政和外交经历,是自民党内资深才高的政治家。但因其特有的“官僚气质”和“自鸣清高、孤芳自赏”的性格,迟迟未能登上首相宝座,直至历经 36 年国会议员生涯,72 岁高龄时才如愿以偿登上自民党总裁和内阁首相宝座,可谓“大器晚成”。

日本的政治家大体可分为两种类型:一类是注重政策的“理念追求型”,一类是玩弄权术的“权力追求型”,政界的主流是“权力追求型”,而宫泽属于“理念追求型”人物,却又不得不陷入权力之争中,这也许正是宫泽久久不能登上权力顶峰的原因所在。这一方面是由于宫泽长期担任与制定政策有关的职务,但主要还是宫泽的性格不太善于搞权力之争。像他这种性格的政治家居然能登上整天沉溺于权力斗争的自民党的顶峰可以说是非常例外的。

在自民党五大派中处于第二位的宫泽派,一向被称作“鸽派”的代表,继承了自民党的“保守主流意识”,多主张“宽容与忍耐”。宫泽与财界关系较深,所以财界对他出任首相颇为满意,在野党也表示接受。

---

① 北冈伸一:《自民党》,读卖新闻社 1995 年版,第 253 页。

由于宫泽派人多势众，宫泽本人又长期担任党政重要职务，所以成立之初曾被认为是“重量级内阁”“务实内阁”，重要阁僚多由具有实干精神和实际能力的各派骨干担任。自民党元老之一、竹下派领袖金丸信出任自民党总裁，更为宫泽内阁增添了分量。

宫泽的基本政策理念是承认现行宪法，推行国际协调路线，也就是一方面以现行宪法体制为基本框架，一方面加以渐进式的改良，以便能够适应国际形势的变化。

宫泽内阁成立以后，在内政外交上都取得了一定的业绩，有人认为这是一个“有领导能力的实力内阁”，可能会是一个长期、稳定政权。但是，刚上任不久，宫泽内泽就陷入一场“金权政治”的困扰之中，发生了众议员阿部文男受贿案。

阿部文男在担任北海道和冲绳开发厅长官期间，利用职权向共和公司提供修筑公路和建立体育设施等的信息，并对政府金融机构施加影响，为该公司提供低息贷款，从中收取贿赂。事发后，共和公司曾向10余名政界要人行贿的内幕也披露于报端。1992年1月13日，阿部以受托受贿罪嫌疑被东京地方检察厅逮捕。日本警方逮捕国会议员这还是16年来的第一次。此事给宫泽内阁以不小的冲击，在3月8日参议院的宫城县补选中，自民党候选人因此而落选。

在阿部事件尚未了结的情况下，“东京佐川快递事件”又成为世人关注的焦点。

佐川快递公司是一个庞大的汽车运输集团公司，在日本可以说赫赫有名，家喻户晓。东京佐川快递公司是该集团的骨干，有雇员近4 000人，营业额占佐川集团的20%。1980年代中期，东京佐川快递公司总经理渡边广康已是与政界有广泛交往的知名人物。1992年2月14日，渡边因向政界要人行贿被捕，罪名是“特别渎职罪嫌疑”。

渡边被捕后，佐川事件迅速升级，核心人物便是竹下派人士金丸信等人。在审理过程中，渡边供认曾捐出22亿日元给12名政治家，其中5亿日元交给了金丸信的秘书。金丸信对此事供认不讳。1992年8月27

日,他在记者面前承认,他在1990年2月曾接受渡边5亿日元"政治捐款",并说:"今天,我猛然醒悟,接受那些捐款是违反有关政治资金规定,违背政治伦理的行为。"为此,他做出决断:辞去自民党副总裁和竹下派"经世会"会长的职务,以表明对此事件负有责任。

金丸声明辞职后,仍表示"将以一名议员的身分,继续支持宫泽内阁",意思是并无退出政坛之意。司法方面对金丸受贿5亿日元一事,只是决定对金丸罚款20万日元,而且罚金可以通过银行汇付。但10月14日金丸还是被迫辞去了众议员职务。

78岁的金丸信辞职后"告老还乡",花了3亿日元重修住宅,安逸地度过了1993年元旦。然而,此时东京地方检察厅仍在暗中调查金丸的另一桩大案——偷税漏税案件。3月6日晚,东京地方检察厅举行记者招待会宣布:"自民党前副总裁金丸信及其秘书生原正久因涉嫌违反所得税法被逮捕。"这条消息犹如晴天霹雳,震惊了日本朝野,日本新闻界连篇累牍地竞相报道金丸案件。

据调查,金丸信在1987年至1989年间,与他的前秘书生原合谋,隐瞒了18.5亿日元的收入,并且购置了日本债券信用银行的减价金融债券,从中偷税近10.5亿多日元。① 这种债券在购买时预先扣除银行应付利息,一年期满后银行却照债券面额金额兑现。由于是以无记名方式买卖的,购买者可自行保管或转让,深得蓄意隐瞒财产的人们的欢迎。

3月6日以后,检察部门共派出专业搜查员及检事150人,对金丸的住宅、办公地点和相关企业进行了搜查,共听取了1 500余人的证词,收押了有关资料7 000件,达900箱之多。3月13日和27日,东京地方检察厅以违反所得税法罪对金丸提出起诉和"追加起诉"。起诉事由要点包括:金丸信于1987年至1989年的3年内,共隐瞒所得收入18.5亿日元,逃税额达10.5亿多日元。经查实,金丸信的私人财产总额不少于100亿日元。这些收入的来源包括,东京佐川快递公司及18家大建筑公

① 《朝日新闻》政治部、社会部编:《权力的代偿》,朝日新闻社1993年版,第55页。

司的“政治捐款”。作为回报，这些建筑公司可以得到承揽公共事业的建设工程项目（工程投资由政府拨给，承揽者可以得到数目可观的利润）等好处。①

金丸信生于日本山梨县的一个酿酒商之家，早年大学毕业后应征入伍，后因病返乡承袭父业。1953 年弃商从政，多次出任政府要职，历任建设大臣、国土厅长官、防卫厅长官、副首相以及自民党干事长、总务会长、副总裁等职，长期充当日本决策人物的“高级谋士”和“智囊”，被称为权倾朝野的日本政坛“教父”。金丸原属田中派，田中病倒后，金丸遂与儿女亲家竹下登另起炉灶，重立山头，组成自民党内最大派系“经世会”（即“竹下派”），控制着自民党的人事和内务。

金丸擅长处理错综复杂的党内派系纷争，素有“首相制造器”“内阁遥控器”之称，在内阁及党内人事安排上有近乎决定性的发言权，宇野、海部两内阁都是在他和竹下的支持下上台的。宫泽内阁也得到以金丸为会长的竹下派的全力支持，所以宫泽上台伊始，便请金丸出任自民党副总裁，把一切党内大权交付金丸。金丸退出政界，对自民党和宫泽政权都是一个沉重打击。

金丸落入法网后，日本国民纷纷走上街头，举行集会和游行，反对政府和自民党的腐败。3 月 29 日，东京地方法院批准金丸要求保释的申请，金丸缴纳 3 亿日元保释金后出狱，结束了 23 天的拘留所生活。但是，这时日本自民党已经处在分裂、瓦解的前夜，自民党政权的日子已经屈指可数了。

金丸事件给自民党以前所未有的冲击，同时也加剧了党内派阀斗争，最终导致党的分裂。

1992 年 5 月 7 日，原自民党副干事长、熊本县知事细川护熙率先脱离自民党，成立新党“自由社会联合”，这一党名实际上包含着自由民主党的“自由”和社会党的“社会”两层意思，其用意是，一方面以“自由主

① 《朝日新闻》政治部、社会部编：《权力的代偿》，朝日新闻社 1993 年版，第 54、55 页。

义”为基轴，一方面又纳入社会主义的平等理念，不久即改名为“日本新党”，自任党首，在7月的参议院选举中获得4个议席，超过民社党，与日本共产党持平。

1992年10月14日，金丸信被迫辞去国会议员职务，并决定不再参加下届议员竞选，这意味着金丸完全退出日本政治舞台。从此，竹下派分裂加剧，展开了争夺竹下派会长之争。10月21日，支持小泽一郎的竹下派成员召开誓师大会，决定拥立大藏大臣羽田孜为新会长，此举引起派内支持小渊惠三副会长的势力的强烈反对。10月22日，小渊派在小泽一郎缺席的情况下，拥立小渊为后继会长。28日，小渊就任竹下派新会长。对此，推举羽田孜的小泽派表示反对，提出“无效”，并宣布脱离竹下派，成立“改革论坛21”，竹下派走向分裂。12月18日，竹下派正式分裂为羽田派和小渊派，从此结束了竹下派控制自民党的局面。

羽田派由羽田孜、小泽一郎等35名众议员和9名参议员组成。小渊派属于反小泽派，对政治改革持慎重或消极态度，但在人数上处于多数地位，拥有包括小渊惠三、桥本龙太郎等人在内的32名众议员和34名参议员，所以是竹下派主流。[①] 羽田派实权人物小泽一郎声称他代表自民党的“改革派”，他同小渊惠三等人的斗争是“改革派”与“守旧派”之争。小泽认为，苏联解体，美国实力下降，日本要想为国际社会多做贡献，就必须“改革过去的政治体制”，“改变冷战时期形成的政党模式”，建立“两大政党体制”。但是，改革政治体制导致长达38年之久的以自、社对立为基轴的“五五年体制”和“自民党一党统治”的崩溃，意味着“保革联合政权”的诞生，这是当时谁都始料未及的。

总之，掌握这次政治改革主导权的是执政的自民党。围绕政治改革问题，自民党内出现三派势力：一派是旧竹下派的小泽、羽田一伙，加上河本派的海部俊树等人，共约200名国会议员，可称之为“推进派”；与之相对立的一派是竹下派的小渊惠三和梶山静六等人，可称之为慎重派；

---

① 田中浩：《战后日本政治史》，讲谈社1996年版，第344页。

另外还有一伙特别讨厌小泽一郎的反对派。在这三种类型中又各自心怀鬼胎，打着不同的算盘。与此同时，在各在野党中，也有各种不同的想法，有的坚决反对，有的认为可以进行有条件的改革。总之，当时多数人认为，“政治改革”是必要的，因为“五五年体制”这种不许政权交替的一党统治，必然会压制政治的活力，导致政治腐败。但是，很多人又担心，以小选举区为核心的选举制度的改革，只会更加削弱在野党的力量，导致扼杀反对政治势力的结果。而对自民党来说，采用比例代表制，又有可能对自民党带来不利影响。鉴于此，政治改革究竟如何进行，每个人都心中无数，而在一般国民眼中，当时的所谓政治改革犹如一头雾水，更不知所云。

在这种情况下，小泽、羽田等人，一方面促使自民党内部“自我净化”，一方面向在野党表示将来有可能会出现政权交替的机会；而对广大国民，则极力从理论上宣传政治改革的正当性，以取得国民的支持。为此，他们必须首先阻止竹下派继续掌权，一方面极力诋毁竹下派的主张，鼓吹人事更替的必要性；一方面宣传必须废除形成派阀温床的中选举区制，改为小选举区比例代表并立制。按照他们的说法，每个选区选举 3—5 名议员的中选举区制，是议员贿选的温床，而且为了争取更多人当选，各派必然争相投入大量选举资金，而这正是贪污的原因之所在。然而，事实上，小选举区所需资金更多，而且即使改变了选举制度，派阀也不可能消除。

面对“改革派”的强大攻势，以宫泽为代表的自民党“守旧派”，承认自民党“犯了错误”，承认自民党在金丸事件后陷入了“严重危机”。但仍然认为自民党是唯一能担当执政任务的政党，主张必须由自民党一党进行政治改革。1993 年 4 月 2 日，自民党向众议院提出了关于政治改革的 4 项法案:《公职选举法法案》《众议院选区划定委员会设置法案》《政治资金规正法修正案》《政党助成法案》。社会、公明两党也提出了相应的政治改革 5 项法案。从 4 月 15 日以后，政治改革相关法案在众议院政治改革调查特别委员会开始正式审议。

在野党对日本政府和自民党在政治改革问题上的武断做法极为不满，甚至自民党内的“实现政治改革年轻议员会”也于5月25日将一份有219名国会议员(占自民党381名国会议员的57%)签名的要求“与在野党妥协，在本次国会实现政治改革”的意见书面呈首相。与此相呼应，5月28日，社会、公明、民社、社民联、民主改革联盟和日本新党等六党派首脑举行会谈，就“朝野各党制定小选举区比例代表连立制等法案”取得一致意见。这一举动对当时在自民党内日趋孤立的小泽·羽田派和热衷于政治改革的年轻议员无疑是一大鼓舞。值得注意的是，参加这一会谈的党派，后来大都成为小泽·羽田“新生党”成员和构成细川政权的母体。

宫泽首相看到这种情况，指示梶山静六干事长：“希望尽量制定一个好的妥协方案。”并在朝日电视台公开表示：关于政治改革，“无论如何要在这次国会解决，我们正在做工作”。① 但是，梶山干事长和佐藤孝行等实权派人物并没有撤回原来的单纯小选举区方案。因此，自民党政治改革推进本部代理本部长盐川正十郎6月1日提出的朝野党妥协方案“小选举区比例代表并立制”未被采纳(盐川因此而提出辞呈)。6月14日，梶山干事长在新自由主义经济研究会上声称：关于政治改革，“两年以后，我们将在参议院选举中取得胜利，届时我们要完成包括选举制度在内的改革”。② 这一发言引起自民党内改革派的强烈不满。翌日，自民党159名改革推进派国会议员成立了“推进政治改革议员联盟”，以对抗自民党当权派。

6月16日，宫泽首相出席自民党总务会，指示单纯小选举区制等4法案要在众议院政治改革特别调查委员会通过。宫泽的做法引起在野党的不满。为此，社会、公明、民社、社民联、民主改革联盟、日本新党等六在野党、会派一致决定，向众议院提出内阁不信任决议案。6月17日，

① 田中浩：《战后日本政治史》，讲谈社1996年版，第348页。
② 同上书，第349页。

日本共产党除外的各在野党联合提出了对宫泽内阁的不信任案。6月18日,众议院以255票对220票通过了内阁不信任案。造成这一始料未及的结果,是因为羽田派等的39人也投了赞成票。[①] 于是,宫泽内阁不得不宣布解散众议院。

这次内阁不信任案的通过,是战后日本政治史上一个值得大书特书的事件。因为,首先,这次事件,在自民党内部,是打破原来派系,按照是否赞成"政治改革"的理念重新进行的派阀之间的合纵连横。其次是第一次打破了政党之间的界限,按照问题的性质,产生了连反对党都赞成的行动方式。政界重新组合,没有这种意识上的变革恐怕是不可能的。

羽田派缘何造反?早在2年前,海部内阁曾着手进行选举制度改革,当时羽田孜任自民党选举制度调查会会长,极力主张改革,遭到执政界之牛耳的自民党副总裁、竹下派会长金丸信的反对,致使羽田提出的有关政治改革3项法案归于泡影。如今,金丸被捕,自民党濒于分裂,自然是羽田派"报一箭之仇"的好机会。

另外,在野党方面之所以敢在众议院提出对宫泽内阁的不信任案,就是因为他们与小泽派代表羽田等人早有默契。17日,在野党向众议院议长樱内义雄提交对内阁不信任案之后,羽田便公开表示:如果内阁不采取延长国会的措施使政治改革方案在本届国会内通过,那就只好赞成在野党的不信任案。6月18日,有18名自民党众议员未参加投票,包括羽田派在内,有39人"造反"投了赞成票,此外还有11名自民党众议员宣布退党。投票结果,以255票赞成,220票反对通过了内阁不信任案。所以,对自民党来说,"六·一八政变"不仅意味着宫泽政权的寿终正寝,而且宣布了"五五年体制"的终结。当天日本各大报纸均以"自民党分裂"的大号黑字为标题,抨击自民党的腐败政治及"不思反省的顽固态度"。《朝日新闻》社论一针见血地指出:"政治丑闻难道不是导致这种结果的必然因素吗?"

---

① 田中浩:《战后日本政治史》,讲谈社1996年版,第350页。

宫泽首相也自有其难言之隐。他在不信任案通过后，接受电视记者采访时说："我并非想对国民撒谎。时至今日我更深深地感到了政治改革的难度。"的确，自1980年代中期以来，历届内阁都把政治改革作为最重要的课题，然而最终无不被它碰得头破血流。

随着不信任案的通过，自民党开始走向分裂。不信任案被通过后，自民党政治改革推进本部事务局局长武村正义代表10名众议员提出退党申请，21日宣布成立"先驱新党"。随后，羽田和小泽于23日带领44名国会议员成立"新生党"。同一天，自民党内另外80余名议员以海部俊树为核心宣布成立"自民党政治改革推进议员联盟"，声称与党内"慎重派"划清界限，继续推进政治改革，使自民党孕育着再次发生分裂的危险。

羽田、小泽从自民党拉出队伍后，与社会党、公明党、民社党、社会民主联合四党举行会谈，就大选后建立联合政权问题达成了一致意见。而先驱新党却与日本新党酝酿合作。脱离自民党的新生党和先驱新党分别与在野党以及日本新党讨论合作、建立联合政权问题，这在过去是从来没有过的，此举无疑使自民党陷入更加严重的危机。据《日本经济新闻》6月29日的舆论调查，宫泽内阁的支持率仅为5.8%，比当年的宇野内阁还低。而自民党的支持率仅28.6%。①

经过一个月的躁动，重新确定日本政坛格局的众议院大选终于于7月18日揭晓。结果是：自民党获223席，未过半数；社会党由原来的137席降至70席，成为38年来的最低点；日本新党第一次参加大选就获35席；新生党获55席，比原来增加19席；先驱新党获13席，比原来也增加了3席；民社党15席比原来增加1席；共产党15席，比原来减少1席；社民联4席，与原来持平。这次选举结果，自民党固然由于新生党和先驱新党的"跑票"而大败，但更惨的是社会党，竟减少了将近60席，减少的议席跑到日本新党和先驱新党那里去了。

---

① 森田实：《政界大乱》，东洋经济新报社1993年版，第19页。

纵观这次大选,有以下几个特点:第一、新党派议员大增引人注目。日本新党、新生党和先驱新党这3个新党派所获议席数占众议院总议席数的五分之一,表明日本国民对传统政治的厌倦心理,希望新成立的党派能在刷新日本政治方面有所作为。三个新党在选举时高举"推进政治改革"和"结束自民党一党统治"的旗帜,起到了鼓动民心的作用;第二、社会党惨败同样引人注目。社会党惨败的原因表面上看是诸多新党夺走了本应属于社会党的票,但实际上是该党的政策走向不明朗,在安全保障、防卫等重大问题上态度暧昧。另外,冷战局势的结束和大批工会会员脱离政党也是导致社会党失败的重要原因;第三、自民党议席虽然未过半数,但获得223席,与议会解散时的222席基本持平。这说明日本选民虽对自民党不满,但也希望政治相对稳定。

总之,这次大选结果所反映出的日本民意基本上是希望稳定和革新。所形成的格局,表面上是自民党、3个新党和社会党的"三足鼎立",实际上是意味着"五五年体制"的瓦解和自民党一党统治的终结。取而代之的是日本新党和从自民党分裂出来的新生党及先驱新党取得重大胜利。这意味着日本"总保守"势力大增,日本政治向"总保守化"迈进,它标志着日本政局向多党政治时代迈出了第一步。

1993年7月22日,宫泽首相为承担自民党分裂和大选失败的责任而引咎辞职。宫泽在其执政的1年零9个月中,在开展首脑外交和恢复泡沫经济崩溃后的日本经济以及应付冷战结束后的国际形势方面做出了不懈的努力和一定的成绩,但执政38年的自民党毕竟"毁于"宫泽之手,这不能不说是宫泽内阁的"悲剧"。看到宫泽的下场,于是日本有人将自民党第十五代总裁宫泽喜一比做德川幕府最后的第十五代将军德川庆喜。这种比喻是否恰当姑且不论,而人们更关心的,是宫泽之后日本是否真的能实现政治改革。

这里,我们不妨再简单回顾一下自民党政权的崩溃过程。自民党由于两次金丸事件(1992年夏天曝光的"东京佐川快递事件"和1993年3月的因偷税漏税而被捕事件)的冲击,而完全失去了国民的信任;1993年

6 月，围绕政治改革问题自民党发生分裂，小泽一郎等改革推进激进派形成，致使宫泽内阁不信任决议案获得通过；随后数十名国会议员集体退党，并打出新生党和先驱新党的旗号，从而自民党在众议院失去了过半数席位，随后在 7 月 18 日的大选中只获得半数以下议席。在这一自我崩溃过程中，自民党首脑宫泽首相的优柔寡断最终把自民党送上了“断头台”。

第六章　多党联合政权时代

一　新党的分化组合与联合政权的更迭

(一) 新党的联合与细川、羽田内阁

1990 年代初，日本政党出现分化组合的大动荡局面，尤其是自民党的分裂最为突出。自 1992 年至 1993 年的 1 年多时间里，自民党连续出现大小分裂达 7 次之多。除日本新党、新生党和先驱新党之外，还有改革之会（原自民党总务会长西冈武夫为会长）、自由党（原渡边派骨干柿泽弘治为党首）、新党未来（前总务厅长官鹿野道彦为党首）、高志会（前首相海部俊树为会长）。当然，在上述 7 次分裂中，新生党和先驱新党的另起炉灶对自民党的打击最大。

自从宫泽首相宣布解散众议院以后，各政党便以大选后的联合政权为目标，展开了紧锣密鼓的活动。作为看守内阁的自民党，预感到大选后议席将低于半数，便积极开展针对日本新党和先驱新党的工作，企图建立一个同宗同质的三个保守党的联合政权。以羽田为首的新生党，则计划与原来的四个在野党（社会、公明、民社和社民联合）建立五党联合

政权。但经过测算之后，新生等五党议席总数只有195席，不但不足半数，而且少于自民党的223席。于是，新生党代表干事小泽一郎决定调整战略，放弃由羽田出任首相的主张，推举日本新党代表细川护熙出任首相。这样，共有48个议席的日本新党和先驱新党便成为联合政权的决定性因素，他们倒向谁，谁便可以组阁。

日本新党在1992年5月成立时曾强调，为打破事实上长达近半个世纪的一党支配体制，必须进行政治改革。此后，细川又提出，日本新党的首要任务是建立取代自民党的政权。他在1993年5月庆祝日本新党成立一周年时又提出，为了完成政权交替的战略任务，应建立一个“政权交替期成同盟”。①

但是，新生党成立后，非自民联合政权即将诞生之际，细川又表示要与新生党和其他现有的在野党划清界限，甚至说什么“如果后藤田正晴或海部俊树这样的改革派掌握了自民党的主导权，也有可能与自民党联手”。② 这样一来，就等于细川自己主动放弃了原先他反复强调的政权交替主张。

细川的这一态度起到了阻止现有在野党加新生党加日本新党和先驱新党通过大联合有可能建立新政权的作用。因为如果日本新党和先驱新党不参加联合政权，那么，非自民联合在数量上就不可能超过自民党。而如果日本新党与自民党联手，自民党就可能获得过半数议席而继续维持政权。

从细川的言行看，日本新党有可能选择以下三条道路之中的一条：第一，采取完全中立主义，充当第三势力，当自民、非自民联合都未能过半数的情况下，日本新党则可以掌握主导权，倒向哪边，哪边就可以掌权；第二，作为自民党的补充势力，实行阁外合作。但是，日本新党一向标榜自己是非自民党势力，如若支持自民党，则有欺骗国民、自食其言之

---

① 森田实：《政界大乱》，东洋经济新报社1993年版，第27页。
② 同上书，第26页。

嫌，一旦选择这条道路，日本新党便会失信于民；第三，参加非自民联合政权。细川并没有否定参加联合政权，而且可能性还是有的。

日本新党和先驱新党经过反复权衡，认为加入自民党的联合内阁，最多只能分到二三个阁僚的职务，而且有损于形象；与五党联合，则可以得到首相交椅，而且可以实现建立"政治改革政权"的夙愿。7 月 22 日，日本新党代表细川护熙明确表示："希望建立非自民党政权。"随后，先驱新党党首武村正义也表示："非自民党势力更热心于改革，应成为新政权的核心。"[①]7 月 23 日，日本新党和先驱新党召开联席干事会，细川、武村两代表会见记者时，表示要建立"政治改革政权"，并发表了拟定以小选举区比例代表并立制为主要内容的政治改革法案等的基本政策。第二天，社会、新生、公明、民社、社民联等非自民五党召开会议，决定原则上同意接受日本新党和先驱新党的主张。7 月 27 日，细川、武村代表决定参加七党联盟。28 日，七党首脑就建立非自民党联合政权达成一致意见，于是，建立非自民党政权始成定局。同一天，新生党代表干事小泽一郎会见记者时表示，非自民党政权首相人选不一定非羽田孜不可，这是一个意味深长的暗示（据说早在 7 月 22 日细川、小泽会谈时就已定下了这一意向），这时人们已经预感到细川护熙将出任首相。7 月 29 日，非自民"七党一会派"举行党首会谈，决定日本新党代表细川护熙为统一首相候选人，众议院议长候选人则从社会党里产生（8 月 3 日，社会党委员长土井多贺子同意出任议长）。至此，人们终于明白，这一结果完全是按照小泽一郎的谋划进行的。

1993 年 8 月 5 日，宫泽内阁总辞职，从而自民党成为日本宪政史上最大的在野党。日本新党和先驱新党成立院内统一会派"先驱日本新党"，社会党和社民联也继续维持统一会派。6 日，日本新党、新生党、先驱新党、社会党、公明党、民社党、社民联和参议院民主改革联盟这七党一会派所推荐的首相候选人细川护熙当选为日本第 79 任首相。8 月 9

① 田中浩：《战后日本政治史》，讲谈社 1996 年版，第 366 页。

日，以细川为首相的八党派联合内阁成立(1993.8.9—1994.4.8)。新政府的成立，打破了1955年以来自民党独掌政权的局面，38年来在日本出现了第一个“八党派”联合政权。同一天，社会党委员长土井多贺子被选举为众议院议长，形成了“吴越同舟”的局面。

在这次政权更迭中，小泽一郎是个呼风唤雨的关键人物。他首先把出任首相呼声很高的羽田孜压下去，再把细川护熙抬出来，然后又推举土井多贺子为众议院议长。细川当时人气正旺，被视为“平成时代改造社会”的带头人。土井多贺子则在1989年(平成元年)参议院选举时，因展开反对消费税斗争而名噪一时，在日本国民中的形象不亚于细川。小泽一郎的这两手都很高明：推出细川当首相，切断了日本新党与自民党的联系；推出土井当议长，控制了社会党左派的“造反”。这两手引起自民党内部的混乱，自民党陷入无政府状态，而细川联合政权趁此机会得以顺利启航。

非自民联合政权成立的真正原因，是自民党领导层的无能、无所作为和缺乏维持政权的信心。换言之，是自民党自我崩溃所导致的结果。这便是1993年夏细川联合政权诞生的秘密所在。

在联合政权中，除首相一职出于战略考虑由日本新党代表细川护熙担任外，副首相、外务、大藏、通产、防务等重要职务均由新生党出任，说明新生党处于政权的核心地位，新生党党首羽田孜任副首相兼外务大臣。而内阁中的第一大党社会党也获得6个职位，数量上最多，起到安抚和牵制社会党的作用。其他各党则处于相对次要和从属的地位。

社会党加入细川联合政权，是以放弃其一贯主张为前提条件的，换言之，社会党参加联合政权本身，便说明原来的社会党已不复存在。

由包括部分自民党在内的非自民势力组成的细川联合政权的最大功绩，就是把连续执政38年的自民党推向了在野的地位。自民党迎来了建党以来痛苦而暗淡的“严冬时代”。

在长期执政的几十年内，自民党并非一无是处。但是，大凡长期政权，容易派生出既得权益结构。财界、业界、官僚机构等既得利益集团是支撑自民党统治的前提条件，但同时也是不思改革和相互勾结的温床，而且，由于新鲜血液难以注入，“密室政治”横行，制定政策缺乏透明度。非自民势力正是为了改变这一状况才联合在一起的。

细川联合政权的诞生，使原本默默无闻的细川护熙，一时间成了“日本政坛新星”。

细川出身于豪门世家，其祖父原为日本侯爵，外祖父近卫文麿曾任日本首相。细川早年毕业于日本上智大学，曾任《朝日新闻》社记者。步入政坛后属于田中派。1983 年 45 岁时竞选担任熊本县知事，是日本最年轻的知事。但是，担任两届知事之后，留下一句“权不十年”的名言而辞职。① 辞职后，他提出要改变日本政治必须实行政权交替的主张。为此，他于 1992 年 5 月组建日本新党，并自任代表。由于日本新党自成立之日起就主张改革，赢得很多欢迎革新的日本选民的支持，因而在 1993 年 7 月的大选中，一举获得 36 个众议院议席。细川主张摧毁政界与财界之间的腐败政治结构，改革政治制度，尊重日本现行宪法。所以，细川的上台，与其说他得益于贵族出身的背景，不如说他作为战后派政治家，正好赶上了政治转换期，广大国民寄希望于像他这样的新型政治家。从这一意义上讲，细川可以说是“时代之子”。②

细川内阁成立后，国民对新政府表示出很高的热情。《朝日新闻》9 月 8 日的民意测验表明，新政府的支持率为 71%，NHK 的类似调查为 70%，而其他机构的调查结果，有的甚至高达 83%。这是对历届内阁在“刚成立时的支持率”调查史上的最高值。堪与细川内阁相比的是 1972 年田中内阁成立时 62%的支持率。如此高的支持率，反映出日本国民对自民党政治的强烈不满和要求变革的愿望。在“支持理由”中，37%的人是“因为希望政治能有所改变”。③

细川内阁获得高支持率的另一个原因，是细川首相个人所具有的新

---

① 森田实：《联合政权—我的细川内阁论》，日本评论社 1993 年版，第 76 页。

② 田中浩：《战后日本政治史》，讲谈社 1996 年版，第 356 页。

③ 森田实：《联合政权—我的细川内阁论》，日本评论社 1993 年版，第 33 页。

形象博得了日本女性和年轻人的好感。细川自然而睿智的形象符合现代人的口味。在现代政治中，政治家的形象具有决定性意义。细川的个人形象与金丸信、竹下登、宫泽喜一等自民党政治家的古板、缺乏活力形成鲜明对照，给人以新鲜、爽快和充满活力的感觉。

但是，细川政权有一个致命的弱点，那就是它的双重权力结构。所谓双重权力，就是一方面细川作为首相表面上享有最高权力，一方面小泽一郎在背后掌握着实权。在民主政治的体制下，权力和责任必须是一体的。但在双重权力结构之下，权力和责任是分离的，背后的实权者并不负公开的责任，就是说，出了问题他可以逃避责任。这种状况必然导致政治的倒退和腐败。在战后日本政治中，这种双重权力结构不乏其例，田中角荣下台以后，长期操纵日本政坛便是突出的例子。

细川内阁面临许多难题，其中最重要、最需优先解决的问题当属政治改革。

政治改革的口号是田中角荣因"洛克希德事件"下台后，1974 年三木内阁上台时提出的，是一个已经议论了近 20 年的悬而未决的问题。但是，当时自民党内正处于"三角大福中"的派阀抗争之中，政治改革的核心是要解决导致自民党腐败最大原因的政治资金问题。而政治资金是自民党政权久治不愈的痼疾。作为执政党，解决政治资金问题犹如用刀子割自己身上的肉，所以实行起来几乎是不可能的。三木之后的福田、大平、中曾根等历届内阁，不但政治改革毫无进展，而且政治腐败愈演愈烈，及至海部内阁，政治改革问题才又重新提到议事日程。而且，具有讽刺意味的是，支持、促进政治改革问题的却是自民党内最大派阀——竹下派内分裂出来的小泽、羽田等人，到这时，自民党才不得不开始认真考虑"自我净化"问题。

政治改革是联合政府的旗帜，也是内阁中各党政策方面最大的一致点。因此，能否实现政治改革，便成了细川内阁的一块试金石。细川内阁成立伊始，细川首相便在 8 月 10 日就任后首次记者招待会上许诺：政治改革法案将在年内成立，如若不能实现，政府将承担政治责任。可见，细川内阁是以政权的命运作赌注来实现政治改革的。为了表明联合内阁对政治改革的重视,还特设一个专门负责政治改革的国务相,由社会党委员长山花贞夫出任。在9月17日召开临时国会的当天,内阁会议便通过了"政治改革相关四法案",并提交众议院。

政治改革的核心是改革选举制度,建立一种小选区比例代表并立制。法案的核心内容为:众议院定员,小选举区250人,比例代表250人,投票方式为记号式二票制。自民党提出的方案是,小选举区300人,比例代表171人,投票方式为记号式一票制。这两种方案在10月13日开幕的众议院同时开始审议。

临时国会召开3天后的9月20日,细川内阁政治改革大臣易人,新当选社会党委员长的村山富市取代了社会党原委员长山花贞夫。当时,谁都不会想到,就是这位默默无闻的长眉毛老人不久竟登上了首相宝座。

11月18日,众议院全体会议以270票对226票通过了细川内阁提出的政治改革法案,其中13名自民党国会议员投了赞成票,5名社会党议员投了反对票。这是自1988年日本国会开始讨论政治改革问题以来,众议院通过的第一部政治改革法案。但是,细川政府这次通过的"政改方案",其实是出自当年自民党要推行的"小选举区"制度,以及后来自民党草拟的"政治改革方案",改革的核心是将原来一个选区选2至6名议员的"中选举区"制,改变为一区只选1名议员的单纯"小选举区"制。日本舆论界认为,法案的"内容距离人们的期待甚远",实际上是国民的政治改革要求"被改变选举制度所取代"。

但是,众议院通过的上述政改方案,在1994年1月21日参议院全体会议上,又以118票赞成、130票反对被否决。主要原因是不但自民党的参议员反对,社会党中反对引进小选举区制的部分议员也投了反对票,因为在他们看来,该法案一旦通过,社会党就有可能会永远退出政治舞台。

日本法律规定,众议院和参议院对某法案做出不同裁决时,可召开两院协议会协商，协商不成时出现两种可能：要么众议院重新表决，以三分之二以上通过而形成法律；要么成为废案。1994 年 1 月 26 日，两院协议会召开，协商未果而于 27 日决裂。于是，28 日，细川首相和自民党河野洋平总裁斡旋，通过细川和河野洋平的私下交涉终于达成妥协方案，该方案内容做了有利于自民党的大幅度修改。主要包括：第一，议员名额问题。改为小选举区 300 名，比例代表区 200 名，并且将全国划分为 11 个比例代表区；第二，政治资金问题。对企业的政治捐款加以限制，政府对政党的补助金总额为每年 309 亿日元（国民人均负担 250 日元），相当于上一年政党总支出的 40％。①

1 月 29 日，参众两院全体会议分别以多数赞成通过了这一自三木内阁以来悬而未决的政治改革法案，其中包括《政治资金规正法》和《政党助成法》。最后通过的法案表明，细川内阁向自民党作了大幅度的让步。政改方案的妥协与通过，使朝野政党之间及其内部的矛盾暂时得到了缓和，细川内阁渡过了一次危机。如果该法案成为废案，将导致解散国会或者细川内阁总辞职后的结果。

如何看待细川内阁的这次政治改革，一般认为，这次改革是“保守维新”，即在保守政治的大框架内进行的改革，它推动了日本保守政治的进一步发展，有很大的局限性。实施新选举制度对大党有利，更多地照顾了自民党的利益。政治捐款和政治资金制度的改革，亦不可能切断政治家与金钱的关系，更不可能彻底消除政治腐败。概言之，这次政治改革不是要否定几十年的保守政治，而是要完善和补充之，以建立新型的保守政治体制。

围绕政治改革法案，日本各政党和各界存在着严重分歧。当时，日

---

① 政府大幅度增加对政党的补助金，目的是想防止议员为筹集政治资金而发生的贪污、腐败现象，这一向被认为是政治改革的核心内容。但日本共产党的政治资金一向依靠其党费和党报、党刊等事业活动募集，坚决反对政府向政党提供补助金。日共认为，政府的政党补助金实际上是来自于全体国民的纳税，而国民向违背自己意愿的政党提供税金的做法是不妥的。同时，“天上掉馅饼式”的巨额政党补助金有可能会宠坏政党，养成不断向国民勒索、强求的风气，而且会围绕补助金的分配问题强化政党负责人的权力。

本的完全失业率为2.6%，景气低迷日趋严重。自民党为了阻止政改法案的通过，提出寻求景气对策应优先于政治改革。但舆论界支持细川等人的政治改革重视派，连一向主张景气对策优先的“经团联”也全力支持政治改革法案的通过。

在联合执政党内部，在政治改革法案问题上也存在严重分歧。官房长官武村正义同意自民党的主张，认为应优先制定有利于景气对策的预算案。但小泽一郎和市川雄一等人支持细川的主张，为此，新年度预算延至年初审议。但是，通过这件事，在政权内部，小泽和武村的矛盾明朗化而且日益加深。

政改法案通过之后，细川内阁并没有从“过渡性内阁”转变为“正式政权”。不久，执政联盟内部的矛盾进一步激化，这主要表现为武村与小泽之争。先驱新党党首武村正义和新生党代表干事小泽一郎原本在政治立场和政策主张上就很不相同。联合政权成立后，二人已有多次交锋，小泽一郎一直把武村正义视为眼中钉，企图借细川之手除掉武村。细川迫于小泽的压力，试图通过内阁改组免去武村的内阁官房长官之职，但遭到社会党、民社党和先驱新党的激烈反对，细川不得不放弃内阁改组。细川内阁改组未成，社会党、民社党和先驱新党与新生党和公明党之间的矛盾却公开化了，双方明争暗斗，使联合政权处于分裂的边缘。

联合政权中第一大党社会党与小泽之间的矛盾也越来越深。在参议院审议选举制度改革法案时，有17名社会党议员违反执政党决定投了反对票，结果致使法案被否决。所以，在小泽看来，社会党在确保执政党国会议员人数方面是必要的，但在改革方面越来越成为“包袱”，只要社会党左派在联合政权中占有一席之地，改革就难以进行。

政治改革法案刚刚公布后的2月3日，细川突然宣布引进税率为7%的“国民福利税”，这一决定既没有和先驱新党党首、官房长官武村正义商量，也没有同联合政权的最大政党社会党打招呼，完全是按照小泽一郎等人的谋划，一时心血来潮决定的(国民消费税于次日撤回)。甚至想通过改组内阁的手段，把细川昔日的盟友、反对国民消费税的武村正义从官房长官的位子上拉下来，当然这又是小泽一郎等人的主意。细川的这些随意行为，大大损害了他在公众中的形象，也引起社会党和先驱新党的不满，执政党内部裂痕越来越大。

正当细川政权岌岌可危的时候，细川“借佐川快递公司 1 亿日元”和“参与不正当股票交易”等涉及金钱的问题又被揭露出来。在野的自民党趁此机会穷追不舍，坚持要在国会上传唤证人，细川则严词拒绝，双方争执不下，国会对预算的审议无法进行下去，陷于“空转”状态。在这种情况下，细川不得不宣布“承担政治和道义上的责任”，于 1994 年 4 月 8 日突然辞去首相职务。把在位 38 年的自民党政权赶下台，具有历史性意义的细川联合政权仅仅存在了不到 5 个月就这样降下了帷幕。细川的辞职出乎人们的意料，这究竟算是干得漂亮还是果断，仁者见仁，智者见智，总归说明细川其人这种拿得起放得下的作风非同一般。但是，从另一方面讲，细川政权的草草收场，又反映了缺乏政治经验的细川护熙终归不是老道的阴谋家小泽一郎的对手，也无力实现国民的深切期待。

率领众多在野党、高举“政治改革”和“非自民”大旗上台的细川政权何以如此短命？原因固然是多方面的，但要而言之，可以归纳为以下 4 点：一、如前所述的“金钱丑闻”的影响；二、直接影响国民生活的 1994 年度预算在国会审议时受阻；三、在联合政权中各执政党之间，尤其是先驱新党党首、官房长官武村正义和新生党代表干事小泽一郎的矛盾日益尖锐；四、在消费税问题上与社会党意见相左，不能达成共识。也就是说，主要原因是细川过多地受到了小泽一郎等人的摆布。这正是双重权力结构所带来的必然结果。

细川表明辞意之后，执政各党内部在谁继任首相的问题上发生分歧，新生党、公明党、日本新党与社会、先驱、民社等四党派处于分裂状态。“呼风唤雨”的小泽一郎再次谋划“细川之后”的首相人选。起初，小泽曾打算让自民党的渡边美智雄出任首相，条件是渡边拉出 40 名自民党议员加入新生党。这一计划遭到社会党、先驱新党和公明党的反对而流产。在联合执政党就新首相人选之事争吵不休之际，4 月 12 日，自民党总裁河野洋平出马竞选首相。执政各党为了保住政权，一致推举羽田孜为首相候选人，细川也出面呼吁，“要在政界变化的惊涛骇浪之中坚持一致，使改革政权再次扬帆启航”。表示出希望羽田孜接替他执掌政权的意向。于是小泽一郎改变战略，决定由羽田出山。但先驱新党决定，在下届政权中只进行“阁外合作”。

1994 年 4 月 25 日，国会选举新生党党首羽田孜为第 80 任首相（众议院首相指名选举，羽田获 274 票，自民党总裁河野洋平获 207 票，共产党委员长不破哲三获 15 票），羽田内阁（1994. 4. 28—1994. 6. 26）随后成立。但是，在羽田内阁尚未最终形成时，在小泽一郎等人的谋划下，由新生党、民社党、日本新党、自由党以及“改革之会”联手，撇开社会党，组成国会统一会派“改新”，于是触怒了社会党，导致执政党中的最大政党社会党于 26 日退出联合政权，先驱新党也已决定离开联合政权。27 日，自民、社会两党决定，在今后的国会运营中采取协调方针。这样，羽田内阁便沦为由新生党、公明党、民社党等联合组成的国会少数派内阁，执政党议员只有 200 人，大大少于过半数的 253 人，这一结果注定了羽田内阁前途不妙。

羽田孜是自民党长老羽田武嗣郎的长子，与小泽一郎、桥本龙太郎一样，是典型的“二世议员”，这三个人一度都是田中角荣的“宠儿”，羽田虽不像小泽和桥本那样锋芒毕露，但曾在中曾根内阁和竹下内阁任过农林水产大臣，在宫泽内阁任过大藏大臣等要职，也是一位具有一定实力的政治家。

羽田的绰号为“政治改革先生”。早在自民党内阁任职时期，他就极力主张改革，以实现与庶民“语言相通”的政治。为此，他离开了对改革不太热心的竹下登，并在对宫泽内阁的不信任投票中发挥了重要作用，最终于 1993 年 6 月 23 日与小泽等人组建“新生党”，并被推举为党首。羽田与小泽的形象迥然不同，而且也没有桥本那种傲慢之气，给人以温厚、诚实的印象，是一种容易给人好感的类型。然而，既当上了“核心”，同时也便成了众矢之的。加之羽田“受命于危难之时”，在国会处于少数派，显然日子是不好过的。

4月28日，作为国会少数派内阁的羽田内阁成立。由于社会党和先驱新党的退出，新生党和公明党在羽田内阁中的地位比细川内阁时更加突出。内阁成员中，新生党有9人，而且占据通产、大藏、农林水产、内阁官房等重要职位；公明党6人，民社党2人，日本新党1人，自由党1人。①

羽田内阁成立之后，羽田首相提出“改革与协调”的口号，并试图与社会党重新合作。但决心不与社会党为伍的小泽一郎，打算分化自民党的一部分势力加入联合政权，羽田和小泽二人的想法南辕北辙，矛盾明显加深。社会党对小泽一郎的所作所为极为反感。6月25日，执政党和社会党关于社会党重新加入执政联盟的谈判宣告破裂。自民党和社会党拟向国会提出对羽田内阁的不信任案，一旦提出，必然能通过。因此，仅维持不到两个月的羽田内阁于6月26日宣布总辞职，成为日本战后第二个短命内阁。从此，新生党又沦为在野党。

新生党沦为在野党后，小泽曾提出辞去新生党代表干事职务，但既未获准亦没有撤回便不了了之。新生党党内对小泽的专权行为越来越不满。进入8月，小泽与反对派妥协，开始实行民主的集体领导体制。

(二) 村山联合政权与社会党的蜕变

羽田首相的辞职又引发了一场激烈的权力之争。

羽田内阁辞职后，原本是想重新把社会党拉入多党联盟，以便重建稳定的联合政权。社会党当时也倾向于回到联合阵营，它之所以投对羽田内阁的不信任票，也只是迫使羽田内阁辞职后，再建立一个社会党拥有更大发言权的非自民党政权，尤其是社会党书记长久保亘坚持“反自民党”的立场，一直采取否定自、社大联合的态度，摸索重建联合政权的途径；另一方面，作为下策，社会党也不是完全不考虑同自民党合作。总之，当时的社会

① 田中浩:《战后日本政治史》，讲谈社1996年版，第377页。

党掌握着左右政局的主导权，哪方给的实惠多就与哪方合作。

鉴于自民党尚不能建立以自己为核心的政权，便暗中与社会党谈判，6月28日，自社两党首脑会谈时，自民党政调会长桥本龙太郎明确表示："如果建立（自、社两党）新政权，原则上可以接受，细节问题再商量。"不久，自民党同意以社会党委员长村山富市出任首相作为两党合作的前提条件，经过一番紧张的"连横合纵"和幕后交易，社会党欣然同意与自民党合作。

1994年5月29日，社会党中央委员会表示：社会党"不再回现政权，羽田内阁若不辞职，则要求解散众议院，举行大选。"①这一表态看起来虽然有些暧昧，但实际上已经基本上确定了建立自、社联合政权的方向。但是，社会党内部部分议员反对建立村山政权，6月19日，社会党书记长久保在朝日电视台仍公开表示要回归羽田联合政权。6月23日，先驱新党做出决定：若以村山出任首相为前提条件，则准备加入自社联合政权。先驱新党的这一决定，一下子加速了自、社大联合的步伐。6月28日（一说6月27日），自民党总裁河野洋平公开表示，同意推举村山为下届总裁。6月29日，自民党同社会党、先驱新党三党联合推出社会党委员长村山富市为首相候选人。但在投票之前，小泽等执政党方面又推出刚刚脱离自民党的原自民党总裁和首相海部俊树为首相候选人。自民党前总裁退党，并成为对立阵营的首相候选人，这在自民党历史上还是头一次。于是，自民党总裁接待室里历代总裁的照片中，海部的照片从此被撤了下去。

这样，国会第一轮投票结果，村山富市得241票，海部俊树得220票，双方均未超过过半数的253票，于是又进行了第二轮投票，投票结果，村山在众议院获261票，海部只得214票。村山以多数票当选为日本第81任首相。30日，村山内阁（1994.6.30.—1996.1.11.）成立，于是，在"五五年体制"下势不两立的自民、社会两党，加上先驱新党，取代

① 田中浩：《战后日本政治史》，讲谈社1996年版，第378页。

非自民的细川、羽田内阁，组成了以村山富市为首相的自民党、社会党、先驱新党三党联合政权。自民党总裁河野洋平出任副首相兼外相，先驱新党党首武村正义担任大藏大臣。自民党在下野一年之后终于又回到了政权中枢，虽然不是单独执政，但毕竟从在野党又变为执政党。事实上，自民党以其第一大党的实力，在内阁中占有明显优势，仍起着主导作用。

对自、社联合政权，日本舆论哗然，新闻媒介认为社会党与自民党联合纯属“野合”。这是自 1947 年片山哲内阁以来，时隔 47 年后社会党重登首相宝座。这也是自 1993 年 8 月细川政权以来，在不到一年的时间内日本出现的第三个联合政权，所不同的是，下野的自民党这次又成为执政党之一。

应该说，村山政权的诞生，也有其一定的原因，并非完全出于偶然。细川联合政权是在“反自民”的大旗下纠合在一起的，但是，由于各政党之间“同床异梦”，很快导致分道扬镳，造成这一局面的关键人物就是新生党的小泽一郎。

小泽从一开始就和公明党书记长市川雄一打得火热，形成所谓“一·一阵线”(即新生党代表干事小泽一郎和公明党书记长市川雄一结成联合阵线)，左右内阁事务和政策。小泽的打算是，拉拢公明党，摧毁高举护宪和反安保大旗的社会党左派分子，确立新生(后改为新进党)、自民两大保守党体制，并加强日美安保体制，扩大自卫队力量，把日本改造成一个“能够做出国际贡献”的“普通国家”。日本新党出身的细川护熙，最初也主张温和的多党制，与第三势力的先驱新党和社会党步调是一致的，但担任首相以后便倒向“一·一阵线”，想甩掉先驱新党和社会党，显然这是中了小泽的离间之计。所以先驱新党和社会党就从“反自民”立场改为“反小泽”立场，这便是村山政权诞生的导火线。

在羽田内阁从上台到下台以及村山内阁上台的整个过程中，在非自民执政党方面，虽然在通过各党合作以巩固权力基础这一总目标上是一致的，但在做法上存在根本分歧。新生党代表干事小泽一郎和公明党书记长市川雄一极力排斥社会党，而羽田孜始终想把社会党拉过来。另一方面，社会党也逐渐分裂为两派：一派以右派为中心，倾向于细川内阁时代的联合执政党；一派以左派为中心，对自民党更有亲近感。村山政权的诞生，就是自民党和社会党左派撮合，并使之成功的结果。以收复政权为当务之急的自民党，肯于将首相宝座让位于第二大政党的社会党委员长，显然是作了大幅度让步。

从细川内阁辞职（1994 年 4 月 8 日）到村山政权诞生（1994 年 6 月 30 日），在短短的两个多月时间里，日本政局发生了羽田政权的昙花一现、先驱新党脱离联合政权、社会党脱离联合政权等重大事件。在这些事件当中，一直贯穿着新生、自民两党为了取得政权而展开的争夺社会党之争。因为“瘦死的骆驼比马大”，社会党毕竟还是一个拥有 70 个席位的大党，谁能争取过来，谁就可以在国会成为多数派。

年届 70 的村山富市，出身贫寒，一生平凡无奇。1945 年明治大学政治经济学科毕业后，回家乡大分县组建渔民工会。1963 年当选大分市、县议员，1972 年首次当选众议员，1991 年任社会党国会对策委员长，1993 年 9 月，原委员长山花贞夫因社会党在众议院选举中失败而辞职。为人正直、廉洁，性格随和的村山富市，受到党内左派和中间派的支持，当选为社会党委员长。但村山从未在内阁担任过任何职务，几乎没有处理国际事务、决策或立法方面的经验。

成立于 1945 年的社会党，在近 50 年的历史进程中，除 1947 年的短暂执政外，一直处于在野党地位，有“万年在野党”之称。社会党党纲中规定的三大任务是：一、保障国民政治自由，建立民主制度；二、排斥资本主义，推行社会主义，提高国民生活水平；三、反对军国主义，团结各国人民实现永久和平。几十年来，社会党一直保持着日本第一大在野党的地位，并在反对《日美安全条约》、反对向海外派兵等重大政策问题上，与长期执政的自民党进行斗争，在客观上对自民党起到了一定的制约作用，这就是所谓的“五五年体制”。

冷战结束后的国际环境和社会党缺乏现实性的一贯政策，使该党在国会中的议席大幅度减少。村山登上首相宝座之后，社会党地位发生变化，从而使社会党面临一个是否需要彻底转变党的方针政策的难题。

村山联合政权的诞生，意味着社会党在经历了历史上最大失败后赢得政权的同时，同时也失去了原有的本色，与多年的冤家对头自民党完全走到了一起。村山联合政权成立不久，社会党的基本政策出现重大调整，这主要表现在非武装中立问题、自卫队问题、《日美安全保障条约》问题和关于国旗、国歌问题。社会党在野时的防务政策是：认为“自卫队违反宪法”，主张废除《日美安保条约》，解散自卫队，实行“非武装中立政策”。1980 年代以来，随着国内外形势的变化，该党在安全防务问题上也作了一些调整，但基本政策没有发生变化。村山上台伊始，便连连声称：非武装中立政策过去在保卫日本和平和推行轻武装政策上曾发挥过作用，但“在冷战体制崩溃的今天，它的政策作用已经完结”；“自卫队是自卫所需要的最低限度的实力组织”，是“宪法所允许的”；“《日美安全条约》是确保日本安全所需要的”，本届政府对《日美安全条约》重要性的认识“基本上没有变化”，“日本要继续坚持日美安保体制”。此外，村山首相在把太阳旗定为国旗，把《君之代》定为国歌等问题上也改变了社会党原来的立场，认为国旗、国歌“已在国民中扎下根，应予尊重”等；①在向海外派兵问题上一改以往反对的态度，表示支持，并在执政中积极推行；在关于日本争取成为联合国常任理事国问题上，与自民党的态度也达成一致。这意味着社会党与自民党，从更大范围讲，与日本保守势力相对立、相抗衡的政治地位的消失，从而社会党的历史作用宣告终结。

社会党这一基本路线的改变，从近期看，是为了维持其政权。因为社会党和自民党联合成立内阁没有政策基础，因此被原联合执政党方面批评为“野合”。在联合政权中占据首相位置的社会党，如继续主张“自卫队违反宪法”，那么在野党就会追究社会党与自民党观点有分歧，可能使联合政权面临危机，村山为避免授人以柄，防止对手在社会党和自民

---

① 田中浩：《战后日本政治史》，讲谈社 1996 年版，第 381 页。

党之间挑拨，不得不改变政策，向自民党政策靠拢。在细川联合政权时，社会党的立场是："作为党的立场，认为自卫队违反宪法，但是从阁僚的角度则认为自卫队符合宪法。"然而，村山担任首相之后，这种自相矛盾的说法显然就行不通了。而且，社会党委员长担任日本首相后，也便成为日本海陆空三军自卫队的指挥官。这一地位的改变，也使它难以坚持过去的观点。但是，社会党基本政策的改变从根本上讲是客观形势发展变化所迫，这才是更深层次的原因。

实际上，社会党在其成立后不久就出现了走下坡路的趋势，而且这种趋势长期伴随着社会党的发展。在"五五年体制"形成后的 10 年时间里，它的社会支持率总体上保持在 30％左右，1960 年代中后期，它的社会支持率降到 20％—30％左右；到 1970 年代中期，它的社会支持率进一步降到 10％—20％这个区间。社会党的这一发展趋势，客观上为自民党的一党长期统治提供了重要条件。社会党走下坡路的原因主要有以下几个方面：

第一，组织上的原因。如前所述，社会党从成立时起成分就比较复杂。由于立场和观念的差异，成立后不久就矛盾重重，不久分裂为左派社会党和右派社会党。后来，由于形势的需要，实现了两党的统一。但是，统一后的社会党，并没有消除党内左右两派之间的对立和矛盾，充满着激烈的党内斗争，这就使得社会党成立后不久便开始了走下坡路。

第二，社会党虽然把自己定位为"阶级的群众性政党"，但事实上它还是一个"议员政党"。1970 年代，在人口有 1 亿多的日本社会中，社会党党员仅有 4 万人，到 1990 年代也不过 12 万。在党员有限的条件下，社会党主要依靠党外的工会组织，而日本工会组织是独立的政治组织，内部派系林立。因而，复杂的工会组织在支持社会党的同时，也给社会党党内增加了更多的矛盾和斗争。

第三，意识形态方面的原因。作为革新力量的主要代表，社会党在长期斗争中，高举理想主义旗帜，这固然是十分可贵的。但脱离现实的理想一方面会陷入空想和乌托邦，另一方面导致党内斗争体现为不同理论主张之间的意识形态斗争。由于在这种斗争中，意识形态成为斗争的工具，所以各派所主张的意识形态就在斗争中教条化，从而使社会党所坚持的理想空想化；而教条化的意识形态又进一步加剧了党内斗争，于是社会党在意识形态教条化下陷入了难以自拔的恶性循环。因而，意识形态的教条化导致社会党的政策主张陷入严重的理想与现实的矛盾之中，以至脱离现实，脱离选民。教条化使社会党失去了团结和联合其他在野党的基础和条件，同时使社会党内部时刻都处于一种矛盾对立的状态。

社会党的衰败只是实力上的变化，而社会党的蜕变则是性质上的变化。和社会党实力上衰败一样，社会党蜕变表面上是在短时间内完成的，但实际上已经历了较长时间的积累，它一方面与自身实力严重衰败有关，另一方面则与社会党本身的右倾化有关。1960 年代初的反安保斗争中，在左派力量的主导下，社会党以马克思主义为指导思想，在自卫队、《日美安保条约》、日本的国旗和国歌、修改宪法等问题上与自民党针锋相对，从而树立了革新政党的形象。但是，到了 1970 年代，日本比较全面地实现现代化后，随着形势的变化，社会党左派力量开始削弱，右派力量相应地在逐渐上升。到 1980 年代中期，社会党在其提出的《日本社会党新宣言——爱、知、力的创造》中，已明确表现出放弃马克思主义，否定阶级斗争的倾向。社会党开始从马克思主义转向民主社会主义，这可以说是社会党发生全面蜕变的前奏。在这一时期，社会党虽然在理论和意识形态上发生了比较大的变化，但在基本政策上还没有什么松动，依然与自民党针锋相对。

社会党的全面蜕变是在自民党下台后出现的。1993 年的选举，对自民党的打击是致命的，同样对社会党也是致命的。这次打击后，社会党在日本政治舞台上的势力开始面临从未有过的挑战，这种挑战主要来自新成立的各保守政党。

首先，1980 年代以来，尤其是冷战结束后，日本国内的政治思潮发生了巨大变化。在政治斗争中，意识形态的因素日趋淡化，国民中保守意识逐渐增强，从而对自卫队和《日美安全条约》的看法也发生了变化。据日本首相府1994年初所进行的调查，认为“按现状坚持日美安保体制与自卫队相配合保卫日本安全”的人占69%，认为现有防务力量比较适当的人占66%。[①] 日本舆论认为，社会党的非武装中立政策脱离现实，近年来社会党在大选中屡屡受挫，原因之一就是“非武装中立政策在国民中已失去往日的号召力”。

其次，作为社会党阶级基础的工人运动明显衰退。1970年代以前，日本劳资关系紧张，社会党的基本政策得到工人群众的广泛支持和拥护。1980年代中期以后，中曾根内阁通过行政改革，对国营铁路和其他国营企业实行民营化，劳资关系趋于缓和，使工人运动大大削弱，从而动摇了社会党赖以存在的社会基础。在这一背景下，社会党后援团体“日本工会总联合会”和社会党内部右倾思潮滋长蔓延，要求社会党改变政策的呼声日益高涨。1992年5月，日本工会总联合会决定：“承认国家自卫权，制定防卫基本法，确立自卫队的法律地位和依据。”此后，该联合会会长山岸章一再敦促社会党改变对自卫队和《日美安全条约》的政策。在社会党内部，上层人士大都主张改变政策。据《朝日新闻》对社会党142名众参两院议员所进行的问卷调查，在做出答复的94张问卷中，赞成村山关于“自卫队符合宪法”，或认为村山有关讲话是“不得已”的人占91%。[②] 由工会总联合会支持的“民主”派等右派，也极力主张社会党修改安全防务政策。

另外，冷战格局的崩溃，使自民党和社会党在政策上的障碍减少，形成了社会党易于主张自卫队符合宪法的环境，出现社会党内的左派和中间派全面支持村山的局面，这使其转变路线变得容易起来。在1994年9月3日举行的社会党临时代表大会上，与会代表以表决的形式通过了该党中央提出的《我党对当前政局的基本姿态》，追认了村山首相在国会上

① 日本防卫厅编：《防卫白皮书》，1994年版，第246页。
② 1994年7月27日《朝日新闻》。

的答辩内容，这标志着上述讲话内容已成为社会党的新政策。

众所周知，社会党在战后日本政治史上，曾在牵制自民党长期政权方面发挥过巨大作用。但是，随着社会党基本政策的改变，这一维持近40年之久的政治格局被打破。尤其在防务政策方面，“非武装中立”一直是社会党的一贯基本方针，是该党在安全和防卫政策上的理论支柱。社会党改变政策以后，在安全防务政策方面，除日本共产党和社会党左派之外，日本其他各政党已不存在根本分歧，“革保”界线越来越模糊。就社会党而言，已失去其历史作用和存在意义，具有50年光荣“护宪”传统的“日本社会党”已不复存在，社会党的解体也就指日可待了。

社会党基本政策的改变，曾引起党内外诸多人士的非议。围绕自、社大联合问题，社会党内意见不一，争吵不休。社会党原委员长山花贞夫和原书记长赤松广隆等人一度打算退出社会党，但由于山花等人优柔寡断，迟迟未见行动。正在这时，日本连续发生天灾人祸。1995年1月17日发生了死亡6 000余人的“阪神大地震”，随后，3月20日又发生了奥姆真理教制造的“地铁沙林毒气事件”，因此，山花等人的“离党事件”暂时被搁置在一边。到5月10日，山花等人终于脱离社会党。舆论界认为，社会党阁僚为保住大臣席位，采取在党内反对《自卫队修正法案》的立场，但在内阁却采取承认自卫队法修正案的立场，因而成为“双重人格、双重标准”的政党：“在反对党时代，社会党无所不反对；一旦加入联合政府，却无所不全面赞成。”不过，客观地讲，既然与老对手自民党握手言和，社会党也便只有转变政策这一条路，别无选择。

但是，与前两届联合政权相比，村山内阁有以下几个有利条件：第一，在国会内拥有稳定多数议席。日本国会内执政党和在野党的较量，最终决定胜负的一般不在政策方面，而是依靠“数”的力量，谁拥有多数议席谁就会在表决中取胜。由自民、社会、先驱新党联合的村山内阁共拥有众议员295人，参议员163人，只要三党内部不发生分裂，在野党的倒戈攻势就难以实现。加之社会、自民两党又占据着众参两院议长和多数委员会委员长之职，有利于控制国会。第二，联合执政三党领导人合作关系较前两届联合政权紧密。前两届联合政权虽然在“反自民党”的统一目标下走到了一起，但“同床异梦”，矛盾重重。尤其是新生党代表干事小泽一郎和公明党书记长市川雄一相勾结形成的“一·一阵线”，在幕后操纵联合政权，引起社会党和先驱新党的强烈不满，最后导致分道扬镳。社会、自民、先驱新党联合政权虽也有矛盾，但在从原联合政权手中夺取政权这一根本目标上是一致的。而且，三党之间都有相互利用的一面。就自民党而言，虽有假借社会党“东山再起”的打算，但一时还难以独掌政权，必须“先抬轿子后坐轿”，虽说没有当上首相，但已有 13 人进入内阁并占据重要职位，总比在野要好。就社会党而言，参加联合政权，一可以摘掉“万年在野党”的帽子；二可以稳定党内局势，增强党内左、中、右势力的向心力，因为社会党委员长毕竟当上了多年梦寐以求的首相，并有多人入阁，这对党内各派都具有吸引力；三可以为翌年参议院和下届众议院选举创造有利条件，保住并扩大社会党的地盘；四可以借党首出任首相之机顺势转换党的政策。就先驱新党而言，通过参加联合政权可以提高身价，巩固内部团结，增强实力。第三，由于社会党大幅度地修改了其基本政策，先驱新党本来就与自民党没有根本分歧，所以联合政权政策趋于一致，有利于三方合作与协调，各方能够向相互理解的方向发展。

村山内阁强调内政外交政策上的连续性。村山主张新联合政权要尊重现行宪法，继续推进政治改革、经济改革和行政改革。经济政策要以公正的市场经济和自由贸易为基点，利用日本的经济实力与技术，为冷战后新国际秩序的形成做出积极贡献。向世界表明日本不走军事大国的道路，没有实现核武装的意图。在外交和安全政策方面，基本上继承以往政权的政策，坚持日美安全体制，保持日本外交的连续性，努力消除各国对新政权的疑虑。主张与各国建立平等的外交关系，以“对话与协调”为基础，开展有日本特色的和平外交。

村山内阁重视改善日美经济关系，以纠正贸易不平衡问题。主张日本努力扩大内需，放宽限制，促进美国对日进口，缓和两国的矛盾。同时主张加强与亚洲各国的关系，明确表示对日本给亚洲各国带来的战争责任，“要以谦虚的姿态进行反省，并在此基础上认真考虑日本怎样才能成为令这些邻国信赖的国家”。1994 年 8 月 23 日至 30 日，村山首相访问了菲律宾、越南、马来西亚和新加坡四国，目的是以经济合作为基础，密切同印支及东盟的关系，确立与“东南亚新时代”相符的伙伴关系。关于朝鲜半岛问题，村山主张实现日朝关系正常化，反对孤立朝鲜，主张推动美朝会谈，通过对话解决朝鲜研制核武器问题。

为了表示对过去战争的人道反省，村山内阁决定政府出资 1 000 亿日元，建立“亚洲交流中心”，以支援从亚洲地区来日本学习的留学生和青年的相互交流。这项长达 10 年的“和平友好交流计划”从 1995 年度开始实施，并以日本投降 50 周年为契机，在亚太地区开展“未来导向型事业”。

对毫无思想准备就登上首相宝座的村山来说，上任后虽然处理了一系列国内外和党内外的重大问题，但上届内阁遗留下来的提高消费税、规制缓和、行政改革等棘手问题以及诸如阪神大地震和奥姆真理教等突发事件的发生，确实使村山感到应接不暇，力不从心。所以执政一年之后的 1995 年 7 月，由于社会党在参议院选举中失败，村山一度产生将首相宝座让给自民党总裁、副首相兼外务大臣河野洋平的想法。只是由于自民党未置可否，加之大藏大臣武村正义的反对，此事才不了了之。

但是，村山政权始终面临着原联合政权在野党的强大攻势。加之并非首相之器的村山在处理阪神大地震和冲绳驻日美军强奸日本少女等突发事件的迟缓，遭到在野党和社会舆论的批判，村山政权颇感举步维艰，1996 年 1 月 5 日新年伊始，村山首相在记者招待会上突然宣布：“今天，我决定辞去首相职务。担任首相之重任不知不觉已经度过了一年半，在最初的半年时间里，努力推行了税制改革、年金改革和政治改革。去年 1 月的阪神大地震，6 000 余人失去了生命，此事至今在脑际缭绕。”①

---

① 草野厚：《联合政权——日本的政治 1993—》，文艺春秋出版社 1999 年版，第 48 页。

村山联合内阁的下台与细川、羽田两内阁有所不同，并不是在野党直接倒阁的结果。由于社会党改变了方针政策，主动与自民党“接轨”，在村山内阁中，自民、社会两党议席大大超过半数，任何法案都能够通过，应该说村山政权比人们预想的要稳定。那么，为什么村山迫不及待地宣布自己下台呢？按照村山本人的说法，原因有三：一、景气开始回升，正是人心一新的大好时机；二、重建社会党是当务之急；三、自身能力有限。

不过，从根本上讲，村山内阁从成立时起就是一个特殊情况下的特殊产物，注定它不可能是一个长期政权。成立之初，自民、社会、先驱三党事先并没有充分的时间进行基本理念和基本政策方面的协商。如前所述，自民党只不过是在内阁成立前夕才大体上认可了社会党和先驱新党的政策，但并没有涉及细节问题，三党联合只是一种“应急之举”。正如时任自民党干事长的森喜朗所说：“自民党有可能在新的选举制度下处境不利。但是，我们不可能与以宗教团体为基础的公明党搞联合，那么剩下的只有社会党了。”①所以，“五五年体制”下势不两立的自民、社会两党联合从一开始就遭到旧执政党方面的激烈批判。他们认为，社会党和先驱新党当初都是批判自民党而上台的，如今又同批判对象自民党联合，这种联合难道不是欺世盗名的“野合”吗？另外，村山首相在未经党内正常手续就擅自改变社会党在《日美安保条约》、自卫队、日本国旗等问题上的主张，对此，村山也受到来自党内外的批判。因为这些主张都是与社会党命运息息相关的基本政策，这些基本政策的改变，意味着社会党失去作为政党而存在的意义。

不过，在自民党看来，与社会党联合也并非一点根据也没有。例如在《安保条约》和《日韩条约》等问题上，社会党与自民党之间虽然还有分歧，但当时社会党已经摈弃了过去的教条主义想法，双方在向一起靠拢，因此，在自民党尚不能单独执政的情况下，与社会党联合，建立一种超越

---

①《自由新报》，1994年7月19日。

“五五年体制”的体制，也不失为一种现实的选择。自民党国会议员、村山内阁自治大臣野中广务认为：“与前面的八党派联合内阁相比，现在的三党联合更容易勾通……自社两党摆脱原来的隔阂，不断协调、磋商，把政权维持下去。希望先驱新党继续发挥调节的作用，结束“五五年体制”，打开一条新的政治道路。”①

野中所言，确有一定道理，由三个政党组成的联合政权，当然要比八党派组成的联合政权容易勾通。当年细川内阁为了确保过半数势力，必须联合八个党派，其唯一的共同目的就是为了打倒自民党一党统治，一旦这一共同目标达到，在政策上就很难再达成一致。村山内阁则不同，自、社两党已经控制了国会半数以上，在数量上并不需要先驱新党。又由于社会党自身政策上的转变，两党有了共同语言，所以联合政权比预想的要顺利。但是，一直力主政治改革的先驱新党，虽然说在自、社两党之间发挥了一定的调节作用，但在规制缓和、行政改革等政策方面也不时与自、社两党发生冲突。

对接任首相的村山来说，在与自民党联合问题上也还是有顾虑的。但同细川政权时代的小泽一郎和市川雄一等的人的专横跋扈相比，自民党还是可以接受的。而且，村山还希望通过与自民党联手来改造社会党。因为国际形势也发生了变化，通过与有执政经验的自民党联合，可以改变社会党的形象，表明社会党并不是专门在意识形态上与自民党搞对立，还是可以在政策上相互竞争的。

从社会舆论来看，村山内阁成立3个月后的1994年9月，《朝日新闻》所作的舆论调查表明，村山内阁的支持率为40%，比刚成立时增加了5个百分点(不支持率为36%，减少8个百分点)。但在与自民党联合的问题上，49%的人认为“不好”，大大超过认为“好”的19%。支持村山内阁的理由不是对其政策有好评，而是大都认为村山本人“和蔼可亲”，可见，对村山内阁的评价，主要源于首相个人的人气。但是，一年多以后的

① 草野厚：《联合政权——日本的政治1993—》，文艺春秋出版社1999年版，第55页。

1995 年 10 月，支持率降至 34%，不支持率上升到 47%，[①]这从另一个侧面也可以说明村山内阁辞职的原因。

（三）新党的重组与新进党的成立

早在村山内阁成立之前，1994 年 4 月 8 日，即细川内阁辞职的同一天，统一会派“先驱日本新党”分离，日本新党和社民联的 40 名国会议员成立新会派“改革”。13 日，部分议员打出“日本新党有志议员俱乐部”的旗号，20 日，这些人又组成新会派“青云”。25 日，新会派“改革”解散，成立“改新”。5 月 22 日，社民联解散，与日本新党合并。

除日本共产党以外的 9 个在野党为了加强实力，与执政党一决高低，村山内阁成立不久便酝酿合并成立联合政党。向村山内阁发动攻势的主力除公明党外，主要是从自民党分裂出来的新党派，其核心人物是原自民党总裁、首相海部俊树，干事长小泽一郎，总务会长西冈武夫，政调会长加藤六月等人。

1994 年 7 月 4 日，新生、公明、民社、日本新党就筹建新党达成一致意见。7 月 25 日，日本新党和民社党加强联合。8 月 31 日，日本新党常任干事会确认在年内建立新党。9 月 5 日，旧联合政权各政党召开首脑会议，会议提出了“谋求负责任的政治——建立新党”的基本理念。基本理念的主要特征是提出了“负责任的政治”和“坚持不懈的改革”的口号。改革的主要内容包括：政治改革，行政、财政改革，确立地方分权，经济改革，教育改革。并提出了“确立长寿福利社会的基础”“男女共同参与社会”，以及“与一国和平主义和一国繁荣主义诀别”等口号。[②] 9 日，在新党协议会第二次召集人会议上，选举新生党代表干事小泽一郎为召集人会主席。22 日，公明党扩大中央执行委员会正式决定加入“新・新党”。9 月 28 日，新生、公明、日本新、民社等除共产党之外的各在野党共有

---

① 草野厚著：《联合政权——日本的政治 1993—》，文艺春秋出版社 1999 年版，第 54 页。

② 同上书，第 97 页。

225名众参议员（众议员186人，参议员39人）参加“新党筹委会”。新生党代表干事小泽一郎任“新党筹委会”实行委员长。

1994年10月30日，成立两年半的日本新党在东京召开第一次也是最后一次党大会，党代表细川护熙宣布“日本新党解散”（12月1日正式解散）。11月16日新生党决定解散并加入新党。24日，在第二次新党筹备会上，根据公开征集意见，将“新·新党”改名为“新进党”，并决定了党纲、党章和当前重点政策。在这次大会上，决定以“自由、公正、友爱、共生”为基本理念，提出了“有志向的外交”“有活力的福利社会”和“能向世界传播媒介的文化国家”的构想。

12月5日，公明党召开第34届临时全国大会，公明党分别改组为参加新进党的“公明新党”和地方组织“公明”。8日，在第三次新党筹备会上，新进党选举党首，海部俊树、羽田孜和民社党委员长米泽隆争夺党首职位，结果，海部俊树当选为党首。未经投票，小泽一郎便当选为干事长。12月9日，民社党召开第40次临时全国大会，决定解散民社党。12月10日，“新进党”在横滨召开成立大会，参加大会的有来自原新生党（众议员61人、参议员13人）、公明新党（众议员52人、参议员12人）、日本新党（众议员26人、参议员2人）、民社党（众议员17人、参议员7人）、原自由改革联合（众议员15人）、原自由党（众议员5人）以及一些小党派，共有众参两院议员214名，大会通过了《成立宣言》和党纲、党章。新进党已成为仅次于自民党的第二大党。

新进党为什么在横滨而不在东京召开成立大会，据说是“为了强调有别于现有政党的清新感”，①可见用心之良苦。但是，新进党的成立，在社会上并没有引起轰动效应。据当时的舆论调查，自民党的支持率为36％，而新进党只有21％。②

新进党是战后日本第一个以夺取政权为目标而建立的政党。要夺

① 羽田孜语，草野厚：《联合政权——日本的政治1993—》，文艺春秋出版社1999年版，第97页。

② 1994年12月22日《朝日新闻》。

取政权，必须在国会占据多数席位。公明、民社、日本新、新生等各在野党之所以能团结一致，组建新进党，就是为了夺取政权，最终实现与自民党相对峙的两大政党制。

新进党刚成立不久，便设立了“明日内阁”（影子内阁），着手研究、制定政策，意在为夺取政权做准备。“明日内阁”的“政权筹备委员会”委员长（相当于首相，后改名为总理大臣）最初是海部俊树，1996 年以后是小泽一郎。“内阁”还设有“副总理”，下设“综合调整”（相当于内阁官房）、“行政改革”（相当于总务厅）、“外交政策”（相当于外务省）、“安全保障政策”（相当于防卫厅）、“人权·秩序·地方自治”（相当于法务省·自治省）、“经济·财政政策”（相当于大藏省·经济企划厅）、“教育·文化·体育·科学·技术政策”（相当于文部省·科学技术厅）等与内阁各省厅相对应的十多个机构。每个机构中设有“担当”“副担当”（相当于大臣、副大臣）、政务次官、政务审议官等。在国会，并非首相的新进党党首，在回答代表质询时，还发表了类似施政演说的讲话。

1995 年是新进党飞跃发展的一年。1 月 6 日新年伊始，新进党总部事务局 60 余人开始办公。在 2 月 5 日青森县知事的选举中，新进党众议院议员木村守男当选。4 月，在岩手县和三重县知事的选举中，新进党推荐的候选人也大获全胜。另外，在一些中小城市的市长、市议会议员的选举中，新进党推荐的候选人也大都当选。

1995 年 6 月 30 日，新进党公布了中期政策《21 世纪改革构想》。该构想是以细川护熙为主席的“21 世纪改革构想委员会”制定的，目的是确立经济结构改革和危机管理体制。该构想还提出了以“尊重市场机制和人的创造性的新自由主义”为政策理念。特别提出要在信息、金融、住宅三个方面重点实施放宽管制政策。并要求制定在紧急状态时授予首相以直接指挥各省厅权力的《危机管理法》。

在 7 月 23 日举行的第 17 届参议院通常选举中，新进党在比例区超过了自民党，议席数由原来的 19 席一跃而达 40 席（比例区占 18 席，选举区占 22 席），成为参议院中的第一大党。12 月 8 日，新进党党员发展到

49 万人。不过，根据 1995 年 10 月的舆论调查，新进党的支持率只有 19%，而自民党高达 43%。① 可见，在日本的国民心目中，新进党还不具备与自民党分庭抗礼的能力。

新进党虽然有一套看似完备的组织机构，但是并没有提出有别于自民党的纲领、政策。其建党宣言也过于抽象，内容欠具体，实际上是一个各党派的折衷方案。这些政党之所以走到一起，只是为了打倒村山政权。它们结合的原则只是“敌人的敌人便是朋友”，实际上并没有真正的凝聚力，在政策方面压根就难以统一。从支持新进党的群体来看，成分也很复杂，有支持民社党的工会和支持公明党的宗教团体，也有无党派阶层和旧自民党支持者。新进党提出的口号，实际上是个大杂烩。例如，新进党提出的国际社会中国家与地区的“共生”，在福利社会中个人的“自立”等等，是继承了旧新生党“自立与共生”的口号，而保障“信仰自由”则是为了迎合旧公明党的支持团体创价学会。尤其在安全保障问题上，新进党事实上的最高负责人小泽一郎的“日本自卫队应加入联合国部队”等主张，显然与加入新进党的其他政党不合拍。所以，新进党从建党时就埋下了分裂的种子。

新进党成立后不久，党内“亲小泽派”和“反小泽派”的矛盾便暴露出来，出现路线对立。1995 年 1 月 13 日，反小泽派的爱知和男、爱野兴一郎等人成立“学习会”，同一天，旧民社党的川端达夫退出新进党。此后，又先后有山口敏夫、野末陈平、太田诚一、小林正等人退出，新进党因争夺主导权而陷入混乱，被舆论界称为“乌合之众”。

1995 年 12 月，新进党以不算彻底的“一般投票制”举行了党首公开选举，凡 18 岁以上、交纳党费 1 000 日元者均可参加竞选。通过选举，小泽一郎以 112 万票对 56 万票击败羽田孜当选为党首，米泽隆任干事长。这一做法，显然是为了吸引已经远离政治的日本国民的兴趣，试图努力建立与自民党相对抗的势力基础。

但是，这次选举之后，新进党核心内部的鸿沟也加深了。不但羽田

① 1995 年 11 月 1 日《朝日新闻》。

和小泽之间产生了隔阂，而且，曾有意参加竞选的海部俊树、船田元、鸠山由纪夫等人，也产生了离心倾向。选举之后，小泽进一步重用亲信，更加深了党内矛盾。

总之，新进党的成立为1994年日本政坛的动荡画上了句号，也为日后的政治较量埋下了伏笔。新进党虽然打出了“负责任的政治”和“不断改革”的口号，但实际政策主张与以自民党为核心的执政党并没有太大的区别。所以，从形成两大政党制的角度讲，新进党的成立标志着日本政治将走向两大政治势力对峙的时代，具有一定的历史意义。但从本质上讲，则意味着日本政党的“自民党化”和日本政治趋势的“总保守化”。大国主义路线抬头，改变战后以来日本历届政府所推行的优先发展经济的吉田路线，以图推动日本走向政治大国，便是其中的主要表现之一。前自民党干事长、新生党代表干事、新进党干事长小泽一郎是这一政治势力的代表人物。

小泽一郎在1993年出版的《日本改造计划》一书集中反映了他的上述政治理念。他说：“日本优先发展经济的政策……又不是一成不变的政治原则……在冷战结束后的今天，应毫不迟疑地摆脱对吉田路线的误解，树立新的战略。”这一新的战略，就是他所说的“普通国家”路线。所谓“普通国家”，按他的解释，是“在国际上被认为是理所当然的事，(日本)也要视为理所当然，并理所当然地去做”。也就是要摆脱和平宪法的束缚，像欧美发达国家那样在国际上发挥政治和军事作用。具体说来，他的“普通国家”的主张包括如下一些内容：一、主张日本在国际上发挥军事作用。他说，作为普通国家，不能把安全保障问题“排除在国际贡献的对象之外”，日本要“建立相应的体制，在安全保障方面做出与自己的国际责任相应的贡献”；二、主张改编自卫队，使自卫队“积极参与构筑(世界)新秩序”，要把过去的“被动专守防卫战略”改变为“能动的和平创造战略”，使自卫队能够参加联合国维持和平活动；三、认为发展同美国的关系“是日本对世界和平做出贡献的最合理、最有效的政策”；四、认为“宪法不是千古不变的法典”，主张修改宪法第九条；五、主张打破现状，实行政治改革，建立“权力集中的强有力的国家领导体制”。

小泽一郎的《日本改造计划》出版后，在日本引起巨大反响，发行量达70万册，尤其在政府官僚和中青年阶层引起共鸣和好感。但在原保守阵营内部也遭到反对。前副首相后藤田正晴发表谈话称：小泽的"普通国家"论是"大国主义、霸权主义，搞得不好有可能导致日本走向依靠军事实力的方向"。[①] 前首相宫泽喜一则担心小泽的主张"会突破以往执行的路线，实行军事国家所需要的装备"，其结果"会引发一场（日本实行）核武装的争论"。[②] 先驱新党党首武村正义表示：日本"没有必要使军事力量随着经济的发展而膨胀"，不赞成日本在国际上"做出与国力相应的军事贡献"。[③]

自民党的分裂和新党的诞生表明，在长期"一党优位制'下，自民党靠"自我净化"式的"政治改革来解决自身的腐败问题是行不通的。

所谓政治改革，从广义上讲，一般应包括一下几个方面：一是围绕选举和政治资金问题等这些政党之间竞争规则的改革；二是与国会或政府发展方向相关的改革；三是行政机构的改革；四是政治主体的改革。但是，日本通常所说的政治改革是指第一层意思，即选举制度改革、《政治资金规正法》的修改和防止政治腐败等与政党政治的具体规则有关的问题，不可能触及政治制度等根本问题。

政治改革的口号是在田中角荣因"洛克希德事件"下台后，1974年三木内阁提出以来议论了近20年的悬而未决的问题。当时，政治改革的核心是要解决招致自民党腐败最大原因的政治资金问题。但是，"廉洁"的三木不但一无所获，反而导致引火烧身，被迫下台。三木之后的福田、大平、中曾根等历届内阁，不但政治改革毫无进展，而且政治腐败愈演愈烈，及至海部内阁，政治改革问题才又重新提到议事日程。

进入1990年代，自民党派系斗争加剧，竹下派正式分裂为羽田派和小渊派。竹下派分裂的主要原因之一是对政治改革看法的不同。小泽

① 1994年5月25日《朝日新闻》。
② 1994年5月25日《朝日新闻》。
③ 日本《诸君》杂志1994年5月号。

等人极力主张政治改革虽另有其目的，但自民党政权的崩溃和“新党”的诞生确实是在政治改革这面大旗下决出其胜负的。

政治改革是非自民党政权细川联合内阁的旗帜，也是内阁中各党政策方面最大的一致点。因此，能否实现政治改革，便成了细川内阁的一块试金石。内阁成立伊始，细川首相便以政权的命运作赌注着手进行政治改革并最终通过了“政治改革相关四法案”。

冷战结束后，日本政治的一个显著特点就是保守倾向的加强。自民党分裂之前，“新保守主义”势力就在兴起。早在海部内阁时期，小泽一郎就主张，日本必须通过政治改革，建立两大保守政党轮流执政的体制，以适应冷战结束后国际政治的新变化。为此，必须抛开社会党左派，把公明党和民社党拉过来（吸收、合并），也就是借政治改革之名，行扩大保守党之实。在小泽看来，“政治改革”是一块金字招牌，它既顺应了自民党内部“良心派”净化政界的要求，也满足了在野党批判自民党一党统治的愿望，最终达到扩大保守势力的目的。

自民党的分裂、社会党的退势和“新党”的诞生，标志着日本政治格局中原有的保革之争，已被两大保守势力之争所取代。后来的政治势力的进一步分化组合更证明了这一点。社会党不但改为“社民党”，而且也改变了性质。从前一些所谓“中道政党”也大多为保守势力所融合，甚至追随新保守主义，这意味着日本政治向着“总保守化”迈进。

桥本内阁之后，自民党又处于政权的中枢地位，在多党化现象的背后，实际上又形成了“后自民党时代”，开始了自民党的“新一党优位体制”。看来，日本要实现美国式两党制还需要相当的时日。

二　后自民党时代

（一）桥本内阁与新进党的解散

1996年初，村山首相突然辞职后，桥本龙太郎出任自民、社会、先驱三党联合内阁首相。

桥本龙太郎的父亲桥本龙伍，幼年虽因病腿脚致残，但因其勤奋、聪慧，以优异成绩毕业于国立东京帝国大学（现东京大学）法学部，曾任吉田内阁和岸内阁的厚生大臣和文部大臣，众议院议员，是“吉田十大金刚之一”。

桥本龙太郎幼年深受其父的影响，性格倔强，庆应大学法学部毕业后，继承父业从政，26岁时便当选为众议院议员，曾任厚生大臣，运输大臣、大藏大臣、通商产业大臣等要职。

桥本在自民党内一直居于主流派地位，刚当选众议员后不久，便投靠到佐藤荣作门下。佐藤下台后，桥本又投靠田中派。田中派分裂后，桥本成为竹下派的干将，1985年2月7日，“创政会”成立，竹下登任会长，桥本任副会长。竹下内阁期间，桥本任自民党代理干事长。可以说，桥本一开始从政就处于权力的中枢。

1994年6月，村山联合政权成立，桥本出任通商产业大臣，在这个职位上，桥本通过日美贸易谈判等活动，提高了威望，并进而一步步登上自民党总裁、副首相、首相的宝座。

桥本龙太郎在日本政界的绰号之一叫“桥龙”，在其政治生涯中曾数次准备出马竞选总裁，均因在派内未得到足够的支持而未能如愿。1993年12月，桥本出版了《日本的展望》一书，阐述了自己的政策思想。1994年4月又出版了《政权夺回论》一书，阐明自己对国际形势、日本的政治、经济及社会形势的看法，提出了相应的具体对策，以显示其“政策通”和“经济通”的才能，争取各方的支持。

在1995年9月的总裁选举中，桥本又发表了《日本！要拿出干劲》的所谓《恢复自信宣言》，强调为实现强大的日本，为使日本在经济上和国际政治上能成为强国，必须实现三个恢复：在经济方面恢复景气；在政治和外交方面恢复信赖；在危机管理和治安方面恢复国民信任。桥本及其支持者经过一番对宫泽、三冢、河本三派的分化、拉拢工作，在认为稳操胜券的情况下，桥本于1995年8月21日正式宣布出马竞选自民党总裁。

自民党总裁选举，不单是领导换人的问题，还有通过总裁竞选宣传和改善党的形象的目的。自民党总裁选举，一向是幕后交易，暗箱操作，为了迎合选民心理，常常采用所谓“钟摆理论”进行调整，将候选人的形象分为“硬与软、刚与柔、鹰派与鸽派”两种类型，根据形势和选民的要求交错选择。这次的总裁候选人，桥本是鹰派的代表人物。9 月 22 日投票结果，桥本以压倒优势当选为自民党第十七任总裁。

桥本当选自民党总裁之后，下一个目标便是坐上内阁首相宝座。但是，桥本认为，在自民党国会议员不足半数、未充分恢复国民信任的情况下，只能维持村山政权。桥本之所以坚持继续留在内阁，稳定三党联合政权的做法，是因为桥本了解村山首相并不想长期执政，村山曾几次表示要让贤。1995 年 1 月阪神大地震后，村山表示要辞去首相职务，7 月参议院选举社会党失败后，再次表示过要辞去首相职务的意愿，11 月亚太经合组织大阪会议后又表明了辞职的愿望。对离首相职位最近的桥本来说，与其操之过急，不如耐心等待到水到渠成。

1996 年新年伊始，村山首相决心辞职，桥本多年梦寐以求的“梦想”终于变成了现实。1 月 5 日，村山首相召开内阁会议正式表明辞意后，桥本立即召开自民党主要干部会议，商讨今后的对策。会议一致推举桥本总裁为首相候选人，各派也都表示同意。当日，社会党和先驱新党也都召开会议，表示支持成立桥本政权。8 日，自民、社会、先驱召开三党首脑会议，正式决定一致推举桥本为首相候选人，并签署了为维持三党联合政权而制定的新的三党政策协议。

1996 年 1 月 11 日，桥本内阁(1996. 1. 11—1998. 7. 30)成立。桥本内阁从成立到 1998 年 7 月下台，维持了两年半的时间，这期间也是日本政党进一步分化组合的时期。

桥本政权可分为三个阶段。第一个阶段即第一届桥本内阁(1996. 1. 11—1996. 11. 7)，与村山政权一样，是自、社、先驱三党联合政权；第二阶段是 1996 年 10 月众议院选举后，自民党单独组阁的第二届桥本内阁(1996. 11. 7—1998. 7. 30)，这是一个由社会民主党和先驱新党进行“阁外合作”的联合政权；1997 年 9 月以后，在众议院超过半数的自民党单独组阁，社民、先驱两党解除"阁外合作"，这是第三个阶段，也是第二次桥本改组内阁。

值得注意的是第二阶段，即第二次桥本内阁前后的政治状况。在1996年10月的众议院选举中，自民党没有达到过半数议席，只获得239席，比选举前增加23席。社民党和先驱新党却分别减少了14席和7席，只获得15席和2席。① 执政的自民、社民和先驱新党的议席总数比改选前略有增加，这是因为自民党把社民党和先驱新党失去的议席吸收了过来。结果，任何一个政党都未过半数，必须组成联合政权。但是，由于在改选之前，社民党就在《冲绳特别措施法》等问题上与自民党矛盾重重，很难再坐在一起，所以决定采取"阁外合作"的方式，以维护各自党的独立性。

在这种情况下，自民党通过与社民、先驱两党的"阁外合作"，虽然暂时保住了过半数议席的256席，但离265席的稳定多数还相距甚远。

表6.1　日本各政党势力
（截止日期:1996年12月27日）

众议院（指定500议席）		参议院（指定252议席）	
自由民主党	239	自由民主党	112
新进党	142	平成会	61
日本民主党	52	社会民主党	29
日本共产党	26	民主党和新绿风会	15
社会民主党	15	日本共产党	14
太阳党	10	二院俱乐部	4
21世纪	5	无党派俱乐部	4
先驱新党	2	先驱新党	3
无党派	9	新社会党和平联合	3
		太阳党	3
		无党派	4

① 草野厚:《联合政权——日本政治1993—》，文艺春秋出版社1999版，第68页。

大选之后，桥本首相为了尽快实现自民党单独执政的目标，不断将脱离自民党或无所属的国会议员拉入自民党内。对社民党来说，自民党越扩大，就越削弱其阁外合作的地位，也就失去在联合政权内存在的意义。在日美防卫指针、冲绳美军基地等问题上，社民党和先驱新党不但难以阻止自民党追随美国的既定方针，而且还会起到被自民党利用的作用。为此，社民党和先驱新党于 1997 年 6 月与自民党解除“阁外合作”的关系。

1997 年 9 月，自民党在众议院拥有了 251 个议席，恢复了过半数的地位，这样，当月成立的第二次桥本改组内阁，又成为昙花一现的自民党单独政权。这已是自 1993 年 8 月非自民党政权细川联合内阁诞生以来间隔四年的事情。但是，由于起用“洛克希德事件”灰色高官佐藤孝行担任总务厅长官而受到严厉批判，桥本内阁因这一“用人不当”事件而开始走下坡路，1998 年 7 月，自民党在参议院选举中失败，桥本首相承担选举失败的责任而辞职。

1996 年初，桥本内阁刚成立不久，新进党党首小泽一郎便雄心勃勃地鼓吹说:“非自民各政党都将成为新进党。”但是，实际情况恰恰相反，新进党从这时起已经开始走向崩溃。2 月 1 日，新进党的羽田派正式成立学习会“兴志会”(66 人)。2 月 13 日，细川护熙和田中秀征、小泉纯一郎成立“新学习会”。4 月 1 日，船田元和鸠山由纪夫决定在大选前后成立新党。5 月 23 日，船田元辞去新进党代理总务会长职务。这样一来，新进党的混乱状态日益加深。

为了扭转这一局面，1996 年 6 月 20 日至 7 月 23 日期间，小泽与细川、羽田共召开了 6 次“小泽党首对话论坛”，以图缓和党内矛盾。7 月 23 日，“兴志会”解散。但是，鸠山邦夫和船田元等重要人物还是先后退出了新进党。

1996 年 9 月 27 日，众议院解散。10 月 20 日，第 41 届众议院议员选举，这是日本首次实行小选区比例代表并立制。这次大选，自民党的议席比选举前增加 29 席，达到 239 席，而新进党共有 156 席，比选举前减少

4 席，这事实上意味着新进党选举失败。① 21 日，新进党召开最高咨询会议，会上，羽田和细川提出新进党组建“分党”的意向，因没有得到创价学会和党内的支持而暂时搁置。

进入 12 月，成立分党问题再度提起。12 月 4 日，羽田孜与本派骨干成员会谈时表示要退出新进党。12 月 12 日至 16 日，羽田孜与小泽一郎就成立“分党”问题连续会谈 3 次，小泽始终不同意。于是，12 月 26 日，以羽田孜为首、以原新生党为中心的众议员 13 人、参议员 3 人退出新进党，正式成立“太阳党”。

太阳党的基本理念是：一、要建立“光明磊落的政治”，“面对居住于日本的所有的人，面对必须克服的国内外问题，与大家共同思考，一起努力，直面未来，不断挑战”；二、认为“现在”是联结过去和未来的衔接点，基于这一认识，既要灵活继承传统和精神文化，又要打破使我国停滞和陷于闭塞之中的现有体制。为此，一方面要彻底放宽管制，另一方面要推进各个领域的改革；三、要推进地方分权，实现透明的、任何人都能参与的地方自治；四、要同所有有志于改革的政治势力进行对话，构筑协调的氛围，从中产生新的政治潮流，成为真正实现政界重组的核心；五、要一方面保持社会公正，一方面建立富有自立和创造性的以“自由”和“自我负责”为基本的社会；六、希望世界和平与发展，实现人人平等、幸福和无差别的地球社会。为此，要推进建立在大的“和”的精神和“共生”理念之上的国际合作；七、以所有权力、集团、组织自由存在为基本，追求全体国民的利益即“国益”以及全球的利益即“地球益”，而不是部分人的利益。此外，太阳党还提出了各项基本政策，内容包括：政治·行政改革，地方分权，农业·经济改革，教育·福利·社会改革，外交·安全保障。

1997 年 4 月 3 日，太阳、民主两党协商，同意与先驱新党在国会内共同成立三党统一会派。4 月 18 日，太阳党召开第一次全国代表大会，羽田党首就今后政界改组问题发表谈话，提出为团结民主势力，积极与自

① 北冈伸一：《走向普通国家》，中央公论社 2000 年 6 月版，第 368 页。

民、新进和民主等政党开展对话的方针。

6月11日，太阳、民主两党决定尽快结成统一会派，为形成可能实现政权交替的两大政治势力而努力。6月18日，细川护熙突然宣布退出新进党，随后在东京都议员选举中，新进党大败，一席未得，而“公明”的24名候选人却全部当选。因此，原准备都议会选举后加入新进党的“公明”所属11名参议员也放弃了这一打算。7月14日，又有5名议员退出新进党，这些迹象表明，新进党开始逐渐走向崩溃。

1997年7月17日，太阳、新进、民主三党的部分议员为团结在野党势力，成立“改革会议”。8月10日，羽田党首和鸠山、细川会谈，双方同意要在保守、中间路线的基础上团结各方面势力，同时加强联合。8月19日，新进党发表了酝酿半年之久的《日本再构筑宣言》，提出了以“经济结构改革”“国民生活改革”“行政・财政改革”“政治改革”“外交・安全保障”为内容的基本政策。

10月26日，新进党在宫城县知事选举中落选。11月16日，在宫城县参议员补选中再次失利，以后，脱党者连续不断。至此，小泽一郎翻手为云、覆手为雨的政治手腕似已到了尽头。

1997年10月31日，为追究党势日衰的责任，新进党内主张以“在野集合体制”抗衡桥本政权的近百名议员拥立原总务厅长官鹿野道彦出马竞选党首。对此，小泽以正在开国会为由予以推脱。12月17日，羽田、细川同意太阳党和细川派年内结成统一会派，在这种混乱的情况下，12月18日举行了党首选举。结果，善于玩弄政治手腕的小泽以230票对182票战胜了鹿野，蝉联党首。但是，这一结果也使新进党内潜在已久的矛盾更加激化。

在日趋分崩离析的情况下，小泽于25日突然向“公明”的藤井富雄代表表示，参议院的旧公明党议员应与“公明”合并为“分党”，藤井代表也赞成成立“分党”。从此以后，小泽开始着手解散新进党和组建保守新党的准备工作。12月27日，小泽召开众参两院议员大会，正式决定解散新进党。于是，历时3年多的新进党从此落下帷幕。

新进党解散以后，小泽一郎与各怀心事的同党们分道扬镳。12 月 30 日，太阳党和“国民之声”等同意成立“新・新党”。

解散后的新进党分解为以下 6 个政党：小泽一郎率先组建新的“自由党”；旧民社党在原有工会基础“友爱会”支持下重新独立为由中野宽诚率领的“新党友爱”；鹿野道彦拉起了“国民之声”；小泽辰男组建了“改革俱乐部”；旧公明党在创价学会这一巨大政治母体的支持下，恢复为以滨四津敏子为代表的统一政党。[①] 另外，还有 2 人先后回归了自民党。从此，日本政党政治又形成了“一强多弱”的局面。

新进党成立之初，雄心勃勃，最终目的是为了实现两大政党制，但三年之后不但这一目标没有实现，而且自身又分崩离析，一分为六，这一结果确实值得深思。要而言之，新进党分裂的原因有三。

第一，参加新进党的成员是八党派联合政权中的新生党、公明党、日本新党、民社党会同自由党、未来新党、高志会、改革之会、自由之会等九个新保守党派，党内派系林立，政见相左，人际关系方面各执己见，矛盾丛生。其中，小泽一郎与羽田孜之间的对立最为严重。早在旧新生党时代，在羽田内阁辞职问题上两个人就出现对立。但一般认为，他们二人合不来的根本原因还是羽田对小泽盛气凌人、独断专行的做法极为不满。

第二，新进党成立之初，本来是以取代自民党为共同目标，并且已与执政三党几近伯仲之势。但由于在重要政策方面的意见分歧，贯穿于建党前和建党后的整个过程，直至最后也没有消除。也就是说，原党派之间的互相对立始终存在，而新进党作为一个政党的统一路线并没有确立下来。这一点，尤其在安全保障政策方面最为明显，比如，以小泽为首的新保守主义者积极主张向联合国派遣自卫队，而其他势力始终站在坚决反对的立场。

第三，构成新进党的原党派受特定支持母体的影响很大。例如，众

① 蒲岛郁夫等编：《“新党”全记录》第一卷，木铎社 1998 年版，第 101 页。

议院中的原公明新党受创价学会的影响,而原民社党没有工会的支持也不可能当选。所以,与其说新进党团结一致,不如说是原各党派按照支持母体的意志而走到一起的。

因为上述原因,从成立时起新进党就缺乏党内向心力,1996年大选失败后,这一倾向更加明显,致使连续不断有人退党,支持率也显著下降,最后以"公明"表示单独参加1998年参议员选举为契机,新进党自行解散。

新进党解散之后,以小泽一郎为党首的自由党,发表了《日本再构筑宣言》,声称"为了根本改革现有体制,构筑面向21世纪的富足而稳定的国民生活,应建立以国民为基本出发点的综合政策体系,采取'结构革命'的措施,协调、统一地变革所有陷入僵局的领域"。

自由党提出的新国家目标,是"建立一个继承和发扬悠久的历史和传统、尊重日本人的精神和自尊心、富于自由和创造性的自立国家日本"。① 为此,自由党提出了一系列"日本一新"的具体措施,并于2000年8月1日成立了以党首小泽一郎为本部长的"日本一新推进本部",下设8个委员会。

"国民之声"是鹿野道彦拉起来的一个小党,只有众参议员18人,其基本理念是"自由·公正·友爱·共生"。主张在"从官到民、从中央到地方,一切领域都要推进分权主义,打破权力集中结构,竭尽全力创造一个自由与充满活力的'自由分权社会'"。提出"彻底清除利权政治""不允许社会的不公平"等口号。为此,国民之声将"民意为本""言行一致""廉洁公正"作为其行动指针。② 但不难看出,国民之声的理念和主张充满理想主义色彩而又缺乏具体的政策措施,因而缺乏特色和感召力。

"友爱新党"的纲领是在尊重"自由、公正、友爱"理念的前提下,"维护议会制民主,建立一个国民感到自豪的有品格的国家",而友爱新党则

---

① 2000年6月2日自由党公布的《第届众议院大选公约》。

② 木村敬:《新进党解体后的各政党·会派》,见蒲岛郁夫等编:《"新党"全记录》第三卷,木铎社1998

应成为一个“国民参与型的开放政党”。其基本政策是在“自由、公正、友爱”理念的前提下，建立一个具有如下目标的社会：一、最大限度地保障个人“自由”，承认个人有多种选择；二、根据“公正”原则，确立机会平等和正当分配；三、个人的自由和公正的社会应由国民相互“友爱”所支撑，国民的安定与安全应得到保障。[①] 不难看出，友爱新党和国民之声的理念和主张基本上大同小异。

同样，“改革俱乐部”和“和平新党”等昙花一现的小党，要么提出一些空泛的理念和主张，要么重复别人的老调，毫无新意。

正因为如此，这些弱小而又没有生命力的政党不可能长久存在下去，注定还要继续分化组合。新进党解体后不久，一直试图问鼎政权的民主党党首菅直人、干事长鸠山由纪夫不失时机地开展活动，联合此前从该党游离出来的细川护熙、羽田孜的人马，酝酿打倒自民党的新一轮进攻。1998 年 1 月 7 日，民主党（菅直人）、友爱新党（中野宽成）、国民之声（鹿野道彦）、太阳党（羽田孜）、五人党（细川护熙）、民主改革联合等六党派在众议院结成名为“民主、友爱、太阳、国民联合”的 97 个议席的会派（简称“民友联”）。其中最大的民主党理所当然地处于核心地位。1 月 18 日，民主党召开代表大会，以求强化党在“民友联”这个“接替政权的政治联盟”中的主导地位。而国民之声、太阳党和五人党也结成了拥有 30 个众议院议席和 9 个参议院议席的“民政党”，宣布“面对日本所处的严峻局面，决心开辟新的时代”，表明了联合夺权的强烈愿望。

与此同时，日本共产党也在积极活动。1997 年 9 月下旬举行的日共二十一大上，以不破哲三、志位和夫为代表的现实主义路线取代了宫本显治路线，党的理论、政策均有所改变，宣称将联合保守的无党派人士向下个世纪的“民主联合政府”进军。岁末年初，日共书记局志位和夫又会见记者，阐明“为了阻止政府朝专制方向发展，愿意同所有在野党通力合

① 木村敬：《新进党解体后的各政党・会派》，见蒲岛郁夫等编：《“新党”全记录》第三卷，木铎社 1998

作”的观点，以空前的灵活姿态把合作范围扩大到反自民党的一切政治势力中。①

(二) 民主党的诞生与重组

民主党成立于 1996 年 9 月，其领导人是原先驱新党的代表干事鸠山由纪夫和桥本联合政权的厚生大臣菅直人等中年政治家。建党之初，其成员主要来自于民社党和先驱新党所属议员。为了与 1998 年成立的新“民主党”相区别，该民主党可称为“第一次民主党”，也有人称其为“鸠山新党”。②

民主党的建立，有其深刻的社会根源和政治背景。进入 1990 年代以来，日本无党派阶层迅速扩大，选民不一定要支持某个特定政党。这一现象对政党来说可以说利弊参半：一方面，对自民党和社会党等大党来说，失去固定的支持者肯定是弊大于利；但对新党而言，却扩大了争取“无政党支持者”的空间，如果政策和策略得力，可以在短时间内获得大量选票，取得选举的胜利。1990 年代出现的新党一般都得益于此。

政党要获得无党派阶层的支持，在选举中取胜，一般要依靠如下三个战略，即组织战略、政策战略和政权战略。所谓组织战略，就是通过原有或新建组织，将无党派选民组织起来，如获成功，则可以将流动支持者转化为固定支持者，这是最稳妥的一种战略，不过也是成本(在时间和人力方面)最高的一种战略。所谓政策战略，是通过提出符合无党派阶层利益和要求的政策，以获取他们的支持。但是，一个政党真正能提出有新意的政策也并非易事，所以这一招未必能保证成功。至于政权战略，是通过展示选举后建立怎样的政权来吸引无党派阶层的支持，该战略与政策战略多有共同之处，但也不尽相同。民主党的建立主要依靠政策战略。

① 1998 年 1 月 21 日《东京新闻》。

② 大狱秀夫：《日本政治的对立轴》，中央公论新社 2000 年版，第 88 页。

当时，在与自民党组成联合政权的社会党和先驱新党领导核心内，不少人认为，鉴于社会党和先驱新党的友好合作关系，两党可以合并为一个新党。但是，在社会党和先驱新党内部，也有不少人对自、社、先驱联合政权不满，策划组建新党，先驱新党代表干事鸠山由纪夫就是其中的代表人物。另外还有新进党的鸠山邦夫、船田元，社民党的横路孝弘（原北海道知事）、赤松广隆（前书记长）等人。这些人大都是日本战后出生的政治家，伴随着社会上价值观与利益多元化趋势以及呼声日益高涨的日本政治体制改革和官僚制度改革，促使这些新生代政治家急于进入权力中枢。

鸠山由纪夫 1947 年 2 月生于东京，自幼受其祖父、前首相鸠山一郎和祖母、著名女权运动领袖鸠山薰子组织的“友爱青年同志会”倡导的“友爱精神”熏陶，东京大学工学部毕业后赴美留学，专攻经营工学博士课程。回国后先后执教于东京工业大学和专修大学。1986 年鸠山由纪夫弃学从政，成为自民党候选人，利用鸠山家在北海道世袭政治地盘当选众议院议员，并三次连任。

在自民党内，鸠山由纪夫先属于竹下派，而后转为小渊派。1993 年 6 月同武村正义等人组建了先驱新党。从 1995 年初开始，鸠山由纪夫、鸠山邦夫兄弟开始到处积极活动，为筹建新党游说先驱新党、社民党、新进党议员，同年 10 月，鸠山由纪夫重新使用其祖父鸠山一郎 1954 年建立的“民主党”这一称号，又打出“彻底改革日本政治、行政”“建立市民为中心的社会”等旗帜，努力给世人一种清新政治的印象。

在组建新党过程中，先驱新党的菅直人是鸠山由纪夫的一个重要伙伴。菅直人毕业于东京工业大学，早年曾为女议员担任秘书，因维护妇女权益颇得妇女选民青睐。鸠山力主菅直人加入新党，但菅直人希望先驱新党全员并入新党，不要排除武村等人的加入，同时认为有工会支持的社民党也有必要加入进来。最后达成共识，新党尽量把包括社民、先驱两党议员在内的政治势力团结过来。新进党方面只有鸠山邦夫一人参加。

1996年9月28日，民主党召开成立大会。民主党以“友爱精神”和“市民自由主义”为基本理念，提出“市民即主人公”的口号，其政治纲领是“通过对行政进行本质性改革和实现民众主导政治的变革，在21世纪的日本创造出以自立的个人为基础的富裕的市民社会”。[①] 宣称民主党“不是原来意义上的‘党’”，而“是以战后出生、战后成长起来的一代为核心，并照顾到老中青的平衡而形成的有志于未来的政治性网络组织”。这一政治理想主要来源于该党核心人物鸠山由纪夫。在该党政治纲领性文件《民主党基本政策》中，一举提出了“确立联合国改革和地区安全保障体制”“向温和的市民中心型社会过渡”“建立自立、共生与承担责任的福利社会”“确立区域主权的行政、财政改革”“进行与21世纪相适应的税制改革”“建立共生型市场经济”“构筑创造性的市民信息社会”“形成环境创造型社会”“实现新时代的教育改革”“发扬、保障人权精神”“创造男女共同参与的社会”“确立与开展新型政治”等13项基本政策。[②] 目的在于广泛联络政界通道，争取通过大选建立同自民、新进两大政党鼎足而立的第三极政治势力。

民主党最初采取由鸠山由纪夫和菅直人任代表的“二人代表制”，不久改为菅直人任代表，鸠山任干事长。

从组织结构和政治属性来看，民主党可以说是日本政界新老交替中新一代政治家向权力核心迈进的“利益聚合体”，其基本成员是为选举而集合起来的职业政治家。民主党主要是依靠党首的个人魅力和党的政策主张来争取选票和对国民施加影响，而不是依靠广泛存在于社会各层面的基层组织。民主党的潜在社会基础，大多是城市的青壮年阶层，其中女性选民又占有相当比例。这同菅直人曾维护女权、鸠山的祖母曾是妇女运动领袖不无关系。其次，支持者中，城市白领阶层和私营工商业者所占比率也明显高于产业工人和农林渔等行业。这些人希望革新政

---

① 中村启三：《鸠·菅民主党——为政治“友爱”投下的巨额赌注》，载《经济学家》1996年10月第1期。

② 1996年9月12日《朝日新闻》，《民主党基本政策要旨》。

治，要求将日本建成面向 21 世纪的发达国家。过去他们大都支持社会党或保守党派中较为开明的左翼势力，而民主党恰恰是由这两者融合的新型政治家联合体。就此而言，日本民主党属于兼有革新派中保守势力和保守势力中开明派性质的政党。他们宣扬的"行政改革""地方分权""市民自由主义"等主张得到城市居民的欣赏，维护着中产阶层市民的权益。

民主党成立伊始即投入 1996 年 10 月的第 41 届大选，但由于立足未稳仅仅得到与原来数量相等的 52 个议席，战绩平平。不过，民主党终究以 52 个议席保住了第三大党的地位。按照日本现行法律规则，政党在国会拥有 50 个议席方可提交涉及预算的法案。民主党是除自民党、新进党外唯一达到众议院内集团行动基数的党派。也就是说，尽管实力与拥有 239 席和 156 席的自民党、新进党相差悬殊，但理论上仍具有将自己的政治主张转化为法律的可能。所以它的判断与取舍自然成为日本政治天平中举足轻重的砝码。鉴于这种情况，自民党总裁桥本龙太郎曾暗示民主党党首被提名入阁，以改变其微弱多数的地位。但是，民主党并未理睬自民党发出的信号，11 月初，民主党明确了以在野党身分实行"阁外监督"的态度，同时也确认了在自民党对行政改革提出"政策协商"时给予响应的基本原则。

大选后，自民、社会、先驱新党三党联合政权得以维持下来，但是，进入 1997 年，在执政党内出现了"保保路线"（自民党和新进党联合）和"自社先路线"之争。8 月 25 日，民主党、新进党和太阳党的部分议员组成"改革会议"。脱离新进党的细川护熙前首相也频频与自民党以外的各党干部接触，谋求在野党的联合。在新进党选举党首的 1997 年 12 月 5 日，鹿野道彦、羽田孜、细川护熙等人和民主党的菅直人、鸠山由纪夫举行会谈，就来年在参、众两院选举中合作问题达成共识，并决定由民主、太阳、民主改革联合、无所属俱乐部等党负责人成立协议机构"政党联合推进恳谈会"。12 月 27 日，新进党决定解散，菅、鸠山、羽田、细川、鹿野等人举行会谈，同意成立会派。31 日，在野六党派（民主党、民主改革联合、友爱新党、国民之声、太阳党、五人党)决定组成统一会派,并在参议院选举之前成立新党。

1998 年 1 月 7 日,上述六党组成统一会派,为避免突出民主党之嫌,取名"民主、友爱、太阳、国民联合",且不设干事长而只设代表会议和干事长会议,采取各党轮流坐桩的形式。民友联拥有国会议员 141 名(众议员 97 名,参议员 44 名)。

1 月 23 日,保守三党国民之声、太阳党、五人党改组为民政党,羽田孜任代表,鹿野任干事长。3 月 4 日,细川护熙向民主党、民主改革联合、友爱新党、民政党四党提出,应把"民主、中道"作为新党的路线,四党代表均表同意。随后,3 月 6 日,细川护熙向四党代表提出解散四党组建新党的提议,但当时民主党未予积极响应。9 日,细川再次提议,应在参议院选举之前成立新党,党名就叫"民主党"。在党名问题上,各党之间虽意见不尽一致,但最终还是表示了认同。3 月 12 日,参加民友联的四党党首和细川护熙一起开会,一致决定在 4 月上旬成立新党(民主党)。新"民主党"的理念是"民主中道",这是因为,民主党方面最初主张"民主自由",民政党方面主张"保守中道",两者折衷而已。

新党建立、党名问题达成协议之后,各党之间的主导权之争仍在继续。3 月末,决定由菅直人出任新民主党代表,羽田孜出任干事长,鸠山由纪夫为干事长代理。党的各部门负责人按照平衡的原则,各党进行了权力分配,但政策调查会会长的人选始终定不下来。因为这个职位关系到党的政策的制定,能左右新党的大方向。民主党方面推举旧社会党的横路孝弘,但友爱新党反对。民主党做出让步,最后由友爱新党的干事长伊藤出任,横路任总务会长。

1998 年 4 月 27 日,民主党、民政党、友爱新党、民主改革联盟正式合并成了新的民主党,这就是所谓的"第二次民主党"。在成立大会上,菅直人呼吁,为了对抗自民党,应广泛团结其他政党,建立"联合政权"。

民主党的政治理念和政策主张也进一步完善起来,在新的民主党成立大会上,通过了"基本信念"和"基本政策"。基本信念方面,要代表民众的利益，建立“自立的个人共存的社会”，开创政治“民主中庸”的新道路：第一，要建立透明、公正、公平原则为基础的社会。第二，要贯彻市场原理，保障机会均等。第三，以“面向市民、面向市场、面向地方”的观点，改变中央集权式的政府，重新构筑权力分散的社会；把建设共同参与的社会作为目标。第四，使宪法的“尊重基本人权和和平主义等基本精神具体化。第五，要确立以自立和共存的友爱精神为基础的国际关系，建立可以信赖的国家。在国内政策方面，要分散权力，确保地方独自财源，推进行政、财政、税制结构改革。在外交和安全保障方面，要以国内舆论和成员国的支持为前提，以成为安理会常任理事国为目标。在宪法框架内积极参与联合国维和行动，贯彻专守防卫原则，在今后仍将遵守不行使集体自卫权的原则，不在海外行使武力等。继续把《日美安全保障条约》作为日本安全保障的基础，确立亚太地区的多边安全保障。民主党的外交和安全保障政策基本上和自民党的中、左翼观点相同，属于温和保守的和平主义范畴。

民主党在 1998 年 7 月举行的第 18 届参议院选举中取得很大胜利，由改选前的 18 个议席增至 27 个议席。自民党遭到惨败，仅获得 46 个议席，大大低于改选前的 61 个议席。共产党也由改选前的 6 名增至 15 名。舆论调查表明，民主党的支持率由建党初的 5%上升到 18%，已和自民党 20%的支持率相接近。自民党在参议院仅有 104 席，不足半数，民主党则成为在国会拥有 140 个议席的可以和自民党相抗衡的第二大政党。① 民主党的崛起不仅仅是人数上的扩大，更重要的是它反映了日本社会政治发展的趋向，即从中央集权型政治向大众民主政治形态的转变。尽管这种转变还远未实现，但正是由于 1993 年以来的政治大变动使这种转变的历史进程加快了速度。

纵观民主党成立和重组历程，可以归纳为以下几个特点。

第一，民主党是一个议员政党。在第一次民主党成立阶段，其成员

---

① 大狱秀夫：《日本政治的对立轴》，中央公论新社 2000 年版，第 111 页。

是根据议员个人的意愿而加入的。但在第二次民主党成立时，由于保守党系统的议员大都有个人后援会，这样，民主党就逐渐形成以议员为中心的“网络型”政党。而且，随着新选举制度的实行，选举越来越需要得到多数人的支持，个人后援会的作用将会进一步增大。所以，民主党将会进一步由党中央控制向自律性议员团体和议员政党转化。

第二，民主党是一个工会政党。“五五年体制”下工会对政党的支持，分为社会党和民社党两派。1980 年代末以后，日本工人运动先于政治得到统一。“联合”的成立就是民间工会所主导的工人运动的统一。“联合”最初积极参与政党政治，在建立非自民联合政权时非常活跃。但是，后来在自民、社会、先驱联合政权下，工会系统的议员分属于执政党和在野党，处于“再分裂状态”，影响力下降。民主党就是在这种情况下成立的。那么，“联合”对民主党持何种态度呢?

首先，对第一次民主党的态度，社民党系统的工会多数是支持的，但“联合”因为“再分裂状态”尚未消除，所以态度不够积极。但第二次民主党成立后，“联合”开始重视工会活动的政治色彩，“为了实现工人生活稳定、消除不安和社会公正”，“有必要加强工会的政治活动”，“希望出现一个统一的、强有力的政党”。[①] “联合”负责人积极支持统一会派的成立以及“民友联”转化为新党的行动。同时，非自民各在野党也积极谋求“联合”的支持，所以“联合”在民主党中的影响越来越大。

第三，民主党是社会民主主义势力和经济自由主义派的混合体。早在第一次民主党成立时，民主党就是一个社会民主主义势力(旧社会党系议员)和有志于经济自由主义的改革派(经由先驱新党而来的旧日本新党系年轻议员)的混合体。第二次民主党又增加了旧民社党系的工会议员和脱离自民党经由新生党的保守系议员，“混合体”状况丝毫未发生变化。当然，社会民主主义势力与经济自由主义改革派的“混合”并非自民主党始，新进党也是如此，只是民主党的“混合”范围比新进党更加

① 大狱秀夫:《日本政治的对立轴》，中央公论新社 2000 年版，第 116 页。

扩大。

第一次民主党的"基本政策"中主张，克服经济增长至上主义，确立"共生型市场经济"。但并不十分强调经济自由主义者的过分依靠市场机能的主张。在第二次民主党的基本政策中，主张通过贯彻以自我负责和自由意志为前提的市场原理而推行经济结构改革，由此维持3%左右的经济持续增长，显然更加强调市场的作用。

一般认为，民主党是一个左派政党，尤其第二次民主党所提出的"民主中道"的含义，是指原有的社会民主主义势力通过自我改革，再吸收中道・无党派阶层。据说保守系议员不喜欢社会民主势力经常使用的"自由主义"一词，所以最终采用了"民主中道"的提法。但是，从民主党的成员来看，社民党系议员所占比例很大，而且工会在第二次民主党中也是最大和最有力的支持基础。

第四，民主党已由第三极势力转向第二极势力。在第一次民主党阶段，新进党是当时的第一大在野党，民主党还不能算是第二极势力，所以民主党刚成立时的目标是强调成为第三极势力。在第一次民主党时代，鸠山注重理念，希望与政权保持一定距离，而曾任桥本内阁厚生大臣的菅直人也并未摆出与桥本政权势不两立的姿态，强调为了突出第三极的地位，应以实现政策为目标。有人批评说，民主党这种"健全在野党"方针"令人难以理解"，甚至被世人揶揄为"非野非朝的'油'党"。①

随着新进党的解散，民主党本应明确自己的"第二极"地位，但是，菅直人仍在继续推行重视政策实现的"健全在野党"路线。后来，自民党与自由党和公明党联手建立了"自自公"联合政权，民主党正好与自民党又拉开了距离。此后，民主党作为第二大党，成为与自民党对抗势力的核心。在这种情况下，自民党和民主党的立场差距拉大，政策上难以统一，对民主党来说，与自民党在政策上已经没有了联合的余地。

---

① 在日语中，在野党的"野"发音是"や"，执政党称为"与党"，"与"的发音是"よ"，而"油"的发音是介于二者之间的"ゆ"，意即既不像是在野党，也不像是执政党。

(三) 自民党联合政权的困局

桥本龙太郎可以说是日本政坛的一位强人,他上台后雄心勃勃,而且也取得了一定的政绩。但桥本内阁执政基础并不稳固。

首先,日本经济处于长期萧条状态,成为在野党攻击的口实。桥本内阁提出的16万亿日元大型景气对策收效甚微。提高消费税的决定,虽然使1996年下半年市场受到提前消费的刺激,经济增长率有所上升,但却严重打击了1997年4月消费税提高后的市场,造成日本经济的负增长,从而受到在野党的抨击。

其次,新民主党于1998年4月成立后,成为一个拥有140名国会议员的大党。民主党在1998年7月举行的参议院选举中获胜,其议席数从18席增加到27席,而自民党却在这次选举中惨败,自民党在全国47个选区中的16个选区失去了其在参议院的代表。日本共产党在这次选举中也大获全胜,参议院议席由6席增至15席,成为参议院中第二大反对党。

1998年7月自民党参议院选举的惨败,身为总裁的桥本难辞其咎,因为这次选举是关系到日本各政党兴衰和存亡的重要选举。桥本内阁在内外交困的情况下,急流勇退,在参议院选举失败后的第二天即7月13日表明引咎辞职之意。

7月30日,桥本内阁总辞职。同日,小渊惠三以微弱多数战胜民主党的菅直人,就任内阁首相。但小渊内阁(1998.7.30—2000.4.5)从一开始就遇到党内外的重重阻力,预示着新政权前途多舛。调查结果显示,小渊内阁的支持率为33.1%,在历届新内阁中,仅高于宇野和福田两届内阁,排名倒数第三。不支持率为52.0%,仅次于宇野内阁,排名倒数第二。对小渊内阁前景抱有希望的还不到20%,远低于其支持率。①

小渊内阁成立后,面临主要三大课题:一是建立巩固的政权;二是振兴日本经济,在国会通过预算案和相关法案;三是进一步落实新《日美防

---

①《读卖新闻》1998年7月31日。

卫合作指针》，努力在国会通过相关法案。其中最主要的是重振日本经济，尤其是要避免金融危机的发生。

日本政界自1990年代初开始战后第二次大的分化改组以来，各政党不断分化改组及政权多次更迭，政局动荡不安。1998年11月，自由党党首小泽一郎与自民党总裁小渊惠三举行会谈并发表“自自联合”的宣言，使日本政界受到巨大震动，执政的自民党内部主流派与非主流派之争开始激化，派系首脑的新老交替加速；在野党又开始酝酿新的重组，在野第一大党民主党内部矛盾亦随之凸显，政局瞬息万变。

政局动荡的震源是政界新的重组。日本政界自1990年代初开始的第二次大的分化改组以来，已进行过3次重组。第一次是1990年代初日本新党的成立及自民党分裂，政党力量对比形成一强（自民党）多弱（社会党等其他政党），除共产党外的各在野党一道组成由日本新党党首细川护熙任首相的联合内阁，结束了长达38年的自民党一党执政的局面。第二次重组是1994年底由原联合执政的新生、日本新、民社、自由各党及高志会、改革之会和自由之会等9党派组成的新进党，从而形成了自民与新进两大保守政党对峙及其他中小政党并存，由保守的自民党、先驱新党与革新的社会党联合执政的局面。第三次重组是1997年底至1998年初，新进党一分为六，再形成一强（自民党）多弱及自民党一党执政的局面。1998年11月的“自自联合”成为新的重组起爆剂，从此便开始第四次重组。

1998年11月，小渊内阁与自由党宣布“自自联合”。这次“自自联合”，是两党既要合作又有争夺的联合。自民党决定与既是同根生又是死对头的自由党联合，主要是为了稳定政权，一是把自由党拉到自己一方，从而分化瓦解在野党，使在野的民主党难以联合过半数力量提出对内阁的不信任案。“自自联合”还有利于小渊首相调整党内“主流派”与“非主流派”关系，稳定党内地位，从而有利于争取公明党的合作，以便争取在即将召开的通常国会期间通过新《日美防卫合作指针》。

11月19日，自民党总裁小渊惠三与自由党党首小泽一郎举行会谈宣布“自自联合”后，在日本政界引起强烈反响，尤其是自民党内和民主党内反响最大。小渊与小泽本是同根生，都曾是原竹下派的“干将”，小泽造反另立山头并退出自民党另组新生党及新进党后，为争夺政权便与自民党成为冤家对头，双方斗争异常激烈。

民主党作为由原民主党、民政党、新党友爱及民主改革联合 4 党派联合组成，包括了原“革新”、中道及保守三方面国会议员的新党，内部不仅存在原各党派相互之间的利害关系问题，还有着政策上的分歧，所以内部的重组活动从未间断，很多国会议员包括领导成员还参加了跨党派政策集团。

在 7 月参议院选举中，民主党大胜，成为仅次于自民党的第二大党。在国会选举内阁首相时，该党党首菅直人得到所有在野党的支持，在参议院获得的选票超过半数，轰动日本各界，成为自民党的一大威胁。但是，这次“自自联合”的行动是对民主党的一次强大攻势，使民主党的联合所有在野党推翻小渊政权的计划难以实现，起到了激化民主党内部矛盾的作用。

“自自联合”对其他在野党亦有影响，社民党已改变态度开始与民主党举行会谈，商讨在 1999 年的统一地方选举及下届众议院联合选举问题；公明党也酝酿在未来的地方或国政选举中争取与其他在野党联合。

自由党离开在野党与自民党联合执政的目的，是为了保存实力，扩大影响。自由党从 1998 年初成立以来，国会议员呈减少趋势，处境日益困难。党首小泽一郎为摆脱困境，决心与自民党联合，这样既可以参加内阁，获得大臣职位，又可以在众议院地方区争取自民党对其选区议员的支持，以稳定党内人心，鼓舞士气；同时，还可制约小渊内阁，在政策上拉小渊内阁向右转，推行其“普通国家”论和修改宪法的主张。

小渊内阁成立之初，由于受到在野党的攻击和日本经济低迷的影响，舆论普遍认为，小渊内阁很可能是一个短命内阁。但是，小渊政权出乎人们的意料，勉强渡过金融危机之后，反而越走越顺，出现长期政权的征兆。

小渊内阁于1999年在众、参两院通过设立“宪法调查会”法案后，决定在2000年通常国会开会后即在众、参两院分别设立，开始对宪法进行议论。其最终目的是尽快达到修改宪法尤其是彻底修改“第九条”的目的。

日本国会8月9日通过的将“日之丸”定为国旗和《君之代》定为国歌的《国旗国歌法》，在战后日本政治史上是值得大书一笔的重大事件。从此，日本开始有了正式的国旗和国歌。

1999年7月24日，公明党召开党代表大会，宣布决定参加由自民党与自由党两个保守政党组成的联合政权，成为日本政界重组的新的起爆剂。公明党为什么在日本政界进行新一轮重组的关键时刻，决定参加它一向表示反对的自民党及自由党组成的联合政权，应该说与当时日本政治形势及公明党自身的利害关系有着密切关系。

公明党是以宗教团体创价学会为基础组成的“中道政党”，成立于日本经济高速增长时期的1964年，创价学会（战前称“创价教育协会”）是公明党的主要票源。1961年，创价学会成立了“公明政治联盟”，为建立政党打下了基础。1962年7月，第六届参议院选举时，创价学会便以“公明政治联盟”的名义参加竞选，当选参议员9人，加上未改选的6人共拥有参议员15人，成为参议院中仅次于自民党和社会党的第三大党。1964年5月，创价学会会长池田大作宣布成立公明党。同年11月17日，公明党召开建党大会，创价学会理事长原岛宏治任党的委员长。

1967年7月众、参两院选举后，公明党共拥有20名参议员、25名众议员，一举成为国会第四大党。从此直至1994年12月参加新进党的27年间，公明党一直是一个在日本政治中发挥重要作用的政党。1993年8月至1994年自民党下台期间，公明党曾加入细川护熙为首相的“非自民党”联合政权，并有4人入阁。1994年4月，新生党党首羽田孜组织多党联合内阁时，公明党又有6人入阁。1994年公明党参加新进党的目的，也是为进入政权。当时日本正出现向两大政党轮流执政方向发展的趋势，公明党认为，由多党联合的新进党会形成与自民党相抗衡的一大政党，通过几番较量，有可能取代自民党的执政地位。

在 1993 年至 1997 年的 4 年间，公明党因参加“反自民”和“非自民”的活动，一直受到自民党的批判。但是，1997 年底新进党解散后，原公明党国会议员和未参加新进党的公明党参议员合并重新成立公明党，成为在野的民主党和执政的自民党相互争夺的对象。

公明党自成立以来，便把参加政权作为发展和奋斗的目标，曾多次提出过“政权设想”。1977 年，公明党曾提出“中道革新联合政权设想”，1979 年又提出“中道联合政权设想”。公明党这次参加以自民党为主的“自自公”联合政权，既是该党的既定方针，也是自我保护和发展的需要。

自民党在 1998 年 7 月的参议院选举失败后，在野党在参议院的议席超过自民党。当时民主党曾想乘机联合所有在野党向小渊内阁发难。公明党也有意加入以民主党为首的联合阵营向自民党夺权。但是，1998 年 11 月自民党与自由党达成联合执政的协议后，在野党失去了在参议院的优势地位。公明党认为，以民主党为首的在野党已经丧失了夺取政权的条件，于是反过来加紧与自民党联系，并准备加入其联合政权。这一设想得到创价学会的支持，并于 1999 年 7 月 24 日在公明党代表大会上获得认可。

另外，自民党的拉拢对公明党也起了作用。自民党虽然于 1999 年 1 月与自由党组成联合政权，但两党在参议院的议席仍不过半数，所以不得不求助于公明党。自民党为拉拢公明党，两党首脑人物频繁接触，同时在无损于根本政策的前提下，自民党有意向公明党做出适当让步。

在这种情况下，1999 年 7 月成立了以小渊惠三为首相的“自自公”三党联合内阁。显然，自民党和自由党同属保守政党，在政策思想方面基本一致。而公明党则属中道政党，政策上肯定存在分歧。“自自公”三党联合内阁主要存在两大问题：一是自由、自民两党共同提出的“从众议院 200 名比例代表中削减 50 人”，公明党表示坚决反对，因为公明党众议员中三分之二是由比例代表区选出的，一旦削减 50 人，公明党损失太大；二是不但公明党和自民党和在联合选举问题上存在分歧，而且由于公明党的国会议员比自由党多，自由党担心在联合政权中被公明党所取代，所以自由党并不希望公明党入阁。根据上述自自公三党之间的分歧和相互利害关系，联合政权纯系权宜之计，公明党受到自民党的制约而失去了自主性，弊多利少，有重蹈社会党覆辙之虞。同时三党联合政权也并未得到日本国民的认可。据日本舆论调查，对“自自公”联合政权表示支持的仅有 20％，而反对的则达 50％多。

小渊为了继续连任自民党总裁，于 1999 年 9 月 21 日在竞选中以 350 票的绝对优势战胜了前干事长加藤纮一和前政务调查会长山崎拓，再次当选为自民党总裁。加藤和山崎分别以 113 票和 51 票落选。两个星期后的 10 月 5 日，自民、自由、公明三党联合政权小渊第二届改造内阁诞生。

但是，进入 2000 年后，接连发生诸如内阁大臣金融再生委员长越智通雄失言受到追究，经济重建迟迟不见实效，以及自由党在联合政权内部搞“地震”，一再宣称因自民党未能信守联合许诺将退出联合政权等，令小渊焦头烂额，劳累气急之下于 4 月 2 日病倒入院，迫使自民党不得不迅速选出新的党总裁和内阁首相以稳定政权。于是，干事长森喜朗在“天时”“地利”及“人和”三项有利条件下成为“应运而生”的自民党总裁、内阁新首相，第一届森内阁(2000. 4. 5—2000. 7. 4)成立。

森喜朗所占的“天时”，是因为小渊惠三突然病倒入院，自民党总裁和内阁首相出现空缺，为森喜朗上台提供了机会。森喜朗也说：“这真是从天而降。”

森喜朗所占的“地利”，一是森为现职自民党干事长，在地位上是党内仅次于总裁的第二把手；二是森所领导的派系是仅次于小渊派和加藤派的第三大派，拥有众参两院议员 65 人；三是森派为支持前首相小渊的主流派；四是森派是原福田派的嫡系，而在福田派首脑福田赳夫辞去党总裁、内阁首相后的 20 多年里，是自民党各大派系中唯一没有出任过党总裁和内阁首相的派系，其他 4 个大派都有人先后出任过党总裁和内阁首相。按自民党“轮流坐庄”的惯例，也该轮到森派了。

森喜朗所占的“人和”尤为突出，也是他“应运而生”的关键所在。森在自民党各派首脑及同辈实力人物中并不突出，但因他属“协调型”人物，容易为各方接受。公明党和保守党也一致支持森喜朗出任内阁首相。

森喜朗1938年生于石川县，10次当选众议员。早稻田大学商学部毕业，1969年当选众议员，历任内阁文部大臣、通产大臣、建设大臣、自民党政调会长、总务会长、三次出任自民党干事长。

从2001年1月6日开始，日本新政府机关正式挂牌，上自首相府，下至各处室，大部分都更换了名称。这是日本历时5年才得以实现的行政改革，日本舆论普遍称之为继明治维新和1945年战败后的第三次行政改革。由森喜朗内阁具体实施了这一改革，的确是应该载入史册的一件大事。

在这次改革中，日本中央政府机关由原来的1府22省厅合并为1府12省厅。原来的首相府、经济企划厅、冲绳开发厅合并为内阁府；邮政省、总务厅、自治省合并为总务省；文部省和科学技术厅合并为文部科学省；运输省、建设省、国土厅、北海道开发厅合并为国土交通省；厚生省、劳动省合并为厚生劳动省；大藏省改名为财务省；通产省改名为经济产业省；环境厅升格为环境省。合并后的省厅均为综合性机构，打破了原有部门间的界限，避免了职能的重叠，减少了重复的工作。外务省、法务省、防卫厅、国家公安委员会等保持原体制不变，但内部机构也有所精简。改革后，日本政府原有的128个局级单位精简为96个，原有的1 166个处室精简到995个。

早在1996年，当时的首相桥本龙太郎提出了行政改革的主张，并确立了行政改革的4项原则，即：建立以政治为主导的体制；排除纵向分割体制的弊端；提高行政的透明度和责任性；压缩行政编制。为适应新的机构体制，2000年12月森内阁改组时，阁僚人数就精简到了新政府的标准。1月6日，首相森喜朗在首相官邸向内阁成员颁发了新职称任命书，召开了新体制启动后的第一次内阁会议，先后举行了各省厅新设22名副大臣、26 名大臣政务官的任命仪式等。

这次行政改革加强了首相的政治权力。首相获得更多的决策权，调整扩大了首相的人事任免权。首相有权直接任命、邀请民间人士担任内阁府的官职或首相顾问。首相助理也由原来的 3 名增加到 5 名。新组建的内阁府凌驾于 12 省厅之上，有权协调、统筹各省厅之间的合作事项。新成立的由首相主持的经济和财政委员会负责制定政府预算，这使首相在财政方面也持有了决策权。

重组带来的最大变化是原大藏省权力的下降。大藏省被更名为"财务省"。此前大藏省一向被认为是日本最具权力的政府机构。在过去 5 年中，日本政界领导人一直在试图削减大藏省的权力。这次改组后，新的"财务省"除了对税收保留相当大的控制权以外，其他权力多被削减。新的《中央银行法》极大地增强了日本银行（日本中央银行）制定货币政策的独立性，新成立的金融监督厅被赋予对金融行业的监督权。单独成立的"经济和财政政策委员会"承担制定财政预算草案的重要工作，并且直接由首相领导。这些都使大藏省的权力分流。

日本政府的新机构列为 1 府 12 省厅，但新政府的合影照中除首相之外还站着 18 个大臣。原来，内阁府内除官房长官外还有 5 位大臣，负责金融、行政改革、经济财政、科技政策和危机管理。其他省厅的总务省、法务省、外务省、财务省、文部科学省、厚生劳动省、农林水产省、经济产业省、国土交通省、环境省、防卫厅、国家公安委员会则各有一名大臣和数名副大臣、政务官。

削减官僚权力，以"政治主导"方式决定国家政策是此次历史性机构改革的目的和口号。从 1 月 6 日开始，日本的政府机构虽然减少了，但进入政府机构的政治家却比以前大为增加。由首相从国会议员中选派任命到政府的大臣、政务次官由原来的 50 人增加到 65 人。

另外，日本借这次政府机构调整，出台了新的《大臣、副大臣及大臣政务官规范》，以加大惩治腐败的力度。还公布了新设的 22 名辅佐阁僚的副大臣和 26 名大臣政务官。因此，这一规范适用于近 70 名政府高官。规范明确规定,禁止这些政府高官在营利企业中兼职;在任期间不得参与有价证券、不动产和高尔夫会员权的买卖等;不得动用大规模的政治资金举行宴会;不得滥用任命权;在退任时须向所属省厅上交外国政府赠送的超过 2 万日元的礼物等。

但是,新的政府机构的设置也受到有关方面的批评。6 日,在野党民主党干事长菅直人说,虽然日本首相森喜朗平时强调信息通信技术革命,但在这次政府调整中,却将计算机产业交由经济通产省负责,信息通信技术则继续由总务省负责。这表明此次机构调整不足以称之为"行政改革",而只能称为削减机构数量。另外,有一些政府职员对这次调整中,将业务关联度不强的自治省、邮政省和总务厅合并成一个总务省的做法感到不满,认为这只是拼凑而已。有些政治家出身的副大臣根本不懂各行政部门的政策,反而增加了行政官僚的负担。日本报纸评论说:政府变小了,"盲肠"变大了。

"从官僚主导到政治主导",是此次日本政府机构改革的目的。战后,日本的官僚体制给行政系统带来了许多弊病,如机构臃肿、权力分散、效率低下等,此次改革便首先拿这些地方开刀。所以,如前所述,省厅合并和减员增效是这次行政改革的主要内容。

政府机构改革只是日本行政改革的一部分,此外还有公务员制度改革、特殊法人改革等一系列措施。改革公务员制度,计划在 10 年内裁减 25%的公职人员。经济、文化、教育、司法等各个领域都需要全面的调整。要逐一实现这一庞大的改革计划,还需要走相当长的一段路。

2001 年 1 月 31 日,日本第 151 届通常国会拉开序幕。此次国会会期截止到 6 月 29 日,为期 150 天。森喜朗第二届内阁(2000. 7. 4—2001. 4. 26)成立后,在野党与执政党首次在国会展开论战。

森喜朗上台后,政界丑闻接连曝光,其本人也接二连三地"失言",引起了朝野的强烈不满,人们已将矛头直指自民党政治。在这种形势下,原自治相、自民党加藤派的白川胜彦决定脱离自民党,白川胜彦在说明脱党的理由时对自民党表示了极大的失望,他说:"自民党已经成为 21

世纪日本政治的障碍。”自民党是自由民主党的简称，顾名思义这是个标榜自由与民主的政党。但现在的自由民主党应该称为“不”自由“非”民主党。日本公明党领导人公开抨击森喜朗首相处理自民党丑闻不力，森喜朗的态度“令人失望”，致使脆弱的日本联合政府出现了裂痕。

继公明党中出现要求首相下台的呼声之后，自民党桥本派等主流派中也出现了认为不得不更迭首相的意见。丑闻缠身的首相森喜朗，面临着上台以来最严峻的“内忧外患”，自民党内最大派别桥本派已表明，在下月底财政预算案通过后将倒戈，迫使森喜朗下台，国会内盟友也纷纷放弃对他的支持。由于桥本派一直是森喜朗的最重要支持者，他们的倒戈势必使森喜朗下台。

森喜朗内阁虽然处境不佳，但森却无主动让权之意。从自民党内部的斗争来看，只要首相本人拒绝辞职，通常就不会轻易下台。森派会长小泉纯一郎也为森打抱不平说：“事情发展至此，应说整个自民党都不好，为什么要他一个人来承担责任。”但据《朝日新闻》的民意调查结果显示，森内阁的支持率仅为 9%，创下森喜朗内阁成立以来的支持率新低，成为日本二战以来第二名最不受欢迎的首相，仅次于 1989 年因丑闻而辞职的竹下登。与此同时，70%以上的被调查者要求森喜朗首相早日辞职。

东京都议会中的自民党议员 2 月 16 日举行全体会议，一致通过了要求该党总部提前举行总裁选举的决议。自民党在东京都议会中拥有 49 个席位。他们要求提前举行总裁选举，实际上是要求现任自民党总裁、政府首相森喜朗下台。这也是地方议会的自民党团体首次公开要求森喜朗下台。另外，在自民党全国 47 个都道府县组织中，有 25 个组织的负责人要求森喜朗首相辞职。

日本 4 个在野党决定于 3 月 5 日的众议院全体会议上再次对森内阁提出不信任案。但以 192 票对 274 票被否决。不信任案虽然被否决了，但包括自民党在内的许多人都将不信任案与森首相的下台区别来看，亦即否决不信任案并不意味着支持森喜朗内阁。于是，3 月 13 日，大势已去的日本首相森喜朗在自民党大会上宣布将提前进行自民党总裁改选。

鉴于森喜朗已表明辞意，自民党内就新总裁人选问题加紧磋商。与此同时，日本民主党、自由党、共产党、社民党和无所属之会等 5 个在野党派的参议院议员 13 日上午联合向参议院议长井上裕提出追究日本首相森喜朗责任的决议案，要求森立即下台。

森喜朗虽然被迫表示同意辞职，然而，日本政权却迟迟未见更迭。其主要原因有四。

首先是森本人不服气，不想立即下台。认为自己既没有严重失政，也没有什么丑闻。他虽多次讲话出轨，但是对造成国际影响的错误讲话都及时予以修正，而一些属于认识不清或水平不高的讲话，又不足以让他立即交出首相大印。例如，上台伊始就公然声称日本是一个以“天皇为核心的神国”。这句话立即引起亚洲各国人民的严重抗议。森喜朗事后否认自己想改变日本侵略战争的性质，并且为由此引起日本国内外的抗议表示道歉。另外，政府中几名高官涉嫌受贿等事多半发生在森内阁成立之前，只能算是森喜朗用人不当。如立即下台，反会给自己的声誉带来更大的损害。

其次，森喜朗还需要时间将其在内政、外交等各方面的课题处理完毕，以便营造一个体面引退的氛围。在内政方面，在众、参两院获得通过的 2001 年度政府财政预算将从 4 月 1 日开始启动，下一步是两院要通过实施这一预算的相关法案。政府还将推出一系列新的经济对策，以解决日本经济停滞的问题。在外交方面，森喜朗还将在 3 月中、下旬按预定日程访问美国和俄罗斯，同两国首脑进行会谈。

第三，一个根本原因是自民党内缺乏被各派都看好的首相人选，要在自民党内推举一个得到各方认同的人物确实不易。野中广务、小泉纯一郎和桥本龙太郎要问鼎自民党总裁还都有一定的障碍。野中年龄太大，小泉虽敢想敢干，但党内有人对他不太放心，桥本在任首相期间因参议院选举败北而辞职，被称为“败军之将”。

第四，森喜朗既已表示辞意，政权更迭只是时间问题，自民党内外要求森喜朗下台的势力也就不再穷追不舍了。

2001 年 4 月 6 日，当了 1 年零 1 天首相的森喜朗终于说出了日本上下盼望已久的话，他说："考虑到有必要在新的体制下恢复民众对政治的信赖，解决堆积如山的内外诸课题，所以决意辞职。"由于自民党将于 4 月 24 日选出新的总裁，而党的新总裁也就是下一届日本首相，所以森喜朗内阁维持到了 4 月底。日本媒体认为，坚持在首相宝座上坐满一年的森喜朗，失败的原因归结为以下几点：一是森喜朗不会管自己的嘴巴；二是他缺乏政治经验和政策把握度；三是他不擅处理与媒体之间的关系。他被日本媒体讽刺为是日本历史上最不受欢迎的首相！

政治评论家川岛和江曾总结出当日本首相的四大要素：第一是资格要素，即当选过几届议员；第二是经验要素，即在政府内当过几任大臣，在党内任过什么要职；第三是党内地位要素，一般必须是派阀领袖；第四是领导能力要素，必须拥有对党内派阀势力的综合调整能力。这四个要素缺一不可。森喜朗在这四大要素中所缺乏的恐怕是领导能力要素。据日本《每日新闻》2000 年 12 月初在全国范围内进行的一项舆论调查显示，约有 90％的日本国民对日本政治感到不满。而不满的原因最多的是认为首相"领导能力"不行。有 40％的人认为 21 世纪的日本首相应该是个"有领导能力的人"，所占比例最高。

(四) 小泉内阁与政治改革

2001 年 4 月 26 日，森喜朗内阁在最后一次临时内阁会议上宣布总辞职，2000 年 4 月诞生的森内阁到此恰好 1 年。

日本自民党总裁选举于 4 月 12 日拉开序幕。共有 4 人参加总裁竞选，他们是前厚生大臣小泉纯一郎，前首相桥本龙太郎，现经济财政政策担当大臣麻生太郎和自民党政调会长龟井静香。据日本《朝日新闻》公布的民意测验显示，小泉纯一郎成为自民党总裁的最佳人选，共有 57％的人支持小泉接替森出任自民党总裁。而他的主要竞争者桥本龙太郎的支持率只有 12％。此外，麻生太郎的支持率为 5％，龟井静香的支持率仅为3%。

4月24日，在自民党总裁选举中，小泉纯一郎以压倒优势击败桥本龙太郎、龟井静香和麻生太郎，当选为自民党第20任总裁。这一结果，出乎日本国内外许多观察家的预料。而且民意调查中竟出现了85%的高支持率。

小泉与桥本相比，在资历、威望及实力方面均不及桥本。资历方面，小泉10次当选众议员，在党内仅任过副干事长和副政务调查会长，在内阁仅任过厚生大臣和邮政大臣。而桥本则是13次当选众议员，在党内任过行政调查会长、政务调查会长、干事长及总裁；在内阁任过厚生大臣、运输大臣、大藏大臣、通商产业大臣及首相。在威望方面，小泉在国内外知名度均较低。而桥本在国内外均有名望。在实力方面，小泉所在派系的国会议员不仅人数比桥本派少，而且在国会议员的支持者也不及桥本。为了变劣势为优势战胜桥本，小泉采取了以下战略。

首先，小泉高举"改革"旗帜，力争在地方预选中取胜。小泉抓住党员不满现实、不满自民党的派系统治和密室政治，要求改革的心理，以"改革派"的姿态，提出一些既有煽动性和号召力又是桥本不敢涉及的"改革"口号去争取选票。他提出彻底"改变自民党"和自民党派阀统治、密室政治的口号。为表示言行一致，宣布辞去森派会长职务并退出森派，以无派系身分进行竞选活动。他还摆出要彻底"改变日本"的姿态，进行"经济结构改革及财政结构改革"，即使经济出现负增长也要忍痛进行。主张实行"内阁首相公选制"，尽快修改宪法，不受宪法制约行使"集体自卫权"，强调"自卫队就是军队"，自己当选首相也要参拜靖国神社等。

其次，小泉在拥有森派、加藤派及山崎派3派支持的基础上，又借助两股有效势力为其助阵大拉选票。即一方面联合桥本派的死对头、在党员中有较大影响力的无派系众议员田中真纪子(田中角荣之女)、渡边喜美(渡边美智雄之子)等作为其竞选啦啦队，发表抬高小泉贬低桥本形象的演讲，为小泉争得了大量选票；另一方面，由内阁首相森喜朗出面请前首相中曾根康弘及东京都知事石原慎太郎等颇具影响的人物从侧面给以支援。小泉的这些做法收到奇效，在地方预选中大获全胜。小泉在地方预选的胜利，冲击和打乱了原有的竞选阵势，极大地影响了国会议员的票流。

当选自民党总裁后的小泉纯一郎于 4 月 26 日的国会上以多数获胜，当选为日本第 87 代、第 56 位首相，第一届小泉内阁(2001. 4. 26—2003. 11. 19)宣布成立。小泉在组阁时，采取增加民间人士、增加妇女名额和启用年轻国会议员入阁的做法，藉以突出内阁的“清新”与“改革”形象。新内阁成员中民间人士 3 人，妇女 5 人，为战后启用女性入阁人数最多的一次。尤其是田中真纪子被任命为外务大臣，成为日本内阁史上的首位女外务大臣。小泉还任命 43 岁的中谷元为防卫厅长官、44 岁的石原伸晃为行政改革规制改革担当大臣，给人以“清新”之感。任命民间人士、经济学家竹中平藏为经济财政大臣，留任党内“金融通”柳泽伯夫为金融大臣，任命党内老将盐川正十郎为财务大臣，以显示其“改革”的决心。小泉组阁后的舆论调查显示，内阁支持率超过 80%，创历届内阁支持率最高纪录。

小泉出生于 1942 年，毕业于庆应大学经济学部。小泉的祖父、父亲都曾是众议员，小泉已是第三代国会议员。其祖父小泉又次郎曾任 1930 年代的日本递信大臣。其父亲小泉纯也曾任战后池田内阁的防卫厅长官。1969 年小泉在伦敦大学留学期间，父亲病故，紧急回国参加竞选。小泉在自民党内被称为行动派议员，其座右铭是“和而不同”，取自中国古语“小人同而不和，君子和而不同”，所以他在自民党中好出奇论，绰号“怪人”“一匹野狼”。小泉从政后，因继承其父辈的后援团体、选举地盘及政治资金收入，被日本舆论界称为实力人物。

早在 1995 年和 1998 年的两次总裁选举中，小泉就提出了邮政三事业(邮政、邮储、简易保险)民营化的主张。此次竞选中，小泉再次打起了邮政民营化大旗，这些政策主张似乎得到了国民的支持和理解。

当选总裁后，小泉首先与时任干事长的古贺诚商定两点：一是维持三党联合政权;二是维持党内团结。在小泉提出的政策主张中,“脱离派阀政治”的口号具有号召力,这是因为派阀政治在日本早已成为“金权政治”的代名词,日本民众对派阀政治深感厌倦和不满,但又无可奈何。实际上,小泉的所谓“脱离派阀”实际上是“明脱暗不脱”,因为自民党是一个“派阀联合体”,取消派阀就等于取消自民党,小泉当然无法做到,在党政人事安排方面,同样照顾到“派阀均衡”的原则。

小泉首相大胆提出“要改变日本”,主张“弘扬民族精神”“维护民族利益”和“恢复日本人的自信心”,使日本人受到鼓舞。但他不顾联合执政的公明党及保守党的反对,大肆渲染“国家民族危机”,借口要搞新的“维新”,要尽快修改宪法,要“行使集体自卫权”,要将“防卫厅”升格为防卫省,坚持以公职身份参拜靖国神社等。对此,有的学者指出,小泉的这些举动令人担忧。

2001 年上半年,日本政界出现了一股“小泉旋风”,小泉首相的支持率竟高达 80%—90%。这反映了日本民众对森喜朗内阁的失望,对恢复景气的期待,对敢于说“不”的爽快感,以及对强人型首相的渴求。小泉内阁的目标是启动旨在重新焕发日本活力的计划。小泉高举改革旗帜,提出要重塑自民党形象,使日本获得新生。这一姿态无疑博得了绝大多数自民党人和日本国民的拥护。

恢复经济是小泉内阁的首要课题。坚决实行经济结构改革是小泉的口号之一。他说,没有结构改革就没有经济恢复。如果是必须进行的改革,即便引起经济负增长也在所不辞。

小泉首相 5 月 7 日在国会发表了就任后的首次施政演说,用大量篇幅阐述了内阁的经济政策。其新经济政策主要由 3 个部分组成:第一,要在二三年内处理完不良债权;第二,要建立适合 21 世纪的有竞争力的经济机制;第三,要实行财政结构改革,控制国债发行,减少财政支出。其中,财政结构改革是小泉经济政策的重中之重。

在参议院选举中,许多选民对小泉政府大胆执行改革的总体方向表示了同情和支持。但选举过后,民众的支持一直在下降。这是因为,人们在理论上理解不进行根本改革和无庇护所改革，日本的体制就不会恢复活力，但是，当他们必须承受痛苦时，就会改变态度并反对具体做法。人们对桥本政府的六项改革曾给予极大支持，包括金融改革，但是他们也反对其具体做法，并最终把桥本赶下了台。

小泉上台后，日本社会突然刮起一股“小泉热”。多次舆论调查表明，其内阁的支持率持续高达80%以上，为日本战后政坛上少见。其实，小泉内阁与森内阁都是以自民党为主体的联合内阁，其政策也并无实质性的突变。然而，“小泉现象”所体现的，可以说是日本国民对处在转型期的日本社会必须进行大改革的一种期待。处于变动期的日本，改革成为最大课题。一度陶醉于经济成功且信心十足的日本，自1990年代初泡沫经济崩溃后，政治失去信赖，经济长期低迷，社会充满“闭塞感”。官民协调、官僚主导等原来对稳定社会起过积极作用的体制，明显不适应变化了的社会。长期沿袭下来的政、官、财三者结盟的“利益与权力复合体”，越来越为人们所厌倦。近10年来，历届政府虽高喊改革但实效不大，日本国民对经济的停滞十分厌烦，强烈希望变革，要求对现有政治模式说“不”的政治家上台。

小泉正是适应了这种气氛，以“改革者”的姿态登上舞台的。在自民党总裁选举中，小泉高喊“改革无禁区”，提出了消除派系、健全财政、实现特殊法人和邮政事业民营化等口号，一举夺得总裁职位。当选后的小泉打出“新世纪维新”的口号，把新内阁定位为“坚决改革的内阁”，宣布退出派系，不按传统的政治力学组阁，大胆起用新人。小泉内阁强调重视与国民对话、在全国各地举办“地方会议”、办网上杂志等，这种姿态颇得共鸣。

更深一层看，日本现有政党衰败不振，选民中无党派阶层扩大，“大众迎合主义”风潮兴起。选民所选择的，不是政党而往往是有个性、富魅力的个人，政治家主张的政策又常以取悦选民为重点。选民期待许诺对自民党和日本政治进行“大手术”的小泉，能“打破自民党传统的权力结构”，向旧官僚体制开刀。小泉迎合了国民的这种心态，因而博得好评。

总之,"小泉旋风"之所以能席卷东瀛不是偶然的。它是世纪之交日本政治、经济转型过程中的一种畸变,是"地层"深处由于各个板块挤压、冲撞而积聚多时的能量大施放。但也有人指出,日本国民对小泉内阁的热度主要是期待进行国内改革,并非无条件支持其所有政策。

2001 年 7 月 12 日,日本参议院选举正式拉开帷幕,这是小泉内阁执政以来日本第一次全国选举。在选举期间的竞选演说和电视演讲中,小泉一再表示:"我将挑战自民党。我将挑战日本。我相信大多数自民党员最终将支持小泉的改革。但是,如果自民党内的反对者要聚集力量反对我,我作为党总裁将采取行动瓦解这个党。"①毫无疑问,小泉的一些极端言辞也吸引了来自反自民党选民的选票。但无论如何,小泉是唯一一位在全国性竞选中对自己政党发出如此极端言词的自民党总裁和首相。也许是因为这种"小泉效应"的缘故,自民党在比例代表制选区这一政党竞争主要领域中赢得了 2 100 万张选票,比上次大选的 1 400 万张增加了 50%。

因此,小泉领导的自民党在 7 月 29 日举行的参议院选举中获得了压倒性胜利,在改选的 121 个议席中,自民党占 65 席(改选前 61 席),9 年来首次突破改选的半数。执政的自民、公明和保守三党联盟共获得 79 席,加上未改选的 60 席,执政联盟的总席数达 139 席,超过简单多数所需的 124 席,保住了在参议院的优势。在野党中的民主党占 26 席,共产党占 5 席,社民党占 3 席,自由党占 6 席,无党派人士占 2 席。

表 6.2　自民党内部各派系在参议院的权力分配(2001 年 8 月 1 日)

	选举前	选举后
桥本派	40	42
森派	20	15
江藤龟井派	19	18

①《日本了望》(中文版),2001 年 11 月,第 7 卷第 80 期,第 3 页。

续表

	选举前	选举后
堀内派	9	9
山崎派	3	4
加藤派	3	3
旧河本派	1	1
河野派	0	0
独立人士	12	19
总计	107	111

自民党在这次参议院选举中获得双赢局面：一是迄今不投自民党票的人投了自民党的票，这是因为对改革寄予期待；二是过去投自民党票的人也投了自民党的票，其原因则是既得利益者希望保住既得利益。由于自民党的这次获胜，自民党内的最大派阀桥本派鉴于小泉得到的空前支持率，在选举结束后表示支持小泉首相的改革，并决定在9月举行的自民党总裁选举中，桥本派将不拥立本派的候选人。在8月10日提前举行的自民党两院大会上，小泉再次被正式推选为自民党总裁，两年任期到2003年9月底为止。

由于取得了一次重大的选举胜利，小泉已经建立起稳定的政治基础，并使执政的联合政府在参众两院获得稳定多数。在这种情况下，小泉和他的政府开始推行围绕结构改革而制定的国内外政策。

新当选总裁的小泉纯一郎，于8月13日下午参拜了供奉着甲级战犯牌位的靖国神社。此举遭到日本国内的有识之士和亚洲邻国人民的强烈谴责，也受到欧美一些媒体和知名人士的强烈批评。

在小泉上台之后的几个月里，其受欢迎的程度似乎一直在滑落。根据《朝日新闻》在8月1日和2日进行的民意调查，在参议院选举后，小泉政府支持率为69%，比5月份创记录的84%和选举前7月份77%的支持率滑落了许多。但是，这仍在田中角荣内阁之上。小泉支持率下降主要是因为公众“担心他的结构改革”(52%)。对收入下降和经济与就业政策的担心也是原因之一。

10月8日,小泉首相首次访问中国。小泉此次在中国的行程只有6个小时,堪称"旋风之旅",但对于正处于低谷的中日关系来说,此行却颇为重要。

从8月下旬开始,日本就提出,希望小泉首相能够在10月21日的APEC非正式首脑会议之前访问中国和韩国,以修补受教科书事件以及参拜靖国神社而严重受损的日中和日韩关系。中国和韩国当时都没有答应。"9·11事件"发生后,各国间加强合作以打击恐怖主义成为国际社会新的浪潮。在这种情况下,中日两国加强相互理解和信任,对两国来说,都是一个不容回避的重大外交课题。同时,小泉政府要想在自卫队体制上有所突破,走出亚洲外交的困境,就不能不致力于改善与亚洲周边邻国、特别是与中国和韩国的关系。9月25日,小泉首相在日本国会开幕时发表施政演说,再次明确提出希望在近期内访问中国和韩国,把改善日中和日韩关系视为近期内政府的重要外交目标。

小泉在短短的访华期间,前往卢沟桥抗日战争纪念馆参观,并发表讲话,表示"深刻感受到战争的悲惨","对在那场侵略中牺牲的中国人民深表道歉和哀悼"。小泉还表示,他决心在数年后,将日中关系发展成像日美关系那样的友好关系。在与江泽民主席的会谈中,小泉提出,日本高度重视发展同中国的关系,搞好日中关系不仅关系到两国人民的根本利益,对促进亚洲和整个世界的稳定和发展也是一个重要因素。

2002年新年伊始,小泉首相会见记者时强调最多的仍是"没有改革就没有经济增长"。小泉在元旦致辞时,除了表示坚决实施经济改革外,还表示将推进政治、外交和行政等方面的改革。

在医疗制度改革方面,小泉内阁决定增加患者负担的医疗费用。在政府出资成立的特殊法人团体方面,日本决定对163家团体中的17家作废除处理,45家实施民营化,政府不再出资。在政府财政方面,财务省2001年12月提出的预算方案中将一般支出减少2.3%,对公共事业投资减少了10%。政府计划用10年时间逐步实现财政收支平衡。

金融改革是日本经济改革的中心内容。据统计，日本银行系统 2000 年 9 月的不良债权净额为 29.16 万亿日元，在这之后虽然冲销了 6.5 万亿日元，但到了 2001 年 9 月，不良债权净额反而增加到了 32.5 万亿日元，其原因是在一年中又新产生了 8 万多亿日元的不良债权。有关机构估计日本金融机构的不良债权实际远不止这个数字。预计对不良债权的处理将导致近百万人失业。因此小泉内阁既要克服重重阻力监督金融机构加快处理不良债权，又不得不投入巨资解决失业人员的就业问题。

2002 年 1 月 30 日，小泉首相突然宣布：免去外相田中真纪子和外务次官野上义二的职务。小泉解释说，他自己能当上首相，田中真纪子功不可没，田中被解职将对他领导的政府产生影响，但事到如今也是迫不得已，因为由于政府内部的问题导致国会审议的纠纷使他感到必须担起责任。为了尽早摆脱政府内部争斗的局面，使 2001 年度追加预算和 2002 年度预算的审议正常化，他不得不做出这一令其感到苦涩的抉择。

小泉首相为何要解除田中真纪子的外相职务？

事情的起因是 1 月 21 日日本召开的援助阿富汗重建国际会议。日本外务省以“资格不足”为由突然临时拒绝日本的两个非政府组织(NGO)参加。此事立即引起众怒，在外相田中真纪子的干预下，这两个非政府组织才得以参加了第二天的会议。然而，日本在野党揪住这个问题不放，以至于国会审议追加预算案也被迫推迟。

外务省为何拒绝两个非政府组织参加会议？据说是由于一个有影响的非政府组织领导人曾批评日本外务委员铃木宗男不懂阿富汗外交，而铃木宗男则向外务省施加压力，于是外务省官员临时决定拒绝让两个组织参加会议。在野党借此在国会上发难，表示要追究外相田中和铃木宗男的责任。就在关键的时候，外务次官野上义二会见记者时指责田中撒谎，而且攻击她本来就有撒谎的习惯。

面对在野党的逼问和外务省自家人的攻击，田中当众泪洒国会。她说，拒绝两个 NGO 组织参加会议的事与她无关，全是外务省官员们在众议院事务委员长铃木宗男施压后才做出的行动。铃木曾经是外务省政务次官，又担任过自民党外交委员长，自认是外务省的大老，自民党外交政策权威、日俄领土纷争（"北方四岛"）问题的专家。他执掌自民党外交委员会期间，屡次阻止田中外相出国公干，包括出席联合国大会、亚太经合论坛会议、八大工业国外长会议，这是田中从政以来最大的屈辱，也是日本外交史上的笑柄。然而，自民党国会事务委员长大岛理森却以手头没有外务省官员报告铃木宗男曾施压的记录为由，要求田中收回在国会中针对铃木的发言。

1月28日，在野党再次要求就NGO问题进行答辩。在答辩会上，外务省中东非洲局长重家俊范否认铃木宗男说过不让NGO参加会议的话，后来又改口说，他没有提到过铃木宗男，不过记不清，不能断定没有。重家俊范的出尔反尔导致国会多次中断。外务次官野上义二被招来问话。他还是坚持田中说的不是事实。最后政府发表声明，NGO问题没有某个政治家施加压力，但政府将继续调查。

这一结果仍让在野党不满意，他们在国会上以2001年追加预算和2 002财年预算作为要挟，结果小泉首相只好屈服了。

外务省官员为何与田中闹对立，这是因为，田中上任伊始就大刀阔斧地改革外务省这个庞大的官僚机构。她的改革，特别是人事改革不可避免地遇到了强大的阻力，直到田中与外务省官员之间直接冲突愈演愈烈。田中真纪子就任外相后，一直与人事课长斋木昭隆意见不和。在皇宫秋季游园会前，斋木昭隆没有将外务省官员参加秋季游园会的名单让田中外相过目，这件事让田中很没面子，因此要对斋木做出处理。10月29日傍晚，田中外相来到人事课办公室，命令在场的女职员制作关于斋木昭隆的人事变动通知，而女职员以该工作"不属权限以内，不能打字"为由公然对外相的命令进行抵制。田中不得已，于10月30日自己制作了一份通知。收到通知后，外务省几个事务次官直奔首相官邸，向官房长官福田康夫等汇报，并商榷对策，最后决定田中外务大臣的任免命令作废。日本政府首脑也于当天直接向斋木昭隆课长表示"不会撤换你的职务”,还强调,外相撤换你的要求没有正当理由。这一事件导致田中与外务省官员的对立更加尖锐。

2001年11月30日,田中对那些涉及虚报费用、滥用公款的外务省官员大开杀戒。外务省的328名官员受到各种处分,其中2人被开除,3人停职,4人减薪。这一下子就让外务省的更多官员站到了田中的对立面上。

田中的所作所为不但招致外务省内部树起众多敌手,还惹恼了其他政坛人物。

田中曾为扫除日本政坛的腐败和任人唯亲现象而奋力奔走。她曾狠批自民党多年来事事以照顾既得利益集团为先的派阀政治,认为从政者应有独立思维,“但现在议员们却不是这么做。派阀领袖说要‘朝右’,他们就得全体向右,这实在令人无法置信”。她还骂过国会同僚是“不可救药的白痴!”

田中的言行自然为日本政坛所不容,所以,田中的权力屡屡被剥夺,2001年10月和11月两个月内,有4次应由外相参加的国际会议均未出席,这显然意味着田中离“下岗”日子不远了。

外相田中真纪子被解职后,日本政府希望前联合国难民署高级专员绪方贞子出任外相。绪方贞子有较高的国际威望和国内形象,小泉首相只要能延揽到绪方入阁,可以以“国际级”外交人才出任第二任女外相为契机再次掀起一股“小泉旋风”,提高小泉内阁的支持率。但绪方贞子婉言谢绝了邀请。有媒体认为,绪方此举显示出她对小泉政权所推行的改革缺乏信任。日本知名的国际政治学者猪口邦子认为,绪方“会承担所有有价值的任务,但她不想被当作是一个标志或者是一个傀儡,因为她毕生都在为提高女性的地位而奋斗,她不会帮助那些试图为了他们的政治目的而想利用她的人”。

对小泉革职田中的“快举”,日本政治评论家断定他会因此失去民间支持率。果然不出所料,据一些媒体调查,其支持率一下子跌过一半,从原来的78%跌到38%。

在绪方婉拒的情况下，小泉于 2 月 1 日宣布任命环境大臣川口顺子为新外相。川口顺子毕业于东京大学教养学部国际关系专业，并获美国耶鲁大学经济学硕士学位，在处理防止全球气候变暖的《京都议定书》问题上有出色表现。

川口出任外相后，在外交活动中得到了各方面的首肯。在国会答辩中，川口承诺她将继续把外务省的改革置于最优先考虑的地位。

日本外相更迭一事耐人寻味。其中有改革派和保守派的斗争，有执政党和在野党之争，有自民党内部激烈的派系攻伐和日本派阀政治的传统，有职业官僚和经选举产生的政治家之间的矛盾，另外还折射出当今日本社会中男女地位的变化。从日本外相更迭中可以领略到小泉政权所面临的困境以及日本政治文化本身所具有的复杂性。

铃木宗男导致田中下台闹得满城风雨后，又在上个月和田中的国会对质中暴露了他滥用职权把对外经济援助资金化为己有的丑闻。对此，反对党抓住不放，要求他以证人身分接受国会质问，以便做更深入的追究。

与此同时，桥本派中的年轻议员，也开始出现不顾派系束缚，倒向拥护小泉纯一郎的举动。在自民党新一代议员的一次聚会上，桥本派年轻议员樱田义孝曾说："桥本派中各式各样的人都有。我虽然属于桥本派，但是我却是在国会中支持小泉的年轻议员。"

3 月 13 日，日俄两国在莫斯科举行关于领土问题的第一次副部长级谈判。日本对俄领土谈判的基本方针是 1993 年叶利钦总统访日时签定的《东京宣言》，宣言规定两国关于四岛领土归属问题的谈判原则是"在法律与正义的原则下解决，在此基础上争取尽早签订和平条约，实现两国关系的完全正常化"。但是后来不知何故，日本提出了对俄领土谈判的两步走战略，即俄罗斯先归还前苏联 1956 年承诺归还的距日本较近的齿舞、色丹两个小岛，余下的国后、择捉两岛的归属问题另行协商。2000 年秋天此方案出台，2001 年春天日本还派出外务省欧洲局长到莫斯科与俄外交部敲定了正式协议，2002 年 2 月，日俄外长会谈中再次确认这一谈判方式。此方案当时在日本在野党及外务省内部就引起争议，大部分人担心俄罗斯归还两岛后会宣布结束谈判，使日本得小失大，因为齿舞、色丹两岛是四岛中最小的，只占总面积的7%。

国会调查显示，两岛先行归还论的背后是铃木宗男强大的政治压力的结果。铃木多次提出"以四岛归还论问题永远解决不了"，在铃木的压力下，当时的外务省欧洲局长等人接受了两步走方案。铃木不仅先后陪同桥本、森喜朗首相访问俄罗斯，以内阁大臣身分抢先访问北方四岛，而且，多次作为首相特使携首相亲笔信赴俄交涉领土问题。当时许多人认为铃木急于出政绩，才提出两岛先行归还论。

铃木宗男隶属于在参众两院拥有多达103名议员的桥本派，是桥本龙太郎的得意门生，被认为是桥本派内有能力调动政治资金，可以为派系做出贡献的第二代接班人。

2002年3月4日，日本外务省公布了对众议院议员铃木宗男系列丑闻案所做的调查报告。报告表明，铃木宗男确实与一系列外务省的招投标工程丑闻有关。此外，铃木还经常向外务省施加压力，干扰外务省的正常工作。但报告并没有涉及日本民众最关心的问题，那就是铃木到底与前外相田中真纪子被解职事件有何关系。

铃木宗男1948年出生在北海道，大学就读于拓殖大学政治经济学部，毕业后任议员中川一郎的秘书。1983年，他自立门户，竞选众议员成功，此后在政府内担任过防卫政务次官、外务次官、内阁官房副长官等职，在自民党内担任过国会对策副委员长、冲绳北方四岛问题特别委员会理事、总务局长、自民党众议院运营委员长等职。由于铃木宗男主持过外务省工作，所以对前外相田中真纪子很不以为然。

自从田中被撤换后，日本国内舆论大多支持田中，要求政府澄清事件真相。而小泉内阁却迟迟拿不出一个对该事件有理有据的说明，内阁支持率因此大幅下降了近30个百分点。此后，日本舆论又不断爆出铃木在日俄"友好之家"建设问题、地方栈桥整修事业投标等问题上的丑闻，各在野党也联合要求小泉内阁查明铃木系列丑闻，并将传讯铃木作为通过国会下一年度财政预算案的先决条件。

在多方的压力下，外务省经过为期10天的调查后公布：铃木自1997年9月就任北海道、冲绳开发厅长官以来，在北方四岛之一的国后岛建设日俄“友好之家”及当地栈桥整修等工程上，多次向外务省施加压力，要求有关部门在招标中照顾当地公司。此外，铃木在“希望号”船舶建造工程、北方四岛发电设备扩容、对支援四岛的燃料是否征收消费税以及1999年援助肯尼亚建设水电站等问题上，也有一系列疑点。

外务省的这一调查报告公开后，立即遭到了在野各党的强烈批评。各在野党纷纷指出该报告缺乏实质内容，同时强烈要求传唤铃木到国会接受质询。日本众议院预算委员会决定，他们将要求铃木于3月11日到国会接受质询。但在围绕先调查铃木丑闻还是先通过国会预算案的问题上，日本执政三党与在野党之间目前仍然没有达成一致意见。执政三党希望5日对铃木丑闻报告进行审议，6日使预算案在众议院首先获得通过，但在野党方面却坚持认为，查清铃木丑闻案是使预算案获得通过的必要条件。

3月11日，小泉首相与外务省外务事务次官竹内行夫举行会谈。小泉指示：“要积极推进外务省改革，商讨包括新的人事安排在内的外交一体化体制。”自民党唯恐铃木涉及的问题继续被反对党追究下去会影响政权，所以要求铃木宗男退党。其他两个执政党自由党和公明党也先后向自民党提出要求：“铃木有必要承担有关的政治责任。”

日本各在野党在国会紧咬铃木不放，陆续亮出了各种有关丑闻的证据，强逼铃木招供。他们认为铃木有非常大的做假口供的嫌疑，因此要求继续在国会中“审问”铃木。6月19日，铃木宗男因受贿罪嫌疑被东京地方检察院逮捕。

一波未平，一波又起。62岁的自民党前干事长加藤纮一的秘书、加藤事务所负责人佐藤三郎因涉嫌逃避个人所得税，于2002年3月被逮捕，随后被东京地方法院以违反所得税法罪名起诉。加藤为此承担责任于3月18日退出了自民党。

随着调查的深入，加藤涉嫌挪用政治资金的疑点越来越多。首先，加藤个人资产在7年内增加了2.4亿日元，年均增长3 500万日元，大大超过了他作为国会议员的年收入——2 000万日元。调查还发现，从1998年开始至今，加藤的政治资金团体“社会计划研究会”每月向加藤的私人账户汇入1.5亿多日元，这笔费用主要用于支付加藤自家的房租和生活费用。

加藤的家位于东京南青山的高级住宅区，属于价格昂贵的一等地段。加藤在同一栋公寓中租用了3套房子，每月房租就达120万日元。对于用政治资金支付房租这一问题，加藤发表声明说那里不仅是住宅，也作为事务所使用，是他政治活动的“大本营”。但实际上加藤平常都在国会附近的另一事务所办公，很少在南青山公寓举行政治活动。

加藤涉嫌挪用政治资金的丑闻传开后，在野党和国民纷纷要求他辞去议员职务。4月8日，他在出席国会质询后正式提出辞去议员职务。

接着，日本社民党的“反贪斗士”辻元清美挪用公款事件曝光。辻元清美曾是在野党的一面旗手，她多次充当揭露执政党丑闻的急先锋。辻元虽然从政时间不长，但她凭借自己的实力，得到社民党党首土井多贺子的重用，2000年被提升为该党的政审会长。然而，正当这位政治新星站在国会讲台上毫无情面地追究铃木各种问题的时候，丑闻已悄悄向她走来。《周刊新潮》杂志3月20日揭露，辻元在没有捐赠记载的情况下将国家发给政策秘书的高额工资用于事务所的经费。

据调查，辻元在1997年4月至1998年12月期间将原参议员照屋宽德的私人秘书登记成她的政策秘书，并把国家存入该政策秘书账户的大部分资金随后转入另一账户，主要用于一事务所的日常开支。日本的《政治资金修改法》规定，超过5万日元的献金必须登记，而辻元的政治资金报告中并没有记载这笔钱是秘书捐赠的，因此她涉嫌违反《政治资金修改法》而受到猛烈的攻击。这位41岁的女议员在该党东京总部举行的记者会上承认：“如果我不能面对自己的错误，不能承担自己的责任，那将加深政治上的猜疑。”随后向众议院议长递交辞呈。

社民党起初否认有关指控，但后来承认辻元清美的办公室将这笔钱的大部分用于一项“工作分摊”计划，补充其匮乏的竞选基金，因为她无法像自民党议员那样得到企业的捐款。

2002年4月19日,74岁的参议院议长井上裕,又由于自己的政策秘书涉嫌收受贿赂问题在国会中引起一片混乱,表示辞去议长之职。国会议长牵扯进黑金丑闻并导致辞职的事件在日本还非常少见,之前因相同问题辞职的只有1966年的众议院议长山口喜久一郎1人。国会接受了议长井上裕的辞职,并任命前自治大臣仓田宽之担任参议院议长一职。

由于日本经济改革受挫和政治丑闻不断,小泉政府的支持率不断下降。据《朝日新闻》社进行的舆论调查,小泉内阁的支持率已经下降到40%,而不支持率上升为44%,支持率首次低于不支持率。为挽回影响,小泉明确表示要修改《政治资金法》,强化对献金制度和政治资金用途的限制。

7月30日,日本民主党、自由党、共产党和社民党等在野四党在众议院提出对小泉内阁的不信任案动议。但联合执政三党利用在众议院的多数席位,否决了该四党联合提出的内阁不信任案。

9月30日,小泉首相对内阁进行了改组,以继续全力推进改革,争取经济早日恢复。改组后的小泉内阁共有18名阁僚,除小泉首相外,原内阁的11名阁僚留任,新阁僚6人。并与执政的公明党代表神崎武法、保守党党首野田毅、自民党干事长山崎拓等就内阁改组的人事安排进行协商,决定继续组成联合内阁。

在野党方面,12月3日,日本最大在野党民主党党首鸠山由纪夫在党内干部会上表示辞去党首职务。在12月10日召开的民主党两院议员总会上,经过183名国会议员(众议院124人、参议院59人)无记名投票选举,前干事长菅直人以104票的绝对优势当选为新一任民主党党首,接替鸠山由纪夫的党代表一职。

与此同时,日本民主党的前副代表熊谷弘于12月16日对外表示,将提出退党申请,并以年内组成"保守新党"为目标,准备与保守党就合流问题进入正式协商阶段。12月17日,日本执政党之一的保守党党首野田毅、干事长二阶俊博等众院议员召开会议,就7名众院议员一起参加"保守新党”事宜进行了确认。民主党的 5 名参议院议员也准备加入保守新党。

关于一部分民主党议员和保守党组建新党的构想，12 月 23 日最终得出结论：保守党党首野田毅等 3 人不参加新党，而是以 9 名议员分裂出去的方式与熊谷弘等 4 名来自民主党的议员组建新党，新党党名暂定为“保守新党”，25 日举行了成立大会。新党由 9 名保守党议员和退出民主党的 5 名议员组成，总计 14 人，比原来的保守党（12 人）多出 2 人。在新成立的保守新党中，原日本首相海部俊树被选举为最高顾问，熊谷弘被选为党代表，二阶俊博被选为干事长，并审议制定了包括以尽快修改宪法为目标的党纲。该党宣布将争取使日本成为联合国安理会常任理事国，将防卫厅升格为“省”，尽快建立有事法制和制定新宪法为其基本政策。

另外，没有加入保守新党的原保守党党首野田毅等 3 人，于 12 月 25 日在自民党本部与干事长山崎拓举行了会谈，并递交了加入自民党的入党申请书。

“保守新党”成立后，保守党随之解散，前后历时 2 年零 8 个月。保守党成立于 2000 年 4 月，当时为了反对自由党党首小泽一郎的脱离“自民党、自由党、公明党的 3 党联合政权”的主张，由 26 名自由党议员组建而成。保守党替代了离开联合政权的自由党，组成了如今的“自、公、保”3 党联合政权。

12 月 26 日，小泉首相、公明党代表神崎武法、保守新党代表熊谷弘在国会内举行了执政 3 党党首会谈，并在共组联合政权的共识文件上署名，新的“自、公、保”联合政权从此起步。

三　政权更替与强势的安倍时代

（一）频繁的政权更替

小泉纯一郎内阁（2001. 4. 26—2006. 9. 26）历时 5 年零 5 个月，其任期超过了 1980 年代的中曾根内阁（1982. 11. 27—1987. 11. 06），是战后

日本任期最长的政权之一。

但是,小泉内阁下台之后,日本政局又出现频繁更迭的局面,甚至出现政党之间的政权更替。

小泉之后的安倍第一次内阁(2006.9.26—2007.9.26),仅维持1年就以健康理由辞职。福田纠夫长子福田康夫以高票击败对手麻生太郎当选自民党总裁,随后在国会两院会议上当选为首相,与其父福田赳夫同是以71岁的高龄登上首相之位,同时也是首位“子承父业”的首相。

但是,曾被外界认为对自民党具有稳定、放心作用的福田内阁(2007.9.26—2008.9.24)并未得到国民的青睐,据日本主要媒体共同社2008年5月3日的民调显示,福田政权的支持率为19.8%,不支持率高达66.6%;每日新闻的调查则显示福田内阁支持率为18%,不支持率达61%,均创下福田执政以来的低点,在野党也一致要求众议院提前改选。如此低的支持率势必影响自民党政权的存续,意味着自民党在众院选举将面临极为严峻的考验。

执政的自民党与民主党长期对立,众议院由自民党控制,参议院由民主党控制,参议院曾拒绝多个由众议院通过的重要法案,使国会几乎陷入停滞分裂境地,加之福田内阁支持率长期低迷。2008年9月1日,福田康夫突然宣布辞去自民党总裁与首相职务。麻生太郎与其他四位候选人角逐自民党总裁,麻生高票当选,随后在议员大会中被指名出任日本第92任首相,麻生内阁(2008.9.24—2009.9.16)成立。

福田内阁匆匆下台的原因之一是,福田本人尚缺乏担当首相的准备。在日本,政治家要构建一个稳定长期政权,关键因素之一是,必须在各方面经历一个长期积累的过程。例如,小泉纯一郎1995年开始竞选自民党总裁,到2001年第三次竞选才如愿以偿。这期间他要在竞选期间不断调整政策主张,扩大其影响力。中曾根康弘和竹下登等人也是经过长期准备之后才登上总裁和首相宝座的。而且,凡是经过长期磨炼而上台的自民党总裁和首相,即使下台之后,其政策还能继续对下届内阁产生影响。[①] 与之相反，如果准备不足，即使当上首相也是治国无术，下台后更谈不上有什么影响力。前首相宇野宗佑、海部俊树和细川护熙等人即是典型例子。总之，在日本，要想当一个稍有作为的首相，没有两三年的准备期是不行的。

麻生太郎出身名门，母系祖辈中高官辈出，父系则是著名财阀，并与皇室联姻。实业家出身的麻生 1979 年步入政坛当选众议员，并逐渐成长为自民党内的实力人物，历任经济企划厅长官、经济财政政策担当大臣、总务大臣、外务大臣、自民党政务调查会长、自民党干事长等党政要职。但是，作为政治家的麻生有两个特点：一是说话风趣，二是口无遮拦，容易说错话。所以外号“大嘴巴”，以“失言”著称。

论功行赏是日本新首相组阁时的通行做法，麻生内阁也不例外。麻生连续 4 次参加自民党总裁竞选，终尝胜果，必定要回报那些坚定支持自己的盟友。麻生内阁总务大臣鸠山邦夫、国土交通大臣中山成彬、行政改革担当大臣甘利明等当属此类。另外，麻生派在自民党中是少数派，必然依赖其他派系的支持才能维持政权基础。因此，在内阁和党内领导层人事安排中，也不得不考虑派系平衡。内阁中有近半数以上的阁员曾在福田康夫内阁中任职。麻生伊始，在很大程度上继承了福田时代的“举党”体制，让自民党内几乎所有派系都有人任职。

麻生的上述人事安排主要是为了加强自民党内部团结和在国民中聚集人气，为赢得众议院大选创造条件。日本上次众议院选举是在 2005 年 9 月，任期为 4 年的众议院到 2009 年 9 月必须举行大选，麻生必须在不到一年中选择对自民党最有利的时机解散众议院。实际上，早在竞选自民党总裁时，麻生就已开始为大选做准备。他在竞选中提出的“经济对策优先”、暂缓增收消费税等一系列主张也被认为是瞄准大选而讨好选民的措施。当选总裁后他又强调，必须在大选中与民主党坚决战斗，只有战胜民主党才是完成了自己的“天命”。

---

① 武田一显：《政权交代》，河出书房新社 2010 年版，第 20 页。

长期执政的自民党虽然使日本在战后从一个战败国发展成为世界上仅次于美国的经济大国，但“一党独大”体制也给日本造成了严重的政治弊端。对此，民主党代表小泽一郎声称与官僚结合的自民党没有进行改革的能力，应该给民主党一次掌握政权的机会。不少选民似乎也对长期执政的自民党产生了“审美疲劳”。舆论调查显示，麻生内阁开局虽然支持率不低，在44.6%到51.1%之间，但是麻生内阁终究未能扭转自民党的弱势局面，在2009年的众议院选举中，大败于在野的民主党，使自民党继1993—1994年之后再度失去执政地位。民主党党首鸠山由纪夫取代麻生出任日本内阁首相。

2009年9月日本第45届众议院选举，再次结束了自民党掌权的局面，实现“万众期待”的变革，即民主党上台。此前的一系列民调显示，民主党的支持率远远高于自民党，这意味着此次轮替已成定局。选前，民主党代表鸠山由纪夫成为日本下任首相几乎毫无悬念。

其实，自民党在大选中失利已历经三次：1976年、1983年和1993年。其中1993年的失利导致执政大权旁落。不过在前三次失利中，自民党仍是各政党中拥有议席最多的政党。但这次大选，自民党不仅因议席不过半而丧失执政地位，而且丧失了议席数上的老大地位，从而由执政党沦为在野少数党。

如果说1993年自民党大选失利，并于此后丧失执政地位3年标志着日本“一党独大体制(1955体制)”的崩解，那么这次大选民主党最终能一党过半甚至超过2/3的大胜，可以说是日本民主党前所未有的胜利，实现了历史性政党轮替。

此次日本选民的热情投票，正是人心思变的集中体现，也是这次大选带来的另一变化。此前5次常规大选，日本选民的投票率均在50%到60%之间。2005年以小泉纯一郎以邮政民营化为主题的临时选举，因其“剧场政治”效应发酵，投票率曾上升至67.5%。而民调显示，此次选民投票率达到69.52%。

日本民众之所以选择民主党执政，是因为人们早已对自民党政权的失望。对自民党长期执政的弊端，可以归纳为一下几点：一是长期执政导致的腐败丑闻引起国民的强烈不满，官商相互勾结，贪赃敛财的腐败丑闻屡屡曝光，加之国会议员世袭严重，“太子党”长期把持底盘，养尊处优。国民期待日本政坛出现新的气象；二是自民党利益集团长期忽略民生问题，导致日本国民怨声载道。即使在经济危机面前，自民党政权推出的经济政策，仍然仅是着眼于为企业输血、松绑，民众对此很有意见。而民主党在这次选举中一直抓住“民生”议题不放。例如，提出要给有孩子家庭发放育儿补贴，以及给农户发补贴，取消高速公路通行费及废除退休官僚体制等一系列改革措施，很顺乎民意，深得民众拥戴，不管这些承诺能不能实现，但至少给人以希望，所以民众热情高涨，踊跃投票，希望民主党获胜；三是自民党长期执政导致“老人”政治，日本政坛的老朽化问题严重，使日本政坛失去活力。所以，这次政权更替，“并非是日本民主党干得好，而是由于自民党干得太烂所致，是自民党失政的结果”。

从表面上看，此次大选的确给长期近乎铁板一块的日本政坛带来了诸多变化，但值得注意的是，这些巨变背后仍有诸多不难发现的“不变”：第一个也是最重要的“不变”，是高呼“变革”的民主党其实是和自民党一样的保守政党，甚至可以说是一个改头换面的自民党，其党首鸠山由纪夫、背后“教父”小泽一郎等高层均是自民党出身；另外的“不变”则集中体现在政策上，民主党在内外政策上与自民党有太多相似，只能“萧规曹随”。

鸠山由纪夫 1986 年以自民党身份首次当选众议院议员。1993 年因为政治改革理念不同而跟随小泽一郎脱离自民党，先后加入新党先驱、旧民主党，并在细川内阁中担任过内阁官房副长官。

1998 年菅直人创建新民主党，其后鸠山由纪夫两次担任民主党代表（党首）。2009 年 8 月 30 日，作为民主党首脑，鸠山带领民主党在众议院选举中取得压倒性胜利，再次终结了自民党的执政地位；2009 年 9 月 16 日，他出任第 93 任日本首相，鸠山内阁（2009. 9. 16—2010. 6. 2）成立。鸠山成为第一位民主党籍首相，同时也是自 1996 年以来首位非自民党首相。

2010年6月2日，因冲绳美军普天间基地搬迁问题处理不当，加上内政的失误，鸠山被迫辞职，由菅直人组成新内阁(2010.6.8—2011.9.2)。鸠山由纪夫在任仅8个多月，成为战后日本任期最短的首相之一。

菅直人出生于山口县宇部市，东京工业大学应用物理系毕业，曾发明麻将记点计算机并取得其专利权。在大学期间菅直人参加学生运动与校方斗争和反对《日美安保条约》，并受中国"文革"影响，组织极左翼学生成立"全学改革推进会议"，后来担任首相后也被自民党和媒体称为左翼政权、左党首相、老左派。

菅直人在1980年当选日本众议院议员，1994年1月，菅直人加入新党先驱，1996年任桥本龙太郎内阁厚生劳动大臣。由于厚生省刻意隐瞒含有艾滋病毒血液制剂的问题，菅直人出任厚生大臣后立即彻查事件的来龙去脉，其后公开厚生省隐瞒的报告及有关资料，并在有关受难者遗像前下跪致歉，此事震惊全日本，菅直人的平民作风受到广泛好评而有"草官打真官""官僚杀手"之称。

1996年9月，菅直人与鸠山由纪夫合作组成民主党并出任该党代表(党首)，并就任该党政策调查会长。1998年4月，与民政党、新党友爱等合并组成新的民主党，菅直人继续出任该党代表；同年7月，自民党在参议院选举中惨败，在野党参议员推举菅直人为首相，但众议院通过小渊惠三为首相导致菅直人未能当选。后因与《周刊文春》女主播户野本优子的绯闻而辞去民主党代表一职。

2002年9月，菅直人出任民主党干事长，并于12月再度出任该党代表。2003年9月，日本自由党与民主党合并后，民主党在随后的众议院选举中夺取177个议席，成为第二大党。2004年5月，菅直人因被揭发未缴纳年金而第二次被迫辞去党首职务，此后淡出政坛。后来年金事务所发现是该所忘记记录菅直人缴纳年金，菅直人重返政坛，2005年连任众议员。

2009年9月，新民主党首次成为日本的执政党，菅直人出任副首相，并兼任经济财政政策大臣等多项职务。2010年6月2日，鸠山由纪夫因冲绳美军普天间基地搬迁事件而请辞民主党代表，菅直人当选为民主党代表及日本首相。2010年9月14日，菅直人成功击败前干事长小泽一郎，连任日本民主党代表和首相。2011年6月2日，由在野自民党所提出的内阁不信任案在众议院进行表决，结果293票反对、152票赞成，不信任案未通过，菅直人得以保住首相一职。2011年8月28日，菅直人宣布辞去民主党代表（党首）职务，并表示将在新代表选出后辞去首相一职。2011年9月2日，菅直人宣布内阁总辞职，日本国会随即通过指定民主党代表野田佳彦为日本首相，野田内阁（2011.9.2—2012.12.26）成立。菅直人结束其15个月的首相生涯，是从小泉纯一郎卸任以来第一位在任超过1年的首相。

野田佳彦7次当选众议院议员，曾任财务大臣、政府税制调查会会长、民主党国会对策委员会委员长，是民主党内的实力人物，也是日本战后最年轻的首相之一。

野田毕业于早稻田大学的政治经济学部，早年想成为一名新闻工作者。在学时加入过河野洋平领导的新自由俱乐部，1992年参加日本新党，1993年首次参选国会众议员即当选。日本新党解散后，加入新进党。1996年角逐连任众议员落败。2000年成为民主党推举的候选人再次竞逐众议院议员，顺利当选。2011年当选民主党常任干事会代表，并成为首相。

野田内阁的最大看点是强调日美同盟和日本自卫队的集体自卫权，主张制定《安全保障基本法》《紧急事态法》。在中日关系和钓鱼岛问题上，2012年以来，东京都知事石原慎太郎不断声称钓鱼岛是日本领土，并表示要筹款“买岛”。对石原的这一行为，野田内阁没有采取积极手段解决，反而主张将钓鱼岛实施国有化，向国会提交议案要求将钓鱼岛确认为日本固有领土。野田内阁这一由政府出面“购岛”的决定，使中日关系降至低谷。

野田内阁在2012年一年内，相继进行了3次改组。然而，多次改组并未解决野田内阁支持率低的问题。2012 年 11 月，内阁支持率下降到 17.7%，创下 2011 年 9 月上台以来的最低。在经历数月的支持率持续走低、在野党不断质询逼宫之后，野田内阁不得不解散众议院重新选举，并于 2012 年 12 月 26 日的临时内阁会议上辞职。于是，以鸠山由纪夫、菅直人、野田佳彦为代表的历时 1 198 天的民主党政权划上句号。自民、公明两党又成为执政党。

(二) 政党博弈与民主党的蜕变

日本民主党是目前日本最大的在野党，1998 年 4 月由原日本民主党和民政党、友爱新党、民主改革联合 4 个在野党组成。当时，新民主党在国会参议院占有 38 个席位，在众议院占有 93 个席位，是日本政坛第一大在野党。在成立大会上，通过了新民主党的基本纲领，并正式确立了新的领导体制。大会正式选举菅直人为党代表，选举原首相羽田孜为干事长。

2009 年，民主党击败自民党取得执政地位，先后产生鸠山由纪夫、菅直人和野田佳彦等 3 位首相。但因经验不足，加上遭遇大地震，党内乱了阵脚。2012 年 12 月 17 日，该党在众院选战中败给自民党，重新成为在野党。2014 年年底，首相安倍晋三闪电发起众院选举，民主党再吃败仗、元气大伤，党首海江田万里引咎辞职。民主党此后一度群龙无首。

2012 年 12 月 25 日，日本前经济产业大臣海江田万里当选民主党新党首，任期到 2015 年 9 月，但 2014 年 12 月 15 日，海江田万里宣布辞职。2015 年 1 月 18 日，民主党在东京举行临时大会，选举冈田克也为民主党代表（党首）。

2015 年 9 月，日本执政联盟凭借多数议席在国会参议院全体会议上强行表决通过了安保相关法案，这意味着该法案已正式成为法律，政府可以行使集体自卫权。在该法案通过前后，日本民众在全国举行了大规模示威游行，高呼“法西斯不可容忍”“撤回安保法案”等口号。为了阻止《安保法》在本届国会通过，民主、维新、共产、社民、生活党等在野党展开合作，多次举行党首会谈等，但仍无法制约安倍所领导的自民党“一党独大”局面。

2016 年 1 月，针对安倍内阁通过的新《安保法》，民主党和维新党联合社民党、生活党等在野党决定共同提出废弃《安保法》的法案。2 月 19 日，民主党、维新党、共产党、社民党和生活党等 5 个主要在野党党首在国会会谈，一致同意在国会和未来的大选中开展合作，以废除新《安保法》，终结安倍政权。会谈后，5 个在野党联合向众议院提交旨在废除新《安保法》的法案。这 5 个在野党 23 日又举行党派负责人会谈，讨论如何集中力量反对《安保法》和修改宪法。

2016 年 2 月 26 日，民主党代表冈田克也与维新党代表松野赖久在国会举行会谈，正式确立两党在 2016 年 3 月合并的方针。同日将设立“新党协议会”来决定新党名和党标党纲等。并决定两党合并后将由冈田克也暂时担任新党党首，直到参议院选举结束后再重选党首。新党成立的目的是计划在 2016 年夏天举行的国会参议院选举中挑战首相安倍晋三领导的执政联盟，以期最终实现政权更替。

民主党提议新党名为“立宪民主党”，维新党提议为“民进党”。两党各自在 12 日、13 日两天实施了 2 000 份样本的民调。民主党方面的民调中，“民进党”名称有 24.0％支持，“立宪民主党”有 18.7％支持。在维新党方面，“民进党”为 25.9％，“立宪民主党”为 20.9％，最终，两党举行协商会议，决定使用“民进党”这一名称。

3 月 14 日决定新党名为“民进党”，3 月 26 日，日本民进党起用维新党前党首江田宪司担任代理党首，民主党代理党首长妻昭和莲舫也出任新党的代理党首。3 月 27 日，召开结党大会，正式合并为民进党。新成立的民进党在日本国会两院掌握 156 个议席，成为自日本现任首相安倍晋三 2012 年上台以来实力最强的在野党。

根据合并方案，维新党将在解散后并入民主党，民主党内部组织派别保留，但党名将被修改。为体现“新党集结”的意向，民主党议员将在退党之后再次入党。民主党还发布海报声称：“虽然不喜欢民主党，但想守护民主主义,……作为在野党,请给我们发挥作用的机会。”提出“打破一强”的口号。针对安倍政权提出的“实现一亿总活跃社会”的政策,民主党针锋相对地表示:“朝着重视独立人格的国家前进。抛弃个体的国家不会让1亿人幸福。”

两大在野党合并,经过两轮投票,原代理党首冈田克也当选新一任党首。冈田克也出生于三重县的一个商人世家,1976年毕业于东京大学法学部,随后便考入通商产业省。1985年,他被派往美国哈佛大学国际问题研究所做了一年的研究员,期间曾在肯尼迪政府管理学院学习行政学课程。

正是这一年的学习,改变了冈田的人生轨迹。一直从事行政的冈田开始对“政治”产生了兴趣,同时也感到了作为“官僚”发挥的空间有局限。1988年,冈田辞职,代表自民党参选众议员,从此开始“政治家”生涯。

在此后的政治生涯中,冈田曾经“出入”多个党派,最终成为民主党的“巨头”。1993年,因与所在的自民党主流派意见不一,冈田与羽田孜、小泽一郎等反主流派一起从自民党“打出门去”,辗转于多个新党中。1998年4月,冈田随“民政党”一起加入民主党,这也是他参加的第六个政党。

相比民主党,维新党是一个年轻的政党。2014年9月,由原日本维新会与连结党合并而成的维新党在东京宣布成立,成为继民主党之后日本第二大在野党。对这次民主党党魁选举,自民党也极为关注,作为党魁的安倍显然不希望看到民主党有强人带头,进而危及到自身的执政根基。所以在例行国会上,朝野政党围绕包括解禁集体自卫权的安保相关法案及《劳动者派遣法》修正案等展开了激烈论争,引发贫富不均的“安倍经济学”也是在野党攻击的目标。

2016年9月15日,村田莲舫经选举成为日本民进党党首,其任期至2019年9月。这是民进党及其前身民主党首次由女性当选党首。

日本朝日新闻社进行了一项全国民意调查。针对民主党、维新党这两大在野党组成新党，仅有31％的民众表示“期待”，57％的民众表示“不期待”。作家浅野敦子说：“这个名称似曾听过，没有新意，不明白到底想做什么。”但是，浅野认为“自民党一党独大”的状态持续不利于国会审议，并表示“希望两党以合并为契机，力求从国民视角出发的政治”。

政治评论家小林吉弥认为修宪将成为参院选举的争论点，称“立宪民主党应该比民进党更有表现力”。曾负责过多次命名的文案撰稿人岩永嘉弘称：“党名虽然顾及到了民主、维新两党的颜面，但是只给人加起来除以二的感觉，从此次命名中没有感觉到任何特色和哲理。

党首村田莲舫在当选后誓言“将民进党打造成能够让民众放心托付政权的政党”。日本媒体则指出，莲舫的当务之急是重振低迷的民进党，使之成为足以和自民党政权相抗衡的力量。

村田莲舫原名谢莲舫，48岁，父亲是中国台湾省人，母亲是日本人。她的中文流利，原是电视节目主持人。2004年，莲舫首次当选参议员，步入政坛。她是唯一一位有华裔背景的日本国会议员。在原民主党执政期间，她曾出任内阁府特命担当大臣，大力推动行政制度改革，一跃成名。在历史认识问题上，她承认侵略历史，呼吁日本社会加强历史教育。

民进党党首莲舫任命前首相野田佳彦担任干事长，启用曾任首相的人士担任党务要职干事长的做法实属罕见。不过，莲舫认为目前要在党内找出志同道合且堪当重任之人，非野田莫属。由于莲舫本人是参议员，要应对安倍政府，野田在众院发挥其公认的辩论能力也似人尽其才。

野田是莲舫所属党内派系的领导人。知情人认为，“野田是莲舫能吐露心声的为数不多的政治家之一。所以尽管党内有不少批评，仔细考虑之后还是非他莫属”。

据说民进党意为“与国民共同前进之党”，它继承并吸收了原民主党与维新党的立场和理念，代表普通民众立场，坚持立宪主义，致力于推动机构改革，追求建成自由、共生、面向未来的社会，在安保外交领域贯彻专守防卫政策。

合并后，民进党众议院议席数增至96个，参议院议席数增至60个，两院合计 156 个议席,成为 2012 年安倍上台以来实力最强的在野党。

民主党与维新党的合并表明,反对安倍政权的在野党正在加强合作。在野党的合作态势在执政联盟内部引发一定危机感。日媒援引公明党内部人士的话称,执政联盟下一步将利用各在野党之间的政策差异对其进行分化牵制。

但是,民进党能否扭转自民党"一党独大"的局面不容乐观。民进党掌握 156 个国会议席,而自民党和公明党掌握 461 席,两者相距甚远。此外,民进党自身也存在一些问题。

首先,新党支持率难有大幅增长。日本时事社民调结果显示,民主党支持率为 5.6%,维新党支持率只有 0.8%,远低于自民党的 23.1%和公明党的 3%。原民主党内部人士也认为,日本国民尚未恢复对民主党的信赖,因此新组建的民进党支持率不会出现爆炸性增长。

其次,党内分歧不可避免。民主党与维新党都是合并产生的政党,民主党在 1998 年由四党合并而成,维新党 2014 年由日本维新会与连结党合并而成。此外,两党原先的纲领不同,民主党强调代表广大民众追求共生社会,维新党则强调推动统治机构的改革。两党合并而成的民进党与社民党、共产党、生活党之间在修宪、安保等重要问题上也存在分歧。这将对在野党合作产生不利影响。

(三) 安倍内阁的强势姿态

在赢得众院选举后,2012 年 12 月 26 日,由自民、公明两党联合执政的第二次安倍内阁(2012.12.26—2014.12.24)正式成立,这是两党时隔 3 年零 3 个月再次组建联合政府。

安倍宣称要筹组一个"冲破危机"的内阁。内阁成员大半是经验丰富的前大臣,其中 72 岁的前首相麻生太郎担任副首相兼财政大臣,前经济产业大臣甘利明也复出,麻生和甘利明都是安倍的亲信。还有担任农林大臣的前防卫相林芳正,担任法务大臣的前财政相谷桓祯一等。这一人事安排,显示安倍要把搞好经济放在第一位。

据日本共同社2013年1月30、31两日进行的舆论调查显示，安倍晋三内阁的支持率为53.7%，比上年12月调查时上升4.3个百分点；不支持率为35.3%。日本经济新闻社于1月22至24日的舆论调查显示，安倍内阁支持率为47%，与去年12月上次调查持平。在此后的几年里，安倍内阁的支持率大都维持在50%以上。

日本媒体调查所显示的"内阁支持率"，可以反映出政府在国民中受支持的程度，也就是国民对政府的信任度。几年来，安倍内阁的支持率基本上保持在较高水平，一般认为这是因为在野党的低迷"根深蒂固"，在野党第一大党民主党的支持率一直保持一位数左右，高达40%的国民不支持任何政党。

从这一情况可以看出，日本国民虽然没有积极支持安倍政权，但仍对安倍政权持消极的支持态度。所以，拥有50%以上支持率的安倍首相，还会长期执政一段时间。短时间内下台几乎不太可能。

安倍2006年第一次上台后，在短短的1年任期中做了三件大事：一是作为修改宪法的前奏，修改了素有《教育宪法》之称的《教育基本法》，旨在消除战败国的"自虐心理"，重振大和民族精神；二是将防卫厅升格为防卫省，大幅提升了军事因素在国政中的分量，意味着偏离重经济轻军备路线；三是强行通过《国民投票法》，为修改宪法做准备。

2007年，日本国会通过与修改宪法程序有关的《国民投票(公决)法》。根据该法的相关规定，经过众议院和参议院两院各三分之二同意通过的宪法修正案，在一定期限内提交国民投票，过半数赞成宪法修正案即正式通过。一般认为，这是从法律程序上降低了修宪的门槛，为安倍政府正式修宪迈出了第一步。

2012年第二次上台后，安倍明确表示修宪是自己的"历史使命"，表现出要在任期内完成修宪的强烈愿望，加速了修宪进程。修改的要点包括：规定国旗国歌、阐明自卫权范畴、保持国防军、尊重家庭、保护环境的责任和义务、确保财产的安全性、新设紧急状态的发布、放宽修宪条件等。

安倍利用国际上美国战略重心东移亚太的有利形势，为摆脱战后体制的束缚打出“奉行积极和平主义”的旗号，加速了修宪强军的步伐，急于把日本变成一个可以拥有正规军队和向海外派兵打仗的“普通国家”，实现“政治军事大国”的目标。

鉴于修宪难度大，一时难于实现，安倍采取了绕过修宪门槛而通过修改宪法解释的手段来达到解禁集体自卫权、向海外派兵的目标。在2014年7月采取“内阁决议”的方式修改了宪法解释，以达到解禁集体自卫权，向海外派兵的目的。同时，咨询组织“关于重建安全保障法律基础恳谈会”向安倍提交了一份建议修改宪法解释、解禁集体自卫权的报告书。

根据该报告书和安倍据此提出的解禁集体自卫权的“基本方向”路线图，日本自卫队今后无论从组织性质和法律地位上，还是从活动范围及承担义务上来说，都无异于正式军队，因此，日本战后“放弃战争”和“专守防卫”的安保政策将发生根本变化。

安倍两次组阁都提出了国家战略构想，从“美丽国家”到建设“强大日本”，无不坦露出自信的“大国志向”。安倍试图通过重塑大国的国家认同，恢复国民自信心，以增强民族凝聚力。

战后日本，从吉田茂、中曾根康弘，到小泽一郎、安倍晋三，尽管有关国家战略定位的措辞有所区别，但其实质和内核则洋溢着一脉相承的大国信念：摆脱战后体制的制约和束缚，修改由美国主导制定的“和平宪法”，谋求政治和军事大国地位，增强国民的自豪感和自信心，重塑近代以来的“大国辉煌”。

安倍第二次上台不久，国会便通过了《国家安全保障会议相关法案》，旨在强化首相权力，已实现其“总统式首相”的梦想。该法案的核心内容是，将国家安全保障会议构建成一个收集分析外交及安全保障情报、规划制定相关政策的总指挥部，具有外交和安全保障双重功能的新机构。国家安全保障会议成立伊始制定的《国家安全保障战略》即提出，日本必须从“积极和平主义”立场出发，采取一系列战略步骤。随即据此向国会提出了《特定秘密保护法》,修改了《防卫计划大纲》等。

安倍提出的所谓“积极和平主义”的外交方针,实质上是要从根基上彻底解构“和平国家”的定位,转而走上一条咄咄逼人的进攻型发展道路。从“积极和平主义”理念提出后安倍的一系列言行上不难看出,安倍是想在“积极和平主义”的幌子之下,灵活解释集体自卫权,拓展自卫队在国际舞台上的空间,为尽早成功修宪创造条件。而在此过程中,中国无端地被日本设定为其修改和平宪法的绊脚石和推行国家战略的“假想敌”。

安倍于 2015 年 3 月 6 日通过了修订《防卫省设置法》的内阁决议,决定取消防卫部门的“文官统领”制度。“文官统领”制度规定,防卫系统必须文职官员优势于军职官员,以防止二战期间军人恣意妄为的事态重演。废除“文官统领”,意味着军职官员将在自卫队运行中占据主导地位。

此外,修订案决定在防卫省新设“防卫装备厅”,统一负责武器采购、研发、更新换代、装备国际合作等业务,这实际上也是确立了军职人员在自卫队的优势地位。

安倍第二次上台后,一改过去由文部科学省主导教育改革的做法,亲自主导公共教育改革,组建“教育再生会议”,大力推行“日本教育再生改革”,强化中央政府对教育系统的控制和指导,全面要求各类学校都要挂“日之丸”和唱《君之代》,试图教育国民逐渐摆脱战败国心理,为实现政治大国铺平道路。

2016 年 10 月 26 日,自民党决定将党章中规定的总裁任期最长为“两届 6 年”修改为“三届 9 年”。由此,日本首相、现任自民党总裁安倍晋三在 2018 年 9 月两届总裁任期届满后仍可继续竞选总裁。

这也就意味着,如果日本首相安倍晋三在下届自民党总裁选举中再次连任,并且自民党继续保持日本执政党地位,安倍的首相一职最长就可以干到 2021 年。据日媒统计,如果安倍能如愿以偿连任首相,加上安倍 2006 年首次担任首相时的在任天数后,在任时间将超过 3 500 天,将成为日本明治维新以来在任时间最长的首相。

后　记

本书所及是 1945 年日本战败后的政治体制、政党政治等相关内容，以史为序，史论结合。

本书是作者把已发表过的日本近现代政治史方面的论文和专著以章节的形式，以时间先后为序，重新编排、修订，整理成册的，也有少许新添加内容。

序章是本书的总论。

第一章作为本书的前史，简略回顾了战前日本政党的概况（政党的起源、发展、衰退与崩溃）。

第二章以后则主要论述战后日本政党政治的恢复、“五五年体制”的形成、自民党长期政权的兴衰以及“后自民党时代”日本政党的分化组合等。总体上是以自民党为主线，着重叙述作为执政党的自民党的兴衰过程及其在战后日本的地位和作用等。

连续执政长达 38 年的自民党对战后日本经济发展和社会稳定无疑起了不可替代的作用，但其派阀抗争和“金权政治”等痼疾却又使其走向衰退，乃至几度失去政权。

由于日本在野党的分散、政策的不稳定性以及执政能力的欠缺，自民党在近期的联合政权中仍居于优势地位。尽管也出现过短暂的政权更迭，但总体上仍可称为“后自民党时代”。